Les élèves en difficulté d'adaptation et d'apprentissage

3e édition

Georgette Goupil

Les élèves en difficulté d'adaptation et d'apprentissage

3e édition

Les élèves en difficulté d'adaptation et d'apprentissage
3e édition

Georgette Goupil

Édition: Sophie Jaillot
Coordination: Majorie Perreault
Révision linguistique: Jean-Pierre Leroux
Correction d'épreuves: Christine Langevin
Conception graphique et infographie: Interscript

Tableau de la couverture:
Le Devoir
Œuvre de **Georgette Goupil**

Georgette Goupil étudie le pastel et le dessin depuis quelques années auprès d'Hélène Béland et de Daniel Brient de l'École Mission Renaissance. Elle a fait ce pastel spécialement pour l'ouvrage, et le sujet de l'œuvre symbolise la collaboration avec les parents dans l'apprentissage des élèves, un des thèmes importants de ce manuel.

Sources des photos

p. 1, 3 et 23: Gautier Willaume/Istockphoto;
p. 43, 45, 65 et 89: Susan Stewart/Istockphoto;
p. 117, 119, 145 et 167: Jerome Scholler/Shutterstock;
p. 199, 201, 223, 249 et 271: Quayside/Shutterstock;
p. 305 et 307: Hauhu/Istockphoto.

Catalogage avant publication de Bibliothèque et Archives Canada

Goupil, Georgette

Les élèves en difficulté d'adaptation et d'apprentissage

3e éd.

Comprend des réf. bibliogr. et un index.

ISBN 978-2-89105-991-6

1. Enfants en difficulté d'apprentissage – Éducation – Québec (Province). 2. Enfants handicapés sociaux – Éducation – Québec (Province). 3. Enfants handicapés – Éducation – Québec (Province). 4. Intégration scolaire – Québec (Province). I. Titre.

LC4706.C32Q8 2007 371.909714 C2007-940107-4

gaëtan morin éditeur

CHENELIÈRE ÉDUCATION

7001, boul. Saint-Laurent
Montréal (Québec)
Canada H2S 3E3
Téléphone: 514 273-1066
Télécopieur: 514 276-0324
info@cheneliere.ca

ISBN 978-2-89105-991-6

Dépôt légal: 1er trimestre 2007
Bibliothèque et Archives nationales du Québec
Bibliothèque et Archives Canada

Imprimé au Canada

1 2 3 4 5 ITG 11 10 09 08 07

Nous reconnaissons l'aide financière du gouvernement du Canada par l'entremise du Programme d'aide au développement de l'industrie de l'édition (PADIÉ) pour nos activités d'édition.

Gouvernement du Québec – Programme de crédit d'impôt pour l'édition de livres – Gestion SODEC.

REMERCIEMENTS

Je remercie d'abord Guy Lusignan, mon conjoint, qui non seulement m'a encouragée tout au long de la révision de cet ouvrage, mais a aussi relu différentes parties du manuscrit. Je remercie également les professeurs Hubert Gascon, Ghislain Parent, Marc J. Tassé et Nathalie Trépanier pour leurs précieux conseils. Je désire souligner la collaboration de Valérie Rousseau, Mélanie Pelletier et Frédéric-Antoine Guimond qui m'ont accordé leur soutien lors de la recherche de documents en ligne ou en bibliothèque. De même, j'aimerais mentionner l'apport de Michèle Drapeau, de la GRICS, pour les renseignements qu'elle m'a fournis et de Carole Desrochers, de l'UQAM, pour son soutien technique. Enfin, je ne saurais passer sous silence la précieuse collaboration de toute l'équipe de Chenelière Éducation : Sophie Jaillot, Majorie Perreault, Gisèle Séguin, Jean-Pierre Leroux, Christine Langevin et Julie Fournier.

Dans cet ouvrage, le masculin est utilisé comme représentant des deux sexes, sans discrimination à l'égard des hommes et des femmes, et dans le seul but d'alléger le texte.

PRÉFACE

> *L'enfant évolue sous l'influence de la stimulation et des réponses apportées à ses besoins par son environnement éducatif.*
>
> Georgette GOUPIL

La troisième édition de ce manuel, qui témoigne d'une longue expérience de l'enseignement universitaire chez l'auteure, est attendue dans les milieux de la formation professionnelle des enseignants et des intervenants, qu'il s'agisse de la formation initiale ou du perfectionnement dans le domaine de l'adaptation scolaire et sociale. Les lecteurs apprécieront la présentation de l'information à l'intérieur de chacun des chapitres, car l'auteure n'a pas ménagé ses efforts pour formuler clairement les objectifs à atteindre, établir les questions à préparer et proposer des lectures afin de compléter l'information. Pour les formateurs, cet ouvrage s'avère des plus précieux parce que son contenu touche à tous les genres de difficultés et correspond aux connaissances actuelles. Cette édition est complétée par des nouveautés concernant les mises à jour des définitions, des statistiques récentes, de nouvelles lois, des modèles de production du handicap, des renseignements sur les troubles envahissants du développement, sur l'autisme et sur les déficiences langagières.

Les enseignants et les intervenants (actuels ou futurs) bénéficieront grandement des connaissances sur les élèves en difficulté présentées dans cet ouvrage. Ce dernier les sensibilise à certaines clientèles pour lesquelles l'adaptation scolaire et sociale est recherchée. La manière utilisée par l'auteure pour décrire les clientèles, identifier leurs difficultés, dégager des approches pédagogiques adaptées, proposer des outils d'apprentissage et des stratégies éducatives appropriés rend ce livre nécessaire pour toutes les personnes qui s'interrogent sur le bien-fondé de l'intégration et de l'inclusion, et sur les moyens d'en assurer le succès.

Une nouvelle clientèle est apparue dans les écoles depuis quelques années. Les enfants présentant des troubles sévères du développement, identifiés parfois par l'autisme ou encore par l'audimutité, ont maintenant leur place à l'école au même titre que les autres enfants en difficulté. Cette clientèle nous amène à nous interroger sur l'organisation des services offerts à la famille. Comment aider cette dernière à se développer le plus possible comme les autres familles, à bénéficier des services de répit, à recevoir une attention du milieu scolaire qui la soulage davantage dans ses efforts d'intégration familiale et scolaire ? C'est à cette question que le chapitre sur les troubles envahissants du développement tente de répondre.

L'auteure présente l'information la plus pertinente en vue de favoriser une plus grande compréhension des besoins éducatifs de ces enfants ainsi que les meilleurs moyens de les aider et de faciliter leur intégration dans le milieu scolaire ordinaire. Encore ici, l'auteure nous incite à utiliser les plans d'intervention, de transition ou de services comme moyens de concertation entre les intervenants et les parents soucieux de leur éducation. Pour elle, ces outils pédagogiques sont de première importance lorsqu'il s'agit de répondre aux besoins des enfants et de leur famille. C'est également le moyen privilégié par l'enseignant ou l'intervenant afin d'intégrer les parents dans l'action éducative, en tant que véritables partenaires. Les parents sont des membres à part entière du développement de leur enfant ; ils sont même les intervenants privilégiés pour ce qui est de leur influence et de leur rôle. Oublier cette réalité, c'est réduire l'effet des actions éducatives et des interventions. En accordant une place aux parents dans cet ouvrage, l'auteure rappelle aux enseignants et aux intervenants que le type d'échanges que nous avons avec eux aura une incidence directe sur leur engagement auprès de leur enfant. Tout en expliquant les étapes par lesquelles passent les parents dont l'enfant éprouve des difficultés, elle parle des immenses ressources dans lesquelles les parents puisent pour vivre avec cet enfant qu'ils considèrent d'abord comme normal même s'il a des besoins spéciaux. Cette perception familiale est possible dans la mesure où les intervenants et les enseignants adoptent un discours positif avec les parents, dans lequel l'accent est mis sur l'importance de leurs ressources et de leurs moyens pour s'adapter à la situation de l'enfant. Nous devons aussi orienter leur réflexion sur l'apport de l'enfant dans la famille. Les intervenants ont besoin de se pencher sur ces dimensions positives de la présence de l'enfant en difficulté dans la famille de manière à percevoir favorablement l'action des parents et à faire d'eux de véritables partenaires.

Dans l'ensemble de ses travaux, Georgette Goupil plaide avec une grande constance la cause de l'enfant en difficulté. De fait, elle nous apprend à voir en lui un atout pour le groupe scolaire. En s'appuyant sur les propos d'enseignants, de directeurs d'école et de parents, elle nous invite à respecter son aspiration fondamentale à être un enfant ordinaire qui, comme ses pairs, a besoin d'amour, de valorisation, de respect et de soutien.

Au nom de tous les lecteurs, je me permets de remercier l'auteure pour la troisième édition de cet ouvrage qui s'inscrit dans un ensemble de productions scientifiques et pédagogiques imposant. Cet ouvrage saura aider de nombreux étudiants, enseignants et intervenants à se familiariser avec des approches pédagogiques qui, par ailleurs, pourront profiter à tous les enfants du groupe scolaire. De plus, il saura répondre aux nombreuses questions des parents et faciliter une concertation encore plus éclairée avec le monde des services éducatifs.

Jean-Marie Bouchard, professeur,

Département des sciences de l'éducation spécialisée, Université du Québec à Montréal

INTRODUCTION

u cours des dernières années, plusieurs changements ont été apportés aux définitions et aux pratiques dans le domaine des difficultés d'adaptation et d'apprentissage. Cette introduction présente l'organisation de ce livre en fonction des définitions en usage dans le milieu scolaire.

Les deux premiers chapitres de l'ouvrage qui forment la section I des *Élèves en difficulté d'adaptation et d'apprentissage* sont consacrés à un historique et aux principes généraux qui soutiennent l'évaluation et l'intervention. Les 10 chapitres suivants concernent les clientèles, tandis que le dernier chapitre porte sur la collaboration avec la famille et les services complémentaires.

Les définitions québécoises

Pour permettre, entre autres, aux commissions scolaires d'effectuer une planification globale de leurs services éducatifs, le ministère de l'Éducation, du Loisir et du Sport du Québec (MELS) a établi des catégories d'élèves en difficulté ou handicapés. Le Ministère (2006b) regroupe ainsi les élèves en deux catégories générales : les élèves en difficulté d'adaptation et d'apprentissage ainsi que les élèves handicapés.

Il est à noter que, jusqu'en 2006, les élèves appartenant à la première catégorie, soit les élèves en difficulté, se distribuaient en deux groupes : les élèves à risque et les élèves ayant des troubles graves du comportement. Les élèves à risque étaient définis par le ministère de l'Éducation du Québec (MEQ, devenu en 2005 le MELS) comme suit :

> Sont considérés comme à risque les élèves à qui il faut accorder un soutien parce qu'ils présentent : des difficultés pouvant mener à un échec, des retards d'apprentissage, des troubles émotifs, des troubles du comportement, un retard de développement ou une déficience intellectuelle légère (MEQ, 2000a, p. 5).

En 2006, avec le renouvellement de la convention collective, le MELS identifie à nouveau les élèves en difficulté d'apprentissage et ceux présentant des troubles de comportement avec des définitions propres à chacun de ces deux groupes. De plus, les élèves à risque ne sont plus inclus dans l'appellation des élèves handicapés ou en difficulté d'adaptation et d'apprentissage. Le concept d'élèves à risque est toutefois maintenu dans une optique de prévention. Ces élèves à risque sont ainsi définis :

> On entend par élèves à risque des élèves du préscolaire, du primaire ou du secondaire qui présentent des facteurs de vulnérabilité susceptibles d'influer sur leur apprentissage ou leur comportement et peuvent ainsi être à risque, notamment au regard de l'échec scolaire ou de leur socialisation, si une intervention rapide n'est pas effectuée.
>
> Une attention particulière doit être portée aux élèves à risque pour déterminer les mesures préventives ou correctives à leur offrir (Comité patronal de négociation pour les commissions scolaires francophones – CPNCF, 2006, p. 206).

Le concept d'élèves à risque est plus large que celui d'élèves en difficulté et il concerne par conséquent un nombre beaucoup plus élevé d'élèves. Ce concept est très présent dans la littérature, en particulier lorsqu'il est question de la prévention des difficultés (voir les chapitres 5 et 8).

Le tableau suivant présente les catégories utilisées par le Ministère au moment de la publication de ce livre. Les chapitres où le lecteur trouvera de l'information sur ces groupes d'élèves sont indiqués entre parenthèses. Il est à noter qu'en raison du caractère général de ce livre et de la diversité des problèmes liés aux troubles relevant de la psychopathologie ou aux déficiences atypiques, nous n'avons pas traité spécifiquement de ces questions. Cependant, certaines manifestations de ces troubles (comme la dépression) sont abordées dans le chapitre 6.

Section II
Élèves en difficulté d'apprentissage (chapitres 3, 4, 5)
Section III
Élèves ayant des difficultés ou des troubles de comportement (chapitres 6, 7, 8)
Élèves présentant des troubles relevant de la psychopathologie (chapitre 6)
Section IV
Élèves ayant une déficience intellectuelle (chapitres 9 et 10)
Élèves présentant des troubles envahissants du développement (chapitre 11)
Élèves ayant une déficience visuelle (chapitre 12)
Élèves ayant une déficience auditive (chapitre 12)
Élèves ayant une déficience langagière (chapitre 12)
Élèves ayant une déficience motrice légère, grave ou organique (chapitre 12)

Dans les sections de ce livre portant sur les clientèles, trois chapitres sont dédiés spécifiquement aux difficultés d'apprentissage et trois autres, aux difficultés d'adaptation et de comportement. Plusieurs raisons justifient ce choix : ce sont les difficultés les plus fréquentes en milieu scolaire et ce sont également des domaines importants qui concernent d'autres groupes d'élèves. Ainsi, des interventions comme la différenciation pédagogique, le tutorat ou l'apprentissage coopératif servent à de multiples élèves du primaire ou du secondaire. C'est aussi le cas de démarches telles que la résolution de problèmes ou les actions préventives.

Nous espérons que le lecteur trouvera dans ce volume non seulement l'information de base qui lui sera nécessaire sur les besoins des élèves en difficulté d'adaptation et d'apprentissage de même que sur ceux des élèves handicapés, mais aussi différentes pistes d'intervention auprès de ces clientèles.

TABLE DES MATIÈRES

SECTION I

L'historique et les principes de l'évaluation et de l'intervention

L'historique

Objectifs

Après avoir lu ce chapitre, le lecteur devrait pouvoir :

- décrire l'idée qui est à la base de la création de classes et d'écoles spéciales à l'intention des élèves en difficulté d'adaptation et d'apprentissage ;
- décrire les principaux événements qui ont amené les milieux scolaires à promouvoir les principes d'une scolarisation dans le cadre le plus normal possible ;
- décrire divers mouvements qui ont influé sur le choix des mesures de scolarisation à l'intention des élèves en difficulté d'adaptation et d'apprentissage.

INTRODUCTION

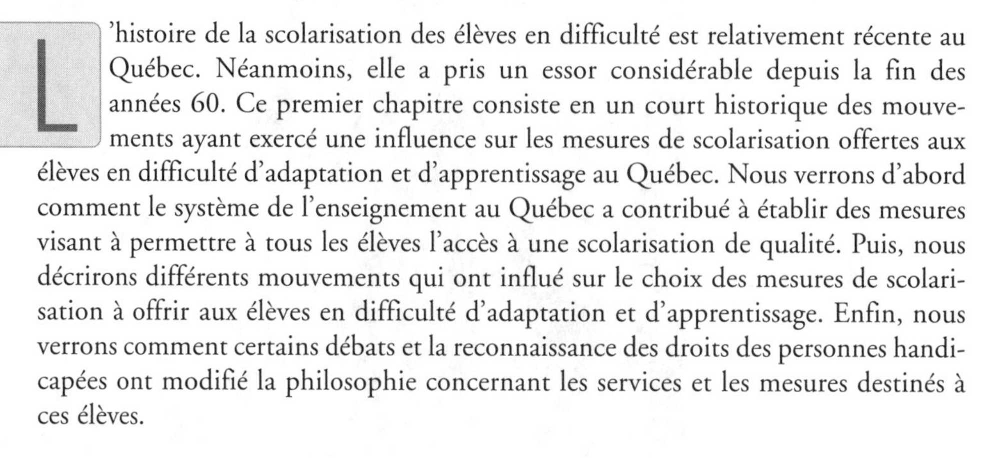

L'histoire de la scolarisation des élèves en difficulté est relativement récente au Québec. Néanmoins, elle a pris un essor considérable depuis la fin des années 60. Ce premier chapitre consiste en un court historique des mouvements ayant exercé une influence sur les mesures de scolarisation offertes aux élèves en difficulté d'adaptation et d'apprentissage au Québec. Nous verrons d'abord comment le système de l'enseignement au Québec a contribué à établir des mesures visant à permettre à tous les élèves l'accès à une scolarisation de qualité. Puis, nous décrirons différents mouvements qui ont influé sur le choix des mesures de scolarisation à offrir aux élèves en difficulté d'adaptation et d'apprentissage. Enfin, nous verrons comment certains débats et la reconnaissance des droits des personnes handicapées ont modifié la philosophie concernant les services et les mesures destinés à ces élèves.

1.1 La création de mesures spéciales pour aider les élèves en difficulté ou handicapés

Avant 1960, rares sont les commissions scolaires qui procurent des services aux élèves en difficulté ; cependant, quelques communautés religieuses leur offrent des services et l'hébergement. Par exemple, en 1861, les Sœurs grises de Montréal fondent l'Institut Nazareth pour les élèves ayant une déficience visuelle. Mis à part quelques interventions sporadiques des commissions scolaires, jusqu'en 1960, on trouve peu d'interventions systématiques à l'intention des élèves en difficulté (Bouchard, 1985).

En 1963, le Bureau de l'enfance exceptionnelle est créé. Le rapport Parent reconnaît le droit à l'instruction et à l'égalité des chances des élèves « exceptionnels ». Ce rapport souligne la nécessité de répondre aux besoins des élèves en indiquant qu'« un système scolaire vraiment démocratique leur offrira des possibilités de réadaptation et un enseignement approprié à leur condition » (Commission royale d'enquête sur l'enseignement dans la province de Québec, 1965, p. 331).

En 1969, le ministère de l'Éducation crée le Service de l'enfance inadaptée en mettant l'accent sur la responsabilité des commissions scolaires dans l'organisation des services destinés aux élèves en difficulté. On observe également, dans le monde de l'éducation, un intérêt croissant pour les élèves en difficulté. Les universités se dotent de programmes de formation ou de perfectionnement à l'intention des enseignants.

Au cours des années 60 et 70, on assiste à la mise en place d'écoles et de classes spéciales pour les élèves en difficulté. Ces élèves sont généralement regroupés par catégories de difficultés : les élèves ayant une déficience mentale, les élèves ayant des difficultés de comportement ou des troubles d'apprentissage, les élèves présentant une déficience visuelle, auditive ou une autre déficience physique, ou encore les élèves ayant des déficiences multiples (par exemple, une déficience intellectuelle accompagnée d'une déficience physique).

Les enseignants croient alors aux mérites du dépistage précoce et d'une intervention dans des groupes spécialisés. Chez les enfants en bas âge, l'identification des difficultés devrait contribuer à la prévention des problèmes ultérieurs dans la scolarisation. Les classes spéciales comprennent moins d'élèves que les classes ordinaires, et les élèves, croit-on, y reçoivent une plus grande attention individuellement. Ces classes devraient aussi minimiser le sentiment d'échec en évitant la comparaison avec les élèves qui ne présentent pas de difficultés. Par ailleurs, l'enseignement et le matériel devraient être plus spécialisés (Goupil et Boutin, 1983). Au cours de ces années, les enseignants sont encouragés à dépister systématiquement les difficultés chez les élèves. Après l'instauration de ces mesures, la clientèle des élèves en difficulté ne cesse de s'accroître entre 1960 et 1976. Malheureusement, malgré l'aide que l'on désire apporter à ces élèves, ces derniers entrent trop souvent dans le secteur spécial pour ne plus en ressortir. Ces mesures spéciales, qui étaient censées mieux répondre aux besoins des élèves, n'ont pas toujours semblé donner les résultats prévus.

1.2 L'influence américaine

Les Américains connaissent un phénomène analogue, auquel s'ajoute une composante raciale. Les classes spéciales regroupent de plus en plus d'élèves. Des parents revendiquent alors la classe ordinaire, alléguant que leurs enfants sont privés de chances égales de succès dans l'avenir. De plus, des parents d'enfants d'origines ethniques différentes contestent l'évaluation des tests d'intelligence. Ils reprochent à ces instruments d'être culturellement biaisés et, par conséquent, de ne pas révéler le potentiel véritable de l'élève orienté par ceux-ci vers des classes spéciales. Au cours des années 70, aux États-Unis, des parents intentent plusieurs procès aux organismes scolaires, car ils croient que leurs enfants placés dans des classes spéciales n'ont plus les mêmes chances d'avenir. Les principes de la normalisation (Wolfensberger, 1972) sont mis en évidence : tout élève a le droit d'être scolarisé dans le cadre le plus normal possible. Ce principe n'exclut pas le recours à des mesures spéciales, mais il faut prouver que le milieu ordinaire ne peut répondre aux besoins de l'élève et que la classe spéciale est plus appropriée pour ce faire.

Désormais, on devra aussi valoriser les capacités d'adaptation et de développement des élèves, et non pas uniquement souligner leurs difficultés. Le Congrès américain recommande d'offrir des services éducatifs qui répondent aux besoins particuliers de ces élèves en difficulté.

Parallèlement à ces actions judiciaires, les chercheurs n'arrivent pas à prouver la supériorité de la classe spéciale dans l'apprentissage des élèves en difficulté (Madden et Slavin, 1983 ; Wang et Baker, 1985-1986). Au cours des années 70 et 80, on a fait de nombreuses comparaisons entre les élèves des classes spéciales et ceux des classes ordinaires. Dès 1968, après avoir lui-même consacré 20 ans de sa vie à l'éducation spéciale, Dunn soulève la nécessité de réfléchir sur la pertinence de ce mode de scolarisation pour les enfants déficients, dans un article majeur pour l'époque qui sera cité à plusieurs reprises dans la documentation scientifique. Aux États-Unis, le débat sur l'intégration s'amorce, et plusieurs publications et expérimentations sont consacrées à ce sujet. Ces études portent, entre autres, sur le rendement scolaire, l'intégration sociale et la description de l'adaptation émotive de l'élève.

Les études sur le rendement scolaire sont surtout centrées sur la comparaison du rendement scolaire dans des conditions de scolarisation différentes (la classe ordinaire par opposition à la classe spéciale). Dans l'ensemble, les recherches dans ce secteur n'arrivent pas à démontrer la supériorité de la classe spéciale par rapport à la classe ordinaire. Les études sur le développement social et affectif concernent l'estime de soi, l'acceptation de l'enfant par ses pairs, le sentiment de compétence ou encore le degré de satisfaction de l'élève envers l'école. Blatt (1958) note que l'adaptation des élèves est meilleure dans la classe ordinaire. Budoff et Gottlieb (1976) comparent deux groupes de sujets : l'un dans une classe spéciale et l'autre dans une classe ordinaire. Après une année d'intégration, les élèves de la classe ordinaire semblent avoir une meilleure maîtrise d'eux-mêmes, des attitudes plus favorables envers l'école et ils sont davantage conscients de leurs comportements. Cependant, Mayer (1966) ne trouve aucune différence entre le concept de soi d'élèves intégrés dans la classe ordinaire et celui d'élèves dans la classe spéciale, alors que Kern et Pfaeffle (1963) constatent une meilleure adaptation sociale chez les élèves des classes spéciales. Toutefois, à partir d'une importante recension des écrits, Madden et Slavin (1983) concluent que lorsque l'intégration dans la classe ordinaire est accompagnée d'un soutien adéquat, le concept de soi, le comportement et les attitudes envers l'école sont meilleurs que dans la classe spéciale.

1.3 Les politiques pour une scolarisation dans le cadre le plus normal possible

En 1975, aux États-Unis, à la suite de diverses actions judiciaires, scientifiques (voir Madden et Slavin, 1983, pour une revue des écrits) et de ces déclarations de principe, la loi 94-142, *The Education for All Handicapped Children Act,* est promulguée. Cette loi stipule que, désormais, les élèves devront être scolarisés dans le cadre le plus normal possible. Elle reconnaît certains droits fondamentaux des élèves handicapés et de leurs parents : le droit à l'éducation, le droit à une éducation gratuite, le droit à une éducation appropriée, c'est-à-dire, entre autres, le droit pour ces élèves d'être scolarisés dans un environnement le moins restrictif possible, le droit au *due process,* le droit à la confidentialité de l'information, le droit à une évaluation non discriminatoire et, finalement, le droit à un plan d'intervention personnalisé (Gallaudet College, 1986). Nous verrons sommairement quelques-unes de ces mesures.

Le droit pour les élèves d'être scolarisés dans l'environnement le moins restrictif possible signifie qu'on utilise des mesures spécialisées uniquement lorsqu'il est impossible d'adapter les classes ordinaires pour répondre aux besoins des élèves handicapés. Ce principe a donné naissance aux systèmes intégrés de mesures éducatives. Le système en cascade (que nous verrons un peu plus loin) en est un exemple. Quant au droit au *due process,* il correspond au droit à un traitement juste et impartial. Ainsi, lorsque l'école et les parents ne s'entendent pas sur les mesures à offrir à un élève, ils peuvent recourir, dans le cadre du *due process,* à des méthodes plus formelles pour en arriver à un accord. La loi met en évidence la nécessité d'avoir une évaluation non discriminatoire. Dans cette optique, les évaluateurs se doivent d'utiliser des tests qui ne soient pas biaisés culturellement ou encore des instruments qui ne portent pas préjudice à des élèves appartenant à des minorités ethniques (Sattler, 2002).

Le plan d'intervention personnalisé devient un outil destiné à mieux répondre aux besoins propres à chaque élève parce qu'il précise le niveau de rendement de ce dernier et les objectifs éducatifs poursuivis avec lui. La loi américaine définit ce plan ainsi :

> Le Programme d'intervention individualisé (*Individualized Education Program*, IEP) est un document écrit pour chaque élève déclaré en difficulté ou handicapé qui doit être élaboré, utilisé et révisé. Ce document doit contenir : *a*) une évaluation des niveaux actuels du rendement scolaire de l'élève et de son fonctionnement dans les activités quotidiennes ; *b*) une description des buts annuels poursuivis, buts qui doivent être mesurables ; *c*) une description des mesures qui seront utilisées pour juger des progrès de l'élève ; *d*) une description des services et de l'aide supplémentaire requis ; *e*) une justification décrivant pourquoi l'élève ne peut faire certaines activités avec ses pairs de la classe ordinaire, si tel est le cas ; *f*) une description des adaptations nécessaires pour l'évaluation scolaire ou fonctionnelle de l'élève ; *g*) les dates de la mise en place des services et leur durée prévue ; *h*) des mesures de transition vers la vie adulte si l'élève est âgé de plus de 16 ans (Gouvernement des États-Unis, 2004 ; traduit par l'auteure).

De plus, les Américains reconnaissent la nécessité des activités de transition entre différentes périodes. En effet, on constate que, pour les élèves en difficulté ou handicapés, il importe de prévoir à long terme le passage d'une période de vie à une autre, par exemple la transition de l'école à la vie adulte. La loi fédérale américaine *Individuals with Disabilities Education Improvement Act* votée en 2004 (loi 108-446, 2004) demande qu'on inclue dans les programmes éducatifs des élèves handicapés des activités nécessaires à une transition harmonieuse. La loi demande aussi que le plan d'intervention prenne également en considération pour les jeunes enfants âgés de trois à cinq ans les mesures consignées dans le plan de services de la famille afin de favoriser des interventions et une transition harmonieuses avec l'école.

1.4 Dans le milieu québécois de l'éducation : le rapport COPEX, un pas important vers la normalisation

Parallèlement au mouvement américain en faveur de l'intégration, au Québec, en 1976, paraît le rapport du Comité provincial de l'enfance inadaptée (COPEX). Ce rapport dénonce les augmentations enregistrées du nombre d'élèves en difficulté et critique sérieusement le modèle médical qui préside à la classification des élèves. Ce modèle est appelé « médical » parce qu'à l'instar des approches utilisées en médecine, on précise des difficultés ou des handicaps, on en recherche les causes, puis on s'efforce d'appliquer un traitement visant la guérison (Comité provincial de l'enfance inadaptée, 1976).

Le rapport COPEX désapprouve l'utilisation d'explications de type théorique, où l'on recherche des causes internes et non observables sans se préoccuper suffisamment de décrire des comportements observables et des habiletés spécifiques. Selon ce rapport, les causes que les spécialistes attribuent aux difficultés des élèves sont parfois éloignées de la réalité scolaire. Le spécialiste qui pose un diagnostic ne fournit pas nécessairement des moyens d'intervention à l'enseignant. Le rapport COPEX dénonce la séparation entre l'enseignement régulier et l'enseignement spécial, et l'intolérance de plus en plus grande du milieu scolaire régulier face aux élèves qui diffèrent de la normalité.

À partir de modèles américains, le rapport COPEX recommande un système intégré de mesures éducatives : le système en cascade (voir la figure 1.1 à la page suivante).

Dans cette cascade de services, les mesures spéciales sont utilisées uniquement lorsqu'il n'est pas possible de répondre aux besoins de l'élève dans un cadre régulier, car il faut scolariser l'élève dans le cadre le plus normal possible. Au cours des années subséquentes, le ministère de l'Éducation du Québec (1979, 1982a, 1992b, 1999a) publiera des politiques s'inspirant de ces recommandations et offrira aux élèves divers types de regroupements pour leur scolarisation. Le tableau 1.1 présente ces regroupements.

Figure 1.1

Système en cascade : modèle intégré d'organisation des mesures spéciales d'enseignement

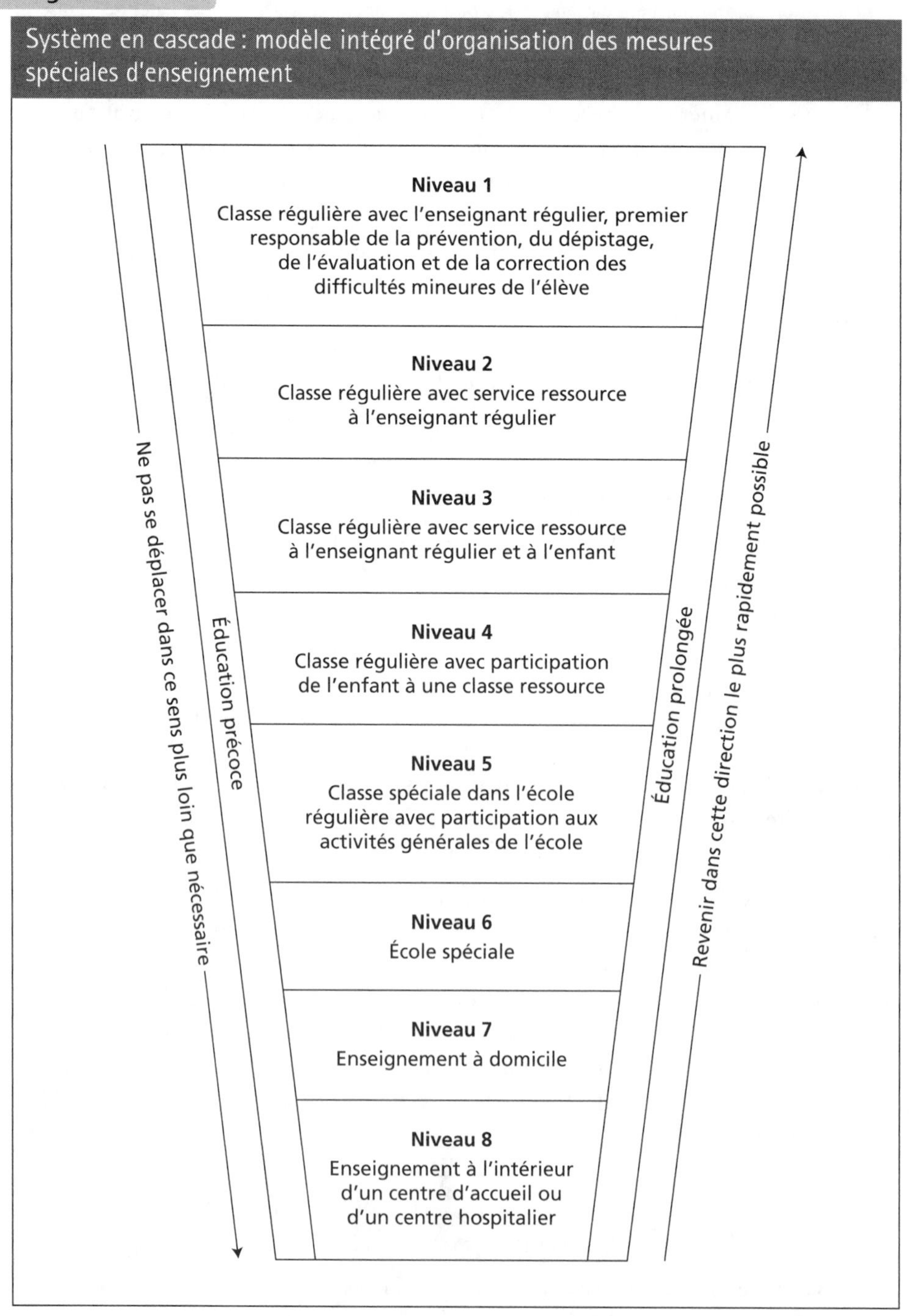

Source : Comité provincial de l'enfance inadaptée (1976, p. 637).

Tableau 1.1

Types de regroupements utilisés dans la déclaration des clientèles scolaires	
Modalité de scolarisation	**Définition**
Classe ordinaire	L'élève est dans une classe ordinaire. Le soutien peut être donné à l'enseignant et à l'élève. L'élève peut recevoir les services d'un spécialiste jusqu'à trois heures par semaine individuellement ou dans un petit groupe d'élèves.
Classe ordinaire avec participation à une classe-ressource	L'élève est scolarisé dans la classe ordinaire plus de la moitié du temps. Il reçoit l'enseignement de certaines matières plus de trois heures par semaine dans des groupes ayant des effectifs restreints.
Classe spéciale où les élèves sont identifiés dans une seule catégorie de difficultés	Les élèves sont regroupés en fonction d'une seule difficulté. Ainsi, les élèves en difficulté d'apprentissage sont placés ensemble. Par exemple, une classe réunit uniquement des enfants ayant une déficience auditive.
Classe spéciale où les élèves sont identifiés dans une grande catégorie	Les élèves présentent diverses difficultés. Par exemple, une classe accueille des élèves en difficulté d'apprentissage et des élèves ayant des problèmes graves de comportement.
École spéciale	Scolarisation dans une école où plus de 50 % des élèves sont en difficulté.
Centre d'accueil	Scolarisation dans un centre d'accueil.
Centre hospitalier	Scolarisation dans un centre hospitalier pour une raison autre qu'une incapacité physique temporaire de se rendre à l'école.
Domicile	Scolarisation à la maison pour une raison autre qu'une incapacité physique temporaire de se rendre à l'école.

Source : Adapté de Ouellet (1995, p. 122).

1.5 L'influence de la reconnaissance des droits des personnes handicapées

Au cours des 35 dernières années, la reconnaissance des droits des personnes handicapées a franchi une étape majeure et de nouvelles mesures gouvernementales visant le mieux-être et l'insertion sociale des personnes handicapées ont vu le jour. Ainsi, en 1970, le ministère des Affaires sociales est créé. En 1972, la Loi sur la protection du malade mental est approuvée, puis, en 1977, paraît le Livre blanc sur la proposition de politiques à l'égard des personnes handicapées. En 1978, la Loi assurant l'exercice des droits des personnes handicapées est promulguée. Cette loi permet la création de l'Office des personnes handicapées du Québec (OPHQ) et modifie un ensemble de lois existantes pour favoriser l'intégration sociale, scolaire et professionnelle des personnes handicapées. L'Office des personnes handicapées du Québec a pour mandat de coordonner les services d'information, de consultation et de promotion des intérêts des personnes handicapées, et de favoriser leur intégration scolaire, professionnelle et sociale. En 1984, cet organisme présente, dans le document *À part… égale,* diverses recommandations pour remplir ce mandat. Les services destinés à une personne handicapée devraient être coordonnés entre eux et adaptés à ses besoins. *À part… égale* décrit les besoins des personnes handicapées et souligne la nécessité d'une concertation entre la personne handicapée et les intervenants. Désormais, la personne handicapée devra être considérée avant tout comme une personne ; autrement dit, la personne devra l'emporter sur le handicap. À l'instar de l'Organisation mondiale de la santé (OMS), afin de promouvoir l'application de ce principe, le document propose l'utilisation d'un vocabulaire plus nuancé. On distinguera le handicap de la déficience ou de l'incapacité. Le handicap est d'abord vu comme un désavantage social résultant d'une déficience qui limite ou interdit l'accomplissement de certains rôles sociaux. L'encadré ci-dessous présente quelques extraits des termes proposés dans *À part… égale.*

Définitions

Causes relatives à la déficience

Les causes pertinentes dans la problématique du handicap sont celles qui provoquent une déficience soit pathologique, congénitale ou acquise, soit traumatique à la suite d'un accident, à cause d'un milieu à risque ou des habitudes de vie.

Déficience

Une déficience est la perte, la malformation ou l'anomalie d'un organe, d'une structure ou d'une fonction mentale, psychologique, physiologique ou anatomique. Elle est le résultat d'un état pathologique objectif, observable et mesurable pouvant faire l'objet d'un diagnostic.

Incapacité ou limitation fonctionnelle

Une incapacité correspond à une réduction (résultant d'une déficience) partielle ou totale de la capacité d'accomplir une activité dans les limites considérées comme normales pour un être humain.

Handicap

Un handicap est un désavantage social pour une personne, qui résulte d'une déficience ou d'une incapacité, et qui limite ou interdit l'accomplissement des rôles sociaux (liés à l'âge, au sexe, aux facteurs socioculturels).

Source : Office des personnes handicapées du Québec (1984, p. 30-34).

À part… égale privilégie aussi des objectifs d'intégration sociale. Le document formule des recommandations concrètes et propose divers outils, tels les plans d'intervention et de services personnalisés.

Le plan de services permet de planifier et de coordonner les services. Il peut être décomposé en plusieurs plans d'intervention, qui, eux, sont axés sur un domaine particulier : l'aspect éducatif, la réadaptation, etc. L'Office formule plusieurs recommandations à l'intention des commissions scolaires leur enjoignant d'élaborer des plans d'intervention personnalisés[1].

Les parents d'élèves ayant des déficiences physiques, sensorielles, intellectuelles ou autres sont souvent en contact avec les organismes assurant les services aux personnes handicapées ou avec diverses associations, et ces relations ont de l'influence sur le développement des politiques dans le milieu scolaire. Les associations des personnes handicapées et l'Office des personnes handicapées du Québec jouent également un rôle important pour inciter les milieux éducatifs à réviser leurs mesures s'adressant aux élèves handicapés et en difficulté. La publication d'*À part… égale* a été une étape marquante dans la reconnaissance des droits des personnes handicapées et l'application du principe de la normalisation a eu une grande influence sur la désinstitutionnalisation de ces personnes handicapées et sur les chartes et les lois les concernant.

En 1983, Wolfensberger, qui avait introduit le concept de la normalisation, lui ajoute celui de la valorisation des rôles sociaux, qui vise à permettre à la personne handicapée de tenir des rôles socialement valorisés. D'autres concepts, tels que la qualité de

1. Voir le chapitre 2 pour une description détaillée des plans d'intervention personnalisés.

vie et l'autodétermination, ont aussi eu un impact significatif. Nous verrons quelques-uns de ces courants qui ont marqué les services offerts aux personnes handicapées.

1.5.1 La valorisation des rôles sociaux

Issu du principe de la normalisation, celui de la valorisation des rôles sociaux est défini par Wolfensberger (1991) comme « le développement, la mise en valeur, le maintien et/ou la défense de rôles sociaux valorisés pour les personnes et particulièrement pour celles qui présentent un risque de dévalorisation sociale en utilisant le plus possible des moyens culturellement valorisés » (p. 543).

Suivant ce principe, les élèves en difficulté ou handicapés devraient pouvoir fréquenter leur école de quartier et, devenus adultes, être intégrés et travailler dans leur communauté (Agence de développement de réseaux locaux de services de santé et de services sociaux, 2005). Les effets de ce principe se sont fait particulièrement sentir dans le domaine de la déficience intellectuelle et dans celui de la santé mentale. Ce mouvement a aussi contribué à la mise au point d'outils d'évaluation des services (Flynn, 1994).

1.5.2 La qualité de vie et l'approche positive

Reprenant la définition de l'Organisation mondiale de la santé, l'Agence de santé publique du Canada (2006) définit la qualité de vie comme un état global de bien-être physique, mental et social, et non pas comme une simple absence de maladie ou de déficience. Reconnaissant que ce concept est vaste, cet organisme indique que la qualité de vie peut être évaluée selon les cinq aspects suivants : les dimensions biologique, psychologique, interpersonnelle, sociale et économique.

L'approche positive vise à améliorer la qualité de vie et à prévenir les problèmes de comportement. Trois principes caractérisent cette approche :

- La personne handicapée peut se développer et elle a les mêmes besoins qu'une autre personne.
- Son point de vue doit être considéré comme valable.
- Son statut de citoyen à part entière doit être reconnu (Agence de développement de réseaux locaux de services de santé et de services sociaux, 2005).

L'approche positive a été mise en avant au Québec par Fraser et Labbé (1993, cités dans Labbé et Fraser, 2003). Selon ces auteurs, cette approche trouve ses fondements dans les valeurs humanistes, les droits et libertés, et les valeurs déontologiques. De plus, une telle approche repose sur une position écosystémique où l'intervention « doit absolument prendre en considération un ensemble de systèmes qui sont interdépendants et s'interinfluencent les uns et les autres » (Labbé et Fraser, 2003, p. 189). Ce modèle se veut proactif et la qualité de vie y est une notion centrale. Il importe donc d'adapter des stratégies préventives et de travailler en partenariat non seulement avec la personne handicapée, mais aussi avec ses proches.

1.5.3 L'autodétermination

Au cours des 20 dernières années, un des développements majeurs dans l'histoire de la scolarisation des élèves en difficulté ou handicapés a été la prise de conscience de l'importance de l'autodétermination dans la vie de ces élèves (Pierangelo et Crane,

1997). Selon Lachapelle et Boisvert (1999), historiquement le mot « autodétermination » faisait référence au droit d'une nation à s'autogouverner.

Pour Wehmeyer et Metzler (1995), l'autodétermination, c'est « agir comme le premier agent en cause dans sa vie, en se sentant libre de faire des choix et de prendre des décisions à propos de sa qualité de vie, libre de toute influence ou interférence indues » (p. 111 ; traduit par l'auteure). L'autodétermination consiste en quelque sorte à prendre le contrôle de sa vie, et ce processus débute dès l'enfance (Pierangelo et Crane, 1997). L'autodétermination se manifeste par de nombreux comportements : faire des choix, prendre des décisions, résoudre des problèmes. Selon Wehmeyer (1998), un comportement est autodéterminé lorsqu'il présente les quatre caractéristiques suivantes :

- La personne agit de manière autonome.
- Les actions de la personne sont autorégulées.
- La personne suscite les événements et y répond d'une manière psychologiquement basée sur l'appropriation (*empowerment*).
- La personne agit de manière à s'autoréaliser (p. 7-8 ; traduit par l'auteure).

Selon Wehmeyer, Agran et Hughes (1998), plusieurs composantes sous-tendent les comportements autodéterminés : les habiletés à faire des choix, à prendre des décisions, à résoudre des problèmes, à se fixer des buts, l'autonomie, l'auto-observation, la capacité de défendre son point de vue, la connaissance de soi, etc. Dans l'intervention auprès des personnes handicapées, ces principes s'avèrent importants. Une bonne compréhension du handicap est aussi essentielle. Nous verrons maintenant quelques modèles conceptuels sur la production du handicap.

1.5.4 L'avènement de classifications et de modèles sur la production du handicap

Au cours des années, de nombreux vocables ont été utilisés pour parler des personnes handicapées : on a dit qu'elles étaient anormales, exceptionnelles, invalides, etc. Dans le domaine de l'éducation, il a été question d'élèves exceptionnels, puis d'élèves handicapés et en difficulté d'adaptation et d'apprentissage (EHDAA). Plusieurs personnes ont éprouvé le besoin de mettre de l'ordre dans les termes employés afin de ne pas réduire la personne à un diagnostic exclusivement médical, par exemple. Dès 1981, l'Organisation mondiale de la santé (OMS) publie une première classification qui décrit le handicap au travers non seulement des déficiences organiques, mais aussi des limitations dans les différentes activités de la vie quotidienne et des problèmes sociaux qui en résultent. Employée par de nombreux pays, la classification internationale des handicaps constituait un travail important de réflexion sur les concepts, les définitions et les nomenclatures utilisés. En 2001, l'OMS a adopté une nouvelle classification, soit la *Classification internationale du fonctionnement, du handicap et de la santé* (représentée par l'acronyme CIF). La CIF propose de traiter le handicap sous les angles individuel et social, témoignant ainsi d'une évolution culturelle (Delcey, 2002).

Le schéma conceptuel qui soutient cette classification est présenté dans la figure 1.2.

Figure 1.2

Interactions entre les composantes de la CIF

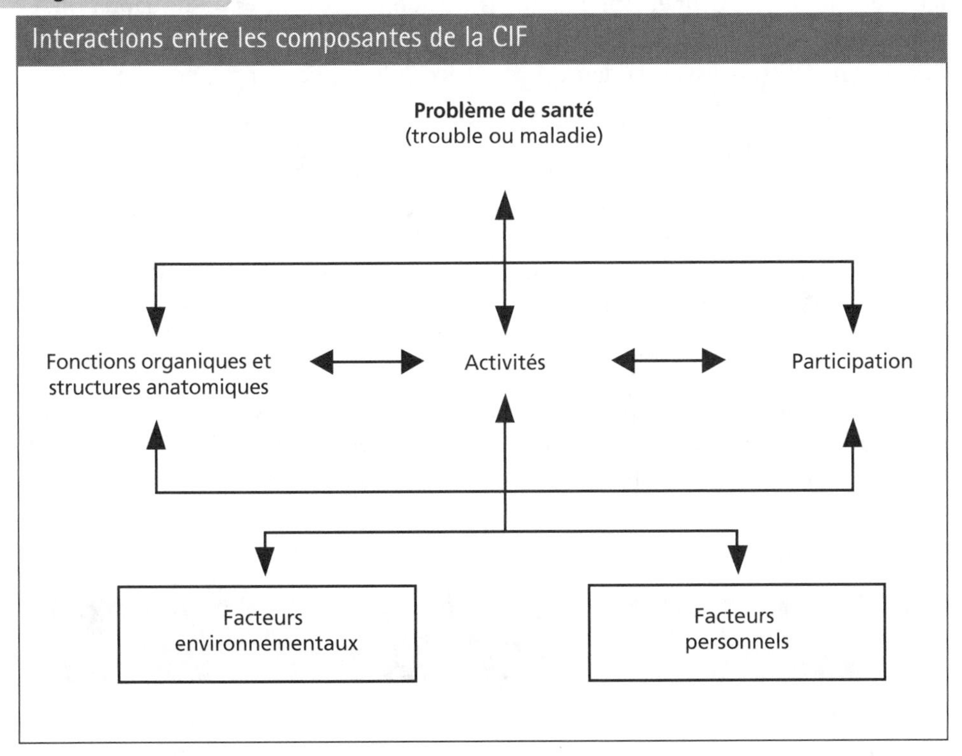

Source : Organisation mondiale de la santé (2001, p. 19).

Selon cette perspective, le handicap exprime l'interaction des facteurs personnels (la déficience et les incapacités) avec les facteurs sociaux et environnementaux. Dans ce contexte, les intervenants considèrent non seulement les caractéristiques de la personne, mais également celles de son environnement.

> Dans le modèle social, par contre, le handicap est perçu comme étant principalement un problème créé par la société et une question d'intégration complète des individus dans la société. Le handicap n'est pas un attribut de la personne, mais plutôt un ensemble complexe de situations, dont bon nombre sont créées par l'environnement social. Ainsi, la solution au problème exige-t-elle que des mesures soient prises en termes d'action sociale, et c'est la responsabilité collective de la société dans son ensemble que d'apporter les changements environnementaux nécessaires pour permettre aux personnes handicapées de participer pleinement à tous les aspects de la vie sociale (OMS, 2001, p. 21).

Au Québec, la classification de l'OMS a été étudiée par l'équipe dirigée par Fougeyrollas, qui en a fait une adaptation. Ensuite, ce dernier a élaboré un modèle explicatif de la production du handicap, à savoir le processus de production du handicap (PPH). Ce modèle québécois vise à expliquer comment les interactions entre les facteurs personnels et ceux de l'environnement peuvent en venir, dans les habitudes de vie, à favoriser la participation sociale ou, au contraire, une situation de handicap. La participation sociale est considérée sur un continuum ; elle peut évoluer dans un sens ou dans l'autre. À l'origine, le PPH a surtout été utilisé auprès des personnes ayant une déficience organique, mais son application a été étendue à des déficiences telles que le retard mental. Appliqué dans de nombreux centres de réadaptation, ce modèle souligne l'importance des facteurs environnementaux et tient aussi compte des facteurs de risque (voir la figure 1.3). Delcey (2002) écrit d'ailleurs à ce sujet :

> Dès 1988, Fougeyrollas et ses collaborateurs québécois commençaient une procédure de révision de la CIH[2], et publiaient en 1996 une classification complète : le processus de production du handicap (PPH) adoptant et illustrant par un schéma pédagogique particulièrement clair une définition similaire du handicap (le terme générique neutre d'habitude de vie étant retenu pour désigner les dimensions positives (participation) et négatives (situation de handicap) : une situation de handicap correspond à la rééducation de la réalisation des habitudes de vie, résultats de l'interaction entre les facteurs personnels (les déficiences, les incapacités et les autres caractéristiques personnelles) et les facteurs environnementaux (les facilitateurs et les obstacles) (p. 11).

En conséquence, la reconnaissance des droits des personnes handicapées a aussi subi l'influence de divers modèles permettant de mieux comprendre le processus de production du handicap, considéré désormais comme une dynamique interactive entre

Figure 1.3

Processus de production du handicap : modèle explicatif des causes et conséquences des maladies, traumatismes et autres troubles

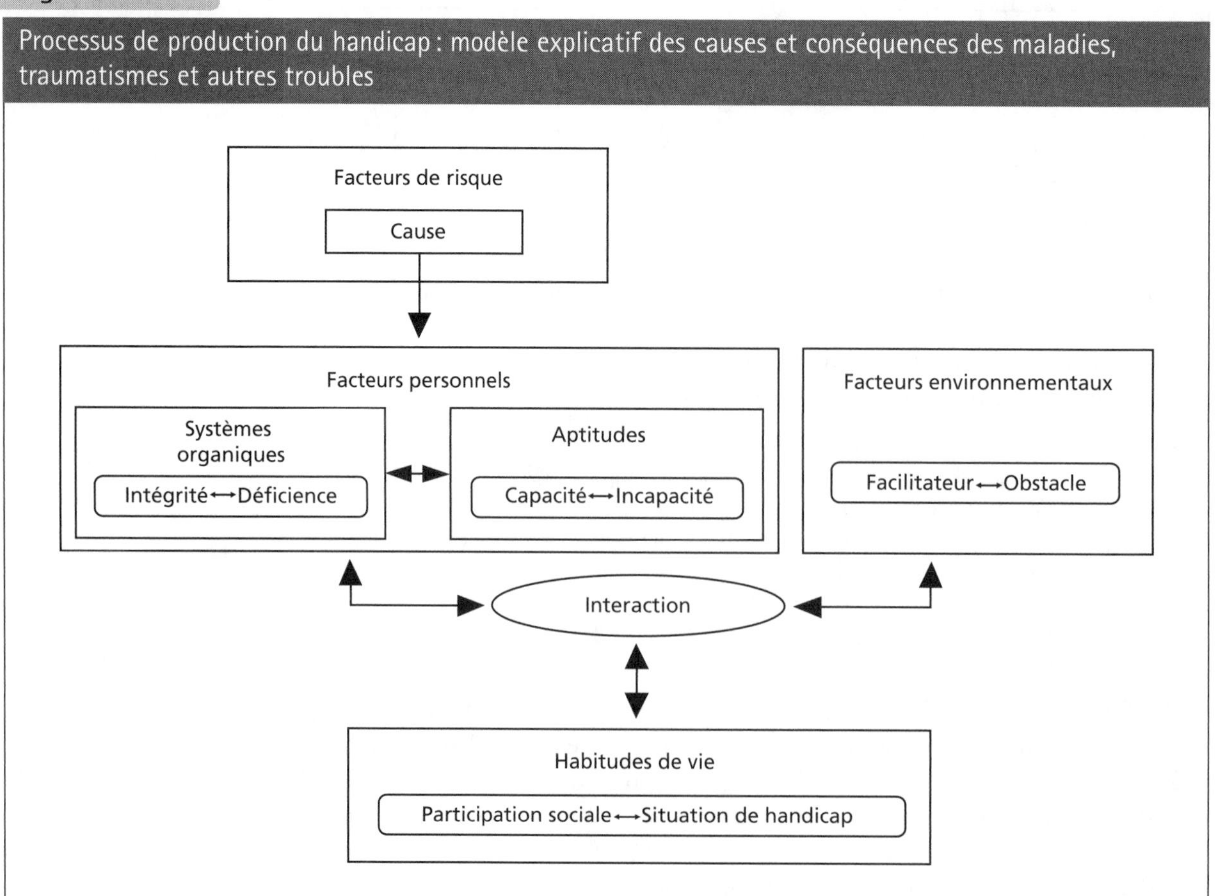

Source : Fougeyrollas et autres (1998, p. 23).

2. La CIH est la classification de l'OMS avant 2001.

les facteurs intrinsèques à la personne et les facteurs de son environnement (Paré, Parent, Rémillard et Piché, 2004). Fougeyrollas a su mettre en évidence le potentiel de ces interactions qui facilitent ou entravent la participation sociale de la personne qui a une déficience. Dans le même ordre d'idées, Paré et autres (2004) soulignent que l'école a un rôle important à jouer en contribuant à éliminer différents facteurs (comme les préjugés) qui nuisent à l'inclusion, en ajustant son environnement aux besoins de l'élève, en modifiant certaines attitudes et en adaptant les services.

1.6 La Loi sur l'instruction publique : des mesures importantes pour les élèves

Au Québec, la reconnaissance des droits des personnes handicapées et les recommandations de l'Office des personnes handicapées ont eu des suites. Ainsi, en 1988, on a apporté à la Loi sur l'instruction publique plusieurs modifications importantes touchant aux élèves en difficulté ou handicapés. Tel est le cas de l'instauration obligatoire des plans d'intervention. En effet, même si, avant 1988, plusieurs élèves en difficulté bénéficiaient de plans d'intervention dans les écoles, ce n'est que cette année-là qu'une modification de la Loi sur l'instruction publique a confirmé qu'ils auraient droit à un plan d'intervention. L'article 96.14 de la Loi présente actuellement l'obligation de rédiger un plan d'intervention pour les élèves handicapés ou en difficulté d'adaptation ou d'apprentissage :

> 96.14. Le directeur de l'école, avec l'aide des parents d'un élève handicapé ou en difficulté d'adaptation ou d'apprentissage, du personnel qui dispense des services à cet élève et de l'élève lui-même, à moins qu'il en soit incapable, établit un plan d'intervention adapté aux besoins de l'élève. Ce plan doit respecter la politique de la commission scolaire sur l'organisation des services éducatifs aux élèves handicapés et aux élèves en difficulté d'adaptation ou d'apprentissage et tenir compte de l'évaluation des capacités et des besoins de l'élève faite par la commission scolaire avant son classement et son inscription dans l'école.
>
> Le directeur voit à la réalisation et à l'évaluation périodique du plan d'intervention et en informe régulièrement les parents (Gouvernement du Québec, 2002, p. 23).

Cet article souligne le rôle important confié à la direction de l'école en ce qui a trait à la réalisation du plan d'intervention. Il met aussi en évidence le rôle des parents et celui de l'élève dans l'élaboration de ce plan. Toutefois, la Loi sur l'instruction publique apporte peu de précisions sur les modalités de l'élaboration du plan, celui-ci devant, selon l'article 235, respecter les normes prévues par le règlement de la commission scolaire :

> 235. La commission scolaire adopte, après consultation du comité consultatif des services aux élèves handicapés et aux élèves en difficulté d'adaptation ou d'apprentissage, une politique relative à l'organisation des services éducatifs à ces élèves qui assure l'intégration harmonieuse dans une classe ou un groupe ordinaire et aux autres activités de l'école de chacun de ces élèves lorsque l'évaluation de ses capacités et de ses besoins démontre que cette intégration est de nature à faciliter ses apprentissages et son insertion sociale et qu'elle ne constitue pas une contrainte excessive ou ne porte pas atteinte de façon importante aux droits des autres élèves.
>
> Cette politique doit notamment prévoir :
>
> 1° les modalités d'évaluation des élèves handicapés et des élèves en difficulté d'adaptation ou d'apprentissage, lesquelles doivent prévoir la participation des parents de l'élève et de l'élève lui-même, à moins qu'il en soit incapable ;

2° les modalités d'intégration de ces élèves dans les classes ou groupes ordinaires et aux autres activités de l'école ainsi que les services d'appui à cette intégration et, s'il y a lieu, la pondération à faire pour déterminer le nombre maximal d'élèves par classe ou par groupe;

3° les modalités de regroupement de ces élèves dans des écoles, des classes ou des groupes spécialisés;

4° les modalités d'élaboration et d'évaluation des plans d'intervention destinés à ces élèves (Gouvernement du Québec, 2002, p. 45).

En 2004, le ministère de l'Éducation du Québec (MEQ) réitère l'importance d'intensifier la collaboration entre l'école, la famille et la communauté en publiant le cadre de référence *Le plan d'intervention... au service de la réussite de l'élève.* Cette volonté était d'ailleurs présente dans le cadre de référence précédent:

> L'élaboration d'un plan d'intervention est le fruit d'une démarche de coordination et de planification de l'aide à donner à un élève pour assurer la continuité, la complémentarité, la qualité des réponses apportées aux besoins multiples et complexes de ce dernier. Cela, en tenant compte du contexte familial et social (MEQ, 1992a, p. 36).

D'autre part, l'article 187 de la Loi sur l'instruction publique stipule que la commission scolaire doit instituer un comité consultatif des services aux élèves handicapés et aux élèves en difficulté d'adaptation ou d'apprentissage. Ce comité sera composé de représentants des parents des élèves en difficulté, de représentants des enseignants, de membres du personnel non enseignant et du personnel de soutien, de représentants des organismes qui offrent des services aux élèves en difficulté et d'un directeur d'école. Ce comité consultatif a pour fonction, selon cet article, de donner divers avis à la commission scolaire. Ce mandat est ainsi précisé:

> 187. Le comité consultatif des services aux élèves handicapés et aux élèves en difficulté d'adaptation ou d'apprentissage a pour fonctions:
>
> 1° de donner son avis à la commission scolaire sur la politique d'organisation des services éducatifs aux élèves handicapés et aux élèves en difficulté d'adaptation ou d'apprentissage;
>
> 2° de donner son avis à la commission scolaire sur l'affectation des ressources financières pour les services à ces élèves.
>
> Le comité peut aussi donner son avis à la commission scolaire sur l'application du plan d'intervention à un élève handicapé ou en difficulté d'adaptation ou d'apprentissage (Gouvernement du Québec, 2002, p. 56).

1.7 La révision de la politique en matière d'adaptation scolaire

En 1999, en parallèle avec la mise en place de la réforme, le ministère de l'Éducation du Québec publie une nouvelle politique de l'adaptation scolaire intitulée *Une école adaptée à tous ses élèves.* Dans cette politique, le Ministère définit ainsi l'orientation fondamentale qui doit guider les interventions en matière d'adaptation scolaire:

> Aider l'élève handicapé ou en difficulté d'adaptation ou d'apprentissage à réussir sur les plans de l'instruction, de la socialisation et de la qualification. À cette fin, accepter que cette réussite éducative puisse se traduire différemment selon les capacités et les besoins des élèves, se donner les moyens qui favorisent cette réussite et en assurer la reconnaissance (MEQ, 1999a, p. 17).

Pour ce faire, différentes avenues sont privilégiées. La première avenue consiste à miser sur la prévention et sur une action rapide lorsque surviennent des difficultés. Cette voie d'action favorise une intervention précoce pour les élèves handicapés ou en difficulté.

La deuxième avenue prône l'adaptation des services éducatifs pour les élèves handicapés ou en difficulté. Elle met en avant, entre autres, l'adaptation des programmes, du matériel et des approches pédagogiques. Elle recommande aussi aux écoles de s'assurer de pouvoir proposer différents choix aux élèves, particulièrement en ce qui a trait à leur préparation au marché du travail.

La troisième avenue suggère une organisation des services qui tienne compte des besoins individuels tout en privilégiant l'intégration en classe ordinaire et une scolarisation le plus près possible du lieu de résidence de l'élève. Le Ministère souligne, dans cette orientation, la nécessité d'un plan d'intervention personnalisé pour répondre aux besoins de chaque élève.

La quatrième avenue met l'accent sur la nécessité de créer une communauté éducative incluant non seulement les intervenants de l'école et l'élève, mais aussi les parents, les organismes de la communauté et les partenaires externes intervenant auprès de l'élève. Là encore, le Ministère signale l'importance du plan d'intervention individualisé pour planifier et coordonner les interventions entre les partenaires agissant auprès de l'élève. Dans ce contexte, l'école doit être ouverte aux parents et à la communauté.

La cinquième avenue porte sur la prévention des difficultés d'apprentissage ou de comportement des élèves à risque d'échec scolaire à cause de difficultés d'apprentissage ou de comportement.

Enfin, la sixième avenue recommandée par le Ministère concerne l'évaluation par les milieux de la réussite de ces élèves sur les plans de l'instruction, de la socialisation et de la qualification (obtention d'un diplôme). Pour accompagner cette politique, le Ministère a publié un plan d'action (MEQ, 1999b) où de nombreuses mesures visent à concrétiser ses intentions.

Cette politique fait de nouveau ressortir l'importance de scolariser les élèves en difficulté ou handicapés dans les classes ordinaires et dans le contexte le plus naturel possible, c'est-à-dire le plus rapproché de leur lieu de résidence. Commencé dès les années 70, le débat sur le lieu de scolarisation continue à susciter bien des critiques, dont celle, en 1996, du Conseil supérieur de l'éducation. Reconnaissant les succès enregistrés dans plusieurs milieux en matière d'intégration scolaire, le Conseil dénonce alors les problèmes qui subsistent, parmi lesquels le manque de services aux élèves intégrés et à leurs enseignants, le soutien insuffisant et les lacunes dans la préparation du personnel pour réussir l'intégration. Jusqu'au début des années 90, il est surtout question d'une intégration scolaire basée sur un continuum de services comme dans le système en cascade. Les lois, les politiques et les derniers rapports en matière d'adaptation scolaire contribuent à orienter les actions à l'égard des élèves en difficulté ou handicapés. Toutefois, plusieurs autres influences continuent à modifier les approches. Tel est le cas de l'« inclusion totale », qui soulève encore des débats dans les médias, les milieux éducatifs et les écrits scientifiques.

1.8 L'inclusion totale

Jusqu'au début des années 90, il est surtout question de scolarisation dans le cadre le plus normal possible (mouvement d'intégration ou *mainstreaming*). Les milieux scolaires doivent offrir à l'élève un continuum de mesures spéciales tel que celui qu'on trouve dans le système en cascade.

Puis, le mouvement de l'inclusion totale (*full inclusion*) prend son essor. Giangreco, Baumgart et Doyle (1995) distinguent ainsi l'inclusion totale du mouvement d'intégration. Dans le mouvement d'intégration, l'accent est mis sur l'élève en difficulté et sur les efforts à faire pour le scolariser dans une classe ordinaire. En vertu de l'inclusion totale, les intervenants tentent de structurer les classes ordinaires de façon que tous les élèves, quelles que soient leurs difficultés, puissent y recevoir une éducation appropriée. Ce dernier mouvement insiste sur les modifications à apporter à l'environnement éducatif. Ryndak et Alper (1996) définissent l'inclusion totale de la manière suivante:

> L'inclusion totale est le terme le plus communément attribué aux pratiques d'éducation des élèves présentant des déficiences de modérées à graves avec leurs pairs du même âge dans des classes ordinaires de l'école de leur quartier [...]. Elle comprend l'intégration physique, l'intégration sociale et l'accès à l'éducation normale et aux activités sociales et récréatives de l'école (p. 3; traduit par l'auteure).

Giangreco et autres (1995) précisent que « l'éducation inclusive est un terme générique d'accès à l'éducation, selon les points de vue de l'équité et de la qualité, et non selon le point de vue de la déficience » (p. 274; traduit par l'auteure). Toujours selon ces auteurs, l'inclusion présente six caractéristiques principales: (1) tous les élèves sont les bienvenus dans le système éducatif ordinaire; (2) la proportion d'élèves en difficulté qu'il y a naturellement dans un milieu donné est respectée; (3) les élèves participent aux activités communes tout en bénéficiant d'une adaptation individuelle; (4) les expériences éducatives se déroulent dans des environnements pour personnes non handicapées; (5) les aspects scolaires, fonctionnels et sociaux de l'apprentissage sont pris en considération; (6) toutes ces caractéristiques sont observables quotidiennement.

Inclusion scolaire selon Vienneau

« L'inclusion scolaire repose sur le principe de la normalisation de l'expérience de scolarisation de tous les élèves avec handicaps et en difficulté d'adaptation et d'apprentissage (EHDAA) et ce, indépendamment de leurs particularités de fonctionnement ou de l'importance de leurs handicaps. L'inclusion implique l'intégration pédagogique à temps plein de chaque élève dans un groupe-classe du même âge ou le plus près possible de son groupe d'âge; la participation à la vie sociale de l'école et une participation optimale de chaque élève à toutes les activités d'apprentissage de son groupe-classe; l'individualisation du processus enseignement-apprentissage au moyen de stratégies d'enseignement et de moyens d'apprentissage variés; la valorisation du caractère unique de chaque apprenant et, enfin, la prise en compte de toutes les dimensions de la personne dans les objectifs de formation poursuivis. »

Source: Vienneau (2004, p. 129).

L'inclusion totale suppose toutefois des modifications importantes dans les classes de manière à faciliter la mise en place de ce processus. Divers programmes tels que le plan d'intervention, le plan de transition, l'équipe de résolution de problèmes et l'équipe de consultation favorisent l'implantation de l'inclusion totale. Celle-ci est aussi facilitée par l'utilisation de différentes stratégies comme la différenciation pédagogique[3], le tutorat, l'apprentissage coopératif, la réduction du nombre d'élèves par classe et les cercles d'amis. Elle suppose également le recours à de nombreuses méthodes et pratiques d'enseignement (Schrag, 1996). Cependant, ce mouvement suscite des résistances, car plusieurs continuent à réclamer un continuum de services pour répondre aux besoins des élèves en difficulté (Division for Learning Disabilities of the Council for Exceptional Children, s. d.).

Certains auteurs prônent l'inclusion, peu importe la nature de la déficience ou de la difficulté de l'élève. Ainsi, Vienneau (2004) indique que l'inclusion est basée sur les principes suivants :

1) L'inclusion est réalisable sous certaines conditions minimales ;
2) L'inclusion est souhaitable pour les élèves avec handicap ou en difficulté ;
3) L'inclusion scolaire en tant que modèle pédagogique a des effets positifs pour tous (p. 148).

L'étude des statistiques du ministère de l'Éducation, du Loisir et du Sport indique toutefois que cet objectif est loin d'être atteint, particulièrement pour les élèves ayant des déficiences graves et pour les élèves handicapés fréquentant le secondaire. Les médias présentent des reportages où des parents réclament la classe ordinaire alors que d'autres disent préférer des mesures spécialisées pour leurs enfants. De plus, la recherche continue à se heurter à des problèmes expérimentaux, et les articles scientifiques présentent souvent des résultats mitigés (Zigmond, 2003), même si certains auteurs concluent aux bienfaits de l'inclusion totale et privilégient ce modèle (Moore, Gilbreath et Maluri, 1998, cités dans Vienneau, 2004).

Si le choix du lieu de scolarisation est encore trop souvent une décision controversée, l'évaluation des besoins et la planification des interventions peuvent aussi entraîner des discussions. C'est alors que les politiques en matière d'adaptation scolaire, le travail en équipe et la concertation des intervenants, des parents et de l'élève en cause revêtent toute leur importance. En effet, l'intervention auprès de l'élève en difficulté ou handicapé exige souvent le travail de plusieurs personnes et une démarche systématique d'intervention.

Plusieurs commissions scolaires ont mis au point des processus permettant à l'équipe-école et aux parents de mieux cerner les besoins de l'élève et de mieux planifier des interventions visant à répondre à ces besoins. Dans le prochain chapitre, nous examinerons quelques-unes des démarches facilitant l'évaluation des besoins et de l'élève ainsi que la concertation entre les différents partenaires de son éducation.

Le tableau 1.2, à la page suivante, présente quelques-uns des événements qui ont jalonné l'histoire des services aux élèves en difficulté.

3. Pour de l'information sur la différenciation pédagogique, voir le chapitre 5.

Tableau 1.2

Quelques événements ayant jalonné l'histoire des services aux élèves en difficulté	
Date	**Événement**
1829	Invention par Louis Braille du système d'écriture des personnes aveugles (le braille)
1876	Invention du téléphone par Alexander Graham Bell, qui tentait de faire entendre des personnes sourdes
1905	Mise au point d'un test d'intelligence par Binet et Simon
1951	Fondation de l'Association de secours aux enfants arriérés
1963	Parution du rapport Parent, donnant à chacun le droit de recevoir une éducation de qualité Incorporation du Conseil québécois de l'enfance exceptionnelle
1966	Fondation de l'Association québécoise pour les troubles d'apprentissage
1969	Création du Service de l'enfance inadaptée
1970	Création du ministère des Affaires sociales du Québec
1975	Promulgation de la loi 94-142 aux États-Unis
1976	Publication du rapport COPEX dénonçant le modèle médical en éducation et les augmentations enregistrées du nombre d'enfants en difficulté
1977	Promulgation de la Loi sur la protection de la jeunesse
1978	Énoncé d'une politique et d'un plan d'action pour l'enfance en difficulté d'adaptation et d'apprentissage Promulgation de la Loi assurant l'exercice des droits des personnes handicapées Création de l'Office des personnes handicapées du Québec
1982	Publication de *L'école québécoise : une école communautaire et responsable*
1984	Parution d'*À part… égale*
1988	Adoption de la modification de la Loi sur l'instruction publique
1990	Publication de la loi américaine *Individuals with Disabilities Education Act* Essor du mouvement de l'inclusion totale aux États-Unis
1992	Publication du cadre de référence sur les plans d'intervention Mise à jour de la politique de l'adaptation scolaire du ministère de l'Éducation du Québec : *La réussite pour elles et eux aussi*
1996	Parution de l'avis du Conseil supérieur de l'éducation : *L'intégration scolaire des élèves handicapés et en difficulté*
1997	Révision de la Loi sur l'instruction publique
1999	Publication par le ministère de l'Éducation de la politique de l'adaptation scolaire : *Une école adaptée à tous ses élèves. Politique de l'adaptation scolaire*
2001	Publication de la *Classification internationale du fonctionnement, du handicap et de la santé* par l'Organisation mondiale de la santé
2004	Publication du cadre de référence du ministère de l'Éducation du Québec : *Le plan d'intervention… au service de la réussite de l'élève* Révision de la loi américaine *Individuals with Disabilities Education Improvement Act*

RÉSUMÉ

Depuis la parution du rapport Parent, les services aux élèves en difficulté et handicapés ont subi de nombreuses transformations. Lors de la création des services pour ces élèves, les enseignants recommandaient de les scolariser dans des classes et des écoles spéciales, croyant que cette mesure répondrait davantage à leurs besoins. Sous l'influence de la recherche, de la reconnaissance des droits des personnes handicapées et des principes de la normalisation, les politiques éducatives en sont venues à préconiser l'intégration des élèves dans le cadre le plus normal possible. Actuellement, le mouvement de l'inclusion totale recommande la scolarisation de l'ensemble des élèves handicapés dans le même environnement éducatif que leurs pairs non handicapés.

QUESTIONS

1. Quelle idée était à la base de la création des classes et des écoles spéciales à l'intention des élèves en difficulté ou handicapés?
2. Quels événements ont poussé les milieux éducatifs à adopter des politiques en faveur de l'intégration des élèves en difficulté ou handicapés?
3. Indiquez quelques mesures à l'intention des élèves en difficulté ou handicapés qui sont prévues dans la Loi sur l'instruction publique.
4. Comment la reconnaissance des droits des personnes handicapées a-t-elle exercé une influence sur les milieux scolaires quant aux services à offrir aux élèves handicapés?
5. Qu'est-ce que l'inclusion totale?

RÉFÉRENCES SUGGÉRÉES

DIONNE, C. et ROUSSEAU, N. (2006). *Transformation des pratiques éducatives. La recherche sur l'inclusion scolaire.* Sainte-Foy, Québec : Presses de l'Université du Québec.

GAUDREAU, J. (2002). *Histoire des débuts de la pédagogie spéciale du savoir-faire au savoir* (2e éd.), [en ligne], [http://www.adaptationscolaire.org/] (10 septembre 2006).

HORTH, R. (1998). *Historique de l'adaptation scolaire au Québec,* [en ligne], [http://www.adaptationscolaire.org/] (10 septembre 2006).

MINISTÈRE DE L'ÉDUCATION DU QUÉBEC (1999). *Une école adaptée à tous ses élèves. Politique de l'adaptation scolaire.* Québec : Ministère de l'Éducation.

OFFICE DES PERSONNES HANDICAPÉES DU QUÉBEC. [en ligne], [http://www.ophq.gouv.qc.ca/].

ROUSSEAU, N. et BÉLANGER, S. (dir.) (2004). *La pédagogie de l'inclusion scolaire.* Sainte-Foy, Québec : Presses de l'Université du Québec.

Sur l'historique et les références en adaptation scolaire, incluant différents textes dont ceux de Gaudreau et Horth :

ADAPTATION SCOLAIRE ET SOCIALE DE LANGUE FRANÇAISE. [en ligne], [http://www.adaptationscolaire.org/].

Pour des références directes à des textes spécialisés et des outils sur les clientèles relevant de l'adaptation scolaire, des dossiers thématiques et des liens vers différentes associations spécialisées et plusieurs commissions scolaires :

COMMISSION SCOLAIRE DE MONTRÉAL. [en ligne], [http://www.csdm.qc.ca/sassc/Script/Handicaps/AccueilHandicap.htm].

RÉFÉRENCES SUGGÉRÉES (*suite*)

Sur les différents cadres de référence, les politiques et les plans d'action du MELS, ainsi que les dernières définitions des élèves EHDAA (ces définitions étant révisées sur une base périodique) :

MINISTÈRE DE L'ÉDUCATION, DU LOISIR ET DU SPORT DU QUÉBEC. [en ligne], [http://www.mels.gouv.qc.ca/].

L'évaluation des besoins des élèves et la planification des interventions

Objectifs

Après avoir lu ce chapitre, le lecteur devrait pouvoir :

- définir les notions de plan d'intervention, de plan de services, de plan de transition et indiquer les fonctions de chacun de ces plans ;
- décrire la démarche globale dans laquelle doit s'insérer l'élaboration du plan d'intervention ;
- préciser l'importance de l'évaluation des besoins, des forces et des faiblesses de l'élève pour l'élaboration du plan d'intervention personnalisé ;
- énumérer diverses sources d'information qu'on peut utiliser dans l'évaluation de l'élève ;
- décrire la structure globale d'un plan d'intervention personnalisé.

INTRODUCTION

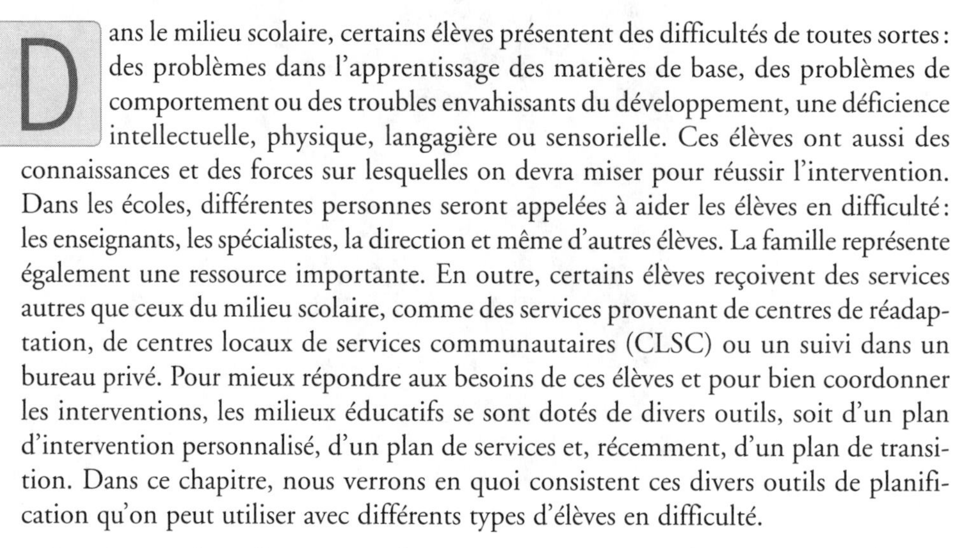

Dans le milieu scolaire, certains élèves présentent des difficultés de toutes sortes : des problèmes dans l'apprentissage des matières de base, des problèmes de comportement ou des troubles envahissants du développement, une déficience intellectuelle, physique, langagière ou sensorielle. Ces élèves ont aussi des connaissances et des forces sur lesquelles on devra miser pour réussir l'intervention. Dans les écoles, différentes personnes seront appelées à aider les élèves en difficulté : les enseignants, les spécialistes, la direction et même d'autres élèves. La famille représente également une ressource importante. En outre, certains élèves reçoivent des services autres que ceux du milieu scolaire, comme des services provenant de centres de réadaptation, de centres locaux de services communautaires (CLSC) ou un suivi dans un bureau privé. Pour mieux répondre aux besoins de ces élèves et pour bien coordonner les interventions, les milieux éducatifs se sont dotés de divers outils, soit d'un plan d'intervention personnalisé, d'un plan de services et, récemment, d'un plan de transition. Dans ce chapitre, nous verrons en quoi consistent ces divers outils de planification qu'on peut utiliser avec différents types d'élèves en difficulté.

Parmi ces trois outils que nous décrirons, nous nous attarderons en particulier sur le plan d'intervention parce qu'il est le plus employé dans le milieu scolaire et que plusieurs principes présidant à sa rédaction s'appliquent aussi au plan de services et au plan de transition.

2.1 Le plan d'intervention

L'élaboration d'un plan d'intervention constitue un processus dynamique. À chacune des étapes, il faut prendre diverses décisions. Des solutions concertées peuvent aussi être mises en évidence par les intervenants et par l'élève. Un plan d'intervention utile et fonctionnel est plus qu'un formulaire ou une procédure administrative. Son élaboration doit s'inscrire dans une démarche globale d'aide avec l'élève, ses parents et les intervenants en cause. Dans un premier temps, nous examinerons les fonctions du plan d'intervention ; dans un deuxième temps, nous verrons les phases du plan d'intervention ; dans un troisième temps, nous décrirons la structure et les composantes de ce document.

2.1.1 Les fonctions du plan d'intervention

Le plan d'intervention est un élément de base dans la planification de l'enseignement pour l'élève en difficulté. L'élaboration du plan d'intervention s'inscrit dans une démarche globale qui commence avec l'évaluation des forces et des besoins de l'élève, se poursuit avec l'échange entre les intervenants sur cette situation et se termine par la rédaction du plan comme tel et le suivi de l'intervention. Landry (1990) indique que cette démarche permet non seulement d'élaborer une intervention adaptée aux besoins de l'élève, mais fournit aussi un support à l'intervention du personnel scolaire. Toujours selon Landry, cette démarche facilite la communication entre l'équipe-école et les parents, et amène ceux-ci à prendre une place véritable dans le choix des services donnés à leur enfant. On ne se contente plus d'informer les parents, on les consulte et on cherche à fonder un partenariat. Somme toute, le plan d'intervention joue des rôles : (1) de planification éducative, (2) de communication, (3) de participation, de concertation et de coordination et, enfin, (4) de rétroaction. Nous examinerons chacune de ces fonctions.

A. La planification éducative

Le plan d'intervention est un outil de planification. Il aide à fixer les objectifs qu'on veut atteindre avec un élève et à prévoir les interventions et les ressources nécessaires. Il permet aussi d'établir le calendrier de réalisation des objectifs et de mieux ordonner les priorités d'intervention. En effet, lorsqu'un élève éprouve des difficultés graves, on ne peut s'attendre à les résoudre toutes du jour au lendemain. Il faut donc procéder par étapes. Le plan d'intervention permet d'énumérer celles-ci et aide ainsi les personnes en cause à les comprendre.

B. La communication

Le plan d'intervention est aussi un outil de communication. Au cours de la réunion portant sur le plan d'intervention, la communication se fait autour des besoins de l'élève, de ses forces et des objectifs de l'intervention. L'élève devrait pouvoir exprimer ses perceptions quant à la situation et aux éléments qu'il aimerait modifier. Cet échange permet à chacun d'indiquer ses attentes. S'il peut y avoir consensus dans plusieurs cas, il peut parfois y avoir divergence dans les perceptions et dans les attentes entre les participants à la réunion. Ainsi, il est possible que les parents d'un élève trisomique intégré dans une classe de première année du premier cycle aient des objectifs prioritaires de développement axés sur la socialisation, alors que l'enseignant serait préoccupé davantage par des objectifs de lecture et d'écriture. La réunion ayant trait au plan d'intervention devrait permettre de dégager ces attentes et d'amener les participants à s'entendre sur les objectifs prioritaires ; à la fin de la réunion, les interventions prévues devraient être connues de tous. Cette étape permet aux parents de mieux comprendre le programme éducatif planifié à l'intention de leur enfant et d'y participer.

C. La participation, la concertation et la coordination

Le plan d'intervention constitue également un outil de participation, de concertation et de coordination. Il facilite la coordination des différentes interventions en faisant en sorte qu'elles n'entrent pas en conflit les unes avec les autres. Le plan permet de noter, par exemple, si, à une certaine période de l'année, il y a trop d'interventions entreprises en même temps ou s'il n'y en a pas assez. Il favorise le partage des responsabilités de chacun. Ce partage des responsabilités est bénéfique pour les divers intervenants et pour l'élève, qui y trouvent alors un soutien appréciable. De plus, les parents et les intervenants peuvent s'entendre sur des attitudes et des comportements communs qui faciliteront l'apprentissage de l'élève. Malheureusement, l'élève, qui est la première personne concernée par le plan d'intervention qui lui est destiné, n'est pas toujours partie prenante de ce processus, plusieurs élèves étant même absents des réunions portant sur le plan d'intervention (Beaupré, Roy et Ouellet, 2003a ; Goupil, 2004).

D. La rétroaction

Le plan d'intervention facilite le suivi des progrès d'un élève. Il devrait faire l'objet de révisions régulières. En ce sens, il devient un outil de rétroaction. À partir du moment où des objectifs sont fixés et des échéances de travail sont prévues, le plan d'intervention sert en quelque sorte d'aide-mémoire et de balise aux intervenants, et suscite leur interrogation sur les apprentissages de l'élève. Le fait que les moyens d'intervention y soient indiqués incite à une réflexion sur l'utilité ou l'inutilité de ces ressources. Le plan d'intervention peut donc jouer divers rôles dans l'éducation de l'élève en difficulté et permettre aux intervenants de mieux répondre à ses besoins particuliers.

2.1.2 Les phases du plan d'intervention

Le ministère de l'Éducation du Québec (2004a) décrit quatre phases dans l'utilisation des plans d'intervention, soit: (1) la collecte et l'analyse de l'information, (2) la planification des interventions, (3) la réalisation des interventions et (4) la révision du plan d'intervention. Nous décrirons chacune de ces phases.

A. Première phase: la collecte et l'analyse de l'information

Les enseignants constatent parfois que des élèves éprouvent plus de difficulté à apprendre dans certaines situations. Bien que l'erreur fasse partie intégrante de l'apprentissage, certains problèmes plus graves persistent, nécessitant une intervention planifiée, organisée. La première étape pour aider l'élève en difficulté consiste à observer en classe des situations « naturelles », des comportements, des acquisitions réussies ou des échecs, et ainsi de suite. La connaissance des besoins, des forces et des difficultés de l'élève est nécessaire à la planification de l'intervention. Les données de l'évaluation devront préciser les forces et les difficultés de même que les résultats actuels de l'élève. L'évaluation des besoins de l'élève tiendra compte de sa situation propre et divers outils d'évaluation pourront être utilisés. Plusieurs évaluations sont réalisées dans le cadre même de la classe: des observations plus ou moins formelles de l'enseignant, l'analyse des productions (travaux) de l'élève, l'observation et l'analyse des résultats scolaires, la description des méthodes, les interventions effectuées avec l'élève, l'observation de la façon dont l'élève utilise différentes stratégies d'apprentissage, les portfolios, etc. Lorsque cela s'avère nécessaire, des évaluations plus formelles sont faites. Parmi les évaluations formelles, notons l'utilisation de tests standardisés, les évaluations du fonctionnement intellectuel, de la personnalité, les examens du langage, de la vision, de l'audition ou les bilans de santé. Ainsi, pour ce qui est des élèves en difficulté d'apprentissage, Winzer (1996) regroupe les méthodes d'évaluation en trois catégories: (1) les évaluations de type médical (comme les examens de la vision et de l'audition), (2) les mesures informelles (les observations, l'analyse des résultats scolaires, les examens préparés par l'enseignant et les portfolios) ainsi que (3) les mesures psychoéducatives formelles (par exemple, les tests mesurant le quotient intellectuel, les tests de rendement standardisés). En ce qui a trait à l'évaluation des difficultés de comportement, Rosenberg, Wilson, Maheady et Sindeclar (1997) soulignent l'importance de l'observation directe et systématique. Nous reviendrons sur ces mesures lorsqu'il sera question de l'évaluation des élèves en difficulté d'apprentissage ou de comportement (voir les chapitres 4 et 7).

Le tableau 2.1 présente quelques sources d'information utilisées couramment dans l'évaluation des élèves en difficulté d'adaptation et d'apprentissage.

Les instruments d'évaluation seront choisis en fonction des besoins de l'élève et de l'information requise. Pour Winzer (1996), le but de l'évaluation est d'obtenir et d'analyser une quantité suffisante de renseignements pour savoir comment enseigner

Tableau 2.1

Quelques sources d'information pour l'évaluation d'un élève en difficulté

Source	Description de l'information
Formulaires utilisés pour la référence	L'enseignant a résumé dans ces formulaires l'ensemble de ses observations.
Dossier de l'élève	Le dossier de l'élève peut révéler le passé scolaire, les méthodes d'apprentissage utilisées et les interventions déjà réalisées.
Bulletins	Les bulletins donnent des renseignements sur le rendement scolaire de l'élève. Ils informent sur le développement de ses compétences.
Productions de l'élève	Les travaux exécutés en classe ou les devoirs faits à la maison montrent les forces et les faiblesses de l'élève.
Examens et tests scolaires de la commission scolaire (s'il y a lieu)	Ces épreuves permettent de préciser le rendement de l'élève et de le situer par rapport à son groupe d'appartenance et à son niveau.
Observation de l'élève en classe ou dans d'autres lieux	L'observation est un outil privilégié pour l'étude des comportements de l'élève. Elle permet de noter les événements qui déclenchent certaines réactions, de remarquer le comportement qui s'ensuit et d'établir des relations entre divers événements.
Entrevues	Les entrevues apportent plusieurs renseignements sur les causes des difficultés scolaires, sur les perceptions qu'en a l'élève et sur les sentiments qu'il entretient par rapport à ces difficultés. Elles peuvent se faire avec l'enseignant, l'élève, les parents ou d'autres intervenants.
Portfolios*	Un portfolio est un ensemble des travaux de l'élève permettant de voir ses acquisitions et facilitant sa réflexion.
Tests spécialisés et échelles diverses	En fonction de l'évaluation requise, des instruments tels que des tests d'intelligence et de personnalité procurent des renseignements aidant à mieux comprendre la situation. Des échelles, par exemple sur l'hyperactivité, permettent de mieux cerner la situation.
Examens sur la santé physique	Dans certains cas, il est nécessaire de connaître l'état de santé de l'élève ou d'obtenir une évaluation de sa vision et de son audition.

* Voir le chapitre 4 pour obtenir plus d'information sur cette forme d'évaluation.

efficacement à l'élève. L'évaluation doit donc porter non seulement sur l'apprentissage réalisé, mais également sur l'ensemble de l'environnement susceptible d'influer sur les acquisitions de l'élève. Parmi les variables importantes, mentionnons l'environnement physique, les attitudes des pairs et de l'enseignant, le matériel disponible, les conditions qui motivent l'élève, le degré d'aide nécessaire, les stratégies pédagogiques et de renforcement utilisées de même que les méthodes employées pour enseigner les stratégies d'apprentissage aux élèves.

Selon le ministère de l'Éducation du Québec (2004a), il est aussi nécessaire d'évaluer l'efficacité des interventions déjà mises en place, notamment en ce qui a trait à la différenciation pédagogique. Cette évaluation devra également mettre à contribution les principaux acteurs concernés, à savoir l'élève, les parents, le personnel scolaire et, le cas échéant, d'autres intervenants. Elle devra non seulement prendre en considération les besoins de l'élève, mais aussi faire ressortir ses forces. Au cours de cette étape, selon le Ministère, les participants (incluant l'élève) mettront en commun l'information sur l'élève, préciseront ses besoins prioritaires, puis définiront le plan d'intervention, lequel comprendra des objectifs, des moyens, des stratégies, les ressources nécessaires et un échéancier de travail. Ces éléments font généralement l'objet de discussions au cours d'une réunion dont résultera un document. Nous reviendrons plus loin sur chacune des composantes du plan d'intervention.

B. Deuxième phase : la planification des interventions

Au cours de la deuxième phase, on réunit les intervenants. Ceux-ci mettent en commun l'information sur les besoins prioritaires de l'élève et définissent le plan d'intervention. On consignera cette information en tenant compte d'un échéancier de réalisation. L'élève devrait être partie prenante de cette étape, tout comme il devrait avoir participé à la première phase, pendant laquelle il aurait déterminé, lui aussi, les besoins qui sont les siens.

C. Troisième phase : la réalisation des interventions

Au cours de la troisième phase, les participants au plan d'intervention réalisent les interventions prévues. Le ministère de l'Éducation du Québec (2004a) souligne l'importance d'évaluer de façon continue les progrès de l'élève et de réajuster, au besoin, les interventions. Il affirme également la nécessité de maintenir une bonne communication avec les parents tout au long de cette phase.

D. Quatrième phase : la révision du plan d'intervention

En fonction des besoins de l'élève et de sa progression, les participants feront une révision des résultats de leurs interventions dans un délai plus ou moins long. Conséquemment à cette rétroaction, ils évalueront les résultats de l'intervention et décideront de la suite à y donner. Cette phase doit aussi associer les parents et l'élève.

Au cours d'une réunion portant sur le plan d'intervention, généralement à la deuxième phase que nous avons vue précédemment, on produit un document qui résume les décisions prises quant aux objectifs à poursuivre avec l'élève. Ce document est important, car il permettra aux participants d'effectuer une rétroaction sur les actions entreprises ; il servira également de guide pendant l'intervention. Nous examinerons maintenant divers éléments qu'on peut inclure dans le document du plan d'intervention. La figure 2.1 résume les quatre phases du plan d'intervention.

2.1.3 La structure et les composantes du document faisant suite à une réunion sur le plan d'intervention

Le fait que nous consacrions plusieurs pages à la description des composantes du document portant sur le plan d'intervention ne devrait pas faire perdre de vue l'idée que le plan d'intervention est d'abord et avant tout une démarche de concertation. Le Conseil supérieur de l'éducation (1996) écrivait d'ailleurs à ce propos : « L'aspect important de ces plans – que les Français appellent plutôt "projet" – est que l'enseignant, les parents et les autres personnes interviennent pour partager leurs perceptions à son sujet et se concerter sur son action » (p. 76). Nous considérons que le document

Figure 2.1

Phases du plan d'intervention

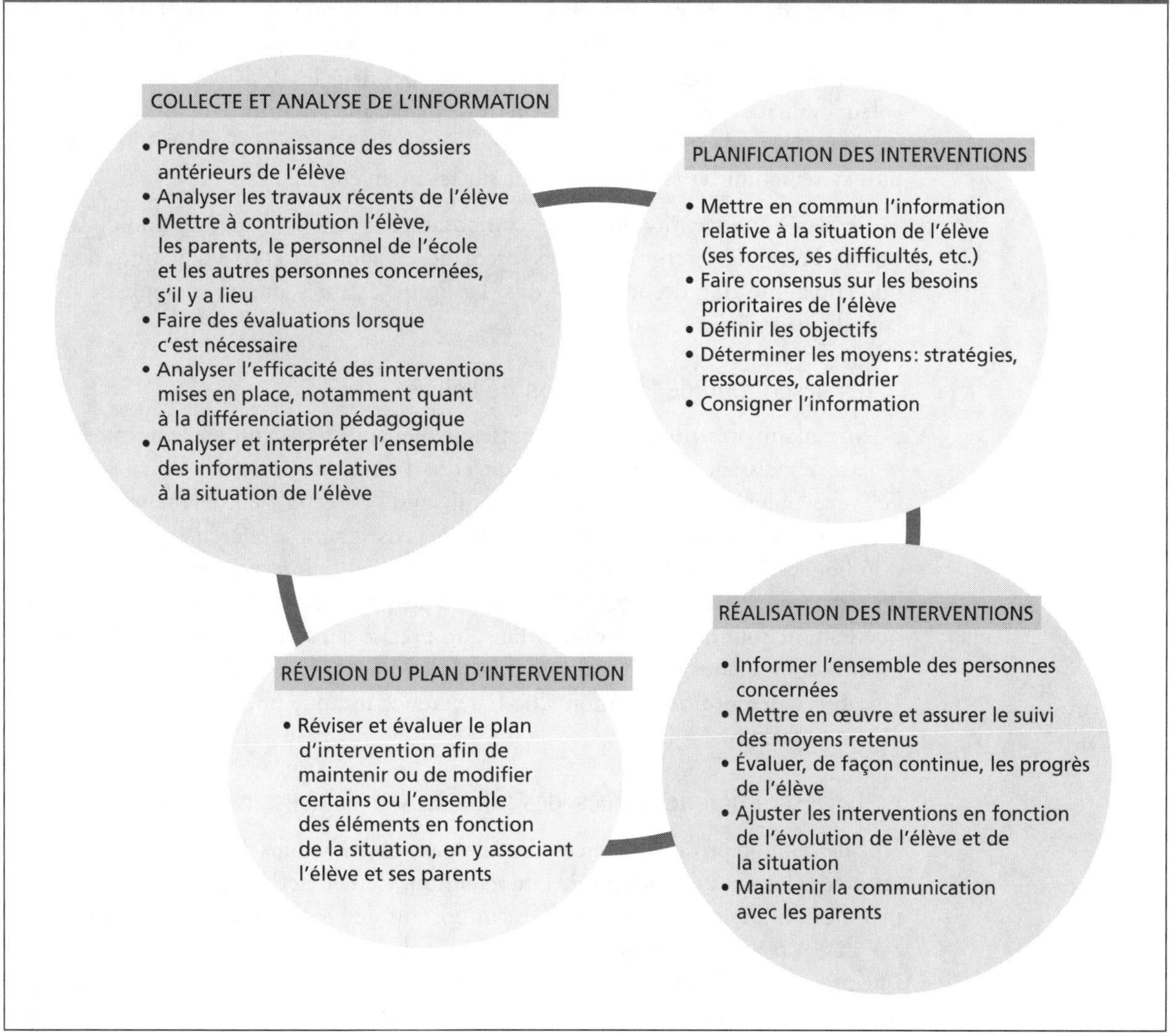

COLLECTE ET ANALYSE DE L'INFORMATION

- Prendre connaissance des dossiers antérieurs de l'élève
- Analyser les travaux récents de l'élève
- Mettre à contribution l'élève, les parents, le personnel de l'école et les autres personnes concernées, s'il y a lieu
- Faire des évaluations lorsque c'est nécessaire
- Analyser l'efficacité des interventions mises en place, notamment quant à la différenciation pédagogique
- Analyser et interpréter l'ensemble des informations relatives à la situation de l'élève

PLANIFICATION DES INTERVENTIONS

- Mettre en commun l'information relative à la situation de l'élève (ses forces, ses difficultés, etc.)
- Faire consensus sur les besoins prioritaires de l'élève
- Définir les objectifs
- Déterminer les moyens: stratégies, ressources, calendrier
- Consigner l'information

RÉALISATION DES INTERVENTIONS

- Informer l'ensemble des personnes concernées
- Mettre en œuvre et assurer le suivi des moyens retenus
- Évaluer, de façon continue, les progrès de l'élève
- Ajuster les interventions en fonction de l'évolution de l'élève et de la situation
- Maintenir la communication avec les parents

RÉVISION DU PLAN D'INTERVENTION

- Réviser et évaluer le plan d'intervention afin de maintenir ou de modifier certains ou l'ensemble des éléments en fonction de la situation, en y associant l'élève et ses parents

Source : Ministère de l'Éducation du Québec (2004a, p. 25).

résultant de la réunion sur le plan d'intervention est en quelque sorte le « procès-verbal » de cette réunion. Par conséquent, ce procès-verbal permettra un meilleur processus de rétroaction au cours des réunions subséquentes entre les participants.

Il faut cependant accorder de l'importance à la rédaction de ce document. En effet, cette étape de la rédaction est l'occasion privilégiée pour l'équipe de préciser les attentes de chacun, les buts et les objectifs de l'intervention. Une attention particulière apportée à la définition des objectifs permet à chacun de savoir ce que visent l'intervention et ses critères de réussite. En effet, lorsqu'un plan d'intervention est élaboré, il y a un risque d'en rester à des généralités telles que « l'élève améliorera son comportement ». Bien sûr, tous seront d'accord avec un tel énoncé, mais quels sont, dans les faits, les comportements attendus de l'élève (arriver à l'heure, étudier au moins une heure tous les soirs)? Ce dernier est-il d'accord avec ce qu'on attend de lui? Faut-il prévoir une certaine progression? En définissant des objectifs suffisamment opérationnels, on évite que chacun ne projette dans un énoncé flou ses propres perceptions et que chacun n'intervienne dans une direction différente. De plus, cela permet aux parents et à l'élève de s'engager davantage comme partenaires dans les décisions, les interventions et leur évaluation. S'il ne faut pas ramener le plan d'intervention à un formulaire, celui-ci, s'il est bien adapté aux besoins du milieu, peut néanmoins favoriser une démarche plus systématique et faciliter le retour sur les interventions.

Le plan d'intervention inclut les composantes suivantes: la description de la situation de l'élève, la description de ses forces, de ses faiblesses et de ses besoins, de même que la planification des interventions. La figure 2.2 présente un exemple de formulaire de plan d'intervention.

A. La description de la situation de l'élève

Le formulaire présente d'abord les renseignements de base, comme le nom de l'élève, sa date de naissance, sa classe, son école et la date de la référence[1]. La date à laquelle l'élève a été référé permet d'évaluer le temps qui s'est écoulé entre la réunion portant sur le plan d'intervention et le moment où l'enseignant a référé l'élève. Il convient d'indiquer la date de la rencontre pendant laquelle les intervenants rédigent le plan d'intervention personnalisé. On note le nom des personnes présentes à la réunion ainsi que les fonctions de ces personnes. Puis, on précise dans quels secteurs l'élève semble avoir besoin d'aide: en français, en mathématique, dans son adaptation sociale, etc. Une brève description des motifs de la référence indique pourquoi un plan d'intervention est destiné à l'élève.

B. La description des forces, des faiblesses et des besoins de l'élève

Une description précise des forces, des faiblesses et des besoins de l'élève facilite l'élaboration des buts et des objectifs de l'intervention. Cette description est un préalable à la planification des apprentissages. Il est important de bien repérer les forces de l'élève, car c'est à partir de celles-ci qu'il est possible de prévoir de nouveaux apprentissages. Quant aux faiblesses et aux besoins, ils représentent les secteurs où l'élève n'atteint pas les objectifs d'intervention demandés, ou encore les éléments qui lui créent des difficultés dans ses apprentissages.

C. La planification des interventions

Une fois qu'on a décrit la situation de l'élève de même que ses forces, ses faiblesses et ses besoins, il faut planifier les interventions. Cette planification s'effectue par étapes. D'abord, l'équipe définit les buts et les objectifs du plan d'intervention; puis, elle détermine les critères et les conditions de réussite; par la suite, elle spécifie les moyens, les

1. Le mot « référence » n'est pas utilisé ici dans le sens exact qu'en donnent les dictionnaires. Cependant, nous l'employons, car il s'agit de l'expression la plus courante dans le milieu scolaire pour décrire la demande faite par l'enseignant en vue d'obtenir une étude de cas; nous éviterons ainsi la confusion qu'entraînerait l'usage d'un autre terme.

Figure 2.2

Exemple de formulaire de plan d'intervention

Plan d'intervention personnalisé

(renseignements confidentiels)

Nom de l'élève: Date de naissance:

Classe: École: Code permanent:

Date de la référence: Date de la réunion sur le plan d'intervention:

Personnes présentes:

Nom	Fonction	Nom	Fonction

Nom du coordonnateur du plan d'intervention:

SYNTHÈSE DE LA SITUATION DE L'ÉLÈVE

Secteurs de référence: ☐ Lecture ☐ Écriture ☐ Français oral

☐ Mathématique ☐ Comportement social ou développement affectif

☐ Autres (précisez):

Motifs de la référence:

Résumé des besoins, des forces et des faiblesses:

BUTS DU PLAN D'INTERVENTION

1.

2.

3.

4.

PLAN D'INTERVENTION

OBJECTIFS D'INTERVENTION		Moyens, stratégies, ressources	Intervenants	Échéances	Résultats obtenus, commentaires
Comportements à réaliser à la suite des apprentissages	Évaluation (s'il y a lieu, critères et conditions de réussite)				

Recommandations particulières:

Regroupement fréquenté (classe ordinaire, classe-ressource, etc.) et pourcentage du temps passé dans une classe ordinaire:

MISE EN APPLICATION

Période de mise en application du plan: de à

Date prévue pour l'évaluation du plan:

Recommandations à la suite de l'évaluation du plan:

Objectifs à poursuivre:

Nouveaux objectifs à déterminer:

Fin du plan:

SIGNATURES

Parents ____________________ *Autres participants* ____________________

Élève (si possible) ____________________ ____________________

Direction de l'école ____________________ ____________________

Enseignant ____________________ ____________________

stratégies et les ressources utilisés pour y parvenir ; puis, elle désigne les intervenants responsables ; ensuite, elle précise les échéances ; enfin, elle indique les résultats obtenus. Nous décrirons maintenant ces différentes étapes.

Les buts et les objectifs du plan d'intervention

Le plan d'intervention peut contenir un ou plusieurs buts, selon les besoins de l'élève. Le but fait état de l'orientation à long terme (par exemple, annuelle) du plan d'intervention, alors que l'objectif précise des comportements attendus. Après avoir déterminé les buts du plan, les intervenants procèdent à la définition des objectifs d'intervention. Les objectifs décrivent, sous forme de comportements, ce que l'élève sera capable de réaliser à la suite des apprentissages. Cette définition des objectifs fait partie d'un processus séquentiel, et il existe une relation directe entre la nature d'un but et les objectifs qui en sont issus. Aussi, d'un seul but peuvent découler divers objectifs. Les caractéristiques des objectifs sont les suivantes : ils sont définis en fonction de l'élève ; ils sont décrits sous forme de comportements ; ils sont indiqués en des termes clairs. Le ministère de l'Éducation du Québec (2004a) apporte les spécifications suivantes quant aux qualités des objectifs : ils doivent être formulés selon les caractéristiques et les besoins prioritaires de l'élève, être liés aux motifs du plan, s'appuyer sur l'évaluation et être associés au programme de formation, être définis de manière à permettre la régulation des progrès, être clairs, réalistes et vérifiables. Enfin, ces objectifs sont la résultante d'un consensus entre les partenaires.

Les critères et les conditions de réussite

S'il y a lieu, les objectifs sont suivis des critères utilisés pour évaluer la réalisation de ces objectifs et des conditions dans lesquelles doivent se manifester les comportements. Les critères de réussite servent à l'évaluation des comportements. Ils indiquent le niveau minimal permettant de juger que les objectifs ont été réalisés et précisent la qualité de l'apprentissage. Voici quelques exemples de critères de réussite : avec au moins 90 % ; sans faire d'erreur ; trois problèmes réussis sur quatre ; en moins de 10 minutes. Il peut aussi être utile (mais pas toujours nécessaire) de préciser les conditions dans lesquelles se produira le comportement. Ces conditions sont en quelque sorte les circonstances où l'on vérifiera si l'élève a bien atteint l'objectif (par exemple, à la maison et à l'école, avec ou sans l'aide du dictionnaire).

Les moyens, les stratégies et les ressources

Le plan d'intervention précise les moyens, les stratégies et les ressources qui aideront l'élève à atteindre les objectifs. Ces éléments peuvent être de divers ordres : des stratégies d'apprentissage, des méthodes pédagogiques, l'aide d'un intervenant, et ainsi de suite.

Les intervenants

Il est utile de préciser, dans le plan d'intervention personnalisé, les intervenants et les responsables de l'intervention. Les intervenants sont les personnes qui, par leurs actions, favorisent la réalisation de divers objectifs ; ce peuvent être les parents, l'élève lui-même, le titulaire, d'autres élèves, etc. Les intervenants peuvent aussi être les personnes chargées d'évaluer les résultats et de s'assurer que les enseignants disposent du matériel nécessaire. Par exemple, l'orthopédagogue pourrait être responsable d'un programme de tutorat entre élèves et veiller régulièrement à ce que tout se déroule bien.

Les échéances

Le plan d'intervention doit préciser les échéances en ce qui concerne le début de l'intervention et l'évaluation des résultats. Dans ce calendrier, on pourrait ajouter diverses dates utiles, comme le moment où commence un service ou une intervention, le moment où commence un programme de tutorat ou les dates de rencontres de l'élève avec un spécialiste.

Les résultats obtenus

Il s'agit des résultats obtenus à la suite des interventions.

S'il y a lieu, le plan d'intervention se termine par des recommandations particulières, des précisions sur les modalités de scolarisation de l'élève et les signatures des personnes en cause. À la fin, on peut réserver un espace pour les dates des prochaines évaluations du plan et de son application générale.

Le tableau 2.2, à la page suivante, présente une synthèse de la terminologie utilisée.

Si, en théorie, le plan d'intervention présente de nombreux avantages, son usage n'est toutefois pas sans soulever de difficultés. Après avoir analysé les questionnaires obtenus auprès de 621 directions d'écoles du primaire et du secondaire, Beaupré, Roy et Ouellet (2003a, 2003b) relèvent les difficultés suivantes : le manque de participation des parents et de l'élève, l'intégration insuffisante des recommandations du plan dans la pratique quotidienne de la classe, le manque de préparation du personnel et la difficile gestion du temps nécessaire. « Les principales difficultés sont la gestion du temps relié à l'ensemble des activités en lien avec le plan d'intervention, puis l'utilisation du plan d'intervention comme soutien à l'enseignant et l'implication de l'élève dans sa démarche de plan d'intervention » (Beaupré et autres, 2003a, p. 66).

Même si elle est prévue dans la Loi, la participation de l'élève (à moins qu'il ne soit incapable de participer) semble donc entraîner des difficultés. À partir des résultats de Beaupré et autres (2003a, 2003b), le ministère de l'Éducation du Québec (2004a) indique que moins du tiers des élèves participent à l'élaboration du plan d'intervention et que plus du tiers des directions d'écoles notent que les parents ne sont pas toujours invités à participer dans le cas des élèves à risque. Cette situation serait moins grave pour les parents d'enfants handicapés, car 82 % des parents participent à l'élaboration du plan d'intervention. Dans le même ordre d'idées, Goupil et autres (2000) ont questionné des directions d'écoles sur leurs pratiques à l'égard des élèves ayant une déficience intellectuelle au secondaire. Vingt-sept pour cent des directions d'écoles interrogées affirment que les élèves sont toujours présents à la réunion concernant leur plan d'intervention, 40 % déclarent que les élèves ne sont présents qu'occasionnellement et 33 % indiquent que les élèves ne sont jamais présents. Les auteurs font le constat que les pratiques semblent fluctuer en fonction des écoles. Notons qu'il existe plusieurs programmes ou démarches visant à faciliter la participation des parents et des élèves (Goupil, 2004). Près de 20 ans après l'adoption obligatoire du plan d'intervention, on observe que cette pratique pose encore des problèmes dans les milieux scolaires.

Tableau 2.2

Terminologie utilisée pour les plans d'intervention

Élément	Définition	Question	Phrase clé	Exemples
Buts du plan d'intervention	Orientation annuelle définie en fonction de l'élève	Pour atteindre quoi ?	Le plan d'intervention vise à...	Améliorer la qualité de l'orthographe
Objectifs du plan d'intervention	Apprentissages que l'élève réalisera, sous forme de comportements, déterminés en fonction du rendement actuel	Pour obtenir quel comportement à court terme ?	Être capable de...	– Compter jusqu'à 10 – Mettre son chandail – Arriver à l'heure
Critères de réussite	Normes de qualité et de quantité liées aux comportements qui seront appris	Quel est le rendement permettant de décider que l'objectif est atteint ?	Avec quel seuil de réussite (fréquence, durée, conformité, etc.) ?	– 20 problèmes sur 25 sans erreur – Au moins une heure – Chaque fois
Conditions de réussite	Circonstances, contexte où l'on jugera de la réalisation des objectifs	Quand ? Où ?	Selon quelles modalités ?	– Dans un test – À la maison et à l'école – En groupe
Moyens, stratégies et ressources	Ce qui aide l'élève ou ce qui sert à réaliser les apprentissages	Avec l'aide de qui ou de quoi ?	À l'aide de ressources et de stratégies	– Grâce à un programme de tutorat – Matériel didactique – Rencontres avec un spécialiste
Intervenant	Personne qui aide l'élève	Qui ?	Avec la collaboration ou l'aide du...	– Titulaire – Tuteur – Parent
Échéances	Calendrier des interventions et de l'évaluation	Quand ?	À la date du...	– Date du début de l'intervention – Date de l'évaluation
Résultats obtenus	Conséquences des apprentissages	Ont donné quoi ?	Ont eu pour effet de...	– L'élève a atteint l'objectif – L'élève arrive quatre matins sur cinq à l'heure

2.2 Le plan de services

Le plan d'intervention, comme nous l'avons vu, indique les objectifs à atteindre avec l'élève. Certains élèves ont cependant besoin d'interventions touchant à des secteurs diversifiés : des interventions en français, en mathématique, en orthophonie, en relation avec le comportement, etc. Il est donc possible que l'élève ait besoin de différents plans d'intervention auxquels participeront plusieurs intervenants. Ces personnes doivent alors se coordonner entre elles. Il arrive également que des élèves en difficulté ou handicapés reçoivent des services de plusieurs établissements. Le plan de services est un outil qui permet de réaliser cette coordination, tout en facilitant l'intégration des plans d'intervention. Le ministère de la Santé et des Services sociaux du Québec définit le plan de services comme suit :

Le plan de services est un mécanisme assurant la planification et la coordination des services et des ressources dans le but de satisfaire aux besoins de la personne en favorisant le développement de son autonomie et son intégration dans la communauté. De plus, il permet de s'assurer que les interventions sont cohérentes, complémentaires et centrées sur les besoins de la personne et de son environnement.

Le plan de services individualisé comporte différentes fonctions :

- **De planification**

La planification consiste à préciser les services, les programmes et les interventions nécessaires à la personne, à sa famille ou à son environnement à moyen et à long terme.

- **De coordination**

La coordination consiste à disposer des services et des ressources nécessaires dans un ordre approprié afin d'atteindre l'objectif ou les objectifs fixés en réponse aux besoins identifiés et elle exige la collaboration de tous les intervenants.

- **De sauvegarde des droits**

La sauvegarde comprend, d'une part, des éléments pour la défense et la promotion des droits ou de l'intérêt des personnes et, d'autre part, des éléments assurant une plus grande qualité des services (Ministère de la Santé et des Services sociaux du Québec, 1988, p. 21).

L'Office des personnes handicapées du Québec (OPHQ) définit le plan de services comme un outil de planification visant la complémentarité et la qualité des services. Ce processus devrait être continu et révisé régulièrement afin de mieux répondre aux besoins de la personne et d'assurer ainsi une cohérence dans les interventions. Le plan de services, toujours selon l'OPHQ, constitue une autre façon de penser, en ce sens qu'il devrait permettre l'expression des besoins et des attentes, et aider à diminuer les obstacles qu'on peut rencontrer. Le plan de services devrait également permettre de considérer la présence de la famille et de l'entourage de l'élève.

Qu'il s'adresse à un adulte ou à un enfant, le plan de services se déroule selon les étapes suivantes : l'accueil et la référence, l'évaluation globale des besoins, l'élaboration proprement dite du plan, sa réalisation et son suivi (Office des personnes handicapées du Québec, 1993). Le plan de services s'élabore au cours d'une réunion comprenant les intervenants, la personne handicapée, les parents, etc. Pendant la rencontre, la personne handicapée (ou ses représentants, comme les parents) exprime ses attentes, établit la liste de ses forces et de ses besoins, détermine des priorités et définit des buts et des objectifs. Le plan de services permet d'accorder la priorité aux besoins, de définir des buts, des services, des programmes et des interventions. Il permet aussi de déterminer les responsabilités de chacun et d'établir un échéancier.

Témoignage

« Lorsque je suis en réunion avec des intervenants pour le plan de services de mon enfant et qu'on me demande de parler de ses besoins, je ne sais pas toujours ce qu'il faut répondre. Non pas que mon enfant n'ait aucun besoin mais le plus souvent c'est que je ne sais pas par où commencer, sans compter que je ne suis pas toujours à l'aise d'en parler devant tout le monde. Lorsque je reviens à la maison et que je repense à tout cela, c'est souvent à ce moment-là que je découvre tout ce que je n'ai pas dit et que j'aurais dû dire. »

Source : Extrait de l'Office des personnes handicapées du Québec (1993, s. p.).

Généralement, la réunion portant sur le plan de services est animée par un coordonnateur. Celui-ci joue un rôle très important, car il assure un contact continu entre les partenaires. Il est chargé de rassembler la documentation et les évaluations nécessaires pour bien connaître les besoins de l'élève en difficulté. Par son animation, il facilite les échanges.

Le plan de services est une autre démarche favorisant les interventions. Le plan d'intervention et le plan de services ont plusieurs éléments en commun : la recherche d'une réponse aux besoins de l'élève, la continuité dans les services et la valorisation de la personne. Cependant, pour obtenir la planification à plus long terme, certains milieux éducatifs se sont dotés d'une nouvelle forme de plan, soit le plan de transition.

2.3 Le plan de transition

Au cours de leur carrière scolaire, tous les élèves vivront différentes transitions : l'entrée à l'école, le passage entre le primaire et le secondaire, le passage vers des études postsecondaires, l'entrée dans la vie adulte. Les transitions pourront être effectuées entre différentes périodes de vie (par exemple, entre le secondaire et la vie adulte). Blalock et Patton (1996) qualifient ces transitions d'une période de vie à l'autre de transitions verticales. Il peut aussi y avoir des transitions dans une même période de vie, comme dans le cas d'un élève qui effectue une transition, dans son cours primaire, d'une école spéciale à l'école ordinaire de son quartier. Pour Blalock et Patton, il est alors question d'une transition horizontale. Il faut également considérer que le processus de transition peut être planifié pour différents groupes d'élèves : les élèves qui ont des difficultés d'apprentissage, ceux qui ont des problèmes de comportement, etc.

Ces passages impliquent des changements, dont une adaptation à des environnements ou à des groupes sociaux différents. Pour tous les élèves, ces transitions entraînent une adaptation et peuvent à l'occasion créer du stress ou certaines difficultés. Cependant, pour les élèves en difficulté ou handicapés, ces passages sont particulièrement importants. C'est pourquoi, dans les écrits scientifiques, de plus en plus d'auteurs soulignent l'importance de la préparation de ces passages et divers gouvernements prônent leur planification systématique (Gouvernement des États-Unis, 2004 ; Ministère de l'Éducation de l'Ontario, 2002). Nous examinerons ici trois de ces transitions : l'entrée à l'école, les transitions en cours de scolarisation et l'entrée dans la vie adulte.

2.3.1 L'entrée à l'école

L'entrée à l'école est une période importante à la fois pour les parents et pour les élèves. Si l'élève présente des difficultés ou une déficience, ce passage peut générer encore plus de stress dans la famille qui s'interroge sur l'accueil qui sera fait à l'élève et sur l'adaptation de ce dernier à un nouveau contexte de vie. De plus, la situation scolaire est fort différente de celle des milieux de garde ou du milieu familial. Les élèves sont plus nombreux dans les groupes, les règles de fonctionnement de l'école sont nouvelles et l'élève est appelé à faire de nouveaux apprentissages prévus dans les programmes. Et bien que l'intégration soit prônée dans les politiques, l'enseignant ne possède pas toujours de l'expérience avec le type de difficulté ou de déficience que présente l'élève.

Afin d'assurer la mise en place à l'avance des ressources nécessaires, d'éviter que les premiers contacts n'aient lieu qu'à la rentrée des classes (période particulièrement chargée pour les enseignants), des auteurs (Tétreault, Beaupré, Pomerleau, Courchesne et Pelletier, 2006) préconisent la planification de l'entrée au préscolaire. En effet, les trajectoires scolaires demeurent relativement stables dans le temps et l'élève acquiert ses premières impressions de l'école au fil des expériences qu'il vit au préscolaire. Les élèves qui éprouvent des difficultés en début de scolarisation en ont souvent aussi plus tard, entre autres dans leur intégration sociale avec les pairs (La Paro, Kraft-Sayre et Pianta, 2003). Ruel (2006) souligne les enjeux importants de la transition au préscolaire, soit les enjeux liés à l'élève, à sa famille, au milieu scolaire et à l'instauration de la collaboration entre les services que reçoit l'élève. Elle souligne l'importance de la relation qui doit s'établir entre l'école et la famille.

D'ailleurs, la loi américaine fédérale *Individuals with Disabilities Education Improvement Act* (loi 108-446, 2004) prévoit des mesures de transition pour les élèves du préscolaire. Ces mesures sont intégrées dans le plan de services de la famille. Une telle planification vise aussi à empêcher que les premiers contacts entre la famille et l'école aient lieu à l'occasion des premières difficultés en classe, une situation où il y a un risque qu'à la fois les parents et l'enseignant soient tendus. Cette planification peut avoir lieu plusieurs mois avant septembre et se faire à travers différentes activités : l'échange de renseignements pertinents entre la famille et les enseignants, des visites à l'école ou dans des classes effectuées par l'élève, l'essai par celui-ci du transport scolaire, etc. La planification de l'entrée à l'école vise aussi l'arrimage des services et la communication des renseignements nécessaires à une transition harmonieuse. Plusieurs élèves handicapés reçoivent avant leur arrivée à l'école des services, par exemple de la part des centres de réadaptation. Dans bien des cas, les parents et les intervenants mettent au point des façons d'intervenir pour répondre aux besoins de l'élève. Ces renseignements peuvent être utiles à l'enseignant, qui évitera ainsi de perdre un temps précieux à définir les interventions appropriées à l'élève en difficulté qu'il vient d'accueillir dans sa classe.

2.3.2 Les transitions en cours de scolarisation

D'autres transitions peuvent aussi être importantes, telles que le passage du préscolaire au primaire ou encore du primaire au secondaire. Comme on le sait, les écoles primaires diffèrent considérablement des écoles secondaires. Pour les élèves en difficulté ou handicapés, ce passage peut constituer un défi de taille, d'autant plus qu'il survient au début de l'adolescence. Ce passage mérite aussi une planification. Plusieurs écoles au Québec ont d'ailleurs mis en place des mesures qu'elles offrent souvent à l'ensemble des élèves, comme le tutorat de l'élève par un élève plus âgé ou des visites préalables dans les écoles. En ce qui touche à l'élève en difficulté, il peut être important de transmettre à l'enseignant des renseignements sur les progrès qu'il accomplit et sur les moyens d'intervention qui s'avèrent efficaces à son égard.

2.3.3 L'entrée dans la vie adulte

Chaque année, de nombreux élèves quittent l'école secondaire pour entrer dans la vie adulte. Pour les élèves en difficulté ou handicapés, cette période représente un nouveau défi. Ces jeunes adultes font alors face au monde du travail et doivent apprendre à organiser leurs loisirs et à assumer différentes responsabilités. Toutefois, la gestion de ces nouvelles responsabilités exige souvent un apprentissage à long terme qui doit avoir été prévu lors de la période de scolarisation.

Afin de faciliter ce passage d'une période de vie à une autre, la loi américaine fédérale *Individuals with Disabilities Education Improvement Act* demande qu'on inclue dans le programme éducatif des élèves handicapés des activités et une planification de transition pour qu'ils aient une meilleure qualité de vie lorsqu'ils quitteront l'école. Ce plan contient des buts dans les secteurs où l'élève évoluera après avoir quitté le secondaire, que ce soit dans le monde du travail ou dans la poursuite de la scolarisation, dans le choix d'un lieu de résidence ou dans l'accès aux services communautaires et aux loisirs. La Division of Career Development and Transition définit ainsi ce processus :

> Le terme « transition » fait référence au changement du statut d'élève pour un statut d'adulte dans la communauté. Assumer un statut d'adulte suppose plusieurs rôles à jouer dans la communauté : dans l'emploi, dans l'éducation postsecondaire, dans l'entretien de son domicile, dans la participation active à la vie de la communauté et dans l'expérience de relations personnelles et sociales satisfaisantes. Une transition harmonieuse implique la participation à des programmes scolaires, de santé, de services sociaux et communautaires de même qu'à leur coordination. On doit établir les éléments de base de la transition pendant la période de scolarisation au primaire et au début du secondaire en s'inspirant des grands principes de la planification de carrière. La planification de la transition doit se faire avant que les élèves aient 14 ans, et ceux-ci doivent être encouragés, en tenant compte de leur potentiel, à assumer une responsabilité maximale au cours de cette planification (Halpern, 1994, p. 117 ; traduit par l'auteure).

Aux États-Unis, on a élaboré divers modèles en vue d'effectuer une telle planification. En général, ces modèles incluent :

- des programmes destinés à préparer la personne à la vie et au travail dans la communauté ;
- des services postsecondaires qui permettent à chaque individu d'agir selon ses goûts et ses choix ;
- un système de coordination visant la concertation entre les milieux éducatifs et les milieux communautaires de façon que chaque élève puisse atteindre ses buts relatifs à la vie après l'école secondaire (McDonnell, Mathot-Buckner et Ferguson, 1996).

En 2003, l'Office des personnes handicapées du Québec (OPHQ) a mis sur pied un comité de travail sur l'implantation de la planification de la transition pour faire le point sur la situation. Dans son rapport, l'OPHQ constate qu'aux États-Unis la planification de la transition est obligatoire et qu'en Ontario elle fait partie de la législation. Au Québec, l'OPHQ observe que, malgré la mise en place de quelques projets, cette pratique tarde à s'implanter. Le rapport de ce comité présente aussi différentes recommandations ayant trait à une transition harmonieuse de l'école à la vie adulte. La première recommandation concerne la prise en considération du cheminement socioprofessionnel du jeune. Toutefois, cette planification ne doit pas négliger, en parallèle, l'intégration communautaire et la transformation du réseau social qui se produit lorsque celui-ci quitte l'école. Ce comité en arrive à la conclusion que le plan de transition doit s'intégrer dans la démarche du plan d'intervention, ainsi que le font les Américains. L'OPHQ relève aussi l'importance d'une démarche fondée sur la capacité d'agir du jeune. Celui-ci devra s'approprier sa démarche de transition en prenant les décisions qui le concernent.

Le ministère de l'Éducation de l'Ontario (2002) propose une démarche en trois étapes : la préparation du plan de transition, son élaboration et sa mise en œuvre. À l'étape de la préparation, le Ministère prévoit la nomination d'un coordonnateur de l'équipe de transition et le choix des membres qui feront partie de cette équipe. Par la suite, ces membres se réunissent et élaborent un processus de planification. La deuxième étape concerne l'élaboration elle-même du plan. Enfin, le plan de transition est appliqué. Ce plan doit reposer sur certains principes : il doit être simple, être axé sur des buts complets (pas seulement sur le travail), se fonder sur le partenariat et présenter de la flexibilité dans son application.

Goupil, Tassé, Garcin et Doré (2002) ont élaboré avec des familles et des écoles des plans de transition pour 21 jeunes de 13 à 20 ans ayant une déficience intellectuelle. Ces chercheurs ont réuni les parents et le personnel scolaire pour des séances d'information sur la transition et sur divers outils qui facilitent celle-ci (par exemple, le *Making Action Plans* ou MAP[2] de Forest et Pearpoint, 1992). Les participants demeurent libres d'adopter la démarche qui leur convient. Par ailleurs, les auteurs ont constaté que les parents et le personnel scolaire connaissent peu les ressources disponibles à l'extérieur de l'école. Ils ont noté les difficultés concernant la participation des élèves, dont certains sont non verbaux. En effet, même si les chercheurs ont insisté pour que les élèves participent aux rencontres, ces derniers n'étaient présents qu'à 17 rencontres sur 33. En outre, l'enregistrement des rencontres et leur analyse indiquent que les propos des jeunes qui sont verbaux n'occupent que 8 % des discussions. Les problèmes observés en relation avec la participation des jeunes aux plans d'intervention semblent donc se refléter aussi dans les plans de transition, même si plusieurs de ces élèves sont de jeunes adultes (Goupil et autres, 2003).

Le plan de transition requiert l'utilisation concertée des ressources du milieu scolaire et de la communauté. Il s'agit d'une planification à plus long terme visant à faciliter le passage d'une période de vie à une autre.

RÉSUMÉ

Afin de faciliter la concertation entre les divers participants et une meilleure réponse aux besoins de l'élève, les milieux éducatifs et de réadaptation se sont dotés de divers moyens de planification, soit d'un plan d'intervention personnalisé, d'un plan de services et d'un plan de transition.

L'élaboration d'un plan d'intervention s'insère dans une démarche globale d'aide à l'élève en difficulté. Dans cette démarche, l'évaluation des besoins, des forces et des faiblesses de l'élève revêt une importance capitale, car c'est à partir de la situation de l'élève qu'il sera possible d'élaborer un véritable plan personnalisé. Le plan décrit d'abord les buts fixés, soit les grandes orientations. Puis, il précise les comportements qui suivront l'apprentissage : ce sont les objectifs. Ces comportements peuvent être précisés à l'aide de critères et de conditions de réussite. Le plan décrit aussi les moyens, les stratégies et les ressources qui seront utilisés ; il détermine les responsables de l'intervention et fixe les échéances.

Le plan de services permet la coordination des intervenants ou des établissements quant aux services offerts à la personne en difficulté. Quant au plan de transition, il favorise une planification à plus long terme en facilitant le passage d'une période de vie à une autre.

2. Voir le chapitre 10 pour plus d'information sur le MAP.

QUESTIONS

1. Qu'est-ce que le plan d'intervention personnalisé, le plan de services et le plan de transition ? Quelles sont leurs fonctions ?
2. Donnez deux exemples de forces et de difficultés chez un élève.
3. Donnez deux exemples d'expression de besoins chez un élève.
4. À partir de votre expérience, indiquez deux buts que poursuit un plan d'intervention.
5. Parmi les phrases suivantes, lesquelles présentent des comportements et lesquelles présentent des jugements ?
   - Jacques est agressif.
   - Karina range sa chambre.
   - Pierre écrit son nom.
   - Pauline ne comprend pas.
   - Jacques écrit une majuscule au début du nom « Marie ».
   - Isabelle est constamment dans l'erreur.
6. En fonction de votre expérience, indiquez deux buts d'un plan d'intervention et deux objectifs découlant logiquement de ces buts.
7. Parmi les phrases suivantes, lesquelles présentent des buts d'un plan d'intervention et lesquelles présentent des objectifs ?
   - Éric améliorera sa communication orale et écrite.
   - Édouard sera capable d'utiliser correctement la ponctuation dans des textes.
   - Jacques deviendra plus autonome et participera à l'ensemble des activités de l'école.
   - Pauline s'intégrera dans la vie sociale de l'école.
   - Évelyne sera capable d'effectuer correctement 9 fois sur 10 les additions à 2 chiffres sans retenue.
8. Énumérez une série de 10 comportements et, pour chacun d'entre eux, indiquez une caractéristique qui permettrait d'en fixer des critères de réussite. Par exemple : regarder la télévision (comportement) pendant une heure (critère basé sur la durée).
9. À partir d'une situation problématique que vous imaginerez (par exemple, un élève qui arrive toujours 10 minutes en retard et oublie d'apporter son matériel scolaire), déterminez un but d'un plan d'intervention et deux objectifs avec des critères et des conditions de réussite. Complétez ce travail en précisant des moyens d'intervention, les intervenants en cause et des échéances. Structurez ce travail dans les sections du formulaire de plan d'intervention personnalisé intitulées « Buts du plan d'intervention » et « Plan d'intervention » (voir la figure 2.2).

MISES EN SITUATION

Voici deux cas types d'élèves en difficulté. Après avoir lu ces cas, indiquez quelles étapes il faudrait suivre pour chacun d'eux.

Première situation

Alexandra : 8 ans.

Date d'anniversaire : 28 septembre.

Niveau scolaire : première année du deuxième cycle du primaire (troisième année).

Date de la référence : 25 février de l'année scolaire en cours.

Le cas d'Alexandra est soumis à la direction pour que celle-ci demande à l'orthopédagogue d'évaluer l'élève. Alexandra présente des difficultés sérieuses en français écrit. Ses travaux révèlent qu'elle ne réalise pas les apprentissages prévus au programme du premier cycle du primaire. Entre autres, ses lettres sont mal formées, elle n'utilise pas le point à la fin des phrases ni la majuscule au début de chacune d'elles. Par ailleurs, ses mots sont truffés de fautes d'orthographe ; seuls les plus simples en sont exempts. À peu près systématiquement, elle oublie de mettre un *s* aux noms pluriels.

Pourtant, en lecture, son rendement est bon, elle comprend bien les textes et répond avec facilité aux questions de compréhension. En mathématique, ses résultats sont excellents. En classe, Alexandra se comporte bien,

MISES EN SITUATION (*suite*)

respectant la discipline. Elle a de nombreux amis à la récréation. Elle s'exprime au bon moment. L'enseignante a rencontré ses parents lors de la remise du bulletin. Ceux-ci semblent intéressés à collaborer.

L'enseignante de la deuxième année du premier cycle (la titulaire d'Alexandra l'an dernier) a été rencontrée. Alexandra présentait alors des difficultés d'écriture, mais l'enseignante a préféré ne pas soumettre immédiatement son cas à la direction, croyant que les choses s'arrangeraient. Elle hésite d'ailleurs beaucoup à référer les élèves de son groupe. Selon elle, à partir du moment où l'élève se croit en difficulté, il se sent moins bon, et cette perception a pour effet d'aggraver ses problèmes.

Questions

1. Selon vous, quelles évaluations serait-il nécessaire d'effectuer pour Alexandra ?
2. Quelles démarches devrait-on entreprendre ?

Deuxième situation

Jacques : 11 ans.

Date d'anniversaire : 28 mars.

Niveau scolaire : première année du troisième cycle du primaire (cinquième année).

Date de la référence : 22 novembre de l'année scolaire en cours.

Jacques est référé par son enseignante parce qu'il dérange les autres élèves. Ce garçon réclame constamment de l'attention. Cette attitude est particulièrement marquée pendant les exercices écrits qui durent plus de 30 minutes. Jacques a beaucoup de difficulté à entreprendre l'exercice demandé, à s'organiser et à planifier son travail. Si l'enseignante ne lui donne pas un soutien continuel, il abandonne très rapidement la tâche pour se distraire et, surtout, distraire les autres. Il essaie alors de converser avec ses camarades sur tout sauf sur le travail exigé !

Jacques a un autre problème : il a l'habitude d'oublier à la maison une grande partie du matériel nécessaire en classe. Régulièrement, il emprunte les crayons des autres et leurs gommes à effacer. Ces emprunts surviennent surtout lorsque ses camarades utilisent ce matériel. Par conséquent, il s'ensuit des disputes et de nombreuses protestations de la part des élèves. Naturellement, ce scénario perturbe le bon fonctionnement de la classe. De plus, Jacques laisse souvent son matériel scolaire dans sa case au lieu de le déposer dans son pupitre. Cette négligence lui donne un excellent prétexte pour sortir de la classe, généralement sans demander l'autorisation. Lorsque l'enseignante donne des explications, Jacques fait autre chose : il fouille dans son bureau, laisse tomber des choses par terre, se lève pour les ramasser, parfois se promène d'un pupitre à l'autre.

Son dernier bulletin révèle qu'il n'a pas atteint tous les apprentissages prévus au cours de la première étape. L'enseignante croit que si les résultats de Jacques sont aussi faibles, ce n'est pas parce qu'il manque de potentiel ou qu'il a des difficultés graves d'apprentissage, mais parce qu'il s'applique beaucoup plus à attirer l'attention des autres qu'à effectuer son travail. Au cours des minutes de récupération, il arrive à l'occasion que l'enseignante travaille seule avec Jacques. Il comprend alors facilement les explications et, guidé pas à pas, il réussit les exercices proposés. Mais dès que l'encadrement est moins structuré, Jacques ne termine pas ses exercices. Il aggrave actuellement son retard scolaire. S'il continue de la sorte, confie son enseignante, il devra être inscrit au secondaire dans un cheminement particulier.

Toujours selon son enseignante, plusieurs problèmes de Jacques sont liés à sa situation familiale. Jacques vit seul avec sa mère. À la remise du bulletin, celle-ci ne s'est pas présentée. Elle occupe des emplois à temps partiel comme serveuse dans un restaurant et vendeuse dans un magasin. Jacques raconte que, lorsqu'il arrive à la maison, sa mère est souvent absente. Elle rentre en général vers 20 heures ou 21 heures, quand ce n'est pas plus tard. Dans ces circonstances, elle est toujours très fatiguée et n'a pas le temps de vérifier les devoirs et les leçons de son fils. Le matin, la plupart du temps, elle dort encore au moment du départ de Jacques pour l'école. De plus, Jacques arrive en classe avec une bonne demi-heure de retard au moins trois ou quatre fois par mois. L'enseignante croit qu'il se couche très tard, car il raconte régulièrement le contenu d'émissions de télévision diffusées après 22 heures. Par ailleurs, Jacques s'est confié un jour à son enseignante. Il lui a dit que sa mère l'aimait beaucoup, il parlait d'elle avec beaucoup d'affection, précisant qu'elle faisait tout son possible pour qu'ils vivent convenablement, mais que,

...

MISES EN SITUATION (*suite*)

malheureusement, elle était trop souvent débordée ou fatiguée. Selon lui, tous ces problèmes sont imputables à son père, qui les a quittés trois ans auparavant.

En résumé, l'enseignante croit qu'il faut apporter de l'aide à Jacques. Elle-même désire être aidée pour pouvoir maîtriser le comportement de cet élève qui perturbe de plus en plus le fonctionnement normal de la classe.

Questions

1. Selon vous, quelles démarches faudrait-il entreprendre dans cette situation ?
2. Y a-t-il des évaluations à proposer pour mieux connaître les besoins de Jacques ? Dans l'affirmative, lesquelles ?

RÉFÉRENCES SUGGÉRÉES

GOUPIL, G. (2004). *Plans d'intervention, de services et de transition.* Montréal : Gaëtan Morin Éditeur.

MINISTÈRE DE L'ÉDUCATION DE L'ONTARIO (2002). *Guide sur la planification de la transition.* Imprimeur de la Reine pour l'Ontario, [en ligne], [http://www.edu.gov.on.ca/] (17 janvier 2007).

MINISTÈRE DE L'ÉDUCATION DU QUÉBEC (2004). *Le plan d'intervention... au service de la réussite de l'élève. Cadre de référence pour l'établissement des plans d'intervention.* Québec : Ministère de l'Éducation.

OFFICE DES PERSONNES HANDICAPÉES DU QUÉBEC (2003). *La transition de l'école à la vie active. Rapport du comité de travail sur l'implantation d'une pratique de la planification de la transition au Québec.* Drummondville, Québec : Office des personnes handicapées du Québec, [en ligne], [http://www.ophq.gouv.qc.ca/] (17 janvier 2007).

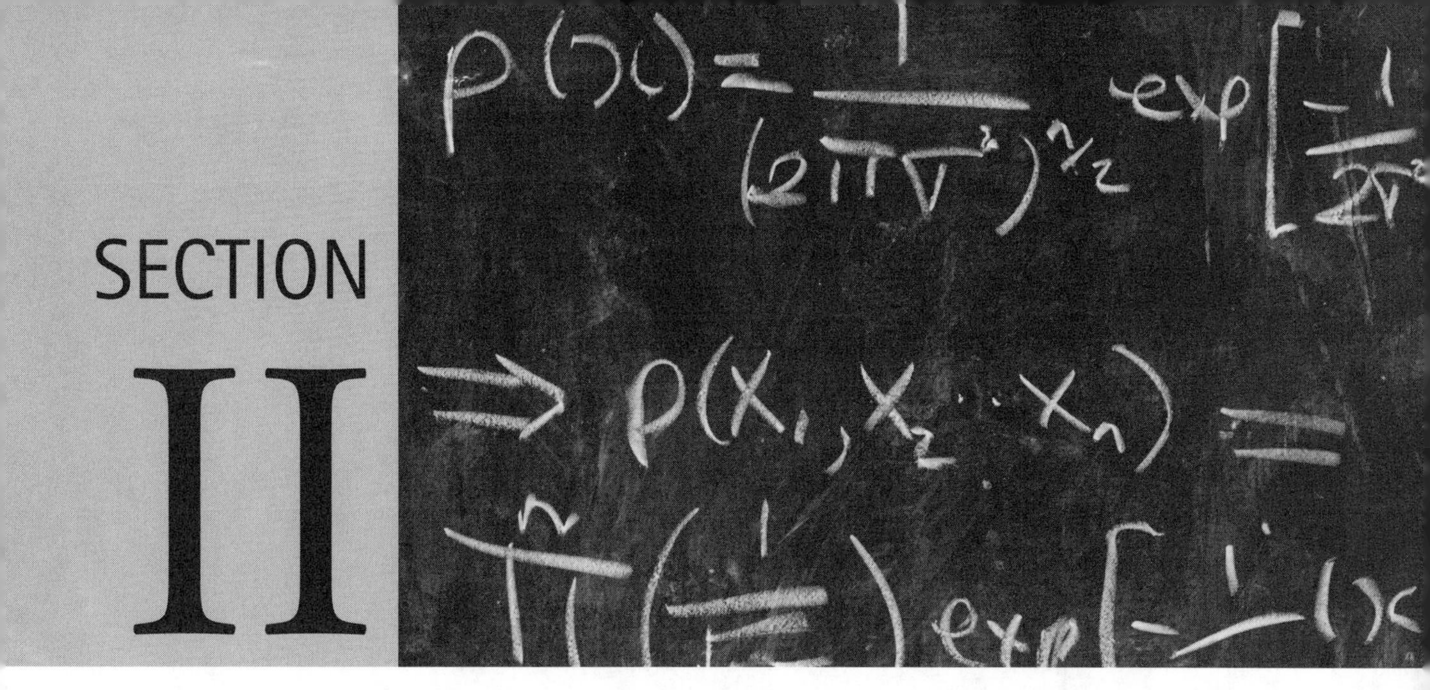

SECTION II

Les élèves en difficulté d'apprentissage

Chapitre 3

Les difficultés d'apprentissage : manifestations, définitions et conceptions

Objectifs

Après avoir lu ce chapitre, le lecteur devrait pouvoir :

- décrire les principales manifestations des difficultés d'apprentissage qui attirent l'attention des enseignants à l'école ;
- définir les termes suivants : difficulté et trouble d'apprentissage, dyslexie, dysorthographie, dysgraphie et dyscalculie ;
- décrire différentes façons de concevoir les difficultés d'apprentissage ;
- préciser comment les conceptions à la base des programmes d'études actuels orientent la perspective au regard des difficultés d'apprentissage ;
- indiquer comment les facteurs affectifs peuvent être liés aux difficultés d'apprentissage ;
- indiquer comment la conception des difficultés d'apprentissage peut influer sur le mode d'évaluation et d'intervention.

Comment se sent-on lorsqu'on a des difficultés d'apprentissage à l'école?

On se sent... On se sent normal. Sauf qu'on sent qu'on n'aura pas envie de montrer son bulletin à la fin de l'année.

J.S., 10 ans

INTRODUCTION

De nombreux élèves éprouvent des difficultés à l'école, que celles-ci se manifestent par un retard scolaire important ou par l'échec aux examens. Certains connaissent des difficultés passagères qui peuvent être facilement surmontées avec l'aide appropriée. Cependant, d'autres accusent un retard qui les handicapera tout au long de leur vie scolaire. Ce chapitre présente les manifestations des difficultés d'apprentissage, les principaux termes utilisés pour décrire cette réalité et les facteurs explicatifs de ces difficultés.

3.1 Les manifestations des difficultés d'apprentissage

Les difficultés d'apprentissage peuvent être observées dans différentes matières et dans diverses habiletés. Certains élèves ont de la difficulté à orthographier ou à lire. D'autres sont malhabiles dans les activités manuelles ou physiques. Des élèves éprouvent des difficultés en sciences, en anglais ou encore en arts plastiques. Bien que toutes ces matières soient importantes pour le développement, dans le milieu scolaire les interventions spécifiques sont surtout centrées sur les difficultés d'apprentissage en français et en mathématique.

Les définitions du ministère de l'Éducation du Québec ont surtout mis l'accent, jusqu'en 2000, sur un rendement inférieur, par rapport au potentiel de l'élève, dans la langue d'enseignement et en mathématique. Mollen (1985) indique que les difficultés d'apprentissage peuvent être regroupées en cinq secteurs : le langage oral (incluant l'écoute et la parole), la lecture, le langage écrit, la mathématique et le raisonnement. Nous examinerons quelques manifestations des difficultés d'apprentissage dans ces différents secteurs.

3.1.1 Les difficultés en langage oral

Les difficultés en langage oral sont susceptibles de se manifester dans le domaine de la parole ou dans celui du langage. La parole est la réalisation du langage. Quant aux troubles du langage, ils concernent l'organisation du discours de la pensée. Il va sans dire que le langage oral est une base importante pour les autres acquisitions à l'école. Ces déficits peuvent se présenter au sujet de la réception (écoute) ou de l'émission dans le processus de communication. Un vocabulaire pauvre et d'importantes difficultés en prononciation entraînent des problèmes quant à la compréhension du vocabulaire et des textes utilisés à l'école. Malheureusement, plusieurs enfants arrivent à l'école en éprouvant des difficultés relativement au langage ou à la parole.

Pour plusieurs auteurs, des lacunes dans l'acquisition de la conscience phonologique seraient l'une des principales causes des problèmes ultérieurs en lecture. La conscience phonologique est définie, selon Saint-Laurent (2002), « comme la sensibilité aux sons des mots à l'oral et l'habileté à jouer avec » (p. 143).

Les difficultés en langage sont souvent accentuées par le fait que certains mots que présentent les manuels scolaires ou que prononce l'enseignant n'ont jamais été utilisés par l'élève, ou encore par le fait que la langue parlée à la maison n'est pas la même que celle parlée à l'école. La culture de l'école n'est pas forcément non plus celle du quartier où elle est située.

Le développement adéquat de la parole et du langage repose sur de nombreuses conditions, dont des mécanismes oraux et auditifs appropriés, un climat affectif sain, une bonne relation avec les parents et un milieu stimulant. Cependant, tous les élèves ne jouissent pas de toutes ces conditions et l'école ne tient pas toujours compte des différences culturelles qui la séparent de ses élèves. Il peut donc exister des variations importantes dans le langage des élèves. Les difficultés éprouvées alors ne seront pas sans conséquence pour les autres acquisitions.

3.1.2 Les difficultés en lecture

Ce sont les difficultés en lecture qui ont, jusqu'à ce jour, principalement attiré l'attention des orthopédagogues et des enseignants. En effet, des difficultés d'apprentissage sérieuses en lecture entraînent de graves conséquences pour l'ensemble de la scolarité d'un élève. La plupart des matières utilisent ce support pour transmettre l'information : les problèmes écrits en mathématique, les livres de sciences ou de géographie, etc. Des problèmes sérieux en lecture occasionnent aussi des difficultés importantes en orthographe.

Pour bien saisir la nature des difficultés en lecture, il importe de connaître les composantes de celle-ci. Complexe, la lecture suppose la connaissance du système écrit, les mouvements des yeux et leur fixation appropriés, l'attention du lecteur, l'extraction de l'information du texte (*information-processing model*), le décodage et la compréhension de l'information (Glover et Bruning, 1987). Somme toute, il s'agit d'un processus dynamique et interactif. De nombreuses variables entrent en jeu dans la lecture : les connaissances antérieures, le contenu lu, les buts poursuivis et le contexte de l'activité de lecture (Glover et Bruning, 1987).

Historiquement, les difficultés en lecture ont donné naissance à plusieurs modèles explicatifs. Nous verrons un peu plus loin dans ce chapitre les multiples facteurs invoqués par différents auteurs pour expliquer ces difficultés.

3.1.3 Les difficultés à orthographier et à calligraphier

Plusieurs élèves éprouvent des difficultés en orthographe, en écriture ou encore dans les deux domaines à la fois. La plupart du temps, l'élève qui connaît des difficultés en lecture a aussi des problèmes en orthographe, mais l'inverse n'est pas nécessairement vrai. De bons lecteurs peuvent éprouver des problèmes à orthographier correctement.

Certains élèves ont également des difficultés à calligraphier correctement les textes demandés : l'écriture est laborieuse, malhabile. L'élève éprouve dans cette activité des problèmes de coordination oculomanuelle. Les problèmes d'orthographe et de calligraphie apparaissent souvent simultanément. En effet, l'élève qui a des problèmes sérieux en orthographe risque d'être perturbé sur le plan émotif par cette situation. Il est plus contracté, et cette réaction se reflète alors dans son écriture. L'élève doit concentrer son attention à la fois sur l'orthographe et sur la calligraphie. L'un et l'autre s'en ressentent. La tâche n'est pas facile !

Orthographe et calligraphie demeurent des préoccupations importantes dans l'intervention de plusieurs enseignants. Heureusement, l'ordinateur permet actuellement de surmonter, en partie du moins, des difficultés motrices liées à l'écriture.

3.1.4 Les difficultés en mathématique

La mathématique, c'est bien plus que de simplement compter ou de faire des opérations mathématiques telles qu'additionner ou soustraire. Elle implique la capacité de raisonner et de résoudre des problèmes (Hallahan, Lloyd, Kauffman, Weiss et Martinez, 2005). Le Programme de formation de l'école québécoise (2001) indique que la mathématique suppose la résolution des situations-problèmes, le raisonnement à l'aide de concepts et de processus mathématiques et, finalement, la communication à l'aide du langage mathématique. Elle inclut, entre autres, la statistique, la probabilité, la géométrie et la mesure (MEQ, 2001). Bien que la mathématique soit l'une des deux matières principales au programme, elle n'a pas engendré autant d'écrits que le français sur les difficultés d'apprentissage qui y sont rattachées. Cela s'explique en grande partie par le fait que, lorsque l'élève éprouve des difficultés d'apprentissage dans les deux matières fondamentales, les enseignants privilégient souvent l'intervention dans la langue d'enseignement. Pourtant, des échecs en mathématique empêcheront des élèves, particulièrement au secondaire et au cégep, d'accéder à la profession de leur choix.

3.1.5 Les autres difficultés d'ordre cognitif

L'élève peut aussi éprouver des difficultés de raisonnement qui entravent la résolution des tâches d'apprentissage. Ces difficultés se présentent de diverses manières. En effet, l'élève peut avoir du mal à organiser ou à structurer les étapes nécessaires à la réalisation d'une tâche ou d'un problème. Les difficultés risquent de se manifester sur le plan de la généralisation ou sur celui de la discrimination. Certains élèves présentent aussi des problèmes de mémoire à court ou à long terme. Saint-Laurent (2002) indique qu'outre les problèmes liés au faible rendement scolaire, les élèves ayant des difficultés d'apprentissage peuvent éprouver des difficultés en ce qui concerne le langage oral et la conscience phonologique, les processus cognitifs, l'attention, la perception, la motricité, la mémoire, la métacognition, la motivation scolaire, l'estime de soi et la compétence sociale.

3.2 Les définitions

3.2.1 La controverse entourant les définitions des élèves en difficulté d'apprentissage

Comme nous venons de le voir, les difficultés d'apprentissage se manifestent de diverses manières. Cependant, même si les élèves qui ont des difficultés d'apprentissage représentent, au point de vue statistique, la population la plus importante parmi celle des élèves en difficulté, il n'est pas simple pour autant de définir les difficultés d'apprentissage. Il est encore plus périlleux de tenter d'en cerner les causes exactes. La preuve en est le nombre de termes, de définitions et de modèles explicatifs qu'utilisent les commissions scolaires, les auteurs et les chercheurs pour qualifier ou analyser ce problème : dyslexie, dysorthographie, dyscalculie, acalculie, dommage cérébral minime, trouble ou difficulté d'apprentissage, mauvais lecteur, mauvais scripteur, élève à risque, etc. Et ce ne sont là que quelques-unes des expressions formant la terminologie employée ! En général, la catégorie des élèves dits en difficulté d'apprentissage regroupe des élèves qui présentent des difficultés diverses, qu'on ne peut expliquer par une déficience intellectuelle, physique ou sensorielle. Ainsi, un élève qui ne peut apprendre à lire ou à compter en raison d'une déficience intellectuelle profonde ne sera pas inclus dans la catégorie des élèves en difficulté d'apprentissage. Là semble s'arrêter le consensus, bien que le ministère de l'Éducation du Québec (2003a) indique que les élèves handicapés peuvent aussi avoir des difficultés d'apprentissage.

3.2.2 Les définitions américaines

Nos conceptions éducatives au sujet des élèves en difficulté ont fortement été influencées par les Américains. Aux États-Unis, ce domaine des difficultés d'apprentissage est caractérisé dans les écrits scientifiques par de nombreuses controverses, les auteurs ayant du mal à adopter un consensus sur la définition de ce problème. En effet, de nombreuses disciplines, comme la médecine, la psychologie et la pédagogie, pour n'en nommer que quelques-unes, se sont intéressées aux difficultés d'apprentissage, et celles-ci recouvrent une variété de difficultés qu'il est souvent ardu de mesurer. Dès 1962, Samuel Kirk s'est efforcé d'amener les parents, le gouvernement américain et les professionnels à mieux circonscrire, dans une définition valide, les difficultés d'apprentissage. Voici cette définition :

> Une difficulté d'apprentissage fait référence à un retard, à un désordre ou à un retard de développement dans un ou plusieurs processus de la parole, du langage, de la lecture, de l'écriture, de l'arithmétique ou dans d'autres matières scolaires, résultant d'un handicap psychologique susceptible d'être causé par une dysfonction cérébrale ou par des problèmes émotifs ou comportementaux. Ce n'est pas la résultante d'un retard mental, d'une déficience sensorielle ou de facteurs culturels ou éducatifs (Kirk, 1962, p. 263 ; traduit par l'auteure).

Le débat sur la définition des élèves en difficulté d'apprentissage a fait couler beaucoup d'encre. Après avoir analysé les 11 définitions les plus en usage aux États-Unis, Hammill (1990) croit que la définition du National Joint Committee on Learning Disabilities serait la plus susceptible de créer un consensus. Cette définition est la suivante :

> Les difficultés d'apprentissage sont un terme générique qui renvoie à un groupe hétérogène de problèmes se manifestant par des difficultés importantes dans l'acquisition et l'utilisation de l'écoute, de la parole, de la lecture, de l'écriture, du raisonnement et de la mathématique. Ces problèmes sont intrinsèques à l'individu et dus probablement à une dysfonction du système nerveux central. Même si une difficulté d'apprentissage peut se présenter de manière concomitante avec d'autres conditions de handicap (comme une déficience sensorielle, un retard mental, un problème social ou émotif) ou des influences de l'environnement (comme des différences culturelles, une éducation insuffisante ou inappropriée, des facteurs psychogénétiques), elle n'est pas la résultante de ces conditions (Hammill, Leigh, McNutt et Larsen, 1981, p. 336 ; traduit par l'auteure).

Cette définition, même si elle remonte à plusieurs années, est encore reprise dans les synthèses majeures sur les difficultés d'apprentissage (Swanson, Harris et Graham, 2003).

À la lecture de ces deux définitions, on constate la présence d'éléments communs. Ainsi, les définitions évoquent les manifestations des difficultés dans l'apprentissage des matières scolaires. De même, elles font mention de facteurs d'exclusion des élèves dont les difficultés seraient dues principalement à une autre cause, telle la déficience intellectuelle. Elles laissent aussi entendre que les difficultés d'apprentissage seraient attribuables à des problèmes d'ordre neurologique. Cependant, compte tenu du grand nombre d'élèves en difficulté d'apprentissage, plusieurs auteurs remettent en cause ce facteur pour la majorité des élèves (Adelman, 1992).

3.2.3 Les définitions québécoises du ministère de l'Éducation, du Loisir et du Sport

A. Les instructions

Jusqu'à la fin des années 90, le ministère de l'Éducation du Québec présente dans ses instructions une définition des élèves en difficulté d'apprentissage centrée sur le degré de retard pédagogique compte tenu du potentiel et du groupe d'appartenance de l'élève. Il est alors question de difficulté légère d'apprentissage ou de difficulté grave selon le degré de retard pédagogique. Plus d'un an de retard est considéré comme une difficulté légère dans l'une des deux matières (mathématique ou langue d'enseignement) au primaire et dans les deux disciplines au secondaire. Le Ministère estime que les difficultés d'apprentissage sont graves lorsque le retard est de plus de deux ans dans l'une ou l'autre des deux disciplines en tenant compte des capacités de l'élève et de la majorité des autres élèves du même âge de la commission scolaire.

Au début des années 2000, dans une optique de « dé-catégorisation », les élèves en difficulté d'apprentissage sont inclus dans le concept beaucoup plus large d'« élèves à risque ».

En 2006, dans le cadre du renouvellement de la convention collective, le ministère de l'Éducation, du Loisir et du Sport du Québec (MELS) revient à une définition des élèves en difficulté d'apprentissage, séparant celle-ci, comme antérieurement, de celle des élèves en difficulté de comportement. Les critères d'identification proposés en 2006 reposent sur l'atteinte des exigences minimales de réussite en langue d'enseignement et en mathématique pour le cycle dans lequel est inscrit l'élève (voir le chapitre 4). Le tableau 3.1 présente cette définition.

B. Le cadre de référence sur les difficultés d'apprentissage

En 2003, le ministère de l'Éducation du Québec définit ainsi les difficultés d'apprentissage dans son cadre de référence pour le préscolaire, le primaire et le secondaire :

> Selon les auteurs ou les croyances, le terme difficulté d'apprentissage recouvre différentes réalités. Pour les fins du présent document, il évoque les difficultés d'un élève à progresser dans ses apprentissages en relation avec les attentes du Programme de formation (MEQ, 2003a, p. 2).

Ce cadre de référence précise aussi :

> C'est au regard des compétences définies par le Programme de formation que se manifestent les difficultés d'apprentissage. Elles touchent plus particulièrement la compétence à lire, à communiquer oralement ou par écrit et à utiliser la mathématique.
>
> Les difficultés d'apprentissage sont généralement liées à des difficultés à utiliser des stratégies cognitives et métacognitives et à bien exploiter certaines compétences transversales. Elles sont le plus souvent couplées avec certains déficits, notamment sur le plan de l'attention et de la mémoire. Elles entraînent fréquemment un manque de motivation et une faible estime de soi. Elles découlent parfois de problèmes de comportement, mais peuvent aussi être à l'origine de ceux-ci (MEQ, 2003a, p. 2).

Tableau 3.1

Définition de l'élève en difficulté d'apprentissage	
Au primaire	**Au secondaire**
Celui dont l'analyse de sa situation démontre que les mesures de remédiation mises en place, par l'enseignante ou l'enseignant ou par les autres intervenantes ou intervenants durant une période significative, n'ont pas permis à l'élève de progresser suffisamment dans ses apprentissages pour lui permettre d'atteindre les exigences minimales de réussite du cycle en langue d'enseignement ou en mathématique conformément au Programme de formation de l'école québécoise.	Celui dont l'analyse de sa situation démontre que les mesures de remédiation mises en place par l'enseignante ou l'enseignant ou par les autres intervenantes ou intervenants, durant une période significative, n'ont pas permis à l'élève de progresser suffisamment dans ses apprentissages pour lui permettre d'atteindre les exigences minimales de réussite du cycle en langue d'enseignement et en mathématique conformément au Programme de formation de l'école québécoise.

Source : Réalisé par le Comité patronal de négociation pour les commissions scolaires francophones (CPNCF, 2006, p. 207).

3.2.4 La définition des troubles d'apprentissage

Si le MELS utilise l'expression « difficulté d'apprentissage », d'autres organismes utilisent le terme « trouble d'apprentissage ». Ainsi, pour le regroupement Troubles d'apprentissage – Association canadienne (TAAC), la notion de troubles d'apprentissage revêt un caractère permanent et découle de facteurs génétiques ou neurobiologiques (voir l'encadré de la page suivante). De son côté, le DSM-IV-TR (American Psychiatric Association [APA], 2003) indique qu'il y a trouble des apprentissages lorsque « les performances du sujet à des tests standardisés, passés de façon individuelle, portant sur la lecture, le calcul ou l'expression écrite sont nettement au-dessous du niveau escompté, compte tenu de son âge, de son niveau scolaire et de son niveau intellectuel » (p. 56).

Tous ces changements dans les définitions devraient nous amener à nous demander ce qui les rend plus utiles à la fois pour les élèves et pour les intervenants. Ces définitions devraient permettre à l'élève d'obtenir de meilleurs services et des interventions mieux ciblées, car, en fin de compte, l'important est la progression dans les apprentissages. Et comme le précisent Fletcher, Morris et Lyon (2003), « tous les enfants sont capables d'apprentissage, et il n'y a pas d'enfants qui ne peuvent répondre ; ils sont seulement plus lents à le faire » (p. 52 ; traduit par l'auteure).

Définition du regroupement Troubles d'apprentissage – Association canadienne (TAAC)

L'expression « troubles d'apprentissage » fait référence à un certain nombre de dysfonctionnements pouvant affecter l'acquisition, l'organisation, la rétention, la compréhension ou le traitement de l'information verbale ou non verbale. Ces dysfonctionnements affectent l'apprentissage chez des personnes qui, par ailleurs, font preuve des habiletés intellectuelles essentielles à la pensée ou au raisonnement. Ainsi, les troubles d'apprentissage sont distincts de la déficience intellectuelle.

Les troubles d'apprentissage découlent d'atteintes d'un ou de plusieurs processus touchant la perception, la pensée, la mémorisation ou l'apprentissage. Ces processus incluent entre autres le traitement phonologique, visuo-spatial, le langage, la vitesse de traitement de l'information, la mémoire, l'attention, et les fonctions d'exécution telles que la planification et la prise de décision.

Les troubles d'apprentissage varient en degré de sévérité et peuvent affecter l'acquisition et l'utilisation :

- du langage oral (aspects réceptif et expressif)
- du langage écrit
- de la lecture : l'identification des mots (décodage et reconnaissance instantanée) et la compréhension
- de l'écriture : l'orthographe et la production écrite
- des mathématiques : le calcul, le raisonnement logique et la résolution de problèmes.

Les troubles d'apprentissage peuvent aussi impliquer des déficits sur le plan organisationnel, social, de même qu'une difficulté à envisager le point de vue d'autrui.

Les troubles d'apprentissage durent la vie entière. Toutefois, leurs manifestations varient tout au long de la vie, et sont tributaires de l'interaction entre les exigences du milieu, les forces et les besoins de l'individu. Un rendement scolaire bien en deçà de celui anticipé, au même titre qu'un rendement obtenu au prix d'efforts et de soutien dépassant largement ceux normalement requis, sont des indices de troubles d'apprentissage.

Les troubles d'apprentissage découlent de facteurs génétiques ou neurobiologiques ou d'un dommage cérébral, lesquels affectent le fonctionnement du cerveau, modifiant ainsi un ou plusieurs processus reliés à l'apprentissage. Les troubles d'apprentissage ne sont pas initialement attribuables à des problèmes d'audition ou de vision, à des facteurs socio-économiques, à des différences culturelles ou linguistiques, à un manque de motivation ou à un enseignement inadéquat, bien que ces facteurs puissent aggraver les défis auxquels font face les personnes ayant des troubles d'apprentissage.

Les troubles d'apprentissage peuvent être associés à des troubles attentionnels, comportementaux et socio-affectifs, à des déficits d'ordre sensoriel ou à d'autres conditions médicales.

Il est essentiel que les personnes ayant des troubles d'apprentissage soient dépistées très tôt et soient soumises à des évaluations régulières faites par des professionnels. Pour les mener à la réussite, les interventions mises en place à la maison, à l'école, au travail et dans le milieu communautaire doivent tenir compte des caractéristiques de l'individu et doivent inclure les mesures suivantes :

- l'enseignement correctif adapté aux déficits spécifiques
- l'enseignement de stratégies compensatoires
- la mise en place de mesures d'appui appropriées
- le développement de la capacité de l'individu à faire valoir ses besoins spécifiques auprès de son entourage.

Source : Troubles d'apprentissage – Association canadienne (TACC) © 2005.

3.2.5 Les définitions de termes rencontrés fréquemment : la dyslexie, la dysorthographie, la dysgraphie et la dyscalculie

Au cours des années 60 et 70, certaines difficultés d'apprentissage ont été identifiées par un vocabulaire particulier où la racine grecque *dys* (signifiant « difficulté ») sert de préfixe. La deuxième partie du mot détermine le secteur du problème observé. La difficulté d'apprentissage en lecture est nommée « dyslexie » ; en orthographe, « dysorthographie » ; en écriture, « dysgraphie » ; en mathématique, « dyscalculie », etc. (voir le tableau 3.2). Ce vocabulaire est utilisé encore aujourd'hui par de nombreux auteurs.

Tableau 3.2

Quelques termes utilisés

Préfixe	Deuxième partie du mot	Signification
dys-	lexie	Difficulté en lecture
	orthographie	Difficulté en orthographe
	graphie	Difficulté à écrire
	calculie	Difficulté en mathématique
	phasie	Difficulté à parler

3.3 Le taux de prévalence

Aux États-Unis, on estime entre 3 % et 6 % le taux de prévalence des élèves en difficulté d'apprentissage (Miller, Sanchez et Hynd, 2003). L'American Psychiatric Association (APA, 2003) rapporte des taux variant de 2 % à 10 % selon les méthodes d'évaluation et les définitions utilisées. En 1995-1996, au Québec, les élèves en difficulté légère d'apprentissage (plus d'un an de retard pédagogique) représentaient 4,2 % de la population et les élèves en difficulté grave d'apprentissage (plus de deux ans de retard), le même pourcentage. Au moment de la rédaction de cet ouvrage, il est plus difficile d'estimer le nombre d'élèves en difficulté d'apprentissage, car, comme nous venons de le voir, les difficultés d'apprentissage ont été incluses jusqu'en 2006 avec d'autres difficultés dans le nombre des élèves à risque. Néanmoins, à partir des plans d'intervention individualisés pour les élèves à risque inventoriés dans les commissions scolaires, le ministère de l'Éducation du Québec (2003a) estime à 11 % la proportion de ces élèves à risque. Il précise que la majorité de ces élèves à risque est représentée par des élèves en difficulté d'apprentissage. Il faut ajouter que plusieurs élèves ayant des problèmes de comportement ont aussi des difficultés dans l'apprentissage des matières scolaires. Cependant, il n'en demeure pas moins que les problèmes dans l'apprentissage ont la prévalence la plus élevée si l'on tient compte de l'ensemble des difficultés ou des handicaps.

3.4 Les facteurs et les causes des difficultés d'apprentissage

Le ministère de l'Éducation du Québec (2003a) reconnaît que plusieurs facteurs peuvent avoir une incidence sur l'apprentissage des élèves : des facteurs individuels, des facteurs familiaux et sociaux ainsi que des facteurs scolaires (voir la figure 3.1 à la page suivante).

Dans une perspective d'intervention, ces différents facteurs ne peuvent être considérés individuellement. Par exemple, même si des difficultés sont causées par un dommage cérébral, l'élève aura peut-être aussi une faible confiance en ses capacités d'apprentissage. Il éprouvera peut-être également de la gêne face à ses pairs pendant la réalisation d'activités où il se sait en difficulté. La gêne et une faible estime de soi auront alors probablement un effet sur la façon dont il abordera les situations d'apprentissage. « À quoi ça sert ? De toute façon, mon bulletin, y est jamais beau... », dira un élève. Dans plusieurs cas, il devient nécessaire d'intervenir à l'égard de plusieurs facteurs à la fois, qu'il s'agisse des stratégies d'apprentissage, des croyances de l'élève, de l'intégration avec les pairs, et ainsi de suite. De plus, il est possible que le facteur initial ayant occasionné la difficulté échappe à tout contrôle (par exemple, un dommage cérébral causé par un manque d'oxygène à la naissance). Dans de nombreux cas, l'enseignant ne pourra agir sur la cause première, mais il devra néanmoins utiliser en classe des stratégies qui permettront à l'élève d'apprendre. Toutefois, si l'on ne peut intervenir face à certains facteurs de risque, d'autres peuvent être réduits. Certaines interventions stratégiques permettent, par exemple, à l'élève d'augmenter sa confiance en lui ou d'être mieux accepté par ses pairs. Des obstacles tels que certaines déficiences visuelles ou auditives peuvent être compensés par le recours à des spécialistes et à un appareillage. Il est donc important de connaître les facteurs associés aux difficultés d'apprentissage afin de mieux cibler l'intervention.

Le ministère de l'Éducation du Québec (2003a) précise d'ailleurs à ce sujet que « la connaissance de la situation de l'élève constitue la pierre d'assise des différentes actions visant à l'accompagner. L'évaluation peut contribuer à cette connaissance. Elle amène

Figure 3.1

Facteurs pouvant avoir une incidence sur l'apprentissage

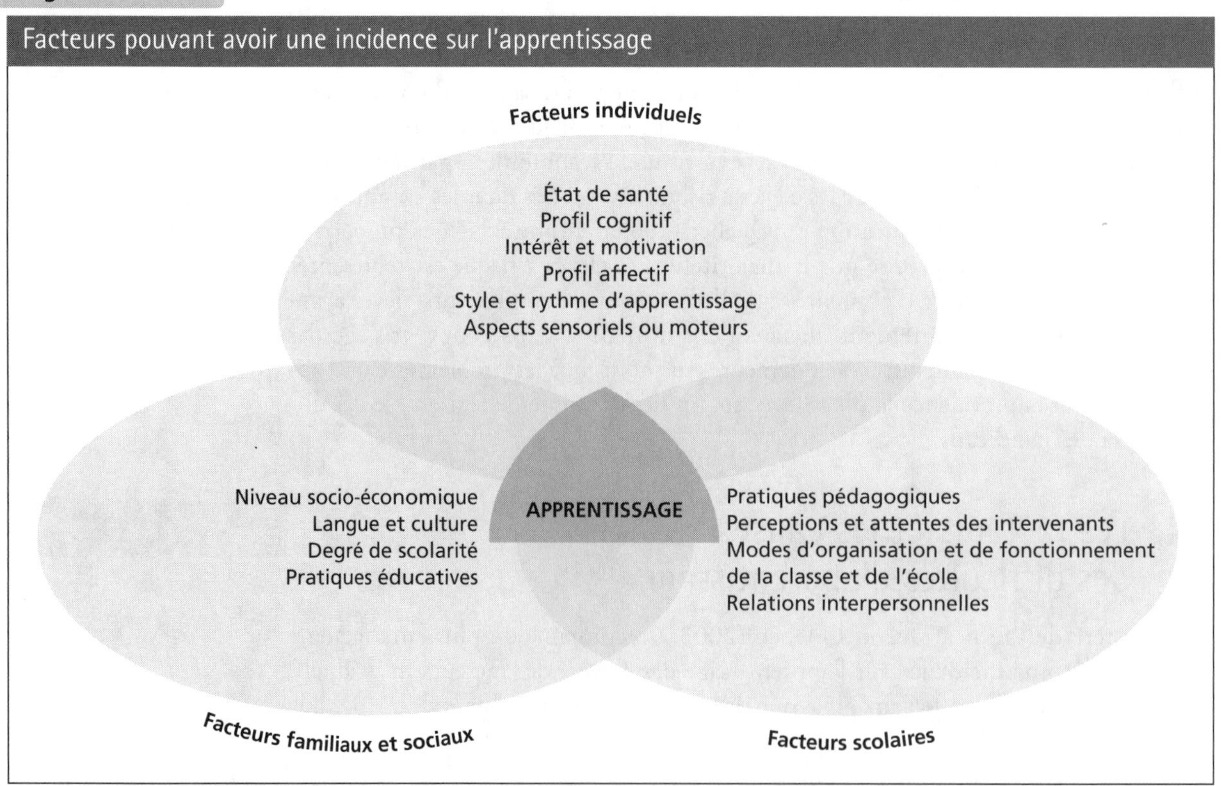

Source : Ministère de l'Éducation du Québec (2003a, p. 11).

à porter un regard autant sur les influences de l'environnement scolaire, familial ou social de l'élève relativement à son apprentissage que sur ses capacités et ses besoins» (p. 15).

C'est pourquoi, dans les pages suivantes, nous examinerons, à partir de la documentation existante, certains de ces facteurs en utilisant le regroupement général proposé par le ministère de l'Éducation du Québec (2003a) dans son cadre de référence sur les difficultés d'apprentissage : les facteurs individuels, les facteurs familiaux et sociaux ainsi que les facteurs scolaires.

3.4.1 Les facteurs individuels

Dans ce groupe de facteurs, le ministère de l'Éducation du Québec inclut l'état de santé, le profil cognitif, l'intérêt et la motivation, le profil affectif, le style et le rythme d'apprentissage ainsi que les aspects sensoriels et moteurs. Globalement, nous reprendrons la description de ces facteurs, mais en adoptant des catégories quelque peu différentes.

A. Les facteurs physiques

L'état de santé et les facteurs sensoriels

Les causes physiques peuvent relever de problèmes neurologiques, visuels ou auditifs. Ainsi, une bonne vision et une bonne audition sont nécessaires pour bien percevoir les stimuli qui interviennent dans l'apprentissage. Une vérification de base sur ces aspects est essentielle lorsqu'un élève a des difficultés. L'état de santé général peut exercer une influence sur les prédispositions à l'apprentissage. Nous reviendrons d'ailleurs sur cette question dans le chapitre 4 consacré à l'évaluation des difficultés d'apprentissage. À ces éléments il faut ajouter l'« état physique » dans lequel se trouve l'élève lorsqu'il arrive le matin à l'école. Celui qui a regardé le dernier film à la télévision, qui a été empêché de dormir par le bruit durant la nuit ou encore qui n'a pas déjeuné est peu prédisposé aux apprentissages scolaires. Dans certains milieux défavorisés, les problèmes ne sont parfois pas liés à la motivation à l'apprentissage, mais tout simplement à la faim, les cris de l'estomac attirant davantage l'attention que les explications au tableau. La satisfaction des besoins primaires s'avère indispensable au développement des motivations supérieures. Nous rappellerons ici la célèbre pyramide des besoins de Maslow (voir la figure 3.2 à la page suivante).

Les facteurs neurologiques

Plusieurs recherches sur les difficultés d'apprentissage ont trouvé leur origine dans le milieu hospitalier. Certains patients, à la suite de lésions cérébrales, se présentent dans les hôpitaux avec une perte importante, voire totale, des facultés touchant au langage (aphasie), à la lecture (alexie) ou à la mathématique (acalculie). Ces observations amènent des intervenants à postuler des dommages cérébraux minimes chez les élèves qui ne peuvent apprendre la lecture ou la mathématique. La première étude sur les difficultés d'apprentissage a été effectuée par des spécialistes du domaine de la médecine (Lipson et Wixson, 1986). Ainsi, les travaux de Morgan (1896, cité dans Lipson et Wixson, 1986) attribuent les causes de l'insuccès de l'apprentissage de la lecture à une cécité verbale congénitale (*congenital word-blindness*). Hinshelwood (1917, cité dans Lipson et Wixson, 1986) étudie le rôle du cerveau dans l'échec de la lecture.

Figure 3.2

Pyramide des besoins de Maslow*

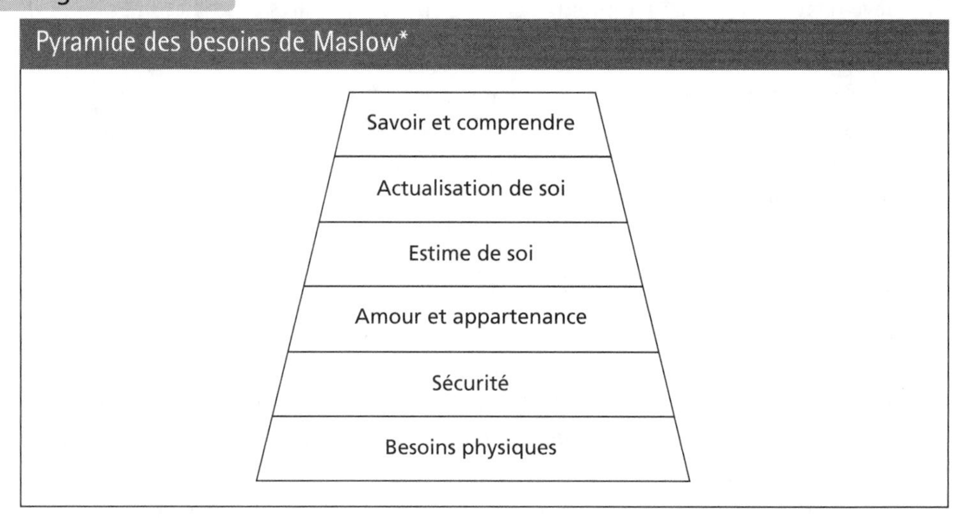

* Abraham Maslow a publié plusieurs articles et volumes sur son système hiérarchique des besoins. Cette pyramide est élaborée à partir d'un important article paru en 1943 dans *The Psychological Review*. Par la suite, Maslow a ajouté d'autres besoins à ce système hiérarchique, comme les besoins esthétiques.

Pour expliquer la dyslexie, Orton (1925, cité dans Lipson et Wixson, 1986) introduit la notion de déséquilibre entre les deux hémisphères du cerveau. Des chercheurs évaluent aussi les difficultés d'apprentissage en mathématique chez des adultes souffrant de lésions ou de traumatismes cérébraux (Sharma et Loveless, 1986).

D'autres auteurs (Drew, 1956; Hallgren, 1950, cités dans Gibson et Levin, 1976) se penchent aussi sur l'hérédité comme facteur prédisposant aux difficultés d'apprentissage. Au début, le modèle médical correspond à un modèle qui est appliqué dans le milieu hospitalier où le diagnostic prédomine. Par extension, l'expression « modèle médical » est par la suite utilisée dans le milieu de l'enseignement pour qualifier les approches centrées sur le diagnostic des déficits par analogie avec l'approche employée en médecine.

De nombreux efforts visent alors à comprendre la raison pour laquelle des élèves n'arrivent pas à apprendre à lire ou à compter malgré une intelligence apparemment normale et l'aide de leurs enseignants. Les dysfonctions du système nerveux central offrent ainsi des hypothèses explicatives séduisantes qui généreront de nombreux travaux de recherche (Hynd et Cohen, 1983). La perception, phase essentielle aux activités d'apprentissage de la lecture et de la mathématique, ne repose-t-elle pas sur des bases neurologiques?

Des dommages cérébraux mineurs (*minimal brain damages*) qu'il est possible de diagnostiquer ou non à l'aide d'un électro-encéphalogramme (EEG) peuvent alors être associés aux difficultés d'apprentissage. Les dommages cérébraux mineurs concernent de petites anomalies dans le fonctionnement du système nerveux central. Ces écarts de fonctionnement seraient dus, par exemple, à des irrégularités biochimiques ou à un traumatisme à la naissance ou durant la période critique du développement du système nerveux central. L'hyperactivité, une déficience de l'attention ou de la perception ainsi que des incoordinations motrices seraient des symptômes associés fréquemment aux dommages cérébraux mineurs. Cette conception « médicale » des difficultés d'apprentissage a joui et jouit encore d'une grande popularité, particulièrement aux États-Unis (Hallahan et autres, 2005).

Dans les années 2000, les déficits neurologiques continuent de susciter l'attention des chercheurs. Pour Miller et autres (2003), les premiers déficits cognitifs de la dyslexie sont liés au traitement phonologique et à la capacité de nommer rapidement des stimuli. Ces auteurs indiquent que ces déficits seraient associés à des particularités dans la région temporale-pariétale gauche du cerveau et que des différences dans l'asymétrie du lobe temporal ont été observées en concomitance avec des difficultés en lecture. Les dysfonctions neurologiques sont associées à des facteurs héréditaires, tératogènes (par exemple, la consommation d'alcool pendant la grossesse), médicaux (comme la naissance prématurée) ou environnementaux (telle la malnutrition) (Hallahan et autres, 2005).

Les facteurs génétiques

Avec le développement de l'étude du génome humain, il n'est pas étonnant que les chercheurs se penchent sur la relation entre les facteurs génétiques et les difficultés d'apprentissage. Les hypothèses génétiques ont cependant cours depuis de nombreuses années, car on observe depuis longtemps que les difficultés en lecture ont tendance à se manifester chez plusieurs membres d'une même famille. Toutefois, selon Thompson et Raskind (2003), le fait que plusieurs personnes dans une famille aient les mêmes caractéristiques n'est pas nécessairement associé à une influence génétique. Les frères et les sœurs peuvent avoir les mêmes centres d'intérêt dans les loisirs ou les mêmes habitudes alimentaires sans que cela ait de lien avec leurs gènes. Il est donc difficile de départager influence génétique et influence environnementale. C'est pourquoi les chercheurs utilisent des études comparant des jumeaux monozygotes et des jumeaux dizygotes éduqués dans les mêmes environnements, et donc soumis aux mêmes influences, afin de connaître la part de la génétique. Ils obtiennent ainsi des résultats significatifs. Selon Thompson et Raskind (2003), les corrélations sont supérieures pour les jumeaux monozygotes au regard des difficultés en lecture et en écriture. Ces auteurs posent l'hypothèse de sites possibles sur des chromosomes qui seraient responsables de certaines difficultés d'apprentissage. Ces différentes hypothèses sur le plan scientifique demeurent fort intéressantes, mais elles ne permettent probablement pas d'expliquer toutes les difficultés si l'on considère le nombre élevé d'élèves qui ont des problèmes d'apprentissage. Reconnaissant qu'il peut y avoir des prédispositions génétiques et divers problèmes neurologiques associés au développement de troubles d'apprentissage, l'American Psychiatric Association (APA, 2003) indique que « la présence de tels facteurs ne prédit pas inéluctablement l'apparition d'un trouble des apprentissages, et il existe de nombreux sujets atteints de troubles d'apprentissage qui n'ont pas ces antécédents » (p. 57). L'APA distingue aussi les troubles d'apprentissage de difficultés dues à l'absence des conditions nécessaires au travail scolaire, à un enseignement déficitaire ou à des facteurs culturels.

L'essor fulgurant de la recherche sur le génome humain aidera sans doute à mieux comprendre les difficultés ou les troubles d'apprentissage. Toutefois, ces découvertes sur l'étiologie ne diminueront pas la nécessité de trouver en classe des moyens pédagogiques favorisant les apprentissages des élèves, et il faut considérer que ce type d'explication n'éclairera probablement qu'une petite partie de la réalité.

B. Les facteurs liés au développement du langage

La lecture et l'écriture sont deux activités basées sur la langue. Les élèves qui ont des problèmes de langage ont très souvent aussi des difficultés dans l'apprentissage de la lecture. Quant aux autres matières, plus on avance dans la scolarisation, plus elles font appel à la lecture de textes, même la mathématique. L'élève en difficulté sérieuse d'apprentissage dans la langue d'enseignement éprouve, la plupart du temps, des difficultés aussi dans les autres matières parce qu'il ne peut accéder à leur contenu écrit. Lovett, Barron et Benson (2003) notent qu'un consensus a été établi sur les relations existant entre un déficit du langage et la prédiction de difficultés en lecture. Ce déficit serait associé à la conscience phonologique. Selon ces auteurs, les personnes qui ont des difficultés en lecture « expérimentent souvent des difficultés importantes à segmenter et à différencier les sons individuels du langage dans des mots, à fondre ces sons individuels du langage pour former la prononciation d'un mot et à utiliser efficacement des codes phonologiques pour faciliter le travail de leur mémoire de travail » (p. 275 ; traduit par l'auteure). Bon nombre d'élèves en difficulté d'apprentissage auraient des difficultés sur ce plan.

C. Les facteurs liés au traitement de l'information et à la mémoire

Les approches cognitives et les théories du traitement de l'information ont pris un essor considérable dans les milieux scolaires, particulièrement avec l'arrivée de la réforme en éducation (MEQ, 2001). Ces théories essaient de décrire comment la mémoire recueille, traite et emmagasine la nouvelle information (Goupil et Lusignan, 1993 ; Tardif, 1992). En effet, faire des acquisitions consiste à organiser et à structurer de nouvelles connaissances dans sa mémoire.

Les théories du traitement de l'information reconnaissent qu'un apprentissage efficace dépend des capacités que nous avons d'interpréter ce qui nous entoure et de lui donner un sens (Gearheart et Gearheart, 1989). Plusieurs auteurs (Miller et Mercer, 1993a ; Swanson, 1994a, 1994b) observent que les élèves en difficulté d'apprentissage ont des déficits quant à leur capacité de traiter et de mémoriser l'information. Avant de voir comment ces théories influent sur la conception des difficultés d'apprentissage, nous ferons un résumé du processus général par lequel on traite l'information (voir la figure 3.3).

Figure 3.3

Schéma classique de la séquence du traitement de l'information

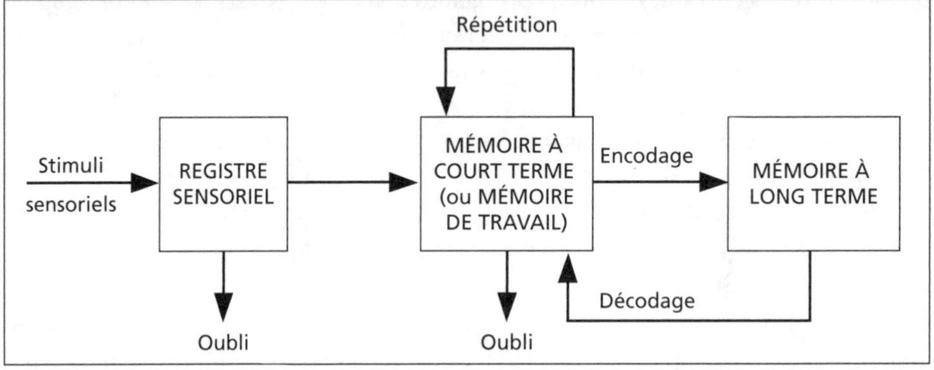

Source : Goupil et Lusignan (1995a, p. 61).

Le traitement de l'information se déroule par étapes. D'abord, les stimuli qui nous entourent sont perçus par nos sens et sont transmis à notre registre sensoriel, où ils sont conservés durant une très courte période. Si nous prêtons attention à ces stimuli, l'information est ensuite transmise à la mémoire à court terme. Cependant, cette mémoire a une capacité de rétention réduite (plus ou moins sept items). À la dernière étape, l'information est transmise à la mémoire à long terme, d'où, en cas de besoin, elle peut être retirée pour être de nouveau utilisée.

La mémoire à long terme conserve l'information que nous accumulons jour après jour. La plupart des auteurs distinguent, dans la mémoire à long terme, la mémoire procédurale, qui concerne le savoir-faire, la mémoire sémantique, qui est rattachée au langage et à l'organisation des concepts, et la mémoire épisodique, qui retient les souvenirs d'événements, comme une fête de Noël.

Dans la mémoire, les connaissances seraient organisées et liées entre elles. La mémoire jouant un rôle central dans l'apprentissage, l'utilisation des connaissances antérieures et l'organisation des nouvelles connaissances deviennent primordiales dans ce processus. Plusieurs auteurs se sont donc intéressés aux stratégies qui pourraient faciliter chez les élèves le traitement de l'information. Par « stratégies », on entend les façons dont un élève procédera pour percevoir, sélectionner et organiser l'information qui lui est présentée.

Les stratégies facilitent le traitement de l'information ou influent sur l'état affectif et motivationnel de l'élève. Certaines stratégies favorisent la lecture, l'écriture ou encore la réalisation d'opérations mathématiques. On distingue les stratégies cognitives et les stratégies métacognitives. Les stratégies cognitives facilitent l'acquisition, l'emmagasinage ou l'utilisation de l'information. Ces stratégies sont multiples. Certaines stratégies permettent de mieux mémoriser des séries de renseignements, d'autres permettent d'établir de meilleurs liens, d'autres encore permettent de faire des catégories, etc. Pour leur part, les stratégies métacognitives relèvent de la métacognition, c'est-à-dire de la capacité pour un individu de gérer, d'ajuster et de réguler ses actions cognitives dans un apprentissage (Swanson, Christie et Rubadeau, 1993) (voir, dans le chapitre 5, le tableau 5.2).

De plus en plus d'auteurs reconnaissent que les élèves présentant des difficultés d'apprentissage ont du mal à traiter l'information présentée. Ainsi, selon Gearheart et Gearheart (1989) :

> Les élèves en difficulté d'apprentissage ont des problèmes en ce qui a trait aux composantes suivantes relatives à la cognition :
>
> 1) Reconnaître que les stimuli environnementaux peuvent être liés et qu'ils offrent des indices pour comprendre l'environnement.
>
> 2) Établir les significations des stimuli en se basant sur la reconnaissance des patrons, les mots, les relations syntaxiques et sémantiques de même que les situations sociales.
>
> 3) Associer les signifiants à d'autres, c'est-à-dire organiser, analyser et synthétiser l'information comme préalable à la résolution de problèmes.
>
> 4) Faire des inférences et décrire les nouvelles significations derrières celles qui sont connues ou associer les stimuli pertinents, c'est-à-dire inférer ce qui détermine la causalité, les conséquences, la création de solutions à des problèmes et prédire les effets de nos comportements sur l'environnement (p. 123 ; traduit par l'auteure).

Saint-Laurent, Giasson, Simard, Dionne et Royer (1995) indiquent que les élèves faibles présentent des stratégies cognitives ou métacognitives déficientes ou inadéquates. Swanson (1994b) postule que les élèves ayant des difficultés d'apprentissage présentent des déficits dans la réalisation de tâches cognitives parce qu'« ils ont moins de renseignements disponibles pouvant être intégrés, emmagasinés ou évalués dans la mémoire de travail » (p. 190 ; traduit par l'auteure).

Ce courant de pensée a actuellement une influence importante sur les façons d'évaluer les élèves en difficulté d'apprentissage ou encore d'intervenir auprès d'eux.

Stratégies utilisées par le lecteur habile

Avant la lecture

- Je détermine le but de ma lecture.
- Je me demande ce que j'aimerais savoir sur cette histoire.
- Je regarde les images, le titre, les sous-titres.
- En regardant les images et les sous-titres, j'essaie de deviner ce qui pourrait arriver, se passer.
- J'utilise mes questions et mes prédictions comme raisons pour lire l'histoire.
- Je pense à ce à quoi les personnages peuvent bien ressembler.
- Je pense au lieu où se passe l'histoire.

Pendant la lecture

- Je cherche les idées importantes.
- Je m'arrête pour me redire les principaux points que j'ai compris.
- Je prédis ce qui arrivera en repensant aux images et aux titres.
- Je décris les images dans ma tête lorsque c'est vague (embrouillé).
- Je pense à voix haute pour être sûr de bien comprendre.
- Je me pose souvent la question : « Qu'est-ce qui arrivera après ? »
- Je réponds aux questions que je me pose.
- Lorsque je m'aperçois que je comprends mal, je relis quelques parties pour comprendre. Je me dis : « Il vaut mieux que je relise. »
- Je me dis tout haut ce qui est difficile, ce qui n'a pas de bon sens.
- Je vais lire plus loin pour clarifier la partie confuse, peut-être que ça m'aidera.
- Je me redis ce qui est arrivé jusqu'ici pour vérifier si l'histoire a du sens pour moi.
- Je pense à ce que je connais déjà au sujet de... pour m'aider à décider ce qui arrivera après. « C'est comme... Ça ressemble à... »
- Je vérifie si je peux répondre aux questions que je me posais en partant.
- Je vérifie si mes prédictions sont vraies ou fausses. Je me dis : « C'est comme je pensais ! » ou « Ce n'est pas comme je pensais ! ».
- Avec des renseignements nouveaux, je me dis : « Il est préférable que je change mon image dans ma tête. »
- Je me dis : « Tiens, c'est un mot nouveau pour moi ! » et je cherche à comprendre le sens, soit en regardant dans le mot pour trouver un petit mot, soit en me référant au contexte, soit en demandant de l'aide à quelqu'un.
- J'utilise la carte sémantique (qui peut remplacer les notes, les soulignés).

Après la lecture

- Je vérifie si j'ai atteint le but que je m'étais fixé.
- Je me redis tous les points importants de l'histoire complète afin de vérifier si j'ai bien compris le tout.
- Je repense à ce qui m'a fait formuler de bonnes ou de mauvaises prédictions.
- Je pense à comment j'aurais agi si j'avais été le personnage principal.

Source : Tardif et Couturier (1993, p. 38).

D. Les facteurs motivationnels et affectifs

L'affectivité est présente dans chacun de nos gestes. Fisher, Allen et Kose (1996) rapportent un niveau d'anxiété plus élevé chez les élèves ayant des difficultés d'apprentissage. D'autres auteurs soulignent les problèmes d'estime de soi des élèves ou les problèmes de motivation associés à l'échec scolaire (Archambault et Chouinard, 2003). Si les difficultés d'apprentissage entraînent des réactions affectives chez l'élève, elles ne laissent pas les autres indifférents. Ainsi, les parents peuvent devenir plus tendus à la suite des échecs de leur enfant, les autres élèves sont susceptibles de ne pas vouloir participer avec lui aux travaux scolaires. Et ces réactions auront aussi un effet sur l'élève en difficulté... La situation est fort complexe, de sorte qu'il est souvent ardu de déterminer ce qui est la cause et ce qui est l'effet ; par exemple, est-ce une motivation déficiente qui entraîne l'échec ou est-ce l'échec qui démotive l'élève ? Le débat peut être long. Cependant, on ne peut nier que ces éléments sont liés. Nous examinerons ici les rapports entre l'échec et les réponses émotives de l'élève, ainsi que sa motivation.

L'échec : une situation désagréable entraînant des réactions émotives

Les difficultés d'apprentissage ont été de manière assez constante associées à un pauvre concept de soi (Elbaum et Vaughn, 2003). Le concept de soi est l'ensemble des perceptions qu'un individu entretient sur lui-même. Bender (1992) précise : « [...] la recherche est passablement cohérente lorsqu'elle démontre que les jeunes élèves ayant des difficultés d'apprentissage ont un concept d'eux-mêmes moins bon que celui des autres élèves » (p. 144 ; traduit par l'auteure). Cependant, cet auteur indique que la situation se modifierait avec l'adolescence, période durant laquelle les élèves acquerraient une meilleure opinion d'eux-mêmes dans les secteurs qui ne sont pas liés aux tâches scolaires.

Pour mieux comprendre les réactions de l'élève en difficulté d'apprentissage, on pourrait comparer l'échec scolaire à une sorte de punition, c'est-à-dire à une forme de stimulation désagréable reçue par l'élève. Or, la punition, surtout si elle est répétitive, engendre « normalement » trois réactions négatives principales : la fuite, la colère ou la passivité.

L'élève qui est dans une situation d'échec ne s'absentera pas nécessairement de l'école, mais il pourra trouver toutes sortes de dérivatifs pour fuir cette situation désagréable : faire autre chose que ce qui est demandé, attirer l'attention de ses pairs, etc. Il faut considérer certaines réactions émotives comme « normales », compte tenu de la situation d'échec dans laquelle se trouve l'élève. Plusieurs élèves renoncent. D'autres éprouvent, à la suite d'échecs répétés, un blocage face à l'apprentissage. C'est pourquoi il devient si important de miser sur leurs forces et de déterminer avec eux des acquisitions graduées où ils pourront connaître le succès.

L'échec : une situation influant sur la motivation de l'élève

Selon Archambault et Chouinard (2003), les variables liées à la motivation exercent une influence déterminante sur l'apprentissage. « Ainsi, plus les perceptions de l'élève quant à sa capacité à apprendre et quant à la pertinence de l'apprentissage scolaire sont positives, plus il s'engage activement, plus il a d'emprise sur son activité cognitive, plus il persiste devant les difficultés et maximise ses efforts » (p. 185-186). Cependant, les élèves en difficulté d'apprentissage ont souvent connu de nombreux échecs, ce qui les incite à avoir des croyances négatives quant à leurs capacités. Par conséquent, ils risquent de vouloir éviter certaines tâches ou de croire qu'ils n'ont pas les habiletés nécessaires pour les réussir. Très tôt, les élèves se rendent compte qu'ils sont en situation d'échec. Selon Archambault et Chouinard (1996), « cet état d'esprit accroît leurs chances de subir des échecs, renforce l'autoévaluation négative et provoque une détérioration graduelle de l'estime de soi. Il en résulte une augmentation de leurs difficultés scolaires et une altération encore plus grande de leurs systèmes métacognitif et affectif » (p. 121).

Ces conceptions des difficultés d'apprentissage ont une incidence sur l'évaluation et sur l'intervention. Ainsi, plusieurs auteurs (Martin, 1994 ; Tardif, 1992) soulignent l'importance de tenir compte des facteurs motivationnels dans l'intervention auprès des élèves.

3.4.2 Les facteurs familiaux et sociaux

A. Le milieu familial et les ressources

Comme l'indique le ministère de l'Éducation du Québec (2003a), « le milieu familial joue un rôle fondamental. Certaines caractéristiques telles que la pauvreté, le manque d'adhésion aux valeurs de l'école ou le faible niveau de scolarité des parents risquent d'avoir une incidence sur le développement des difficultés d'apprentissage » (p. 12).

Ainsi que nous l'avons mentionné précédemment, certains enfants vivent dans des conditions difficiles. Des enfants bénéficient d'une moins bonne préparation à la culture scolaire que d'autres enfants de milieux plus favorisés. Certains enfants présentent des difficultés importantes de langage, tandis que d'autres souffrent d'un contact déficient avec les livres et la lecture. Thériault et Lavoie (2004) signalent le rôle important que joue la famille dans l'éveil de la lecture et de l'écriture. Pour ces auteurs, les parents sont des modèles clés et leur contribution est essentielle dans l'organisation d'un environnement qui permette très tôt à l'enfant d'aborder la lecture sous toutes ses formes, que ce soient les livres, les journaux, les affiches, les circulaires, etc. Le même raisonnement peut s'appliquer à la mathématique ; les parents peuvent alors amener l'enfant à évaluer, à comparer, à choisir, et ce, même de manière intuitive.

Les facteurs sociaux jouent aussi un rôle dans l'étiologie des difficultés. Ainsi, la pauvreté est associée à un grand nombre de facteurs de risque, tels que la malnutrition, les problèmes pendant la grossesse, les problèmes à la naissance, l'absence de ressources ou les situations difficiles pour les familles.

Plusieurs parents ont vécu eux-mêmes des expériences difficiles à l'école. Pour certains, ces souvenirs ne les portent pas à valoriser l'école, les activités scolaires ou les enseignants. Les attitudes des parents auront donc une influence sur la motivation de leurs enfants. L'école devra tenir compte de cette particularité et chercher des moyens d'établir une collaboration avec ces parents.

B. Les réactions des autres

Les élèves en difficulté d'apprentissage sont moins souvent choisis par leurs pairs. En effet, les élèves ont tendance à rejeter ceux qui réussissent moins bien ; ils hésitent fréquemment à les accepter dans leur équipe de travail. L'enseignant manifeste également des réactions face à l'élève en difficulté, réactions positives et parfois négatives. Ces réactions sont souvent transmises par des attitudes que l'élève interprétera par rapport à l'image qu'il se fait de lui-même. La situation peut devenir tendue, surtout lorsque les problèmes de comportement se combinent avec les difficultés d'apprentissage.

Les situations vécues par l'élève agissent souvent les unes sur les autres. Un élève peut vivre dans un foyer où différentes tensions (des querelles entre les parents, des relations parents-enfants difficiles, un contexte de séparation ou de divorce, etc.) le prédisposent moins à l'apprentissage scolaire. L'élève est préoccupé, ses énergies sont mobilisées par les conflits familiaux. Des difficultés peuvent alors apparaître à l'école, qui auront elles-mêmes un effet sur la vie familiale. Mannoni (1979) illustre bien cette dynamique :

> Et, en fait, les désordres scolaires ne sont souvent que la mise en lumière, au niveau de l'école, de difficultés d'ordre affectif constituées antérieurement et ailleurs. Or, le premier milieu d'évolution est la famille. Dans ce face à face parents-enfants, la situation évolue parfois en tensions diverses (dont certaines peuvent être relativement normales), en oppositions plus ou moins heurtées, et prend quelquefois des allures de véritables drames. Surtout, lorsque la désadaptation scolaire, consécutive à la dégradation de la situation, s'intègre dans la dialectique du conflit intra-familial et la renforce (p. 12).

3.4.3 Les facteurs scolaires

Dans une perspective fondée sur l'interaction, on devrait également s'interroger sur le rôle de l'école dans l'étiologie des difficultés. Entre autres, comment l'école répond-elle aux différences individuelles et jusqu'à quel point l'enseignement est-il collectif? L'école s'adapte-t-elle à la culture des élèves ou adapte-t-elle les élèves à sa culture? Voilà autant de questions qui peuvent faire l'objet d'une réflexion. Il importe aussi de considérer le type de tâche proposée (par exemple, son degré de signification) et le type d'enseignement offert par l'école.

« L'échec scolaire est peut-être l'échec de l'école d'abord et avant tout », écrit Gaudreau (1980, p. 99). L'école et sa pédagogie seraient-elles aussi responsables des difficultés des élèves ? Cette hypothèse permettant d'expliquer une partie des difficultés d'apprentissage et de l'échec scolaire (Engleman, Granzin et Severson, cités dans Lipson et Wixson, 1986) se centre sur les caractéristiques de l'école et de la pédagogie comme facteurs importants de l'échec de l'apprentissage. Rapportant les termes de Lloyd, Winzer (1993) parle de dyspédagogie. Elle constate que plusieurs chercheurs notent qu'un environnement scolaire pauvre, notamment aux points de vue de l'enseignement, des programmes et des attitudes des parents et des professionnels, engendre ce phénomène. Le ministère de l'Éducation du Québec (2003a) indique que les intervenants ont un impact sur la réussite scolaire de leurs élèves et que leurs interventions peuvent représenter un facteur de risque ou un facteur de protection. Les conditions pédagogiques sont susceptibles de contribuer à prévenir les difficultés ou encore à les augmenter.

Enfin, nous avons vu, dans ce chapitre, quelques-uns des facteurs proposés pour expliquer les difficultés d'apprentissage. Ces facteurs ne sont pas nécessairement en opposition ou mutuellement exclusifs. Que doit-on retenir de l'ensemble de ces facteurs?

Il n'est pas toujours possible de connaître le facteur précis qui a déclenché les difficultés d'apprentissage. En outre, plusieurs facteurs peuvent interagir pour augmenter ou résoudre les difficultés. Cependant, même si certains de ces facteurs sont difficilement repérables, la connaissance de la situation de l'élève permet une approche mieux ciblée qui tienne compte des forces et des difficultés de l'élève. Il est alors possible d'intervenir à l'égard de plusieurs facteurs, dont les facteurs pédagogiques, l'intégration avec les pairs et les conditions qui facilitent les apprentissages.

RÉSUMÉ

Dans le milieu scolaire, divers types de difficultés d'apprentissage attirent l'attention des enseignants : en langage oral, en lecture, en orthographe et en calligraphie, en mathématique et d'autres difficultés d'ordre cognitif. Les difficultés en lecture sont particulièrement prises en considération, puisque la lecture sert de base à l'apprentissage de plusieurs autres matières. L'étude des difficultés d'apprentissage a donné lieu, au cours des dernières années, à de nombreux travaux de recherche et à l'élaboration de plusieurs modèles explicatifs. Cette diversité se traduit, dans les milieux éducatifs, par l'utilisation de plusieurs termes différents pour désigner les élèves en difficulté d'apprentissage et par l'application de méthodes variées d'évaluation et d'intervention. De fait, chacune de ces approches met l'accent sur des facteurs explicatifs plus ou moins différents. Ces facteurs, à notre avis, ne sont pas nécessairement en opposition ou mutuellement exclusifs.

QUESTIONS

1. Quelles sont les principales manifestations des difficultés d'apprentissage dans le milieu scolaire ?
2. Quelle est l'étymologie des mots suivants : dyslexie, dysorthographie, dysgraphie et dyscalculie ?
3. Comment les approches basées sur le traitement de l'information ont-elles modifié nos conceptions des difficultés d'apprentissage ?
4. Comment les approches fondées sur l'interaction de diverses causes définissent-elles les difficultés d'apprentissage ?
5. Quelles sont, selon vous, les principales différences entre la définition de l'élève en difficulté d'apprentissage proposée par le ministère de l'Éducation, du Loisir et du Sport du Québec et celle du regroupement Troubles d'apprentissage – Association canadienne (TAAC) ?

RÉFÉRENCES SUGGÉRÉES

MINISTÈRE DE L'ÉDUCATION DU QUÉBEC (2003). *Les difficultés d'apprentissage à l'école. Cadre de référence pour guider l'intervention.* Québec : Ministère de l'Éducation.

SWANSON, H.L., HARRIS, K.R. et GRAHAM, S. (dir.) (2003). *Handbook of Learning Disabilities.* New York : The Guilford Press.

L'évaluation des difficultés d'apprentissage

Objectifs

Après avoir lu ce chapitre, le lecteur devrait pouvoir :

- indiquer comment la conception des difficultés d'apprentissage peut influer sur le mode d'évaluation et d'intervention ;
- dire quelle est l'utilité d'observer l'élève en difficulté ;
- décrire divers outils d'évaluation qu'on peut utiliser avec l'élève en difficulté d'apprentissage ;
- décrire comment l'observation des productions d'un élève peut renseigner sur ses acquisitions et sur ses difficultés ;
- décrire différentes façons d'analyser les erreurs ou les méprises d'un élève ;
- dire quelle est l'utilité d'un portfolio dans l'évaluation de l'élève en difficulté d'apprentissage ;
- décrire quelques évaluations que des professionnels peuvent réaliser auprès de l'élève en difficulté d'apprentissage ;
- décrire quelques conditions relatives à la pédagogie et à l'intervention qui peuvent faire l'objet d'une évaluation.

INTRODUCTION

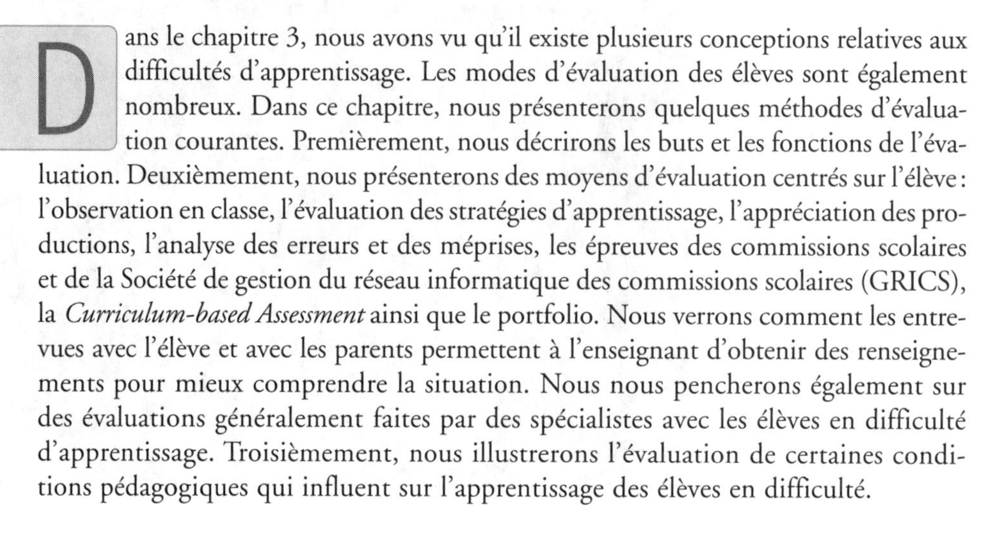

Dans le chapitre 3, nous avons vu qu'il existe plusieurs conceptions relatives aux difficultés d'apprentissage. Les modes d'évaluation des élèves sont également nombreux. Dans ce chapitre, nous présenterons quelques méthodes d'évaluation courantes. Premièrement, nous décrirons les buts et les fonctions de l'évaluation. Deuxièmement, nous présenterons des moyens d'évaluation centrés sur l'élève : l'observation en classe, l'évaluation des stratégies d'apprentissage, l'appréciation des productions, l'analyse des erreurs et des méprises, les épreuves des commissions scolaires et de la Société de gestion du réseau informatique des commissions scolaires (GRICS), la *Curriculum-based Assessment* ainsi que le portfolio. Nous verrons comment les entrevues avec l'élève et avec les parents permettent à l'enseignant d'obtenir des renseignements pour mieux comprendre la situation. Nous nous pencherons également sur des évaluations généralement faites par des spécialistes avec les élèves en difficulté d'apprentissage. Troisièmement, nous illustrerons l'évaluation de certaines conditions pédagogiques qui influent sur l'apprentissage des élèves en difficulté.

4.1 Les buts et les fonctions de l'évaluation

Avant de décrire des outils qui faciliteront la collecte de l'information et la planification des interventions, il est essentiel de situer les buts et les fonctions de l'évaluation.

4.1.1 La définition de l'évaluation

Selon Lane et Beebe-Frankenberger (2004), l'évaluation est un processus qui permet de collecter, de synthétiser, d'analyser et d'interpréter de l'information. L'information peut être recueillie à propos d'un élève ou encore d'un groupe. On l'utilise par la suite pour prendre des décisions et planifier l'intervention.

L'évaluation peut se présenter sous différentes formes et, dans le milieu scolaire, plusieurs termes la qualifient. Ainsi, l'évaluation peut être sommative ; elle sert alors à faire un bilan et à prendre, par exemple, des décisions à la fin d'un cycle. Elle peut être formative pour apporter une aide au cours de l'apprentissage. Elle peut aussi être qualifiée de normative lorsque l'élève est comparé avec un groupe de référence. Elle est dite fonctionnelle lorsqu'elle associe l'évaluation à l'intervention en vue de suivre la progression individuelle. D'autres termes sont aussi couramment utilisés ; par exemple, l'évaluation est qualifiée d'authentique pour décrire une mesure basée sur des tâches signifiantes dans le contexte habituel de la classe.

4.1.2 Les fonctions de l'évaluation

L'évaluation peut avoir des fins administratives ou d'intervention directe en classe. Ainsi, dans le cas des élèves en difficulté d'apprentissage, elle sert à identifier les élèves qui ont besoin de services d'orthopédagogie. Elle est aussi nécessaire pour élaborer le plan d'intervention personnalisé. Enfin, elle est essentielle à l'enseignant et à l'élève, car elle permet d'ajuster l'enseignement et les interventions.

Comme l'indique le ministère de l'Éducation du Québec (2001) :

> L'évaluation fait partie intégrante de la démarche d'apprentissage. Pour être en consonance avec le programme, elle doit porter sur les compétences dont il propose le développement. Associée

> à l'ensemble du processus d'apprentissage, elle est utilisée dans une perspective formative tout au long du cycle, sa fonction principale étant de soutenir l'élève dans sa démarche et de permettre à l'enseignant d'ajuster ses interventions pédagogiques en conséquence. On y recourt aussi dans une perspective sommative, sa fonction étant alors de reconnaître le degré de développement des compétences et de l'inscrire dans un bilan des apprentissages (p. 6).

L'évaluation est un processus permettant de porter un jugement sur les compétences développées et sur les connaissances acquises dans le but de prendre des décisions et d'intervenir (MEQ, 2002a). L'évaluation d'un élève en difficulté repose aussi sur ces prémisses. Elle a une fonction cruciale d'aide à l'apprentissage. Elle sert dans le processus d'apprentissage et d'enseignement en jouant un rôle de régulation[1]. L'évaluation est un processus complexe qui comporte différentes étapes. Elle doit être planifiée, tout comme l'est l'enseignement, et, au besoin, soumise à des ajustements.

De plus, l'évaluation doit permettre de prendre des décisions et de planifier des interventions. Elle est basée sur la collecte de données en quantité suffisante pour qu'elles puissent être interprétées et permettre de porter un jugement (MEQ, 2002a). La figure 4.1 illustre les étapes de l'évaluation.

Figure 4.1

Étapes de l'évaluation

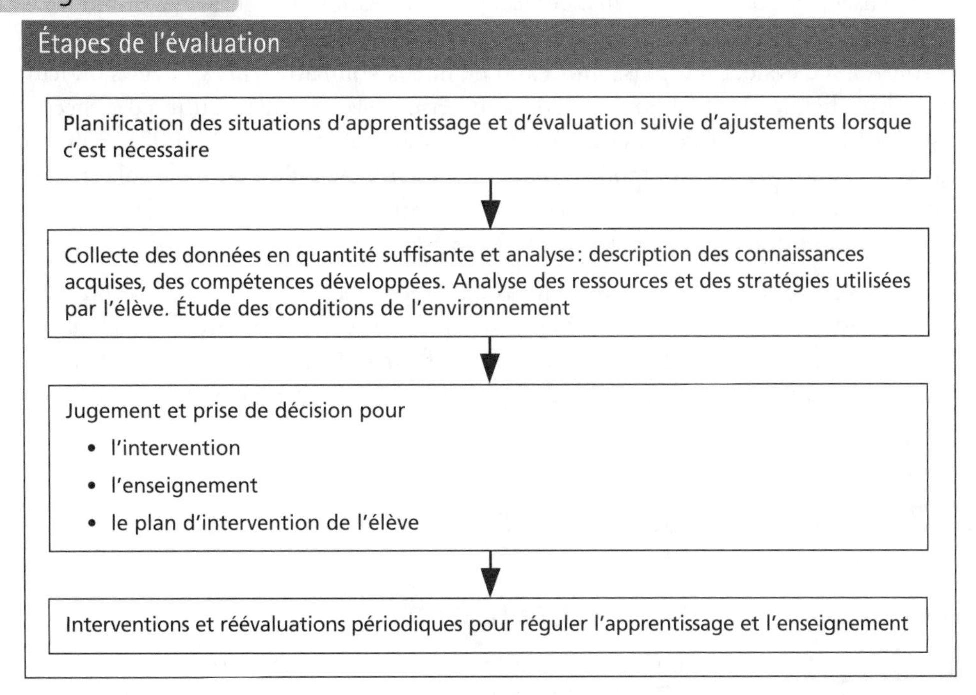

4.1.3 L'évaluation : une étape aux dimensions multiples

Le cadre de référence sur les difficultés d'apprentissage (MEQ, 2003a) reconnaît que l'évaluation est la pierre d'assise de l'intervention. Suivant ce processus, on doit tenir compte également des différentes influences de l'environnement scolaire, social

1. Régulation : « Procédé lié à l'évaluation, qui consiste, pour l'élève ou pour l'enseignant, à ajuster les actions afin que l'apprentissage puisse progresser » (MEQ, 2002a, p. 44).

et familial de l'élève. Cette évaluation doit non seulement prendre en considération les difficultés, mais aussi mettre en évidence les forces de l'élève. Elle vise à obtenir une vision globale de la situation et du contexte d'apprentissage en sollicitant la participation des différentes personnes concernées : l'élève lui-même, son enseignant, ses parents et les autres professionnels en cause.

La réforme place l'élève au cœur de ses apprentissages (MEQ, 2001). Par conséquent, l'évaluation devra l'aider à prendre connaissance des façons dont il apprend et permettre de dégager des stratégies qui favoriseront ses apprentissages : « Rappelons que la participation de l'élève à l'analyse de l'information est importante. Cette participation favorise une meilleure compréhension de l'information et contribue à le rendre actif dans ses apprentissages » (MEQ, 2003a, p. 15). Ce changement pédagogique entraîne aussi des modifications en ce qui a trait à la durée allouée pour faire des apprentissages, le bilan s'exerçant désormais en fonction d'un cycle. Toujours selon le Ministère : « En fin de cycle, les informations recueillies et colligées doivent permettre de tracer un bilan global des apprentissages de l'élève et fournir des pistes quant à la manière d'assurer la meilleure poursuite de son cheminement scolaire au cycle suivant » (p. 6).

Divers outils pourront être utilisés : des autoévaluations par l'élève, des coévaluations avec l'enseignant ou avec ses pairs, des listes de vérification, des entrevues, un journal de bord, un dossier anecdotique et des portfolios. Les élèves en difficulté ont parfois besoin aussi d'évaluations plus ciblées afin de mieux connaître leurs stratégies ou leur type de difficulté. Ainsi, il pourra à l'occasion être nécessaire de recourir à des spécialistes tels les orthopédagogues ou les psychologues scolaires (MEQ, 2002a, 2003a). Leblanc (2000) propose un modèle visant à faciliter la planification de la collecte des informations pour des élèves en difficulté d'apprentissage. Ce modèle permet de déterminer les rôles des diverses personnes que concerne l'évaluation (voir la figure 4.2).

Dans les pages suivantes, nous verrons quelques-uns des outils d'évaluation auxquels il est possible de recourir en classe lorsqu'un élève présente des difficultés d'apprentissage. À la fin du chapitre, à titre informatif, nous verrons aussi d'autres types d'évaluation, tels les tests d'intelligence utilisés couramment par les psychologues scolaires.

4.2 Des outils pour évaluer la situation de l'élève

4.2.1 L'observation : un outil de base

Face à des difficultés d'apprentissage, l'enseignant a le choix parmi de nombreux outils d'évaluation : les examens de la commission scolaire, l'observation, les grilles de vérification, etc. De tous ces outils, l'observation représente sans doute l'instrument d'évaluation le plus « naturel ». Omniprésente dans le travail de l'enseignant, l'observation guide les gestes quotidiens. Nous examinerons donc les possibilités qu'offre ce moyen pour évaluer les difficultés d'apprentissage.

En général, lorsqu'un enseignant identifie un élève en difficulté, c'est qu'il a observé diverses manifestations directement en classe. Nous illustrerons ce fait par un exemple, celui de Marie, qui est à la fin du premier cycle du primaire (deuxième année). Depuis le début de l'année, Marie éprouve des difficultés importantes en français. L'enseignante

Figure 4.2

Planification de la collecte des informations

Étape 1

Situation de l'élève
Planification de la collecte des informations

Nom de l'élève : ______________________________

Aspects évalués	Avec quoi ?	Par qui ?	Quand ? Où ?
Développement de l'élève par rapport aux compétences disciplinaires : • langues • mathématiques, science et technologie • univers social et arts • développement personnel			
Compétences transversales : • ordre intellectuel • ordre méthodologique • ordre personnel et social • ordre de la communication			
Domaines d'expérience de vie : • vision du monde • santé et bien-être • orientation et entrepreneuriat • développement sociorelationnel • environnement • consommation • médias • vivre-ensemble et citoyenneté			
Autres :			

Source : Leblanc (2000, p. 96).

note que Marie ne marque pas ses phrases d'une majuscule et d'un point. Dans ses textes, elle ne respecte pas l'espace entre les mots. La plupart du temps, elle ne reconnaît pas les mots qui ont été vus fréquemment (par exemple, « bébé », « maman », « papa »). Son écriture est difficilement lisible. Toutes ces observations, jointes à d'autres données et à leur mise en parallèle avec le programme en vigueur, ont amené rapidement l'enseignante à juger que Marie éprouve des difficultés. Ces dernières sont décelées, en outre, à partir des évaluations et des résultats aux exercices et aux examens effectués en classe.

Dans cet exemple, les difficultés sont signalées par rapport à des références précises : le contenu des programmes, les bulletins et les acquisitions que fait normalement l'ensemble des élèves.

Les points de référence que nous venons de mentionner représentent les premiers outils de travail qu'on peut utiliser avec l'élève en difficulté : l'observation en classe et la connaissance des programmes d'études. Deux élèves en première secondaire, chez lesquels on a constaté un retard en mathématique, peuvent présenter des profils d'apprentissage fort différents. La connaissance des programmes est essentielle pour bien juger des compétences développées et des connaissances acquises par chaque élève. De plus, une connaissance des stratégies d'apprentissage nécessaires à la lecture, à l'écriture ou à la mathématique facilitera la collecte d'observations pertinentes pouvant mener à la mise sur pied d'interventions dans le contexte quotidien de la classe.

4.2.2 L'évaluation des stratégies utilisées par l'élève

Plusieurs élèves en difficulté d'apprentissage présentent des déficits importants sur le plan des stratégies d'apprentissage. Ces déficits leur nuisent considérablement (Meltzer et Montague, 2001). Ces élèves ont de la peine à organiser l'information, à coordonner celle-ci et à effectuer des opérations complexes. Selon Meltzer et Montague, ils ont aussi de la difficulté à s'autoréguler en planifiant, en révisant et en vérifiant le travail réalisé.

La lecture, l'écriture et la mathématique requièrent l'usage de nombreuses stratégies cognitives et métacognitives. Comprendre un texte exige, entre autres, qu'on repère les idées principales, qu'on maîtrise sa compréhension, qu'on fasse des liens, etc. Étudier efficacement demande qu'on prévoie les conditions matérielles appropriées (être dans un lieu calme, avoir le matériel requis, etc.). Certaines stratégies relèvent du domaine affectif, comme le contrôle que l'élève exerce sur son stress pendant les examens.

Pour évaluer ces stratégies, l'enseignant peut observer directement l'élève. Il peut aussi l'interroger sur ses façons de procéder ou encore étudier ses productions. Au secondaire, par exemple, l'enseignant peut remarquer comment l'élève prend ses notes : les date-t-il, est-il capable de filtrer l'information, de la résumer, dégage-t-il les idées maîtresses, arrive-t-il à reconnaître les idées importantes ? Lorsque l'élève passe un examen, comment procède-t-il ? Fait-il une lecture de l'ensemble, s'arrête-t-il au premier problème ardu en y consacrant trop de temps, fait-il un plan pour répondre à une question ouverte, rature-t-il tellement sa copie qu'il n'a plus d'espace pour y répondre ? Voilà autant de questions qui permettront de faire un retour avec l'élève.

Il existe aussi divers questionnaires ou grilles d'autoévaluation que l'élève peut utiliser et qui sont susceptibles de servir de base à une discussion sur les stratégies d'apprentissage. Plusieurs auteurs incluent l'observation des façons de procéder. Par exemple, pour recueillir des renseignements sur le processus d'écriture, la Société de gestion du réseau informatique des commissions scolaires (GRICS) a élaboré plusieurs grilles. La figure 4.3 en offre un exemple.

Pike et Salend (1995) proposent aussi d'utiliser la réflexion parlée ou verbalisée (*think-aloud*), une méthode d'évaluation basée sur la verbalisation des pensées d'un élève au sujet de la façon dont il réalise une tâche scolaire. Cette méthode permet à l'élève de mieux prendre conscience de ses stratégies et à l'enseignant d'obtenir plus d'information pour intervenir auprès de l'élève. Cependant, elle requiert un entraînement, car les élèves ne l'emploient pas spontanément. Il est alors souhaitable que l'enseignant recoure au modelage, c'est-à-dire qu'il se donne comme exemple en utilisant lui-même la réflexion parlée (Pike et Salend, 1995). Au cours des situations en classe, les enseignants disposent donc d'occasions privilégiées non seulement pour faire des observations, mais aussi pour faire participer les élèves à cette évaluation. En ce sens, évaluation et intervention peuvent être intimement liées.

Figure 4.3

Processus d'écriture : observation de l'élève en classe

Synthèse des renseignements

Nom : **Classe :**

Situation	Date	Intention	Lecteur ou lectrice	Soutien
1.				
2.				
3.				
4.				

Étapes	Stratégies pertinentes	Stratégies non pertinentes
Mise en situation	L'élève... ... écoute l'enseignant ou l'enseignante ou les autres élèves. ... émet une opinion. ... fait des suggestions. ... pose des questions.	L'élève... ... commence la rédaction de son texte. ... s'amuse pendant cette étape. ... note les consignes ou les mots qui sont au tableau pendant que les autres discutent.
Planification	L'élève... ... note ses idées de lui-même ou d'elle-même. ou ... utilise l'outil de planification que l'enseignant ou l'enseignante lui a remis. ou ... se concentre sur la recherche d'idées sans les noter. ... se réfère ou à un livre ou à d'autres sources d'information pour trouver des idées.	L'élève... ... commence à rédiger son texte immédiatement après la mise en situation. ... s'amuse pendant cette étape. ... consulte un dictionnaire.
Rédaction du brouillon	L'élève... ... relit son texte. ... relit le projet ou les consignes. ... relit ce qu'il ou elle a noté au moment de la planification. ... ajoute un mot ou une phrase. ... raye un mot ou une phrase.	L'élève... ... efface souvent. ... consulte un dictionnaire. ... compte ses mots.
Révision	L'élève... ... lit la grille de révision. ... relit son texte plusieurs fois. ... consulte le dictionnaire ou la grammaire. ... corrige son texte. ... consulte ses outils de référence personnels (cahiers, affiches, etc.). ... demande de l'aide pour orthographier correctement un mot difficile. ... avant de modifier son texte, demande l'avis d'un ami ou d'une amie.	L'élève... ... n'utilise pas la grille de révision. ... relit son texte une seule fois.

Source : GRICS (1995a, s. p.).

4.2.3 L'observation des productions de l'élève

A. La mise en contexte des productions

Lorsque l'élève fait un exercice, qu'il s'agisse d'un travail à propos d'un texte en français ou de la résolution de problèmes en mathématique, il en résulte une production qui demeure. En classe, il arrive que l'enseignant soit fortement sollicité par l'ensemble des élèves. Il n'a pas toujours la disponibilité nécessaire pour se consacrer à de longues observations. Les productions de l'élève deviennent alors une source d'information, car elles peuvent se prêter à une observation et à une analyse après que la classe est terminée. Cependant, avant de procéder à l'analyse de la production, il importe de déterminer la nature de la tâche qui a été demandée à l'élève. Quelle a été la mise en situation? Cette tâche a-t-elle suscité de l'intérêt? Quelles en étaient les exigences? Ces données préliminaires sont souvent essentielles au cours de l'analyse et de l'interprétation des productions. Il existe d'ailleurs plusieurs façons d'analyser celles-ci.

Les observations devront être réalisées à partir de quelques productions. Ainsi, en ce qui concerne les difficultés en écriture, la GRICS suggère d'analyser au moins trois textes afin d'obtenir des données fiables. Cet organisme a élaboré différentes grilles pour analyser les textes des élèves. La figure 4.4 illustre l'une de ces grilles.

Figure 4.4

Analyse des textes de l'élève : déterminer les acquis et les difficultés

Grille, classes de 5e et 6e années

Nom: **Classe:**

Situation	**Date**	**Intention**	**Lecteur ou lectrice**	**Soutien**
1.				
2.				
3.				
4				

Éléments	**Acquis**	**Difficultés**
1. Le texte respecte l'intention d'écriture, le sujet et le lecteur ou la lectrice. 2. Le texte est structuré de façon cohérente. 3. Les phrases sont bien construites (ordre des mots, mots de relation). 4. Les phrases sont ponctuées adéquatement. (M . ? ! , : « » —) 5. Les expressions et les mots sont appropriés, variés et corrects. 6. Les mots usuels sont écrits correctement. 7. Les déterminants, les noms, les adjectifs, les participes passés sans auxiliaire, les pronoms et les attributs sont écrits correctement. 8. Les verbes sont écrits correctement.		
Objectifs:	**Activités prévues:**	

Source : GRICS (1995b, p. 12).

B. L'analyse des erreurs et des méprises

Dans les productions, l'analyse des erreurs peut informer l'enseignant sur les types de stratégies et les façons de procéder des élèves. Au fil des ans et en fonction de leurs conceptions des difficultés, des spécialistes en français ou en mathématique ont proposé diverses façons de classifier les erreurs. Pour l'orthographe, Farid (1983) suggère une typologie qui est présentée dans le tableau 4.1. Nous invitons l'enseignant à observer ce mode de classification. Il est évident que lorsqu'un élève fait plusieurs erreurs, il faudra cibler celles sur lesquelles on devra travailler. En effet, comme l'élève ne peut tout modifier à la fois, il faudra définir des priorités.

Tableau 4.1

Classification des erreurs selon Farid

Catégories utilisées	Exemples
1. Erreurs phonétiques ou acoustiques	«sien» au lieu de «chien»
2. Erreurs liées aux signes auxiliaires	Erreurs liées aux accents
3. Erreurs d'usage ou lexicales	«chente» au lieu de «chante»
4. Erreurs de grammaire	«les chat» pour «les chats»
5. Erreurs sémantiques	L'élève écrit «fer» au lieu de «faire»
6. Erreurs d'écriture	Lettres mal formées
7. Erreurs d'interférence de la situation orale avec la situation d'écriture	L'élève écrit «Pierre m'écoutes» au lieu de «Pierre m'écoute» parce qu'il pense «Pierre, tu m'écoutes»
8. Erreurs de confusion de la langue parlée avec la langue écrite	L'élève prononce «bége» au lieu de «beige»
9. Erreurs sémantico-grammaticales	«il y a beaucoup de mondes» au lieu de «il y a beaucoup de monde»

Source : Inspiré de Farid (1983).

Pour ce qui est de l'analyse des erreurs en lecture, Giasson (1995) propose de choisir un texte correspondant au niveau de lecture de l'élève ou légèrement difficile pour lui. Ainsi, elle écrit :

> L'analyse des méprises permet de voir comment le lecteur utilise dans ses lectures les indices sémantiques, syntaxiques et visuels. Les méprises révèlent quel poids le lecteur accorde à chacun de ces indices. Par exemple, un lecteur qui lit « Il était une fois » au lieu de « Il y avait une fois » montre qu'il a compris le sens de la phrase. Par contre, un lecteur qui lit « Il a une belle montrer » au lieu de « Il a une belle montre » manifeste qu'il se préoccupe plus des indices visuels que du sens de la phrase. L'analyse des méprises permet aussi de constater quelles sont les capacités d'autocorrection du lecteur (p. 306).

La façon de procéder peut être, par exemple, la suivante. L'enseignant demande à l'élève de lire un texte. Sur une copie de ce texte, l'enseignant indique si le mot est lu correctement ou quelle est l'erreur commise. Après la lecture, il demande à l'élève ce qu'il se rappelle du texte en lui posant des questions sur l'histoire. Giasson (1995) propose d'utiliser une grille d'analyse de ces méprises. Elle suggère également des grilles pour analyser quantitativement et qualitativement le rappel de l'histoire. La figure 4.5, à la page suivante, présente un exemple de grille préparée par Giasson.

Figure 4.5

Grille d'analyse des méprises

Nom : ______________________ **Date :** ______________________

Niveau scolaire : ______________________ **Enseignant :** ______________________

Texte lu : ______________________

____

1. Quel est le pourcentage des phrases qui ont du sens telles qu'elles sont lues ?
   Nombre de phrases acceptables sur le plan sémantique ______________
   Nombre de phrases inacceptables sur le plan sémantique ______________

   $$\text{Pourcentage de compréhension} = \frac{\text{nombre de phrases acceptables sur le plan sémantique}}{\text{nombre total de phrases lues}} \times 100$$ Total ______________

	Jamais	**Parfois**	**Souvent**	**Très souvent**	**Toujours**
2. De quelle façon le lecteur construit-il la signification du texte ?					
A) Il s'aperçoit qu'une méprise a changé le sens de la phrase.	1	2	3	4	5
B) Il fait des substitutions logiques.	1	2	3	4	5
C) Il corrige spontanément les méprises qui changent le sens.	1	2	3	4	5
D) Il utilise les illustrations et les autres indices visuels.	1	2	3	4	5
3. De quelle façon le lecteur modifie-t-il le sens ?					
A) Il fait des substitutions qui n'ont pas de sens.	1	2	3	4	5
B) Il fait des omissions qui modifient le sens de la phrase.	1	2	3	4	5
C) Il se fie trop aux indices graphiques.	1	2	3	4	5

	Non	**En partie**	**Oui**
4. Dans les textes narratifs, le lecteur décrit les éléments suivants :			
A) Personnages	1	2	3
B) Lieu ou temps	1	2	3
C) Événement déclencheur	1	2	3
D) Tentatives des personnages	1	2	3
E) Résolution du problème	1	2	3
F) Ensemble de l'histoire	1	2	3
Dans les textes informatifs, le lecteur donne les éléments suivants :			
A) Concepts importants	1	2	3
B) Généralisations	1	2	3
C) Informations particulières	1	2	3
D) Structure logique	1	2	3
E) Ensemble du texte	1	2	3

Source : Adaptée de Rhodes (1990) et tirée de Giasson (1995, p. 308).

En mathématique, l'analyse des erreurs ou des méprises peut aussi se révéler importante. Ainsi :

> [Dans] la plupart des cas, l'erreur n'est pas gratuite, mais plutôt le produit logique et cohérent de la pensée du sujet, de son bagage de connaissances qui n'est pas encore adapté à une situation nouvelle. Dans cette perspective, on a tout intérêt à reconnaître dans l'erreur une source précieuse de renseignements sur les processus de pensée du sujet qui apprend, source dont on peut profiter pour mieux comprendre ces processus (Simard, cité dans Saint-Laurent et autres, 1995, p. 194).

La figure 4.6 présente des exemples de méprises en mathématique.

Figure 4.6

Exemples de méprises en mathématique

44 + 49 813	Dans le premier problème, l'élève a correctement aligné ses données, mais il n'a pas tenu compte de la retenue.
300 + 402 3402	Dans le deuxième problème, il a mal aligné ses données.

Les éléments acquis ainsi que les erreurs informent l'enseignant sur les habiletés développées par un élève. Il est important non seulement de relever les erreurs, mais aussi d'essayer de trouver dans chaque production ce qui est bien. En effet, l'élève en difficulté a encore plus besoin que les autres d'être encouragé. Et c'est à partir de ce qui est positif qu'il est possible de le faire. Une analyse détaillée des productions, mise en relation avec les caractéristiques de la tâche et le contexte dans lequel elle a été réalisée, permet d'obtenir de l'information sur ce qui est acquis ou non et facilite ainsi la planification de l'intervention.

4.2.4 Les tests des commissions scolaires et de la GRICS

Les commissions scolaires utilisent des épreuves de type sommatif pour déterminer le retard des élèves en lecture, en écriture ou en mathématique. Afin de permettre une meilleure diffusion des épreuves élaborées par les commissions scolaires, plusieurs d'entre elles ont participé à la création d'une Banque d'instruments de mesure (BIM). Ce projet a vu le jour à la Direction de l'évaluation pédagogique du ministère de l'Éducation du Québec. La BIM, actuellement gérée par la Société de gestion du réseau informatique des commissions scolaires (GRICS), donne accès à ses contenus par l'informatique et par le Web aux organismes qui y sont abonnés. Cette banque propose des contenus sous la forme d'items, d'épreuves et de situations complexes pour le primaire et pour le secondaire dans diverses disciplines (français, mathématique, anglais langue seconde, science, technologie et univers social).

Ces outils d'évaluation contribuent à dresser un portrait à la fin d'une étape ou le bilan des apprentissages à la fin d'un cycle. Les contenus de la banque sont conformes aux programmes d'études et de formation, ont été soumis à une validation de contenu, à une révision docimologique et à une expérimentation auprès d'élèves. Le recours à cette banque permet la sélection d'épreuves et de situations d'évaluation pertinentes susceptibles de faciliter le jugement à propos du niveau de développement des compétences des élèves.

La GRICS a mis au point une série d'outils pour évaluer les compétences en écriture chez les élèves faibles en expression écrite. On trouve des instruments d'évaluation pour établir le profil d'un scripteur et déterminer si l'élève a besoin de services en matière d'adaptation scolaire (voir l'adresse suivante : [http://www.grics.qc.ca/bim/]).

D'autres outils permettent de cerner les forces et les faiblesses de l'élève en lecture, d'évaluer sa motivation face à la tâche de lecture et ses stratégies de lecture. Il existe aussi des guides pour l'observation de l'élève en classe, des entrevues et l'analyse des textes. La GRICS a mis au point récemment de nouveaux outils. Parmi ces outils, « Mon profil en lecture » est conforme aux orientations de la réforme pour comparer les résultats d'un élève avec ceux d'élèves de son âge et pour établir un profil multidimensionnel en tenant compte, entre autres, de la métacognition. Ces différents outils s'adressent aux orthopédagogues et aux enseignants du primaire. La GRICS indique que ces instruments permettent de mieux saisir les facettes de la lecture, soit les épreuves de lecture, les questionnaires d'autoperception et les questionnaires sur les stratégies en lecture. Le tout est accompagné d'un logiciel pour établir le profil de l'élève et dégager ses façons de faire.

4.2.5 La *Curriculum-based Assessment*

La *Curriculum-based Assessment* (CBA) est une méthode qui permet de comparer, au moyen de mesures fréquentes, le degré de maîtrise de l'élève quant au contenu d'un programme scolaire. Selon Lerner (1993), la CBA offre une solution de rechange à l'évaluation normative, car cette méthode d'évaluation, qui s'appuie sur les programmes scolaires, est liée directement à l'enseignement. Cette forme d'évaluation peut facilement être associée aux objectifs que poursuit le plan d'intervention. Elle requiert cependant des mesures fréquentes. Ainsi, certains auteurs recommandent d'utiliser cette forme d'évaluation quotidiennement ou encore plusieurs fois par semaine (Bender, 2004).

Le matériel composant cette forme d'évaluation provient du matériel utilisé en classe pour réaliser l'enseignement (Hunt et Marshall, 2006 ; Lerner, 1993). Par exemple, si l'élève apprend à épeler certains mots, ce sera son rendement quant à ce contenu qui sera évalué. Les résultats de l'évaluation sont, en général, portés sur des graphiques qui permettent de suivre la progression de l'élève. L'évaluation est alors adaptée à l'enseignement dans la classe et l'enseignant profite de ces situations pour observer comment l'élève aborde la tâche (Hunt et Marshall, 2006).

4.2.6 Le portfolio

A. L'origine et la définition du portfolio

Les mannequins, les architectes et les artistes consignent dans une pochette ou un dossier des photographies, des échantillons de plans ou des exemples de leurs œuvres afin de sensibiliser leurs employeurs à leurs réalisations et à leur potentiel. On appelle ce document « portfolio ». Les milieux scolaires ont repris cette idée afin de permettre aux élèves de recueillir leurs productions et d'en faire par la suite l'évaluation. Le ministère de l'Éducation du Québec (2002a) définit ainsi le portfolio :

> Le portfolio (ou dossier d'apprentissage) est une collection organisée des réalisations de l'élève qui fait foi du développement de ses compétences. Il n'est pas uniquement une

collection de productions puisqu'il contient aussi des réflexions et des commentaires : l'élève peut en effet présenter ses réalisations, analyser ses travaux, noter ses observations, reconnaître les améliorations possibles, se fixer des objectifs, des défis, etc. En amenant l'élève à poser un regard critique sur ses réalisations, le portfolio favorise le développement d'habiletés métacognitives (p. 30).

B. Les principes d'évaluation à la base du portfolio

Pour Paris et Ayres (1994), l'apprentissage doit être autorégulé. Par conséquent, l'évaluation doit être centrée sur l'élève qui apprend. Elle doit mettre en relief des acquisitions significatives pour lui, susciter sa motivation et démontrer sa progression sur le plan individuel. L'évaluation doit aussi être appropriée au programme enseigné dans la classe et refléter les progrès de l'élève dans ce programme. De plus, elle doit rendre compte non seulement des connaissances et des compétences de l'élève, mais aussi de ses attitudes et de ses réactions face aux acquisitions. Le portfolio semble pouvoir respecter plusieurs de ces principes qui permettent de mieux cerner l'évaluation de chaque élève.

Selon Carpenter, Ray et Bloom (1995), le portfolio devrait permettre de recueillir de l'information sur le développement à la fois affectif et cognitif de l'élève. Il devrait encourager la réflexion de celui-ci sur son travail scolaire et faciliter les échanges entre l'enseignant et lui.

Wesson et King (1996) présentent certains principes d'organisation du portfolio. Premièrement, l'enseignant et l'élève participent ensemble à l'élaboration du portfolio ; toutes les productions faites en classe ne doivent pas être automatiquement incluses dans ce document. Deuxièmement, il faut utiliser plusieurs sources d'information afin de bien refléter le rendement et le développement de l'élève. Troisièmement, le portfolio doit être structuré par compétences ou par domaines, par exemple, en fonction du déroulement des activités. Quatrièmement, le portfolio doit être facilement accessible aux enseignants et aux élèves.

C. L'utilisation et le contenu du portfolio

Il est possible d'utiliser le portfolio du préscolaire à l'université. Son contenu peut aussi être fort diversifié : on peut y trouver des travaux scolaires, des réflexions sur ces travaux, des évaluations de la part des enseignants ou des parents, des échantillons des meilleurs travaux de l'élève, des autoévaluations, des observations, des résumés de lectures, des entrevues métacognitives[2], des bandes audio ou vidéo, etc. (Carpenter, Ray et Bloom, 1995). Le portfolio peut être traditionnel (incluant des pièces tangibles sur papier, par exemple) ou numérique. Il peut être multidisciplinaire ou encore consacré à une seule discipline. Ainsi, Préfontaine et Fortier (2004) proposent un portfolio dédié, au secondaire, à l'écriture. Ce portfolio comprend des instruments permettant à l'élève de faire une analyse de sa démarche d'écriture.

---

2. « L'entrevue métacognitive est utile pour connaître la conception que l'élève se fait de la lecture ainsi que de ses forces et ses faiblesses. Les connaissances métacognitives s'évaluent habituellement à l'aide d'une entrevue ou d'un questionnaire » (Giasson, citée dans Saint-Laurent et autres, 1995, p. 117).

D. Le rôle de l'enseignant

Le portfolio n'est pas un amas de travaux inclus dans une pochette au fur et à mesure de leur réalisation. L'enseignant a un rôle notable à jouer pour orienter les élèves dans l'élaboration de leurs portfolios. Le portfolio est accompagné de discussions régulières avec l'élève. Au cours de ces entretiens, l'enseignant fait porter ses commentaires sur les actes d'apprentissage, les réalisations et les actions de régulation (Goupil et Lusignan, 2006). Il instaure un climat de confiance et évite les arguments d'autorité. Il est ouvert à la discussion sur les compétences et les stratégies d'apprentissage. Goupil et Lusignan recommandent d'adapter le nombre d'entretiens aux besoins des élèves tout en tenant compte des contraintes de temps. L'entretien s'inscrit bien dans une perspective de différenciation pédagogique.

E. Le rôle des élèves

Selon Goupil et Lusignan (2006), la constitution d'un portfolio suppose de la part des élèves de la réflexion, des comparaisons, une autoappréciation, du jugement et des décisions. Les élèves devront reconnaître leurs points forts et leurs points faibles. Pour Paris et Ayres (1994), ils ont d'abord la responsabilité de décider de ce qu'ils incluront dans le portfolio. Sélectionner ses productions oblige l'élève à considérer son travail dans une nouvelle perspective et à effectuer nécessairement un processus d'évaluation. Cependant, toujours selon Paris et Ayres, il faut souvent orienter l'élève en lui fournissant entre autres des feuilles-guides qui l'aideront à opérer cette sélection. Le portfolio étant organisé selon la chronologie, il amène l'élève à réviser ses progrès. Cette révision peut se faire avec les parents, avec l'enseignant, voire avec d'autres élèves. De même, après avoir révisé l'ensemble de son portfolio, l'élève peut résumer ses réflexions sur sa progression.

F. Les avantages du portfolio pour les élèves en difficulté

Le portfolio permet de suivre les progrès d'un élève tout au long du cycle scolaire. Il est centré sur l'évaluation formative et donne à l'élève une occasion unique de juger de ses progrès et d'assurer sa responsabilisation au cours de son apprentissage. Il favorise aussi le développement de l'autodétermination. Ainsi, Ezell et Klein (2003) observent que des élèves qui ont utilisé le portfolio expliquent davantage leurs performances par des facteurs internes (par exemple, les stratégies utilisées) que des élèves qui ne l'ont pas fait.

Afin de mieux établir les liens entre le portfolio et le plan d'intervention, Swicegood (1994) suggère d'abord à l'enseignant de s'assurer que les objectifs du plan d'intervention sont observables et mesurables, et qu'ils incluent des objectifs portant autant sur les contenus d'apprentissage que sur les stratégies ou les processus affectifs et cognitifs. L'auteur recommande qu'avec les membres de l'équipe d'intervention l'enseignant recueille des productions qui illustreront la progression de l'élève. Il propose également de laisser l'élève se responsabiliser au cours de l'élaboration de son portfolio et de maximiser le plus possible les entretiens avec lui. En outre, Swicegood suggère que l'élève écrive régulièrement un résumé d'une page sur le contenu de son portfolio afin de réfléchir à ce contenu et de faciliter les échanges autour de cette forme d'évaluation.

4.2.7 Les entrevues

A. L'entrevue avec l'élève

L'élève est la première personne qui se soucie de ses difficultés ; ses parents sont également préoccupés par ce qui lui arrive. Lorsqu'un élève présente des problèmes, il est souhaitable que l'enseignant le rencontre afin de connaître sa perception de la situation et d'obtenir des renseignements sur les stratégies qu'il utilise au cours de son apprentissage. Il est important de placer cette rencontre dans le cadre d'une relation positive.

Dans un guide d'entrevue avec l'élève, le ministère de l'Éducation du Québec (1982b) recommande d'aborder les sujets suivants : les aspects positifs de la situation de l'élève, l'existence des difficultés et les moyens d'améliorer sa situation. L'entretien d'évaluation avec l'élève doit se faire d'après les données les plus concrètes possible. Les jugements et les opinions doivent être évités. Par ailleurs, il faut tenter de connaître la perception de l'élève au regard de ses difficultés, de sa situation et des exigences scolaires. Pike et Salend (1995) proposent des questions qui permettent de mieux cerner les difficultés de l'élève. Par exemple, avec un élève ayant des difficultés en lecture, les auteurs suggèrent les questions suivantes :

> Quelles sont les choses que tu fais bien lorsque tu lis ?
> Est-ce qu'il y a des choses en lecture qui te posent des problèmes ?
> Comment ta lecture s'améliore-t-elle ?
> Qu'est-ce que tu aimerais améliorer en lecture ? (p. 17 ; traduit par l'auteure).

Les rencontres avec l'élève peuvent aussi s'effectuer à propos de la tâche d'apprentissage : la résolution de problèmes, l'écriture ou la lecture d'un texte. Saint-Laurent (2002) propose différentes questions pour discuter avec l'élève de sa compréhension en lecture (voir le tableau 4.2 à la page suivante).

Dans l'entretien avec l'élève, il peut être important d'aborder sa motivation, car la motivation et l'affectivité jouent un rôle important dans l'apprentissage, comme nous le verrons dans le chapitre suivant. Différentes théories sur la motivation permettent d'expliquer les comportements des élèves. En se référant à certaines de ces théories, l'enseignant peut obtenir des renseignements qui faciliteront la planification de différentes interventions. Les questions suivantes lui permettront de discuter avec l'élève de ses croyances et de planifier, le cas échéant, des interventions :

- Les besoins de base de l'élève sont-ils satisfaits (le sommeil, la faim, etc.) ?
- Quels sont les renforçateurs privilégiés par l'élève ?
- Lorsque l'élève fait des efforts, quelles en sont les conséquences ? Connaît-il du succès ? Vit-il des échecs à répétition ?
- Quelles sont les stratégies cognitives ou métacognitives efficaces et celles qui, au contraire, sont inefficaces ?
- L'élève attribue-t-il ses succès ou ses échecs à des facteurs externes (par exemple, la chance) ou à des facteurs internes (par exemple, ses efforts) et perçoit-il ces facteurs comme étant stables ou, à l'inverse, instables ?

L'entrevue avec l'élève est, pour l'enseignant, un moment important qui lui permet de mieux comprendre ses attitudes, sa motivation et son intérêt pour l'apprentissage.

Tableau 4.2

Exemples de questions pour améliorer la compréhension en lecture

Questions ouvertes	Questions métacognitives	Questions sans bonne ni mauvaise réponse	Questions d'élaboration
• Est-ce qu'il y a quelque chose que tu n'as pas compris ? • De quoi parle l'auteur dans ce paragraphe ? • Peux-tu résumer ce que tu viens de lire ? • Peux-tu expliquer ce que l'auteur veut dire quand il écrit… ? • De quoi va parler l'auteur dans le prochain paragraphe ?	• Est-ce que tu comprends ce que l'auteur veut dire ? • Que peux-tu faire pour trouver ce que le mot veut dire ? • Comment as-tu fait pour… ? • Comment sais-tu que… ?	• Que penses-tu de tel personnage ? • Aimerais-tu qu'une telle aventure t'arrive ? visiter ce pays ? rencontrer cet animal ? • Qu'est-ce que tu as aimé dans cette histoire ? • Quel est ton personnage préféré ? Pourquoi ?	• Peux-tu m'expliquer pourquoi… ? • Comment as-tu deviné que… ? • Que penses-tu de ce personnage ? Est-il courageux, à ton avis ? • As-tu déjà lu une histoire semblable ou un texte sur le même sujet ? • Est-ce qu'il t'est déjà arrivé une chose semblable ? • As-tu déjà vu cet animal dans la réalité (au zoo, par exemple) ? • As-tu appris des choses nouvelles dans ce texte ? • Qu'est-ce que tu aimerais encore savoir sur le sujet ?

Source : Saint-Laurent (2002, p. 205-206).

B. L'entrevue avec les parents de l'élève

L'entrevue avec les parents de l'élève est aussi importante. Les parents exercent une influence sur le rendement de leur enfant à l'école et ils représentent une ressource majeure (Noel Dowds, Hess et Nickels, 1996). Lorsque l'enseignant convoque les parents à une entrevue, il doit éviter de les culpabiliser en leur donnant l'impression qu'ils sont responsables des difficultés de leur enfant. Il est utile d'amorcer la conversation en faisant état des aspects positifs de la situation de l'élève. De plus, il s'avère important de fixer clairement les objectifs de cette entrevue, d'être positif et de discuter des points forts et des points faibles de l'élève à partir de situations précises. Les jugements sont parfois très culpabilisants et risquent de susciter des images éloignées de la réalité. Afin de mieux illustrer la situation, il peut être souhaitable que l'enseignant fasse appel à des exemples tirés des productions de l'élève. Les parents pourraient d'ailleurs rapporter à la maison un échantillon du travail de leur enfant ; cela permettrait de poursuivre la discussion en ayant recours à un élément concret. Pendant la rencontre, l'enseignant pourrait déterminer avec les parents (en usant de tout le tact nécessaire) si l'élève vit une situation plus difficile que d'habitude : un stress, une maladie, un événement pénible, etc. Les années de scolarité antérieures peuvent aussi apporter des éléments éclairant la situation : les types d'écoles ou de classes fréquentées, l'aide reçue, les déménagements, et ainsi de suite.

Les devoirs et les leçons peuvent être un sujet difficile entre l'élève en difficulté d'apprentissage et ses parents. Une étude de Goupil, Comeau, Coallier et Doré (1996) indique que plusieurs parents d'élèves en difficulté d'apprentissage se disent préoccupés par cette question. Il peut être intéressant ici d'évaluer avec les parents la durée consacrée aux devoirs et aux leçons, et de comparer cette durée avec le temps moyen que l'enseignant croit que cette tâche exige. Certaines sessions de devoirs et de leçons sont plus longues que ce que l'enseignant a prévu et génèrent des conflits entre parents et enfants. Au contraire, certains élèves cachent les devoirs à faire et règlent la question dans l'autobus ou avec leurs camarades à la cafétéria de l'école tôt le matin. Au cours de l'entrevue avec les parents, l'enseignant peut leur demander s'ils désirent parler de la question des devoirs et des leçons. S'il y a des problèmes, il serait productif de sonder les besoins des parents et de leur faire des suggestions susceptibles de leur venir en aide. Il existe, à cet égard, des guides à l'usage des parents. De plus, certaines écoles offrent des services d'aide qui peuvent être utiles aux parents qui manquent de temps ou qui se disent débordés par la question des devoirs et des leçons.

Le point central de l'entrevue avec les parents demeure la recherche d'objectifs d'intervention et de solutions qui répondent le mieux aux besoins de l'élève. Par la suite, lorsque l'élève s'améliore, il importe de souligner ce fait aux parents. Sinon, ces derniers risquent d'avoir l'impression que l'école communique avec eux uniquement lorsque les choses vont mal. Un mot d'encouragement permet de soutenir les parents et l'élève dans leurs efforts. Le chapitre 13 présente différentes stratégies d'entrevues avec les parents.

4.2.8 D'autres évaluations utiles

Comme nous l'avons vu dans le chapitre 3, la situation de l'élève en difficulté est parfois très complexe. En outre, certains élèves connaissent des conditions très difficiles. Dans certaines situations, il peut s'avérer nécessaire de recourir à d'autres évaluations beaucoup plus spécialisées. Certains élèves ont besoin d'une aide psychologique ou médicale et certaines familles requièrent une aide sociale. L'évaluation doit donc, à l'occasion, être complétée par d'autres spécialistes qui travailleront, lorsqu'il le faudra, en collaboration avec l'enseignant. Nous verrons maintenant des types d'évaluations plus spécialisées, soit l'évaluation par l'orthopédagogue, l'évaluation des fonctions cognitives ainsi que l'évaluation des fonctions physiques, sensorielles et langagières.

A. L'évaluation par l'orthopédagogue

En milieu scolaire, les orthopédagogues sont reconnus comme des spécialistes de l'intervention auprès des élèves en difficulté d'apprentissage. De nombreux élèves reçoivent leurs services plusieurs fois par semaine (voir le chapitre 5). Les orthopédagogues utilisent divers outils d'évaluation, dont plusieurs ont été décrits dans les pages précédentes. L'étude de Goupil, Comeau, Doré et Filion (1995) révèle que les instruments dont les orthopédagogues québécois se servent le plus souvent au cours de l'évaluation des élèves sont des épreuves construites par les commissions scolaires.

B. L'évaluation des fonctions cognitives

Plusieurs élèves qui ont des difficultés d'apprentissage sont soumis à des tests d'intelligence qui permettent de mieux connaître leur fonctionnement cognitif. Les psychologues font passer ces tests, puis ils transmettent leurs conclusions aux personnes intéressées (par exemple, les parents, l'élève et l'enseignant). Parmi les tests en usage au Québec, citons les échelles de Wechsler, les épreuves individuelles d'habileté mentale de Chevrier et l'échelle d'intelligence de Stanford-Binet. Les psychologues font appel à de nombreux autres instruments, dont le KABC-II (*Kaufman Assessment Battery for Children. Second Edition*), qui renseigne sur les processus cognitifs des jeunes de 3 à 18 ans. Nous donnerons ici un aperçu de ce type d'instrument en décrivant l'une de ces échelles, soit l'échelle d'intelligence pour enfants de Wechsler, quatrième édition, ou WISC-IV (*Wechsler Intelligence Scale for Children, Fourth Edition*). Notons que les échelles de Wechsler semblent être les échelles d'intelligence les plus utilisées au Québec auprès des élèves en difficulté d'apprentissage. En effet, une étude menée auprès de 62 psychologues ayant décrit leurs modes d'évaluation pour 124 élèves en difficulté d'apprentissage révèle que les échelles de Wechsler ont été employées dans 97 % des cas (Béland et Goupil, 2004).

Le WISC-IV, qu'un psychologue fait généralement passer au cours d'une entrevue individuelle, s'adresse aux jeunes âgés entre 6 ans et 16 ans 11 mois 30 jours. Cette échelle permet d'obtenir le quotient intellectuel (Q.I.) de l'individu. La moyenne de la population se situe à 100 avec un écart type de 15. Le quotient intellectuel global obtenu avec le WISC-IV repose sur quatre composantes : la compréhension verbale, le raisonnement perceptif, la mémoire de travail et la vitesse de traitement de l'information. Ces quatre composantes sont elles-mêmes constituées de différents sous-tests. Le tableau 4.3 présente la structure du WISC-IV.

C. L'évaluation des fonctions physiques, sensorielles et langagières

Lorsqu'un élève présente des difficultés d'apprentissage, il est bon de s'assurer qu'il n'a pas un déficit physique ou sensoriel. Entend-il bien ? Voit-il correctement ? En classe, diverses manifestations permettent de soupçonner un problème visuel ou auditif. Si l'élève a souvent les yeux rouges ou qui coulent, s'il doit constamment se rapprocher du matériel ou encore s'il se plaint de ne pas voir au tableau, il peut être indiqué de pousser plus loin l'investigation en communiquant avec ses parents. Il en est de même pour l'audition. Si l'élève confond régulièrement divers sons ou réagit peu aux stimuli auditifs, un examen plus approfondi peut s'avérer nécessaire. Ce sont des détails élémentaires, mais qui méritent d'être considérés. Il est utile de s'assurer que l'élève n'a pas de problèmes de santé qui viendraient interférer avec ses apprentissages. Il est alors de la responsabilité des parents de veiller à ce qu'un bilan de santé soit fait par un médecin.

D'autre part, la recherche met actuellement en évidence le rôle de la conscience phonologique dans les difficultés d'apprentissage de la lecture. Kami et Catts (2002) soulignent qu'au cours des 25 dernières années, un nombre considérable de recherches ont fait ressortir ce facteur dans l'apparition des difficultés en lecture. Cette relation soulève l'importance d'être attentif au langage des élèves et tout particulièrement, dans une optique de prévention, des élèves du préscolaire et du premier cycle du primaire. Des évaluations pourront permettre d'établir des interventions précoces où, le cas échéant, l'orthophoniste sera mis à contribution.

Tableau 4.3

Description des sous-tests inclus dans le WISC-IV

Composante	Sous-test	Fonction
Compréhension verbale	Similitudes	Mesure la formation de concepts verbaux en demandant au sujet d'expliquer les ressemblances, dans des paires, entre deux items
	Vocabulaire	Mesure la connaissance des mots, le développement du langage, la richesse de l'expression et l'information en demandant au sujet de définir des mots placés dans un ordre croissant de difficulté
	Compréhension	Évalue les connaissances des relations interpersonnelles et sociales en demandant au sujet ce qu'il ferait dans différentes circonstances ou quelle est sa compréhension de différentes situations sociales
	Connaissances*	Évalue les connaissances générales grâce à des questions d'information sur divers sujets
	Raisonnement de mots*	Mesure, entre autres, le raisonnement verbal et déductif, la capacité de synthèse et d'abstraction en demandant au sujet de reconnaître un concept ou un objet à l'aide d'indices donnés successivement
Raisonnement perceptif	Blocs	Évalue l'organisation visuelle, les relations spatiales et logiques de même que la coordination oculomanuelle en demandant au sujet de reproduire à l'aide de cubes des modèles présentés sur des cartes
	Concepts en images	Évalue le raisonnement, la capacité de former des catégories en demandant au sujet de regarder deux ou trois rangées d'images et par la suite de choisir dans chaque rangée des images qui vont ensemble parce qu'elles sont réunies par un concept
	Matrices	Évalue la capacité d'associer des images, l'attention, la concentration et le raisonnement en demandant au sujet de trouver la partie manquante d'une matrice dans un choix d'items
	Images à compléter*	Évalue la discrimination visuelle, la capacité de reconnaître les parties essentielles d'une image par rapport à celles qui ne le sont pas en demandant au sujet de reconnaître sur des images incomplètes la partie manquante
Mémoire de travail	Séquences de chiffres	Évalue la mémoire auditive à court terme et l'attention en demandant au sujet de répéter, dans l'ordre direct ou indirect, des séquences de chiffres placées dans un ordre croissant de difficulté
	Séquences lettres-chiffres	Évalue, entre autres, l'attention, la mémoire auditive à court terme, la capacité de manipuler mentalement des renseignements en demandant au sujet d'ordonner des lettres et des chiffres présentés dans une séquence aléatoire, selon l'ordre alphanumérique
Vitesse de traitement de l'information	Arithmétique*	Évalue la capacité de suivre des consignes verbales, la concentration et la maîtrise des opérations arithmétiques en demandant au sujet de résoudre divers problèmes arithmétiques
	Code	Mesure la vitesse d'exécution, la précision et la coordination oculomotrice en demandant au sujet de reproduire des symboles
	Repérage de symboles	Mesure la concentration, l'attention et la vitesse d'exécution en demandant au sujet de reconnaître dans des séries de symboles la présence d'un symbole
	Annulation*	Évalue la discrimination perceptive, la vitesse, l'exactitude, l'habileté à numériser des images, l'attention et la concentration en demandant au sujet de retrouver et de biffer une image cible dans une série d'images présentées d'abord dans un ordre au hasard, puis dans un ordre structuré

* Sous-test facultatif.

Source : Adapté de Sattler et Dumont (2004) et Wechsler (2003).

4.3 L'évaluation de l'environnement pédagogique

Nous avons vu dans le chapitre 3 que des facteurs scolaires peuvent contribuer à l'augmentation ou à la diminution des difficultés de l'élève. L'environnement social et pédagogique est complexe. Il se compose de l'enseignant, de ses pratiques pédagogiques et évaluatives, des autres intervenants, des pairs de l'élève, de sa famille, de la communauté, etc. Nous survolerons certains de ces aspects en indiquant quelques questions visant à susciter une réflexion sur l'apprentissage de l'élève en difficulté.

Slavin (2006) constate que les élèves qui ont des difficultés d'apprentissage éprouvent fréquemment des problèmes à suivre de longs exposés. Selon cet auteur, ces élèves ont besoin d'être actifs, par exemple dans des activités coopératives. Ces activités doivent cependant être bien structurées et permettre à l'élève de jouer un rôle défini (voir le chapitre 5). Les pratiques évaluatives ont aussi un effet sur l'apprentissage des élèves en difficulté et des autres élèves. Comme l'indiquent Archambault et Chouinard (2003) :

> Ainsi, certaines pratiques évaluatives, comme celles qui mettent l'accent sur la comparaison sociale, tendent à diminuer les perceptions de soi et les attentes de succès des élèves quand ces comparaisons ne les avantagent pas. Ces pratiques conduisent un nombre considérable d'entre eux à ressentir des émotions négatives et à s'engager dans des comportements d'autodépréciation et d'évitement peu propices au développement des compétences (p. 231-232).

Dans l'évaluation des conditions de l'environnement pédagogique, l'enseignant aura donc intérêt à s'interroger sur les mesures permettant de différencier sa pédagogie et ses pratiques d'évaluation. Voici quelques questions qu'il pourra se poser sur le sujet :

- Quels sont les regroupements utilisés avec les élèves (par projets, par groupes coopératifs, etc.) ?
- Ces regroupements facilitent-ils la progression des élèves en difficulté ?
- Comment l'équipe-cycle[3] peut-elle faciliter la mise en place d'une pédgogie différenciée ?
- Comment les activités planifiées tiennent-elles compte des connaissances antérieures ?
- Comment les élèves peuvent-ils participer, faire des choix ?
- Les activités favorisent-elles l'autodétermination ?
- L'évaluation est-elle individualisée ?
- L'élève peut-il juger des progrès qu'il réalise ?
- L'évaluation indique-t-elle à l'élève que les erreurs font aussi partie de l'apprentissage ?
- L'évaluation met-elle en évidence les forces de l'élève ?

Dans l'évaluation des conditions de l'environnement, il ne faudrait pas négliger d'examiner l'utilisation du plan d'intervention. En effet, comme nous l'avons vu dans les chapitres précédents, ce plan est obligatoire pour les élèves en difficulté. À moins

3. Le régime pédagogique du Ministère (MELS, 2006c) définit le cycle comme « une période d'apprentissage au cours de laquelle les élèves acquièrent un ensemble de compétences disciplinaires et transversales leur permettant d'accéder aux apprentissages ultérieurs » (article 15).

Le primaire est désormais divisé en trois cycles de deux ans et le secondaire, en deux cycles (le premier s'étendant sur deux années scolaires et le deuxième, sur trois). Le travail en cycles suppose une meilleure adaptation aux différences individuelles des élèves et une gestion des activités des enseignants concernés travaillant en équipe dites équipes-cycles (Caron, 2003).

qu'ils en soient incapables, les élèves devraient participer à la réunion d'élaboration de ce plan. Sur ce point, voici quelques interrogations susceptibles de guider l'enseignant :

- Quelle valeur l'élève accorde-t-il à son plan d'intervention ? Est-il au courant des objectifs de son plan ? Lui a-t-on demandé de participer au choix des objectifs ? Ces objectifs lui sont-ils accessibles ?
- L'élève a-t-il participé à la réunion d'élaboration du plan ?
- Le plan est-il utile dans l'intervention quotidienne en classe ?
- Comment l'évaluation faite en classe permet-elle de déterminer si les objectifs fixés dans le plan d'intervention sont en voie d'être atteints ?
- Les objectifs du plan d'intervention sont-ils suffisamment précis pour être évalués ? Leurs critères de réussite sont-ils fixés ?
- Comment le plan d'intervention permet-il d'établir un partenariat avec la famille et les autres intervenants concernés ?

L'évaluation peut aussi prendre en considération les services complémentaires et le moment où ils sont offerts :

- Les stratégies proposées à l'élève sont-elles les mêmes que les stratégies suggérées en classe ? Ces stratégies sont-elles complémentaires ?
- Y a-t-il concertation entre l'orthopédagogue, les autres spécialistes et l'enseignant ? La concertation requiert du temps ; aussi, il peut être bon de se demander si les conditions administratives favorisent les rencontres de cycle ou entre intervenants.
- Si l'élève doit s'absenter de la classe pour recevoir des services (par exemple, le dénombrement flottant[4]), que se passe-t-il en classe et quelles sont les conséquences de l'absence de l'élève sur ses apprentissages ?
- Des ressources communautaires (par exemple, un projet d'aide aux devoirs et aux leçons, la participation de l'élève à des sports ou à des loisirs où il a du succès) pourraient-elles être mises à profit ?

4.3.1 L'évaluation des interactions avec les pairs

L'élève n'est pas seul en classe et ses pairs peuvent avoir une influence sur ses apprentissages. L'élève qui attire les moqueries a bien peu envie de prendre des risques en avançant une réponse ou en présentant le projet qu'il a réalisé. L'élève qui subit un échec n'a pas envie de faire connaître sa situation. Les jugements négatifs des pairs influent sur le sentiment de compétence que l'élève a de lui-même (Archambault et Chouinard, 2003). Des observations sur les réactions des autres élèves, sur les façons d'intégrer l'élève en difficulté dans les équipes de travail sont des éléments susceptibles de mener à des interventions favorisant l'intégration sociale.

Nous reviendrons sur ces questions dans le chapitre 5 portant sur l'intervention où, à l'instar de l'évaluation, de multiples facettes doivent être considérées. Le ministère de l'Éducation du Québec (2003a) résume d'ailleurs de la manière suivante les liens entre évaluation et intervention : « L'accompagnement de l'élève qui a des difficultés d'apprentissage repose d'abord sur une bonne évaluation de sa situation. Il s'appuie également sur une intervention bien planifiée caractérisée par des actions souples et stratégiques, ainsi qu'un retour réflexif sur ce qui a été entrepris » (p. 19).

---

4. Terme utilisé au Québec pour décrire l'intervention de l'orthopédagogue qui reçoit, dans son local, de petits groupes d'élèves pour une intervention quelques fois par semaine.

Enfin, le tableau 4.4 présente quelques outils suggérés par divers auteurs pour évaluer les élèves en difficulté d'apprentissage.

Tableau 4.4

Outils suggérés par divers auteurs pour évaluer les élèves en difficulté d'apprentissage

Auteur	Mode d'évaluation	Contenu
Barkley (cité dans Sattler, 1994)	Évaluation des processus cognitifs et développementaux	Évaluation des habiletés verbales et linguistiques, des capacités de planification, etc.
	Évaluation des habiletés dans les matières scolaires	Évaluation des habiletés en lecture, en écriture, en mathématique, etc.
	Demandes de l'environnement	Demandes faites à l'élève par l'école et la famille
	Réactions des autres	Réactions des enseignants, des parents et des pairs aux échecs de l'élève
	Effets de l'interaction	Interaction de tous ces facteurs
Bender (2004) Cet auteur décrit des méthodes d'évaluation afin d'aider les enseignants à planifier leur enseignement	Tests de rendement normatifs	Comparaison du rendement de l'élève avec celui des autres élèves du même âge
	Tests critériés	Comparaison de la performance de l'élève avec une liste d'objectifs décrivant les éléments qui doivent être maîtrisés
	Rapports d'observations	Formels ou informels
	Curriculum-based Assessment	Évaluation fréquente basée sur le travail fait en classe
	Évaluation en classe	Analyse des tâches, analyse des erreurs et évaluation du travail quotidien
	Évaluation alternative	Évaluation authentique Portfolio
Chouinard et Pion (1995)	Évaluation par des tests	Tests normatifs : tests d'intelligence, tests d'habiletés générales Tests critériés
	Entrevues	Avec l'enseignant Avec l'élève Avec les parents
	Observation	Observation directe en classe Observation des productions Auto-observation
Winzer (1996)	Médical	Observation Examen physique Évaluation de l'audition Évaluation de la vision
	Informel	Observation Entrevues Examen du dossier scolaire Histoire de cas Inventaires Échelles Examens de l'enseignant Portfolios
	Formel-psychoéducatif	Mesures du Q.I. Tests de rendement Évaluation du fonctionnement auditif-moteur et sensorimoteur Tests de diagnostic Mesures du langage

RÉSUMÉ

Chez un élève ayant des difficultés d'apprentissage, plusieurs éléments peuvent faire l'objet d'une évaluation : le rendement scolaire, les stratégies d'apprentissage utilisées par l'élève, les méthodes et l'environnement pédagogiques ainsi que les tâches proposées. À ces éléments s'ajoutent les comportements et les attitudes face à l'apprentissage. Il existe de nombreux instruments pour évaluer l'élève et sa situation : l'observation, divers examens ou tests, des entrevues avec l'élève ou ses parents, etc.

Parmi eux, l'observation occupe une place primordiale. Elle permet de noter et d'évaluer comment l'élève effectue ses acquisitions et quel en est le résultat. Les méthodes d'évaluation sont variées, et l'environnement pédagogique devrait faire partie de cette évaluation.

QUESTIONS

1. Qu'est-ce que l'évaluation ? Quelles sont ses fonctions ?
2. Quels sont les principaux outils à la disposition des enseignants pour évaluer les difficultés d'apprentissage de l'élève ?
3. Quels sont les principes à respecter pour effectuer une bonne observation ?
4. Quelle est l'utilité de l'observation et de l'analyse des productions d'un élève ?
5. Qu'est-ce que le portfolio ? En quoi peut-il être utile aux élèves en difficulté d'apprentissage ?
6. Quels sont les principes à respecter lorsqu'on rencontre les parents d'élèves en difficulté ?
7. Quelles dimensions de l'environnement pédagogique peut-on examiner lorsqu'un élève est en difficulté d'apprentissage dans sa classe ?

EXERCICE

La figure 4.7 présente le texte d'un élève de la deuxième année du troisième cycle (sixième année). À partir de vos observations, quels éléments en retirez-vous ? Vous pouvez effectuer cette analyse à l'aide d'une grille de classification des erreurs et du programme d'études en français.

Figure 4.7

Texte d'un élève de la deuxième année du troisième cycle

Mardi le 14 février ♡

1. Aujourd'hui jaimerais avoir un grand amour et de coud de foudre.
2. jai achetee des bonbon et des fleur à ma Valentine préfèrer
3. jai écrie un poème a ma chere Valentine que jaime
4. Cupidon lance des flèche à ceux qui s'aimepas et ses joie revrène

RÉFÉRENCES SUGGÉRÉES

ASSOCIATION DES ORTHOPÉDAGOGUES DU QUÉBEC. [en ligne], [http://www.adoq.ca/].

CARON, J. (2003). *Apprivoiser les différences. Guide sur la différenciation des apprentissages et la gestion des cycles.* Montréal : Les Éditions de la Chenelière.

GOUPIL, G. et LUSIGNAN, G. (2006). *Le portfolio au secondaire.* Montréal : Chenelière Éducation. Une vidéo intitulée *Portfolio au secondaire* accompagne ce guide.

GRICS. [en ligne], [http://www.grics.qc.ca/].

LEBLANC, J. (2000). *Le plan de rééducation individualisé (PRI).* Montréal : Chenelière/McGraw-Hill.

MINISTÈRE DE L'ÉDUCATION DU QUÉBEC (2003). *Les difficultés d'apprentissage à l'école. Cadre de référence pour guider l'intervention.* Québec : Ministère de l'Éducation.

VAN GRUNDERBEECK, N. (1994). *Les difficultés en lecture. Diagnostic et pistes d'intervention.* Boucherville, Québec : Gaëtan Morin Éditeur.

Chapitre 5

L'intervention et l'élève en difficulté d'apprentissage

Objectifs

Après avoir lu ce chapitre, le lecteur devrait pouvoir :

- décrire différentes conditions qui facilitent la différenciation pédagogique ;
- décrire différentes façons d'intervenir dans les stratégies d'apprentissage ;
- indiquer les différentes formules de travail utilisées par les orthopédagogues ;
- décrire les conditions qui maximisent l'efficacité des services visant l'apprentissage des élèves ;
- décrire l'apprentissage coopératif ;
- décrire les étapes de l'implantation d'un programme de tutorat ;
- décrire les effets possibles du redoublement.

INTRODUCTION

Dans le chapitre 4, nous avons examiné divers outils permettant d'évaluer la situation de l'élève en difficulté d'apprentissage : l'observation, l'analyse des productions, les différents tests, etc. Cette évaluation vise une meilleure connaissance de l'élève et la planification d'une intervention appropriée.

Dans ce chapitre, nous soulignerons d'abord l'importance de la prévention et de la différenciation pédagogique. Nous nous pencherons sur les théories du traitement de l'information et sur l'utilisation des stratégies d'apprentissage, lesquelles prennent actuellement une place importante dans les écrits scientifiques sur les élèves en difficulté d'apprentissage. Puis, nous aborderons l'importance de l'intervention au regard des aspects affectifs et motivationnels et de l'autodétermination. Par ailleurs, nous examinerons les diverses ressources permettant d'aider l'élève en difficulté d'apprentissage. Comme, dans le cadre d'un tel ouvrage, il est impossible de décrire toutes les ressources utilisées dans le milieu scolaire, nous avons choisi de mettre l'accent sur trois d'entre elles : les services offerts par les orthopédagogues, les groupes d'apprentissage coopératif et le tutorat. Enfin, nous traiterons d'une pratique qui a beaucoup été utilisée dans le milieu scolaire avec les élèves présentant des retards pédagogiques : le redoublement.

5.1 La prévention des difficultés d'apprentissage

Pour le ministère de l'Éducation du Québec (2003a), la première cible de l'intervention devrait être la prévention des difficultés d'apprentissage. La prévention consiste à éviter que les difficultés n'apparaissent ou encore qu'elles ne s'aggravent lorsqu'elles se sont manifestées. La littérature relève trois types de prévention : primaire, secondaire et tertiaire.

5.1.1 La prévention primaire

La prévention primaire vise l'ensemble d'une population et cherche à limiter les risques en offrant des mesures de protection. Le Ministère (MEQ, 2003a) précise qu'une organisation axée sur la différenciation pédagogique facilite la réussite scolaire de tous les élèves et se conforme ainsi aux objectifs d'une prévention primaire. Nous verrons un peu plus loin la définition de cette différenciation et comment elle minimise les risques d'apparition des difficultés d'apprentissage.

Normand-Guérette (2002) indique que la maternelle est un lieu privilégié de prévention primaire pour influer sur la réussite à l'école. Cette auteure suggère qu'on établisse dès le début de la scolarisation un partenariat entre les enseignants et les parents afin de permettre le partage des expertises de chacun. Dans le cadre d'une recherche, elle a proposé aux parents et aux enseignants d'utiliser des moyens d'observation communs (vidéos de l'élève et profil socioaffectif), de définir, à partir de ces observations, des objectifs à travailler avec les enfants. Cette recherche a permis une meilleure compréhension des moyens à utiliser pour développer la coopération entre les parents et les enseignants.

5.1.2 La prévention secondaire

La prévention secondaire cible la partie de la population identifiée à risque. Ainsi, Saint-Laurent (2002) rapporte que, avant d'arriver à l'école, les enfants de milieux défavorisés bénéficient d'environ 25 heures de lecture en compagnie d'un adulte, comparativement à 1 000 heures pour ceux des classes moyennes. Or, on sait que l'émergence de la littératie[1] peut être stimulée très tôt dans le développement de l'enfant. Cette émergence concerne des habiletés, des connaissances et des attitudes favorisant la lecture et l'écriture (Storch et Whitehurst, 2001). Dans ce contexte, la prévention secondaire s'exerce, par exemple, en offrant aux parents des programmes d'éveil à la lecture et à l'écriture. Malcuit, Pomerleau et Séguin (2003), de l'Université du Québec à Montréal (UQAM), ont mis au point un programme qui s'adresse aux adultes en contact avec des enfants de zéro à cinq ans et qui vise différentes habiletés cognitives[2].

Si la prévention secondaire auprès des élèves à risque est importante au préscolaire, elle l'est également au primaire et au secondaire. De nombreux programmes ont pour objectif la prévention des difficultés d'apprentissage et de leurs conséquences. Au primaire, citons entre autres le programme PIER développé par Saint-Laurent et ses collaborateurs (1995). Au secondaire, nombreux sont les programmes qui visent, entre autres, à contrer le décrochage. En effet, les difficultés d'apprentissage, de faibles performances, le redoublement représentent des facteurs importants de risque d'abandon scolaire. La prévention secondaire s'adresse alors aux élèves en condition de vulnérabilité et mise sur l'utilisation d'interventions ciblées pour réduire les facteurs qui causent les difficultés (MEQ, 2003a).

5.1.3 La prévention tertiaire

La prévention tertiaire concerne l'intervention auprès des élèves identifiés en difficulté. Ce type de prévention vise à éviter que ne s'aggravent les difficultés observées. L'élaboration de plans d'intervention et de transition est associée à ce type de prévention. Nous reviendrons sur ces trois types de prévention dans la section consacrée aux élèves en difficulté de comportement (chapitres 6 à 8).

5.2 La différenciation pédagogique

Pour le Ministère (MEQ, 2003a), une façon de prévenir les difficultés et d'intervenir auprès des élèves en difficulté d'apprentissage consiste à différencier la pédagogie. Selon Barry (2004), la différenciation pédagogique remonte aux travaux de Bloom sur la pédagogie de la maîtrise. En voici trois définitions :

> Mettre en place des occasions multiples (contextes d'apprentissage variés, méthodes d'enseignement diverses, etc.) permettant à chaque élève de développer des compétences et d'acquérir des savoirs au moyen de stratégies d'apprentissage variées (Barry, 2004, p. 21-22).

---

1. Ensemble des activités associées à la lecture et à l'écriture.
2. Voir les références à la fin du chapitre.

> Différencier, c'est rompre avec la pédagogie frontale – la même leçon, les mêmes exercices pour tous – mais c'est surtout mettre en place une organisation de travail et des dispositifs didactiques qui placent chacun dans une situation optimale (Perrenoud, cité dans MEQ, 2003a, p. 12).

> La différenciation pédagogique consiste à moduler efficacement les actions de formation en regard des processus, des contenus, des productions et des structures de façon telle que chaque élève se trouve aussi souvent que possible dans des situations d'apprentissage fécondes pour lui (Leclerc, Picard et Poliquin-Verville, 2004, p. 35).

Pour Saint-Laurent (2002), la différenciation pédagogique repose d'abord sur un enseignement de qualité donné à toute la classe. Cela rejoint les objectifs de la prévention primaire. Cette approche met l'accent à la fois sur les connaissances déclaratives, sur les connaissances procédurales et sur les connaissances stratégiques. Elle suppose une excellente organisation sur les plans des contenus pédagogiques, du matériel, du mode de travail et de l'organisation de la classe (Anderson, 2004). La différenciation pédagogique vise à répondre aux besoins individuels. Le respect des différences observées et du rythme de chacun se fonde d'abord sur une bonne connaissance des élèves. Il est aussi facilité par un enseignement adapté :

> Adapter l'enseignement signifie prévoir, lors de la planification de l'enseignement pour tout le groupe, des modifications ou des interventions particulières pour certains élèves en fonction d'objectifs préalablement établis. La perspective pour l'enseignement est de s'adapter aux caractéristiques des élèves [...]. Voici les composantes principales de ce qu'on entend généralement par enseignement adapté :
>
> - entraînement aux stratégies cognitives ;
> - amélioration des méthodes de travail ;
> - acquisition d'une image de soi positive ;
> - variations des regroupements ;
> - aménagements de l'environnement et du temps ;
> - modification du matériel ;
> - individualisation des objectifs ;
> - évaluation fréquente des progrès.
>
> Toute adaptation de l'enseignement doit s'inscrire dans une démarche pédagogique centrée sur les stratégies d'apprentissage (Saint-Laurent et autres, 1995, p. 47).

Le tableau 5.1 indique quelques éléments de différenciation dans l'organisation de la classe.

Tableau 5.1

Éléments de différenciation pédagogique

Processus	Productions	Contenus	Structures
• Stratégies • Outils utilisés • Temps	• Longueur de la tâche • Produit • Modes de présentation	• Matériel didactique • Sujet • Niveau de difficulté	• Type de regroupement (seul ou en équipe) • Environnement

Source : Ministère de l'Éducation du Québec (2003a, p. 13).

Saint-Laurent (2002) propose plusieurs façons de faire pour différencier la pédagogie dans l'enseignement de la lecture : des banques de mots individualisées, de la lecture guidée, des choix personnalisés de livres et une sélection du niveau de difficulté des textes. Elle propose aussi le recours à des stratégies d'apprentissage. Dans les pages suivantes, plusieurs stratégies seront présentées à la fois pour le primaire et le secondaire.

La différenciation pédagogique repose aussi sur la participation des partenaires : les parents, les pairs et les autres intervenants scolaires. Ainsi, l'organisation par cycles prônée par la réforme suppose la mise en place de dispositifs de collaboration entre les enseignants qui s'assurent, en équipe-cycle, du développement des compétences de leurs élèves.

5.3 L'intervention à l'aide des stratégies d'apprentissage

5.3.1 La définition et la variété des stratégies d'apprentissage

Comme nous l'avons vu dans le chapitre 3, les auteurs accordent actuellement une grande importance aux stratégies d'apprentissage. Les élèves qui ont des difficultés d'apprentissage peuvent améliorer leur rendement si on les aide à adopter de meilleures stratégies ou encore à utiliser plus efficacement celles qu'ils possèdent. Nous verrons la diversité des stratégies cognitives et métacognitives et quelques exemples appliqués à la lecture, à l'écriture et à la mathématique.

Rappelons qu'une stratégie influe sur le comportement et les pensées d'un élève pendant l'apprentissage ainsi que sur le processus d'encodage de l'information (Goupil et Lusignan, 1995a). Elle peut avoir un effet sur la motivation de l'apprenant ou sur la façon dont il traite l'information. Les stratégies d'apprentissage sont multiples ; on les subdivise généralement en deux catégories : les stratégies cognitives et les stratégies métacognitives. Comme nous l'avons vu dans le chapitre 3, les stratégies cognitives facilitent l'acquisition, l'emmagasinage et l'utilisation de l'information, tandis que les stratégies métacognitives relèvent de la métacognition, c'est-à-dire de la capacité pour un individu de gérer, d'ajuster et de réguler ses actions cognitives dans un apprentissage (Swanson et autres, 1993). Le tableau 5.2, à la page suivante, présente une classification des stratégies d'apprentissage.

La réflexion que mènent les chercheurs sur les stratégies cognitives et métacognitives exerce une grande influence sur les façons d'intervenir auprès des élèves, particulièrement auprès des élèves à risque (Saint-Laurent et autres, 1995). Nous verrons maintenant quelques exemples de stratégies appliqués à l'apprentissage de la lecture, de l'écriture et de la mathématique.

5.3.2 Les stratégies en lecture

Différentes stratégies peuvent faciliter la compréhension des élèves dans le domaine de la lecture. Par exemple, avant la lecture, les élèves peuvent survoler l'ensemble du texte ; l'enseignant peut les aider à activer leurs connaissances antérieures. Les élèves peuvent apprendre à utiliser des indices tels les titres et les sous-titres, se donner des intentions de lecture, faire des prédictions, etc. Pendant la lecture, d'autres stratégies peuvent être utiles : faire appel au contexte pour trouver le sens d'un mot, résumer

Tableau 5.2

Classification des stratégies d'apprentissage selon McKeachie et autres (1988)

1. Stratégies cognitives	**Tâches de base**	**Tâches complémentaires**
a) Stratégies de révision (réciter et nommer) – aide, attention, encodage	(ex. : liste à mémoriser) réciter la liste	(ex. : apprendre pour un examen) dire tout haut, copier, prendre des notes, souligner
b) Stratégies d'élaboration – gardent l'information dans la mémoire à long terme en faisant des liens	méthodes des mots clés, images mentales mnémotechniques	paraphraser, résumer, créer des analogies, prendre des notes, question et réponse
c) Stratégies organisationnelles – permettent de sélectionner l'information et de construire des liens	regroupement de mots selon leurs caractères communs mnémotechniques	sélectionner des idées principales en soulignant, en créant des réseaux et des diagrammes
2. Stratégies métacognitives	**Toutes les tâches**	
a) Stratégies de planification – planifient l'usage des stratégies et le traitement de l'information	fixer des buts, survoler, formuler des questions	
b) Stratégies de contrôle – pour comprendre la matière et l'intégrer à la connaissance antérieure	faire un auto-examen, focaliser l'attention, utiliser des stratégies d'examen	
c) Stratégies de régulation – reliées au contrôle ; elles augmentent la performance car elles permettent de vérifier et de corriger le comportement	ajuster la vitesse de lecture, relire, réviser, utiliser des stratégies d'examen	
3. Stratégies de gestion des ressources (pour adapter l'environnement ou s'adapter à lui)		
a) Organisation du temps	horaire, buts	
b) Organisation de l'environnement d'étude	endroit défini, calme, organisé	
c) Gestion de l'effort	attribution du succès à l'effort, état d'esprit, dialogue intérieur persévérant et renforçant	
d) Soutien des autres	aide du professeur, des pairs, apprentissage en groupe, tutorat	

Source : Langevin (1992, p. 41).

les idées importantes, noter des questions, et ainsi de suite. Après la lecture, les élèves peuvent notamment organiser les connaissances sous forme de schémas, faire des synthèses ou reformuler l'information (Giasson, 1995 ; Robillard, 1994).

Giasson (1995) propose de présenter d'abord les stratégies aux élèves. Pour cette auteure, il faut par la suite que les élèves apprennent à gérer leur compréhension ; il faut aussi les sensibiliser à être actifs avant d'entreprendre la lecture d'un texte. Les élèves doivent également apprendre à utiliser le contexte pour arriver à donner un sens à des mots nouveaux. Bos et Vaughn (1994) suggèrent d'activer les connaissances antérieures des élèves, d'utiliser des schémas des stratégies de questionnement. Les stratégies comme le KWL +, les organisateurs graphiques et l'enseignement réciproque facilitent l'organisation des connaissances. Nous en ferons ici une brève description.

A. Le KWL +

Le KWL + est une technique élaborée par Carr et Ogle (1989). Dans l'expression KWL +, K signifie *Known,* W signifie *Want to know* et L signifie *Learned*; le «+» est accolé à l'expression lorsqu'on ajoute à cette séquence un organisateur graphique.

Dans cette stratégie de questionnement, on demande d'abord à l'élève de dire ce qu'il sait sur un sujet. C'est le *Known*. Cette étape permet, avant la lecture sur un sujet, d'activer les connaissances antérieures. Par la suite, l'élève indique ce qu'il veut apprendre sur le sujet. C'est le *Want to know*. Finalement, il rapporte ce que la lecture lui a appris, soit le *Learned*. Le tableau 5.3 présente la structure suggérée.

Tableau 5.3

Structure du KWL +*

Known	*Want to know*	*Learned*

* (+) : création d'un organisateur graphique.

B. Les organisateurs graphiques

Un organisateur graphique consiste dans la représentation visuelle d'un texte. Les élèves en difficulté d'apprentissage ont souvent du mal à maîtriser et à organiser l'information portant sur un sujet donné. Ce problème devient particulièrement important au secondaire (Crank et Bulgren, 1993). L'utilisation d'organisateurs ou de structures graphiques permet de mieux organiser l'information de façon qu'elle soit plus facile à retenir. Les structures susceptibles d'être utilisées sont multiples et varient en fonction des textes à l'étude. Certaines structures peuvent être hiérarchiques ; d'autres, centrales, etc. Les figures 5.1 et 5.2 (à la page suivante) offrent deux exemples : l'un, d'une structure hiérarchique, l'autre, d'une structure centrale.

Figure 5.1

Exemple d'une structure hiérarchique

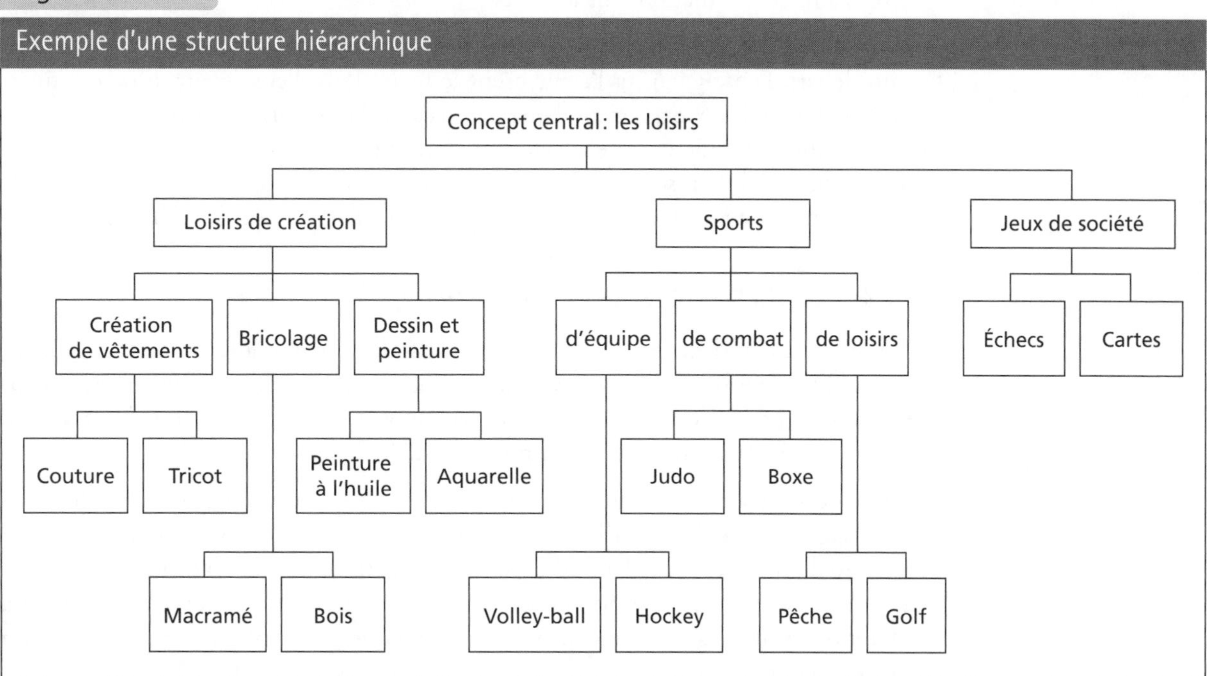

Figure 5.2

Exemple d'une structure centrale

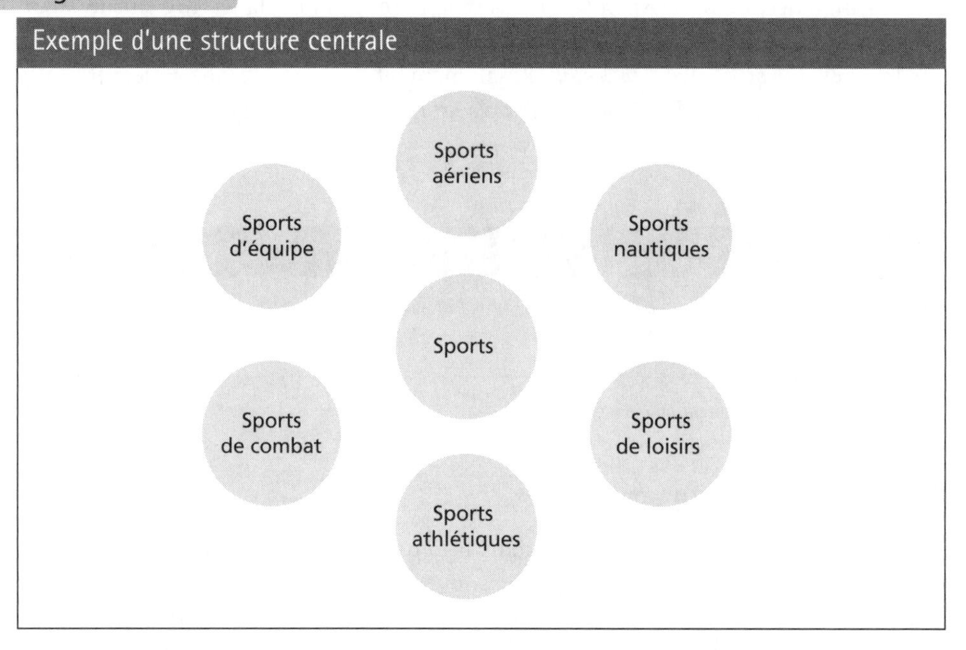

C. L'enseignement réciproque

La stratégie de l'enseignement réciproque a été élaborée dans les années 80 par Palinscar et Brown (1984) afin de venir en aide à des élèves du primaire qui avaient des difficultés en lecture. L'enseignement réciproque se déroule en quatre étapes :

1) Poser des questions sur le texte.
2) Clarifier les ambiguïtés.
3) Faire des prédictions sur le texte.
4) Vérifier ces prédictions.

Au départ, l'enseignant et l'élève lisent le texte. Puis, l'enseignant pose des questions à l'élève sur le texte qui vient d'être lu ; en cas de besoin, ils clarifient les ambiguïtés. L'enseignant demande ensuite à l'élève de faire une prédiction sur la suite de l'histoire. Cette prédiction sera vérifiée à la lecture du passage suivant. Au début, le rôle de l'enseignant est joué par celui-ci, mais peu à peu il délègue ce rôle à l'élève lui-même.

5.3.3 Les stratégies en écriture

Pour les élèves en difficulté d'apprentissage, l'écriture représente un défi intimidant (Hallenbeck, 1996). Plusieurs élèves qui connaissent des échecs en viennent à avoir de l'aversion pour l'écriture. Or, la recherche montre que les bons scripteurs se sont dotés de plusieurs stratégies liées au processus d'écriture.

Afin de mieux comprendre comment différentes stratégies peuvent faciliter l'apprentissage des élèves en difficulté, il faut se référer au processus d'écriture. Dans l'écriture d'un texte, il y a d'abord la mise en situation, puis la planification, la mise en texte et finalement le processus de révision. Chacune de ces étapes fait appel à différentes stratégies. Le tableau 5.4 offre quelques exemples de stratégies qu'on peut utiliser en écriture.

Tableau 5.4

Stratégies pouvant être utilisées en écriture

Sous-processus	Stratégies	Autoverbalisation (*self-talk*)
Planification	– Identifier le lecteur – Déterminer le but du texte – Activer les connaissances antérieures – Utiliser le remue-méninges	– J'écris pour qui ? – Pourquoi j'écris cela ? – Qu'est-ce que je connais ? – Qu'est-ce que mon lecteur a besoin de connaître ? – Comment puis-je me rappeler mes idées ?
Organisation	– Préciser les catégories d'idées liées au sujet – Préciser les idées liées entre elles – Trouver les nouvelles catégories et les détails – Ordonner les idées	– Comment puis-je regrouper mes idées ? – Comment puis-je appeler chaque groupe d'idées ? – Est-ce qu'il me manque des catégories ou des détails ? – Comment puis-je faire de l'ordre ? – Qu'est-ce qui arrive en premier ?
Rédaction	– Transformer le plan en un texte – Comparer le texte avec le plan – Ajouter des indices pour favoriser la compréhension et l'organisation	– Lorsque j'écris ceci, je peux dire... – Est-ce que j'ai inclus toutes mes catégories ? – Quel mot de relation puis-je utiliser pour dire à mon lecteur ce que cette idée vient faire avec les autres idées ?
Révision	– Gérer sa compréhension – Vérifier de nouveau le plan – Réviser le texte en cas de besoin – Vérifier le texte en fonction de la perspective du lecteur	– Est-ce que tout a du sens ? – Est-ce que j'ai inclus toutes les idées de mon plan ? – Est-ce que je dois insérer, éliminer ou déplacer des idées ? – Est-ce que j'ai répondu à toutes les questions de mon lecteur ? – Est-ce que mon texte est intéressant ?

Source : Adapté de Stevens et Englert (1993, p. 36). © The Council for Exceptional Children. Reproduit avec permission.

5.3.4 Les stratégies en mathématique

Plusieurs recherches ont démontré que le rendement en mathématique d'élèves en difficulté d'apprentissage pouvait être amélioré grâce à des stratégies cognitives (Montague, Applegate et Marquard, 1993). Parmi ces stratégies, notons celles qui incluent la lecture du problème, sa schématisation, la planification (la détermination des opérations que requiert le problème), la réalisation des opérations, la vérification et l'utilisation d'une calculatrice (Hutchison, 1993). On ajoute à ces stratégies l'utilisation des autoinstructions, de l'autoquestionnement, du modelage, de la pratique guidée, de la pratique indépendante et de la maîtrise des critères de réussite (Hutchison, 1993). Le tableau 5.5, à la page suivante, montre l'utilisation d'une stratégie en mathématique.

Miller et Mercer (1993c) utilisent avec des élèves en difficulté d'apprentissage des stratégies axées sur le recours à des moyens mnémotechniques et représentées par leurs acronymes. Ils présentent, par exemple, la stratégie DRAW (1. *Discover the sign.* 2. *Read the problem.* 3. *Answer or draw and check.* 4. *Write the answer.*). Ces auteurs suggèrent d'utiliser différents acronymes en fonction des problèmes et des tâches à réaliser. Cependant, Dionne (1995) nous met en garde contre l'utilisation de stratégies comme recettes :

> Si on parle d'enseigner des stratégies comme des recettes, il faut avoir beaucoup de réticences. Parce que l'on s'adresse à la mémoire, que celle-ci est ô combien faillible et que de telles

Tableau 5.5

Exemple d'une stratégie en mathématique	
Lire (pour comprendre)	
Dire :	Lire le problème. Si je ne le comprends pas, le lire encore.
Demander :	Est-ce que j'ai lu et compris le problème ?
Vérifier :	Pour comprendre lorsque je résoudrai le problème.
Reformuler (dans ses propres mots)	
Dire :	Mettre le problème dans mes propres mots.
	Souligner l'information importante.
Demander :	Est-ce que j'ai souligné l'information importante ?
	Quelle est la question ? Qu'est-ce que je cherche ?
Vérifier :	Est-ce que l'information correspond à la question ?
Visualiser (avec une image ou un diagramme)	
Dire :	Faire un dessin ou un diagramme.
Demander :	Est-ce que l'image correspond au problème ?
Vérifier :	Comparer l'image avec l'information contenue dans le problème.
Faire une hypothèse (un plan pour résoudre le problème)	
Dire :	Choisir le nombre d'étapes et d'opérations nécessaires.
	Écrire les symboles des opérations ($+$, $-$, $\times$, $\div$).
Demander :	Si je... qu'est-ce que j'obtiens ?
	Si je... qu'est-ce que je devrai faire après ?
	Combien d'étapes sont nécessaires ?
Vérifier :	Ce plan a-t-il du sens ?
Estimer (prédire la réponse)	
Dire :	Arrondir les chiffres, faire le problème dans ma tête et écrire l'estimation.
Demander :	Est-ce que j'arrondis vers le haut ou vers le bas ?
	Est-ce que j'ai écrit l'estimation ?
Vérifier :	Est-ce que j'ai utilisé l'information importante ?
Calculer (faire les calculs arithmétiques)	
Dire :	Je fais les opérations dans le bon ordre.
Demander :	Comment se compare ma réponse avec l'estimation ?
	Est-ce que ma réponse a du sens ?
	Est-ce que les décimales ou les symboles d'argent sont aux bons endroits ?
Vérifier :	Est-ce que toutes les opérations ont été faites dans le bon ordre ?
Vérifier (être sûr que tout est correct)	
Dire :	Vérifier les calculs.
Demander :	Est-ce que j'ai vérifié chaque étape ?
	Est-ce que j'ai vérifié les calculs ?
	Est-ce que ma réponse est correcte ?
Vérifier :	Est-ce que tout est correct ? Si tout n'est pas correct, revenir en arrière.
	Demander de l'aide si j'en ai besoin.

Source : Adapté de Montague et autres (1993, p. 226). Reproduit avec la permission de Lawrence Erlbaum Associates, Inc.

recettes, si elles s'avèrent pratiques et souvent efficaces, ne permettent pas toujours l'adaptation à des situations nouvelles que l'on rencontre si souvent dans la résolution de problèmes bien comprise (p. 234).

Il propose plutôt l'utilisation de stratégies qui n'ont rien de linéaire et dans lesquelles il est possible de se déplacer. Tel est le cas, selon Dionne (1995), du modèle Réflecto élaboré par le psychologue Pierre-Paul Gagné : « [...] on s'y occupe de comprendre le problème, de planifier des solutions possibles, d'exécuter ces plans, puis de vérifier ce que l'on obtient. Le dernier temps sera celui où l'on se préoccupera de communiquer la démarche et la réponse » (p. 235).

5.3.5 Les autres stratégies et les principes directeurs d'application

Il existe plusieurs autres stratégies susceptibles d'aider les élèves en difficulté d'apprentissage. Ces stratégies peuvent s'appliquer à l'étude de textes dans différentes matières ou encore pendant la prise de notes dans les cours.

5.4 L'enseignement et la rétroaction

5.4.1 L'enseignement direct

Il n'est pas toujours possible en classe d'intervenir individuellement avec les élèves ; les enseignants utilisent alors couramment un enseignement direct. Cette forme d'enseignement est associée fréquemment à l'enseignement magistral, mais elle est beaucoup plus large que cela. Selon Goupil et Lusignan (1995a), l'enseignement direct comprend les étapes suivantes : l'association de la matière à enseigner aux connaissances antérieures, la présentation et l'explication des objectifs, la présentation de la matière, le guidage des exercices d'apprentissage, l'utilisation d'exercices supplémentaires avec rétroaction et finalement la révision sur une base régulière. Toutefois, pour être efficace, cette forme d'enseignement doit respecter certains principes qui faciliteront l'apprentissage des élèves en difficulté. L'encadré suivant résume ces principes.

Principes facilitant l'apprentissage dans l'enseignement direct

- Commencer une leçon par une courte révision des préalables directs à cet apprentissage.
- Poursuivre la leçon en présentant brièvement ses objectifs.
- Présenter le nouveau matériel, selon de courtes étapes séquentielles, en s'assurant de la mise en pratique de chacune de ces étapes par l'élève.
- Donner un enseignement direct et explicite aux élèves.
- S'assurer que chaque élève a atteint le niveau de maîtrise avant de passer au niveau suivant.
- Enseigner les objectifs spécifiques.
- Donner des instructions claires et détaillées.
- Prévoir un haut niveau de mise en pratique, dirigé par l'enseignant pour tous les élèves.
- Poser plusieurs questions, vérifier la compréhension de l'élève et obtenir des réponses de tous les élèves.
- Guider les élèves au cours des premiers exercices.
- Apporter une rétroaction et des corrections constantes et systématiques.
- Donner des instructions explicites et une mise en pratique en vue des exercices faits individuellement.

Source : Haager et Klingner (2005, p. 133 ; traduit par l'auteure).

5.4.2 Une rétroaction et un renforcement efficaces et personnalisés

La rétroaction constitue un geste fréquent lorsqu'on enseigne. Par ses remarques verbales et ses commentaires dans les cahiers, l'enseignant donne constamment une rétroaction : « Bravo ! Tu as réussi huit problèmes » ; « Ta recherche est excellente, elle présente bien les habitudes de vie des mésanges ! ». Une observation sommaire révèle que la rétroaction est un des comportements que l'enseignant adopte le plus souvent, que ce soit pour féliciter l'élève ou pour l'aider à rajuster son action.

Toutefois, il ne suffit pas de faire une remarque pour que la rétroaction soit automatiquement appropriée. L'utilisation de la rétroaction requiert le respect de certains principes. Ainsi, pour être plus efficace, la rétroaction doit être précise, immédiate et fréquente. Elle doit concerner de petites unités d'apprentissage et être suivie de périodes d'entraînement. Lorsqu'il y a erreur, la rétroaction doit s'accompagner de suggestions pour faciliter la correction (Doyon et Archambault, 1986). Le renforcement doit aussi être personnalisé. Les caractéristiques suivantes en augmentent l'efficacité (Brophy, 1981) : il faut souligner la réalisation d'un rendement donné, décrire les particularités de cette réalisation, renforcer l'amélioration de l'élève en fonction de lui-même et non par comparaison avec ses pairs.

Canevas pour les interventions au cours des phases de rétroaction

Objectif

Donner des méthodes, des techniques, des procédures qui vont permettre à l'élève de produire et de réussir.

Ces points de référence accroissent les chances de réussir. L'élève peut s'autocontrôler.

Retour avec l'élève

- Reconnaître ce qu'il a fait :
  « Comment as-tu fait... ? »
  « Quels indices t'aident... ? »
- Lui permettre de repérer ce qu'il fait pour réussir, afin qu'il soit conscient des méthodes utilisées et qu'il puisse les adapter à d'autres moments difficiles.
- Tirer profit de l'erreur tout de suite ; l'associer à des réussites. Si l'on met l'accent sur trois erreurs, donner autant de remarques positives :

3E ⟷ 3R

Source : Tardif et Couturier (1993, p. 40).

5.5 L'intervention quant aux aspects motivationnels

Les difficultés des élèves en difficulté d'apprentissage peuvent être dues à un problème de traitement de l'information ou à une mauvaise utilisation des stratégies d'apprentissage. Cependant, plusieurs auteurs associent également ces difficultés à une faible motivation aux tâches scolaires (Fulk, 1994).

5.5.1 La motivation : définition et théories explicatives

Martin (1994) définit ainsi la motivation scolaire :

> La motivation scolaire correspond à l'ensemble des forces internes et externes qui poussent l'élève à s'engager dans l'apprentissage ou dans les activités proposées, à y participer activement, à faire des efforts raisonnables pour choisir les moyens (stratégies, connaissances...) les plus appropriés et à persévérer devant les difficultés. La motivation intervient donc à tout moment de la réalisation d'une activité ou à toutes les étapes de la démarche d'apprentissage (p. 31).

Admettant qu'il s'agit d'une variable difficile à mesurer, Slavin (2006) définit la motivation comme « étant un processus interne qui active, guide et maintient le comportement dans le temps » (p. 317 ; traduit par l'auteure). Pour Slavin, la question n'est pas de savoir si les élèves sont motivés, mais à *quoi* ils sont motivés. De nombreuses théories ont tenté d'expliquer pourquoi et comment l'être humain est motivé. Le tableau 5.6 résume très sommairement quelques-unes de ces théories.

Malgré les difficultés associées à son évaluation et les multiples théories qui la définissent, « la motivation joue un rôle essentiel dans l'apprentissage » (MEQ, 2003a, p. 23). Selon Viau (1994), la motivation à l'école serait déterminée par trois composantes :

1) la perception de la valeur de l'activité : percevoir les tâches comme étant pertinentes et signifiantes, considérer une tâche comme importante parce que l'élève croit que cette tâche le fera progresser ;
2) la perception de sa compétence face à cette tâche : les élèves en difficulté ont du mal à s'autoévaluer ;
3) la perception de la contrôlabilité de la tâche (voir la figure 5.3 à la page suivante).

Tableau 5.6

Quelques théories sur la motivation

Théorie	Définition
Théorie béhavioriste	La probabilité d'apparition des comportements est influencée par leurs conséquences. Les comportements suivis de renforçateurs positifs ont tendance à augmenter, tandis que les comportements suivis de conséquences aversives pour l'individu tendent à diminuer.
Théorie de la motivation et des besoins	Maslow postule que le comportement humain est régi par une recherche de la satisfaction des besoins.
Théorie de l'attribution	Les succès ou les échecs sont attribués à des facteurs internes (les habiletés personnelles, l'effort) ou externes (la chance, la difficulté de la tâche). Ces facteurs peuvent être perçus comme étant stables ou non stables. Notion centrale de cette théorie : le lieu de contrôle, qui peut être perçu comme étant interne (la personne croit que son succès ou son échec est dû à ses habiletés, à ses efforts) ou externe (la personne croit que son succès ou son échec est dû à des facteurs externes, comme l'aide des autres, la difficulté de la tâche ou les explications reçues). La perception du lieu de contrôle peut fluctuer en fonction des activités (sports versus activités scolaires).
Théorie de l'autorégulation et de la motivation	L'élève prend de lui-même des décisions, lesquelles sont liées à l'autodétermination.
Théorie des attentes	La motivation est influencée par l'estimation que font les personnes de leurs chances de succès ou d'échec et par la valeur attribuée à la tâche. Ainsi, une tâche trop facile aura peu de valeur aux yeux des élèves.

Source : Adapté de Slavin (2006, p. 317-326).

Figure 5.3

Modèle de motivation en contexte scolaire

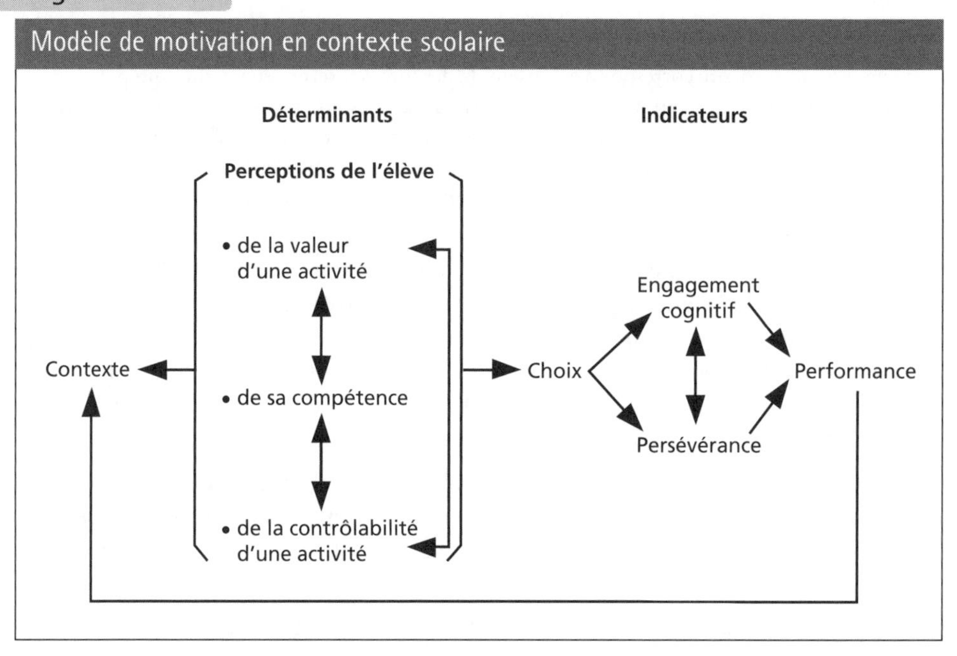

Source : Viau (1994, p. 32).

5.5.2 Les conséquences des échecs sur la motivation

De nombreux auteurs reconnaissent aussi que les élèves qui ont vécu des échecs scolaires sont moins motivés par les tâches scolaires. Ainsi, Archambault et Chouinard (2003) indiquent que les échecs engendrent chez ces élèves des comportements d'évitement, une moins bonne estime d'eux-mêmes et des idées négatives sur leurs capacités. Toujours selon ces auteurs, ces élèves en viennent à expliquer leurs performances par des facteurs externes (comme le type d'explications reçues) et ne se rendent plus compte des effets réels de leurs stratégies d'apprentissage. De plus, les élèves en situation d'échec évaluent mal les exigences des tâches scolaires, surestimant ou sous-estimant leur degré de difficulté. Tous ces éléments interfèrent avec leurs apprentissages.

Les facteurs liés à la motivation expliquent, en partie du moins, pourquoi certains élèves se désintéressent des activités scolaires et pourquoi dans ce contexte certains se convainquent qu'ils sont incompétents. Par conséquent, ils ne déploient plus d'efforts et ne s'investissent plus dans l'analyse des stratégies utilisées dans les tâches scolaires. « Généralement, les élèves qui ont des difficultés d'apprentissage ne réalisent pas que plusieurs de leurs problèmes découlent d'une mauvaise utilisation de stratégies » (MEQ, 2003a, p. 25). Ces conclusions sont fort importantes pour l'enseignant, qui aura un rôle à jouer pour faire comprendre à l'élève qu'il peut modifier ses stratégies et qu'il peut reprendre le contrôle de ses apprentissages.

5.5.3 Les variables associées à la motivation

S'inspirant des travaux de Feather, Martin (1994) indique que « la motivation est fonction des attentes de succès et de la valeur accordée à la tâche, au succès ou à ses conséquences » (p. 33). Plusieurs variables sont associées à la motivation : les attributions causales des réussites ou des échecs, le sentiment de compétence, le sentiment d'autoefficacité, l'orientation de l'apprentissage (la maîtrise de l'apprentissage ou le rendement) et l'intérêt face à la tâche. Le tableau 5.7 présente quelques variables associées à la motivation.

Tableau 5.7

Variables associées à la motivation

Variable	Définition
Attributions causales	Inférences utilisées par l'élève pour tenter d'expliquer ce qui lui arrive
Sentiment de compétence	Jugement global que l'élève porte sur lui-même en relation avec différentes activités
Sentiment d'autoefficacité	Sentiment d'efficacité par rapport à une tâche particulière
Orientation de l'apprentissage	Apprentissage orienté vers la maîtrise ou le rendement
Intérêt face à la tâche	État psychologique caractérisé par l'attention, la concentration, la satisfaction de l'effort et la motivation à apprendre

Source : Inspiré d'Archambault et Chouinard (2003).

Une des principales explications de la motivation est la théorie de l'attribution de Weiner. Cette théorie démontre que les élèves cherchent des raisons pour comprendre leurs succès ou leurs échecs. Ces explications individuelles sont connues sous le terme « attributions ». Archambault et Chouinard (2003) précisent ainsi leur importance : « C'est sur la base de ces inférences, faites sur leur rendement, qu'ils établissent leurs attentes relativement à leur rendement futur et qu'ils déterminent leur niveau d'engagement dans les tâches scolaires ainsi que leur niveau d'autorégulation consciente, leur persistance et l'intensité de leurs efforts » (p. 175).

Les attributions sont variées. En effet, les élèves peuvent attribuer leurs succès ou leurs échecs à de multiples causes, les unes internes, les autres externes : ce peut être la chance (« J'ai réussi parce que j'ai été chanceux »), l'aide reçue (« Si j'ai échoué, c'est parce que l'enseignant ne m'a pas assez aidé »), l'intelligence, etc. Fulk (1994) indique que les élèves qui expliquent leurs échecs par un manque de talent peuvent manifester une motivation réduite. Leur efficacité s'en trouve ainsi diminuée.

La figure 5.4, à la page suivante, résume les facteurs qui exercent une influence sur la motivation. Dans la première colonne, on constate que différentes croyances peuvent agir sur les jugements et, par la suite, sur la motivation.

5.5.4 L'intervention de l'enseignant

Les élèves en difficulté d'apprentissage ont généralement vécu de nombreux échecs ; leurs attentes face au succès risquent alors d'être faibles. Selon Martin (1994), il est possible pour l'enseignant d'intervenir sur le plan des croyances de ses élèves. Celui-ci peut, en effet, aider les élèves à se fixer des objectifs qu'ils sont capables d'atteindre, leur proposer des activités qu'ils peuvent réussir, les soutenir dans leurs progrès, etc. L'enseignant choisira des activités qui facilitent à la fois l'apprentissage et la motivation. Ses interventions s'effectueront alors à différents moments de son action

Figure 5.4

Facteurs influant sur la motivation

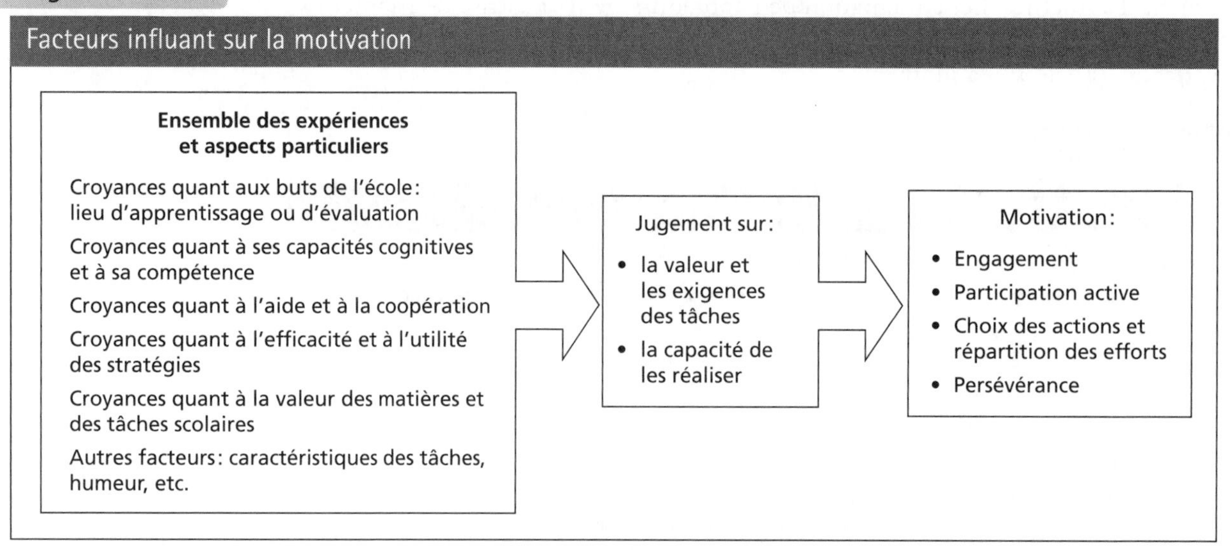

Source: Martin (1994, p. 36).

pédagogique: au cours de la planification des activités, de même qu'avant, pendant et après leur réalisation par les élèves. Par exemple, l'enseignant planifiera une activité à laquelle les élèves accordent de la valeur. Avant l'exécution de cette activité, il donnera de l'information aux élèves, tiendra compte de leurs jugements sur l'activité, proposera des défis raisonnables, etc. Pendant et après l'activité, il les aidera à attribuer leurs progrès à des facteurs appropriés.

5.6 La responsabilisation et l'autodétermination des élèves face à leur apprentissage

Au cours des 20 dernières années, un des développements les plus importants dans la recherche sur les élèves en difficulté ou handicapés a été la prise de conscience de l'importance qu'a l'autodétermination dans la vie de ces élèves (Pierangelo et Crane, 1997). Pour Wehmeyer et autres (1998), l'autodétermination, c'est « agir comme le premier agent en cause dans sa vie, en se sentant libre de faire des choix et de prendre des décisions à propos de sa qualité de vie, libre de toute influence ou interférence indues » (p. 6; traduit par l'auteure).

L'autodétermination, c'est en quelque sorte prendre le contrôle de sa vie; ce processus débute dès l'enfance (Pierangelo et Crane, 1997). C'est donc dire que très tôt, avec les élèves en difficulté, l'enseignant doit pouvoir profiter des occasions qui se présentent quotidiennement pour favoriser ce développement en leur donnant un rôle actif. Le développement de l'autodétermination s'associe très bien au développement des compétences transversales prônées par la réforme (MEQ, 2001) dans des composantes telles que résoudre des problèmes, évaluer sa démarche ou encore construire son opinion. Des stratégies comme l'utilisation de portfolios peuvent permettre à l'élève de découvrir ses forces et ses difficultés et de se fixer des objectifs. D'ailleurs, le Ministère indique:

> L'élève est le premier agent de son développement et, en raison de cela, il doit être partie prenante, chaque fois que c'est possible, aux décisions qui le concernent. Le personnel de l'école fait en sorte que l'élève participe activement à toutes les situations d'apprentissage qui lui sont proposées, dans les activités qui se déroulent en classe et celles qui se déroulent en dehors de la classe (MEQ, 2002b, p. 10).

5.7 Les ressources destinées à l'élève en difficulté d'apprentissage

Outre le titulaire de la classe, divers intervenants peuvent aider l'élève en difficulté, comme le psychologue et le travailleur social. Toutefois, lorsqu'il est question de difficultés d'apprentissage, c'est l'orthopédagogue qui, par tradition, est le plus souvent appelé à intervenir directement. Les écoles mettent aussi en place des mesures et des projets pour aider l'élève en difficulté d'apprentissage : des ateliers, le recours à des personnes bénévoles, des projets de tutorat. Nous examinerons ici quelques-unes de ces ressources.

5.7.1 Les services

Les services peuvent être offerts selon différentes formules : des services avant la référence, un service de consultation pour l'enseignant, une intervention directe dans la classe ordinaire, le dénombrement flottant, etc.

A. Les services avant la référence et les équipes de résolution de problèmes

Certaines écoles ont établi des équipes de résolution de problèmes ou d'intervention avant la référence. Ces équipes interviennent de manière plus ou moins formelle avant qu'un élève ne soit déclaré officiellement en difficulté. Elles utilisent des processus de résolution de problèmes.

B. Les modèles de consultation

Au sujet de la consultation, l'orthopédagogue aide l'enseignant en discutant avec lui des problèmes observés, en lui adressant des suggestions ou en lui présentant du matériel et des services pour aider l'élève en difficulté. Les modèles basés sur la consultation présentent plusieurs avantages, dont le maintien de l'élève en difficulté dans la classe ordinaire, la possibilité de ne pas distinguer l'élève en difficulté et la possibilité pour cet élève de bénéficier de l'aide de ses pairs qui ne sont pas en difficulté. Ces modèles permettent également au titulaire et à l'orthopédagogue de discuter de leurs méthodes de travail et d'intervention, et par conséquent de bénéficier mutuellement de leurs compétences. L'enseignant consultant sera toutefois appelé à répondre à de multiples demandes. Ces modèles requièrent également l'application de plusieurs conditions pour être efficaces. Il faut considérer le nombre d'élèves suivis, et le modèle de consultation choisi doit être planifié. L'équipe-école doit en effet considérer les objectifs d'intervention, les horaires et le nombre d'élèves en difficulté. De plus, le directeur d'école doit être associé de près à cette planification. Par ailleurs, il faut que le consultant possède de bonnes habiletés, que ce soit dans l'évaluation des difficultés ou dans la résolution de problèmes (Haight, 1984).

C. L'intervention directe dans la classe ordinaire

L'orthopédagogue peut aussi intervenir directement dans la classe. Son intervention peut alors prendre la forme d'un travail auprès d'un seul élève ou auprès d'un groupe d'élèves. Lorsque le titulaire enseigne, l'orthopédagogue peut, par exemple, circuler dans les allées et offrir son aide aux élèves qui manifestent les besoins les plus importants. L'orthopédagogue s'assure ainsi que les élèves utilisent bien les statégies enseignées et qu'il y a transfert dans les apprentissages. Il peut aussi y avoir animation conjointe d'activités d'enseignement. Une telle approche suppose de nombreuses rencontres entre l'orthopédagogue et le titulaire, et nécessite une entente sur les objectifs d'intervention et sur la pédagogie privilégiée. Il doit aussi y avoir une concertation sur les réactions à adopter vis-à-vis des élèves.

D. Les modèles basés sur la consultation et les services directs aux élèves

Certains modèles combinent la consultation offerte à l'enseignant avec l'intervention directe dans la classe ordinaire. Un bon exemple de ces modèles est le modèle élaboré par Saint-Laurent et autres (1995) dans le projet PIER (Programme d'intervention auprès des élèves à risque). Ce modèle comporte une consultation basée sur la collaboration. Les auteurs définissent ainsi cette consultation : « Dans la consultation collaborative, l'enseignante et l'orthopédagogue partagent leurs connaissances, leur expertise, leurs expériences et leurs qualités affectives au profit des élèves à risque » (p. 23). Pour ces auteurs, la consultation présente de nombreux avantages :

- mise en commun des connaissances et habiletés ;
- élimination de l'isolement ;
- participation à part entière des intervenantes ;
- ajustement des interventions pédagogiques ;
- cohérence des interventions ;
- transfert et généralisation des apprentissages ;
- intervention adaptée pendant tout le temps en classe ;
- connaissance accrue des élèves en difficulté pour l'enseignante ;
- connaissance plus grande de la classe ordinaire pour l'orthopédagogue ;
- intervention en classe plus pertinente (p. 23).

De plus, l'orthopédagogue et l'enseignant titulaire partagent des tâches d'enseignement. Ainsi, tous deux assurent la coordination des activités et assistent les élèves. L'évaluation de ce programme par leurs auteurs (Saint-Laurent et autres, 1998) dans 13 écoles révèle des effets positifs dans les résultats en écriture des élèves à risque et dans les résultats en lecture et en mathématique des élèves sans difficulté lorsque ces élèves sont comparés avec des groupes contrôles. Toutefois, ces auteurs n'observent pas de changements notables pour les élèves en difficulté d'apprentissage lorsqu'ils sont comparés avec d'autres élèves en difficulté d'apprentissage recevant des services à l'extérieur de la classe. Ils concluent que ce modèle de service est prometteur, mais qu'il faut poursuivre la recherche.

E. La classe-ressource et le dénombrement flottant

Une façon courante d'intervenir consiste pour l'orthopédagogue à rencontrer un élève ou un groupe d'élèves dans un local différent de la classe ordinaire quelques périodes par semaine. L'orthopédagogue fait alors faire aux élèves diverses activités, principalement en français et en mathématique. C'est ce que le milieu éducatif appelle « dénombrement flottant ». Ce modèle de services est celui qui est le plus utilisé au Québec (Goupil, Comeau et Doré, 1994). Le ministère de l'Éducation du Québec (cité dans Archambault, 1992) définit ainsi cette expression : « [...] regroupe les services donnés à l'extérieur de la classe ordinaire, par groupes incluant un nombre variable d'élèves et pour des périodes déterminées en fonction des besoins des élèves et des ressources disponibles » (p. 11).

Définitions de l'orthopédagogue et de l'intervention orthopédagogique selon l'Association des orthopédagogues du Québec

Des actes orthopédagogiques sont requis lorsque les difficultés de l'élève persistent en dépit d'une différenciation pédagogique ou lorsque des professionnels en font la recommandation. Ils s'inscrivent dans une dynamique où l'évaluation et l'intervention interagissent systématiquement.

But de l'intervention orthopédagogique

- Vise à rendre l'élève plus fonctionnel dans ses apprentissages scolaires ou à rendre la personne en difficulté plus autonome dans l'exercice de ses fonctions.
- Vise à diminuer ou à éliminer les difficultés d'apprentissage.

Les pratiques orthopédagogiques sont regroupées en quatre grands volets

Le soutien : Collabore avec l'enseignant, l'équipe cycle et les parents en favorisant la mise en place de conditions et l'adoption de stratégies favorables aux apprentissages.

La prévention : Privilégie des approches qui visent à :

- réduire la probabilité d'apparition des difficultés,
- prévenir qu'elles s'installent ou s'aggravent.

L'évaluation : Cible la nature des difficultés en procédant par une évaluation diagnostique différentielle, dans le but de déterminer les besoins spécifiques de l'apprenant.

L'intervention : Élabore et applique des programmes de rééducation ou des moyens compensatoires permettant la progression des apprentissages.

Profil de l'orthopédagogue

L'orthopédagogue est un professionnel qui œuvre auprès des enfants, adolescents ou adultes en difficulté d'apprentissage. Il voit à créer des conditions permettant une actualisation maximale de leur potentiel d'apprentissage. L'orthopédagogue met en place des interventions spécialisées adaptées aux capacités et aux besoins des personnes en difficulté d'apprentissage.

Sa formation et ses compétences

L'orthopédagogue détient un baccalauréat en orthopédagogie ou un baccalauréat en enseignement en adaptation scolaire avec des cours spécialisés en orthopédagogie. Ses compétences concernent les champs d'intervention spécifiques de l'orthopédagogie, soit : la lecture, l'écriture et les mathématiques.

L'orthopédagogue :

- a développé des compétences orthodidactiques
- choisit ou crée du matériel adapté aux besoins de la personne présentant des difficultés ou troubles d'apprentissage
- utilise des outils d'évaluation diagnostique, analyse et interprète les résultats avec rigueur et minutie
- communique les informations aux intervenants, dans un langage clair et approprié
- possède des connaissances relatives aux fonctions cognitives et métacognitives reliées aux apprentissages
- se soucie de maintenir à jour ses connaissances, en ce qui concerne les domaines de l'apprentissage et le développement des sciences cognitives.

Source : Association des orthopédagogues du Québec (2006).

Dans certaines écoles, les orthopédagogues donnent des services aux élèves en difficulté d'apprentissage dans des classes-ressources où ils suivent toutes les périodes de français ou de mathématique. Les modalités de travail sont donc fort diversifiées.

Il est à noter que le vocabulaire employé au Québec est légèrement différent de celui qui est utilisé aux États-Unis. Ce que nous appelons « dénombrement flottant » se dit *resource room* aux États-Unis[3].

Ces programmes présentent des avantages. Ainsi, les élèves sont intégrés avec leurs pairs dans des classes ordinaires pour les autres activités. De plus, l'orthopédagogue travaille lui-même avec l'élève en difficulté ; il peut donc partager ses observations avec l'enseignant titulaire et ses interventions peuvent être plus individualisées que dans la classe ordinaire. Toutefois, ce modèle comporte certains inconvénients. Ainsi, les élèves ont moins de temps pour réaliser les tâches de la classe ordinaire ; l'élève en difficulté est repéré lorsqu'il sort de la classe ; il y a aussi une possibilité de discontinuité entre les acquisitions faites dans la classe ordinaire et les acquisitions réalisées dans le local de l'orthopédagogue ; enfin, le programme d'enseignement risque d'être fragmenté. Au cours de la planification des services de dénombrement flottant, plusieurs éléments doivent être pris en considération : l'horaire, l'évaluation, la rétroaction donnée aux élèves, le ratio, etc. Le tableau 5.8 résume les principaux modèles de services.

Tableau 5.8

Principaux modèles de services utilisés avec les élèves en difficulté d'apprentissage

Service	Définition
Intervention avant la référence	Axée sur des modifications dans l'enseignement ou la gestion de la classe afin d'aider les enfants en difficulté à apprendre (Fuchs, Fuchs, Bahr, Fernstrom et Stecher, 1990)
Modèles basés sur la consultation	Axés sur la collaboration entre enseignants spécialisés (ex. : orthopédagogues), professionnels, titulaires et parents pour planifier, implanter et évaluer l'enseignement dans les classes ordinaires auprès d'élèves à risque (Huefner, 1988, p. 403)
Équipe de résolution de problèmes	Une équipe utilisant la résolution de problèmes pour assister les enseignants dans la production de stratégies d'intervention. Cette équipe peut inclure la direction d'école, les parents, des enseignants spécialisés (Chalfant et Pysh, 1989, p. 50)
Programmes-ressources	Dans ces programmes, un enseignant spécialisé (ex. : orthopédagogue) a la responsabilité de donner un support éducatif aux élèves à risque d'être en échec. Cet enseignant fournit des services d'évaluation, d'enseignement direct et de consultation (Wiederholt et Chamberlain, 1989, p. 15)
Classe-ressource	Lieu où les élèves se rendent, selon un horaire régulier, pour recevoir un enseignement spécialisé. Ces élèves fréquentent la classe ordinaire pour la majorité du temps. Ils peuvent être ou non identifiés officiellement en difficulté. La classe-ressource est une composante importante d'un programme-ressource (Wiederholt et Chamberlain, 1989)
Classe spéciale à temps partiel	Classe spéciale dont les élèves ne sont intégrés en classe ordinaire que pour certaines activités telles que les arts ou la musique (Wiederholt et Chamberlain, 1989)

Source : Filion et Goupil (1995, p. 227). Reproduit avec permission.

3. Chez les Américains, si les élèves suivent l'ensemble de leur période d'enseignement de la langue maternelle ou de la mathématique dans la même classe, il sera alors question de « classe spéciale à temps partiel ».

5.7.2 Les pairs : une ressource à ne pas négliger

L'orthopédagogue n'est pas le seul intervenant à avoir la possibilité d'apporter de l'aide aux élèves en difficulté ; le titulaire, les parents, les bénévoles et même les autres élèves peuvent aussi le faire. Dans les pages suivantes, nous verrons comment, grâce à l'apprentissage coopératif et au tutorat, les pairs peuvent apporter leur aide.

A. L'apprentissage coopératif

Doyon (1991) définit ainsi l'apprentissage coopératif : « [...] une organisation de l'enseignement qui met à contribution le soutien et l'entraide des élèves, grâce à la création de petits groupes hétérogènes réunis autour d'un objectif commun et travaillant selon des procédures établies, assurant la participation de tous et toutes à la réalisation d'une tâche scolaire » (p. 126).

L'apprentissage coopératif repose sur plusieurs principes : l'interdépendance positive, c'est-à-dire le fait d'avoir conscience des autres face au travail à réaliser ; l'hétérogénéité des groupes ; une structure des activités propre à faciliter l'apprentissage en groupe ; l'apprentissage des habiletés nécessaires à la coopération ; la responsabilité individuelle, où chaque membre du groupe a une tâche particulière ; une organisation de la classe permettant les activités en petits groupes (Goor et Schwenn, 1993 ; Goupil et Lusignan, 1993). En ce qui concerne l'hétérogénéité des groupes, l'enseignant s'assure que chaque groupe comprend des élèves de différents niveaux (fort, moyen et faible), que les groupes sont hétérogènes quant au sexe et à l'appartenance ethnique des élèves. Bien qu'il ait en commun avec le travail en équipe le fait de réunir des élèves pour accomplir une tâche, l'apprentissage coopératif s'en distingue. Le tableau 5.9 présente les différences entre ces deux modes.

Tableau 5.9

Distinctions entre le travail en équipe et l'apprentissage coopératif

Travail en équipe	Apprentissage coopératif
– Groupe d'élèves formé spontanément	– Groupe hétérogène planifié
– Aucun rôle planifié	– Rôles individuels complémentaires planifiés
– Pas d'interdépendance structurée	– Interdépendance structurée
– Habiletés cognitives et sociales utilisées spontanément	– Apprentissage planifié d'habiletés cognitives et sociales

Source : Goupil et Lusignan (1995b). Reproduit avec la permission de l'UQAM, Service de l'audiovisuel.

Les écrits sur les groupes coopératifs présentent de multiples façons d'utiliser la coopération et des structures déjà définies pour l'organisation des activités : Co-op, Jig Saw, Stad, etc. L'utilisation de la coopération requiert une excellente planification. Il est important de bien préparer les élèves. Dans un groupe, chaque élève pourra jouer un rôle, par exemple celui de secrétaire, de contrôleur du niveau de bruit, d'animateur ou de présentateur de l'activité. L'enseignant entraîne les élèves à jouer ces rôles en leur donnant différentes stratégies. Il établit avec ses élèves des règles de conduite qui faciliteront la bonne marche des activités. Ces règles peuvent être affichées dans la classe.

Pour être efficaces, les groupes coopératifs requièrent l'application de plusieurs conditions. Slavin (2006) indique qu'en général des résultats positifs ont été observés dans une variété de matières et d'écoles, au primaire et au secondaire, quand les deux conditions suivantes sont respectées. La première condition suppose la reconnaissance du travail de groupe par une forme de renforcement. Ainsi, tous les membres du groupe ont intérêt à se soutenir entre eux. La deuxième condition nécessite la présence d'une responsabilité individuelle qui oblige chacun à contribuer à la tâche. La structure utilisée ne doit pas permettre que le travail soit effectué par un seul membre au nom de l'équipe. Dans une recension des écrits sur le sujet, Murphy, Grey et Honan (2005) indiquent qu'il faut s'assurer de l'interdépendance des élèves, de la responsabilité de chaque élève et de l'évaluation du travail de groupe. Ces auteurs insistent aussi sur le soin à apporter au choix des partenaires de travail et à la planification des leçons coopératives, de même que sur la formation adéquate des enseignants qui utiliseront ce mode de travail avec leurs élèves.

B. Le tutorat par les pairs

Le tutorat est le recours à une autre personne (le tuteur) pour aider un élève (le tuteuré) individuellement au cours de son apprentissage. Le tutorat est utilisé dans différents secteurs : en lecture, en écriture, en mathématique, dans l'apprentissage de la langue seconde ou d'habiletés sociales. Les tuteurs sont généralement d'autres élèves, mais des parents et des bénévoles peuvent aussi jouer ce rôle. Le tutorat permet à l'élève de recevoir de l'attention d'une manière individuelle au cours de son apprentissage ; de plus, il rend possible une relation de confiance privilégiée avec un autre élève. Les recensions sur les programmes de tutorat indiquent que lorsque ces programmes sont bien appliqués, ils ont en général des effets positifs sur le rendement scolaire, les problèmes de comportement, les relations et l'intégration sociale entre élèves, les aspects affectifs tel le concept de soi (Dufrene, Noell, Gilbertson et Duhon, 2005).

Il existe plusieurs formes et modèles de tutorat. Le tutorat peut être structuré et formel ou encore informel. Lorsqu'il est structuré et formel, il fait appel à des tâches bien définies, à une formation spécifique des tuteurs et à des évaluations fréquentes des tuteurés. Heron, Villareal, Yao, Christianson et Heron (2006) indiquent que les systèmes structurés doivent inclure les composantes suivantes : des réponses actives de l'élève, des occasions fréquentes de répondre, de la rétroaction et du renforcement. Quant au tutorat informel, il est utilisé au quotidien par l'enseignant, qui peut demander à un élève d'aider un autre élève.

Lorsque le tutorat est utilisé entre élèves, il peut faire intervenir des tuteurs et des tuteurés des mêmes classes ou de classes différentes. Maheady, Mallette et Harper (2006) relèvent, en fonction des personnes en cause, les types de tutorat suivants : un tutorat comprenant une dyade (un et un), de petits groupes, des élèves d'âges différents, tous les élèves d'une même classe (*classwide*) et, enfin, le tutorat à la maison. Le programme comprenant tous les élèves d'une même classe connaît une certaine popularité, car les enseignants peuvent alors faire participer toute leur classe à cette activité (Maheady et autres, 2006). Dans ce programme, en général, l'élève occupe alternativement les rôles de tuteur et de tuteuré. La relation est donc réciproque (Heron et autres, 2006).

Le choix du programme et de ses objectifs

Un programme de tutorat ne s'improvise pas ; une planification soignée et une étroite supervision sont requises. Diverses étapes président à son implantation. Il faut d'abord définir les besoins à combler et les buts du programme : veut-on aider des élèves de première année à consolider leur apprentissage en lecture ? Veut-on faciliter l'acquisition de notions de mathématique chez des élèves de première secondaire ? Une fois les besoins définis, il est nécessaire de fixer des objectifs précis, de choisir le responsable du programme (habituellement le titulaire ou l'orthopédagogue) et d'effectuer le choix des activités et du matériel. Dans les années 80, le matériel était en général simple et microgradué (Goulet, 1985), mais l'importance accordée aux stratégies cognitives et métacognitives a permis de mettre au point plusieurs méthodes mettant à profit ces stratégies et les principes de l'échafaudage (*scaffolding*). Ainsi, Topping et Bryce (2004) utilisent le tutorat pour développer des habiletés de pensée sur des textes à l'aide de questions posées par les tuteurs. Les tuteurs interrogent les tuteurés, par exemple, sur les intentions des auteurs des textes lus ou sur leurs prédictions concernant la suite du texte.

La détermination des tâches des tuteurs

L'étape suivante de l'implantation d'un programme de tutorat consiste à déterminer le rôle exact des tuteurs. Quelle sera leur tâche : faire exécuter des exercices, faire lire des textes, poser des questions, tracer des graphiques pour enregistrer les progrès du tuteuré ? Les contraintes pratiques sont aussi fixées : l'horaire, le local, etc. Dans le choix de l'horaire, l'intervenant tient compte des résultats de la recherche, selon laquelle l'intervention doit être fréquente (Maheady et autres, 2006).

La formation des tuteurs

De nombreux auteurs (Heron et autres, 2006) ont souligné l'importance de la formation des tuteurs. Cette formation concerne la familiarisation avec le matériel, les activités, les objectifs ou les compétences à développer, l'apprentissage du renforcement et la correction des erreurs ainsi que la notation de la performance. Différentes formules peuvent être utilisées dans les formations, comme l'utilisation de jeux de rôles, la remise de consignes écrites ou les démonstrations sur bandes vidéo (Heron et autres, 2006).

Une fois que les tuteurs sont formés, le programme peut débuter. Tout au long de son déroulement, le responsable exerce une supervision étroite. Il offre à intervalles réguliers des séances au cours desquelles une discussion porte sur les problèmes observés. Le responsable profite de cette occasion pour aider les tuteurs et les tuteurés, et pour les encourager à jouer leur rôle.

Résumant les étapes de l'implantation d'un système de tutorat, Miller et autres (cités dans Heron et autres, 2006) symbolisent le tout au moyen de l'acronyme START :

S : *Select a tutoring format* (Choisir une forme de tutorat)

T : *Train the tutors* (Former les tuteurs)

A : *Arrange the environment* (Arranger l'environnement)

R : *Run the programme* (Appliquer le programme)

T : *Test for effectiveness* (Évaluer l'efficacité)

Il est à noter également que le degré de structure des programmes est habituellement très élevé. Par exemple, un programme doit comprendre systématiquement l'évaluation de la performance du tuteuré, une rétroaction et un renforcement.

Quand les programmes de tutorat sont appliqués selon les règles de l'art, ils donnent en général des résultats positifs. Tel est le cas du programme PALS (*Peer-Assisted Learning Strategies for Reading*) de McMaster, Fuschs et Fuschs (2006) visant l'amélioration de la compréhension en lecture. Ce programme en lecture comprend des activités de lecture, de rappel, de résumé, de découverte des idées principales et de prédictions sur la suite du texte.

Au cours des 30 dernières années, on a effectué de nombreuses études sur les programmes pour en évaluer l'efficacité ou pour en définir les conditions d'application. Maheady et autres (2006) suggèrent que les programmes de tutorat fassent partie de la formation obligatoire des futurs enseignants.

5.7.3 Le redoublement

A. La définition et le taux d'incidence

Le terme « redoublement » est utilisé lorsque des élèves sont scolarisés dans une classe du même niveau que l'année précédente, avec le même programme et le même matériel pédagogique. On emploie aussi ce terme lorsque, étant scolarisés dans une classe du même niveau que l'année précédente, les élèves utilisent un matériel pédagogique, des méthodes ou un programme scolaire différents (Garves, 1990). Paradis et Potvin (1993) indiquent que les termes « doubler » et « redoubler » sont équivalents.

Au Québec, on estime le nombre d'élèves qui redoublent une année à partir du nombre d'élèves qui entrent au secondaire après l'âge de 12 ans (Brais, 1994). En effet, le primaire devrait avoir, si l'élève ne redouble pas, une durée de six ans. L'élève qui est admis au secondaire à l'âge de 13 ans a donc pris une année de plus que normalement.

Globalement, les indicateurs officiels du Ministère nous apprennent qu'en 2004-2005 la proportion d'élèves au secondaire qui redoublent était de 8,0 %. Au primaire, depuis l'application de la réforme et le regroupement par cycles, ce calcul semble plus difficile (MELS, 2005). Toutefois, si l'on considère la proportion des élèves en retard selon l'âge attendu et selon l'ordre d'enseignement, on constate que 10 % des élèves sont en retard au primaire et 26,9 %, au secondaire (MELS, 2005).

B. Le sexe et la classe (niveau scolaire)

Les indicateurs nous confirment aussi que les garçons sont davantage retardataires dans leur cheminement scolaire que les filles. Au secondaire, en 2003-2004, 31,4 % des garçons accusaient un retard contre 22,2 % des filles (MELS, 2005). Pour le secondaire, c'est surtout en première année de cet ordre d'enseignement que l'on redouble.

C. Une pratique controversée

La pratique du redoublement est cependant controversée. En 1991, Brais écrivait : « Les doubleurs du primaire présentent un risque nettement plus élevé d'abandon scolaire que les autres élèves » (p. 39). Par ailleurs, « plus l'élève a redoublé tôt, plus il risque d'abandonner ses études » (p. 14).

De nombreuses recherches ont été effectuées sur le redoublement. Comme beaucoup d'études réalisées dans le milieu scolaire, ces travaux se heurtent à des problèmes méthodologiques tels que l'équivalence des groupes d'élèves comparés (équivalence aux points de vue du quotient intellectuel, du milieu socioéconomique, des variables motivationnelles, etc.). Il faut donc être prudent dans l'interprétation des données.

Dans l'ensemble, les conclusions des recensions des écrits sur le redoublement indiquent son inefficacité à long terme. Si plusieurs élèves montrent une amélioration de leur rendement au cours de l'année redoublée, les progrès ne se maintiennent pas à long terme. Après avoir analysé plusieurs recensions des écrits, Paradis et Potvin (1993) concluent :

> La plupart des recherches traitant de l'effet du redoublement sur le rendement scolaire montrent peu d'inférences valides ; elles ne permettent pas non plus de se prononcer sur le meilleur choix entre le redoublement et le passage dans la classe supérieure d'élèves faibles ou éprouvant des difficultés d'apprentissage (Jackson, 1975). Généralement, pour les élèves, le redoublement a des effets négatifs sur le rendement scolaire (Holmes et Mathews, 1984). Shepard et Smith (1989) montrent que, dans certaines études, l'amélioration constatée chez les élèves n'est pas persistante malgré le fait que les élèves doublent tôt dans leur cheminement scolaire (p. 46).

De plus, Leblanc (1996) écrit : « J'ai analysé plus de trente-six recherches faites sur le redoublement. Ces analyses m'incitent à croire que dans la plupart des cas, le redoublement ne profite pas à l'enfant » (p. 8).

Si, au point de vue du rendement scolaire, cette mesure semble à long terme peu profitable à l'élève, on peut se demander quels sont ses effets sur les plans affectif et motivationnel. Là encore, les études se heurtent à plusieurs problèmes méthodologiques et épistémologiques. Les questions mêmes de recherche sont difficiles à poser : par exemple, face à l'estime de soi, on peut se demander si c'est une bonne estime de soi qui conduit à la réussite scolaire ou si c'est le succès à l'école qui permet d'acquérir une estime de soi positive. Après avoir analysé plusieurs recherches concernant les effets du redoublement sur cette question, Leblanc (1991) conclut qu'« à long terme cette mesure pourrait nuire à l'élève » (p. 30).

D. Pourquoi, alors, faire redoubler ?

Parmi les facteurs expliquant pourquoi le milieu scolaire recourt autant au redoublement, Paradis et Potvin (1993) citent les croyances des enseignants. Au nombre de ces croyances, il y a celle selon laquelle l'élève se développera davantage si on lui donne plus de temps. Des auteurs (Laudignon, 1988 ; Leblanc, 1996) révèlent que l'immaturité est aussi invoquée, par plusieurs, comme l'un des motifs du redoublement. Paradoxalement, Leblanc (1996) écrit : « Il serait préférable que l'élève peu mature soit promu plutôt que lui faire redoubler une année car il se retrouverait alors avec des enfants ayant un an plus jeune que lui » (p. 8). Rapportant les travaux de Byrnmes et Yamamoto, Paradis et Potvin (1993) indiquent que certains enseignants peuvent aussi craindre le jugement de leurs collègues lorsque des élèves n'ont pas fait les acquisitions prévues au programme. La nature de l'information accessible sur le redoublement et ses effets influent aussi sur les choix : plusieurs croient encore qu'à long terme cette mesure est efficace.

E. Les solutions possibles

Alors, si l'on ne fait pas redoubler l'élève, que fait-on ? Différentes pratiques sont suggérées : un moins grand nombre d'élèves dans les classes, des périodes d'étude après la classe, le tutorat, la pédagogie de la maîtrise, des relations d'aide entre l'école et la maison, un plus grand nombre d'interventions individualisées, des politiques claires pour prévenir le redoublement, un suivi et une évaluation régulière de l'élève, des communications hebdomadaires et mensuelles avec les parents, des techniques de motivation, des cours d'été, etc. (Leblanc, 1996; Paradis et Potvin, 1993).

Pour les cas où les enseignants optent malgré tout pour le redoublement, Leblanc (1996) précise deux conditions essentielles à remplir: l'élève ne devrait pas faire le même parcours que l'année précédente (il faudrait modifier les activités, le programme, changer d'enseignant, etc.) et les parents devraient être entièrement d'accord avec cette décision du redoublement. De plus, le redoublement ne doit pas être perçu par l'élève comme une mesure punitive. Enfin, le Ministère (MEQ, 2002b) recommande d'éviter cette pratique:

> Le Régime pédagogique limite la durée de fréquentation de l'école primaire. Des modalités d'aide à l'élève, autres que le redoublement, trop largement utilisé et qui s'est avéré peu efficace pour améliorer la réussite des élèves, devront être favorisées. Le décloisonnement des voies de formation est une autre modalité d'organisation préconisée, au secondaire cette fois, pour augmenter les possibilités de l'élève d'exploiter ses capacités et de satisfaire ses besoins (p. 15).

RÉSUMÉ

Dans ce chapitre sur l'intervention, nous avons mis l'accent sur la nécessité de planifier des conditions facilitant l'apprentissage de l'élève en difficulté. Lorsque cet élève présente des difficultés sérieuses, il peut être nécessaire de planifier plus systématiquement l'intervention à l'intérieur d'un plan personnalisé. L'intervention touchera bien sûr les apprentissages scolaires, mais les aspects émotifs et motivationnels ne doivent pas, pour autant, être oubliés. Dans ce processus d'intervention, le titulaire pourra avoir recours à diverses ressources. L'orthopédagogue et les pairs en sont deux exemples.

La planification et l'application de l'intervention ainsi que l'utilisation des ressources doivent s'effectuer dans un processus dynamique.

QUESTIONS

1. Quelles stratégies les parents peuvent-ils adopter avec leurs enfants pour favoriser chez ces derniers l'émergence de la littératie et de la mathématique?
2. À partir des vidéos du programme *Activités de lecture interactive* ou de la série *La maternelle* (voir les références ci-contre), dites quelles stratégies les parents ou les enseignants du préscolaire peuvent utiliser pour favoriser chez les élèves l'émergence de l'écrit ou de la mathématique.
3. Quelles sont les différentes formules de travail que peut utiliser un orthopédagogue dans une école?
4. Qu'est-ce que le tutorat?
5. Outre l'aide sur le plan strictement scolaire, quels sont, selon vous, les avantages de faire appel à des élèves comme tuteurs d'élèves en difficulté? Y voyez-vous des désavantages?

RÉFÉRENCES SUGGÉRÉES

Sur l'intervention auprès des élèves :

SAINT-LAURENT, L., GIASSON, J., SIMARD, C., DIONNE, J.-J. et ROYER, E. (dir.) (1995). *Programme d'intervention auprès des élèves à risque. Une nouvelle option éducative.* Boucherville, Québec : Gaëtan Morin Éditeur.

Sur la différenciation pédagogique :

CARON, J. (2003). *Apprivoiser les différences. Guide sur la différenciation des apprentissages et la gestion des cycles.* Montréal : Les Éditions de la Chenelière.

SAINT-LAURENT, L. (2002). *Enseigner aux élèves à risque et en difficulté au primaire.* Boucherville, Québec : Gaëtan Morin Éditeur.

Vie pédagogique, février-mars 2004. Revue disponible en ligne sur le site du MINISTÈRE DE L'ÉDUCATION, DU LOISIR ET DU SPORT, [http://www.mels.gouv.qc.ca/]. Ce numéro concerne surtout l'ordre secondaire.

Sur l'émergence de la littératie et de la mathématique au préscolaire :

La maternelle, série de vidéos du MEQ et de l'UQAM. Il y a une vidéo sur l'apprentissage de la mathématique, soit *La mathématique au quotidien*, et deux vidéos sur l'émergence de l'écrit, soit *Des mots qui parlent* et *Entrevue avec Jacqueline Thériault*.

Un programme de stimulation à la lecture pour les adultes en contact avec de jeunes enfants :

MALCUIT, G., POMERLEAU, A. et SÉGUIN, R. (2003). *Activités de lecture interactive.* Montréal : Les éditions du RCPEM. Ce programme est accompagné de bandes vidéo produites par le service audiovisuel de l'UQAM et le CLIPP (Centre de liaison sur l'intervention et la prévention psychosociales) : *ALI-Bébé* (de 0 à 15 mois), *ALI-Bambin* (de 15 à 36 mois) et *ALI-Explorateur* (de 3 à 5 ans).

Sur l'utilisation du questionnement et de l'enseignement réciproques, et des stratégies cognitives au secondaire :

Des stratégies en lecture et écriture, vidéo produite par le service audiovisuel de l'UQAM, [en ligne], [http://www.uqam.ca/].

Le questionnement et l'enseignement réciproques, vidéo produite par le service audiovisuel de l'UQAM, [en ligne], [http://www.uqam.ca/].

Sur la motivation scolaire :

Un site de formation destiné aux intervenants du primaire et du secondaire issu d'une collaboration entre l'Université de Montréal, le CTREQ (Centre de transfert pour la réussite éducative du Québec) et l'AQUOPS (Association québécoise des utilisateurs de l'ordinateur au primaire-secondaire), [en ligne], [http://motivation.aquops.qc.ca/].

Une association importante pour la promotion et la défense des personnes qui ont des troubles d'apprentissage :

ASSOCIATION QUÉBÉCOISE DES TROUBLES D'APPRENTISSAGE (AQETA)
284, rue Notre-Dame Ouest, bureau 300
Montréal (Québec)
H2Y 1T7
Tél. : 514-847-1324

[http://www.aqeta.qc.ca/]

SECTION III

Les élèves en difficulté d'adaptation et de comportement

Les difficultés d'adaptation et de comportement : définitions, facteurs, classifications et manifestations

Objectifs

Après avoir lu ce chapitre, le lecteur devrait pouvoir :

- expliquer pourquoi il est difficile de définir précisément les difficultés d'ordre comportemental ;
- indiquer quelle définition utilise le ministère de l'Éducation, du Loisir et du Sport du Québec pour les élèves ayant des difficultés d'ordre comportemental ;
- décrire le rôle des normes sur l'acceptation ou la non-acceptation des comportements ;
- décrire les divers facteurs en cause dans l'apparition des problèmes de comportement et indiquer comment ces facteurs interagissent les uns avec les autres ;
- décrire différentes classifications des difficultés de comportement ;
- décrire les manifestations de divers problèmes : le trouble déficit de l'attention / hyperactivité, les troubles de la conduite, le trouble oppositionnel avec provocation ainsi que la dépression.

INTRODUCTION

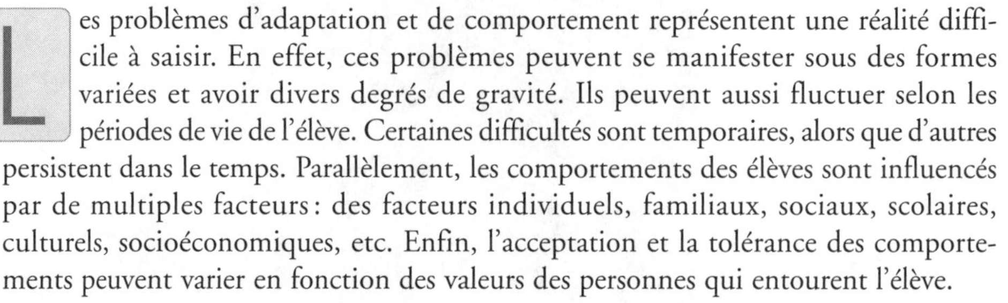

Les problèmes d'adaptation et de comportement représentent une réalité difficile à saisir. En effet, ces problèmes peuvent se manifester sous des formes variées et avoir divers degrés de gravité. Ils peuvent aussi fluctuer selon les périodes de vie de l'élève. Certaines difficultés sont temporaires, alors que d'autres persistent dans le temps. Parallèlement, les comportements des élèves sont influencés par de multiples facteurs : des facteurs individuels, familiaux, sociaux, scolaires, culturels, socioéconomiques, etc. Enfin, l'acceptation et la tolérance des comportements peuvent varier en fonction des valeurs des personnes qui entourent l'élève.

La plupart des auteurs (Conseil supérieur de l'éducation, 2001c ; Massé, Desbiens et Lanaris, 2006) reconnaissent qu'il y a une augmentation des problèmes graves de comportement dans le milieu scolaire et qu'il faut miser sur des programmes de prévention. Des auteurs croient aussi que les problèmes de comportement se produisent tôt durant l'enfance et que les problèmes vécus durant l'enfance ou l'adolescence sont associés à des difficultés à l'âge adulte, d'où la nécessité d'intervenir précocement sur ces difficultés (Arseneault, Tremblay, Boulerice et Saucier, 2002 ; Nagin et Tremblay, 1999). Par ailleurs, certaines difficultés d'adaptation n'entraînent pas nécessairement des problèmes de comportement qui perturbent le fonctionnement des classes ; tel est le cas de la dépression. Ces problèmes n'en méritent pas moins une attention particulière de la part des enseignants. Nous avons donc choisi d'intituler cette section « Les élèves en difficulté d'adaptation et de comportement » afin de tenir compte également de ces difficultés qui préoccupent de nombreux intervenants.

Dans ce chapitre, nous verrons d'abord pourquoi les difficultés d'adaptation et de comportement constituent un domaine où les critères sont difficiles à cerner et où les taux de prévalence fluctuent selon les études. Après avoir présenté la définition du ministère de l'Éducation, du Loisir et du Sport du Québec (MELS), nous verrons les principaux facteurs permettant d'expliquer les difficultés comportementales, quelques classifications des problèmes de comportement et les manifestations de certaines difficultés d'adaptation et de comportement.

6.1 Des critères difficiles à cerner

Brown (1985) indique que la catégorie des élèves ayant des difficultés d'ordre comportemental est sans doute la plus difficile à cerner. Selon cet auteur, le problème de définition a plusieurs origines :

1) Le manque d'instruments qui évaluent la personnalité, l'équilibre ou d'autres dimensions avec précision, ou avec suffisamment de validité pour fournir une base solide à la définition des problèmes émotifs.

2) La grande variété de modèles conceptuels qui existent en éducation et en psychologie.

3) L'inclusion de plusieurs problèmes ou déficits. À l'inverse des autres catégories d'enfants en difficulté qui reçoivent des services spéciaux parce qu'ils sont soit au-dessous des normes (par exemple, l'enfant déficient visuel) soit au-dessus (par exemple, le surdoué), les comportements couvrent un vaste champ qui présente des variétés et des combinaisons presque infinies.

4) Les attentes de comportements appropriés qui varient dans différents groupes sociaux et culturels et d'un environnement à l'autre, de sorte qu'il est difficile de juger si le comportement d'un enfant est oui ou non perturbé.

5) La nature transitoire des problèmes de comportement et les manifestations des mêmes comportements par les enfants « normaux » à un moment quelconque de leur développement.

6) La grande variété d'organismes sociaux qui s'occupent des problèmes émotifs, chacun utilisant une définition spécifique précise pour déterminer les critères d'admission à ses services, ce qui complique l'établissement de définitions qui pourraient être utiles à tous (aux tribunaux, aux cliniques, aux écoles, aux familles, etc.) (p. 116-117 ; traduit par l'auteure. © The Council for Exceptional Children. Reproduit avec permission).

Dans le milieu scolaire, lorsqu'un élève est identifié comme étant en difficulté de comportement, il présente en général des comportements perturbateurs ou non conformes aux normes établies ; ces comportements sont plus ou moins nombreux et leur effet est plus ou moins important. Bien que des élèves accomplissent des actes graves (par exemple, blesser un autre élève), la plupart du temps, c'est l'accumulation de comportements anodins non tolérés qui dérange l'enseignant et la classe. Des élèves font des bruits inutiles, jouent avec des objets qui ne se rapportent pas à la tâche, ne terminent pas les exercices, répondent aux questions sans lever la main (Slate et Saudergas, 1986). Slate et Saudergas (1986) constatent que les élèves ayant des difficultés d'ordre comportemental émettent environ trois fois plus de commentaires et interagissent environ quatre fois plus avec l'enseignant que les autres élèves. L'acceptation ou la non-acceptation de ces comportements fluctuent en fonction de l'enseignant, de l'activité (un cours magistral ou un travail en équipe, par exemple), du groupe et du contexte. Ainsi, dans certaines classes, les élèves sont relativement libres de se lever quand bon leur semble. Dans d'autres, l'enseignant exige qu'ils demeurent à leur place. Un comportement n'est pas déviant ou approprié en soi, il l'est par rapport aux normes établies par le milieu. D'ailleurs, Henley, Ramsey et Algozzine (1993) se demandent si, lorsqu'un élève dérange la classe, cela veut nécessairement dire qu'il est en difficulté. Ces auteurs posent la question suivante : « Dérangés ou dérangeants ? » (« *Disturbed or disturbing?* »).

Les problèmes de comportement peuvent aussi varier selon leur degré de gravité et leur durée. Ainsi, certains élèves éprouveront des difficultés de manière temporaire, le temps que se règlent certains conflits avec leur famille ou avec leurs pairs ; d'autres sont tout simplement actifs dans un environnement peu tolérant face à cette différence ; d'autres encore posent des actes dont les conséquences sont importantes. C'est pourquoi Massé et autres (2006) soulignent la nécessité de distinguer entre de simples difficultés comportementales liées à un contexte temporaire et des troubles réels, plus profonds du comportement. Toutefois, qu'il s'agisse de comportements multiples non tolérés, de comportements sous-réactifs ou surréactifs, les normes et les valeurs du milieu éducatif fixent les balises de l'acceptation. Les manifestations sont variées et les problèmes de définitions, complexes. Dans un premier temps, nous verrons la définition du MELS.

6.2 La définition du ministère de l'Éducation, du Loisir et du Sport du Québec

Jusqu'en 2006, le ministère de l'Éducation, du Loisir et du Sport du Québec (MELS) place les élèves ayant des troubles du comportement dans deux groupes : une partie dans les élèves à risque (voir l'introduction de ce livre) et une autre partie dans les élèves ayant des troubles graves du comportement (codes 13 et 14). Plusieurs élèves de ce dernier groupe ayant des troubles graves sont scolarisés dans le cadre d'ententes entre le MELS et le ministère de la Santé et des Services sociaux du Québec (MSSS).

Ces jeunes (code 13) sont admis dans des centres de réadaptation en vertu de la Loi sur la protection de la jeunesse ou de la Loi sur les jeunes contrevenants. Il y a alors entente entre la commission scolaire et le centre jeunesse (MELS, 2006b).

Le MELS précise que l'élève qui a des troubles graves du comportement est celui :

- pour qui une évaluation a été réalisée par une équipe multidisciplinaire, composée d'au moins l'un des professionnels suivants : psychologue, psychoéducateur ou travailleur social ;
- dont l'évaluation du fonctionnement global porte sur l'ensemble des données scolaires, psychologiques, psychosociales ou autres, s'il y a lieu :
  - cette évaluation est faite au moyen de techniques d'observation systématique et d'instruments standardisés d'évaluation, dont une échelle comportementale standardisée,
  - les résultats sur l'échelle comportementale standardisée indiquent un comportement s'écartant d'au moins deux écarts-types[1] de la moyenne du groupe d'âge de l'élève.
- dont la majeure comportementale de la vie est dominée par la présence de comportements agressifs ou destructeurs de nature antisociale se caractérisant de manière simultanée par :
  - leur intensité très élevée ;
  - leur fréquence très élevée ;
  - leur constance, c'est-à-dire se produisant dans différents contextes (classe, école, famille, etc.) ;
  - leur persistance (depuis plusieurs années) ;

  malgré les mesures d'aide soutenues offertes à l'élève (MELS, 2006b, p. 12).

Par ailleurs, d'autres élèves présentent des problèmes de comportement de nature moins grave, mais suffisamment marquée pour que ceux-ci puissent nuire à leur développement ou encore à celui des autres. Il peut s'agir de comportements surréactifs ou de comportements sous-réactifs. Le Ministère donne une définition de ces élèves jusqu'en 2000, année où il les inclut dans un groupe plus large : les élèves à risque. En 2006, à l'occasion de la négociation de la convention collective du personnel enseignant, le Ministère revient à une identification séparant de nouveau les élèves en difficulté de comportement et ceux qui ont des difficultés d'apprentissage (voir le tableau 6.1).

6.3 Le nombre d'élèves

« Des données recueillies au Québec, aux États-Unis et en Europe indiquent que le nombre de jeunes ayant des problèmes de comportement a augmenté de manière importante depuis les quinze dernières années ; par exemple, dans les écoles québécoises, la proportion des élèves en difficulté de comportement aurait triplé au cours de ces mêmes années ».

Source : Conseil supérieur de l'éducation (2001b, p. 3).

Comme nous l'avons indiqué précédemment, jusqu'en 2006, une partie des élèves ayant des problèmes de comportement sont regroupés dans les élèves à risque. Il est donc difficile d'en estimer le nombre réel. Des données sont toutefois disponibles pour les élèves ayant des troubles graves du comportement associés à une déficience psychosociale (codes 13 et 14). Au Québec, en 2005-2006, 4 596 élèves étaient identifiés comme ayant des troubles graves du comportement associés à une déficience psychosociale.

1. Mesure du degré de dispersion par rapport à la moyenne, d'éloignement de la moyenne.

Au primaire, le Conseil supérieur de l'éducation (2001b) estime que la proportion d'élèves en difficulté de comportement est passée de 0,78 % en 1984-1985 à 2,50 % en 1999-2000.

6.4 Les facteurs en cause

« Certains auteurs énoncent quelques facteurs susceptibles d'être la cause, du moins en partie, de ce phénomène [l'augmentation des troubles du comportement] : les changements qu'a connus la famille, l'encadrement plus ou moins ferme des jeunes enfants et l'exposition répétée de ces derniers aux modèles violents véhiculés par les médias. D'autres facteurs comme la pauvreté, les pratiques parentales inefficaces et le stress vécu par les enfants dans des situations familiales peuvent aussi être montrés du doigt pour expliquer le nombre grandissant de conduites antisociales. On vise même l'école qui pourrait jouer un rôle dans la croissance des difficultés de comportement. »

Source : Conseil supérieur de l'éducation (2001a, p. 3).

Nous nous pencherons sur des facteurs généraux qu'on peut évoquer face à l'apparition des problèmes d'adaptation et de comportement. Ces éléments sont liés à l'élève de même qu'à l'environnement familial, social et scolaire. La problématique est complexe. Les écarts ou les problèmes de comportement ne peuvent être évalués uniquement en fonction des caractéristiques des élèves ; ils doivent aussi être définis en tenant compte de leur contexte d'apparition. L'élève a une interaction continuelle avec son environnement. Les normes fixées par l'école contribuent à déterminer le seuil critique des comportements, et force est d'admettre que le seuil de tolérance des intervenants concourt à établir ces critères au-delà desquels apparaissent des difficultés que l'on définit comme étant d'ordre comportemental. Lorsqu'un élève présente des problèmes graves de comportement, les enseignants centrent d'abord leur attention

Tableau 6.1

Définition des élèves présentant des troubles du comportement

1. L'élève présentant des troubles du comportement est celui :

dont l'évaluation psychosociale, réalisée en collaboration par un personnel qualifié et par les personnes visées, avec des techniques d'observation ou d'analyse systématique, révèle un déficit important de la capacité d'adaptation se manifestant par des difficultés significatives d'interaction avec un ou plusieurs éléments de l'environnement scolaire, social ou familial.

Il peut s'agir :

- de comportements sur-réactifs en regard des stimuli de l'environnement (paroles et actes injustifiés d'agression, d'intimidation, de destruction, refus persistant d'un encadrement justifié...) ;
- de comportements sous-réactifs en regard des stimuli de l'environnement (manifestations de peur excessive de personnes et de situations nouvelles, comportements anormaux de passivité, de dépendance et de retrait...).

Les difficultés d'interaction avec l'environnement sont considérées comme significatives, c'est-à-dire comme requérant des services éducatifs particuliers, dans la mesure où elles nuisent au développement du jeune en cause ou à celui d'autrui en dépit des mesures d'encadrement habituelles prises à son endroit.

L'élève ayant des troubles du comportement présente fréquemment des difficultés d'apprentissage, en raison d'une faible persistance à la tâche ou d'une capacité d'attention et de concentration réduite.

Source : Réalisé par le Comité patronal de négociation pour les commissions scolaires francophones (CPNCF, 2006, p. 206).

sur lui. Cependant, il ne faut pas négliger le cadre dans lequel se produisent ces comportements de même que les diverses influences subies par l'élève. Ce dernier interagit constamment avec son milieu, soit sa classe, son école, sa famille et son environnement social (par exemple, le quartier et les voisins).

De plus, les facteurs de risque peuvent varier en fonction des problématiques. Par exemple, certains facteurs biologiques sont souvent associés à la dépression, alors que certains facteurs sociaux, comme l'appartenance à une gang, sont associés de près à la délinquance. Toutefois, l'étude de ces facteurs n'est pas simple, car certains problèmes de comportement sont associés à d'autres problèmes. Par exemple, le trouble déficit de l'attention / hyperactivité coïncide fréquemment avec les problèmes de conduite, des comportements oppositionnels ou des difficultés de langage (Furlong, Morrison et Jimerson, 2004).

Nous examinerons successivement quatre groupes de facteurs susceptibles d'être associés aux problèmes d'adaptation et de comportement : les facteurs biologiques et personnels, les facteurs familiaux, les facteurs scolaires ainsi que les facteurs culturels, sociaux et économiques.

6.4.1 Les facteurs biologiques et personnels

A. Le sexe

Parmi toutes les caractéristiques personnelles de l'élève, le sexe semble une variable à considérer. Les élèves identifiés en difficulté de comportement sont en majorité des garçons. Au Québec, au primaire, les statistiques révèlent qu'il y a 1 fille en difficulté de comportement pour 5,5 garçons et, au préscolaire, 1 fille pour 3 garçons (Conseil supérieur de l'éducation, 2001b). Cependant, pour certaines catégories de problèmes, telles que la dépression ou encore les troubles alimentaires, les statistiques indiquent que plus de filles que de garçons éprouvent ces problèmes. Marcotte et Pronovost (2006) rapportent que, chez les adolescents, 10 % des garçons et 25 % des filles auraient des symptômes dépressifs assez importants. Cependant, ces auteures précisent qu'avec des critères diagnostiques précis, le nombre d'adolescents dépressifs varierait, dans la population, de 5 % à 9 %.

Jusqu'à ce jour, on a exploré plusieurs modèles explicatifs pour déterminer les différences entre les filles et les garçons : la présence de différences génétiques, la différence des modèles culturels offerts aux garçons et aux filles, l'influence des parents et des amis, le milieu (Conseil supérieur de l'éducation, 1999 ; Patterson, 1982). La présence d'un plus grand nombre de comportements physiquement agressifs chez les garçons a donné lieu à de multiples hypothèses. Dans le milieu scolaire, il est évident que l'agression physique perturbe plus que l'agression verbale. Ces différences entre les sexes s'expliquent aussi, en partie, par des conditionnements socioculturels. Le garçon défend ses droits physiquement ; la fille est dissuadée, dès le bas âge, d'utiliser ce moyen. Le Conseil supérieur de l'éducation (2001b) écrit à ce sujet : « L'agressivité des filles se manifeste dans des formes qui n'empruntent pas toujours la voie du conflit ouvert ; on parle alors d'agression indirecte. Chez les garçons, l'agression est davantage ouverte et peut aller jusqu'à l'agression physique » (p. 23).

B. Les facteurs neurologiques et génétiques

La génétique et les progrès accomplis en neurosciences ont aussi permis de découvrir divers facteurs associés à certains problèmes. Ainsi, le caractère héréditaire de la schizophrénie est bien connu : les enfants de parents souffrant de schizophrénie présentent un risque 10 fois plus élevé de développer ce problème que la population en général, et le taux d'incidence est plus élevé pour les jumeaux monozygotes que pour les jumeaux dizygotes (American Psychiatric Association [APA], 2003). De même, les troubles dépressifs majeurs sont plus fréquents chez les enfants des parents affectés par ce type de dépression (APA, 2003). Toutefois, si une relation nette est observée dans ces deux problèmes, le fonctionnement de la génétique demeure obscur pour bien d'autres manifestations comportementales (Kauffman, 2006). Des dommages cérébraux sont associés à divers problèmes de comportement. Certains traumatismes crâniens causent de l'agressivité ou de l'irritabilité. Les chercheurs associent donc fréquemment des problèmes neurologiques au trouble déficit de l'attention / hyperactivité (Kauffman, 2006).

C. La santé et le bien-être physique

Parmi les autres facteurs biologiques et personnels, notons l'état de santé ou de bien-être de l'élève. Environ 8 % des enfants américains âgés de moins de 12 ans souffriraient de la faim. Klienman et autres (1998) ont étudié les relations entre la faim et les problèmes de comportement et scolaires. Ils concluent à une relation importante entre des épisodes fréquents de faim et un dysfonctionnement psychosocial, d'où la nécessité de mettre en place des programmes de prévention axés sur des besoins primaires.

D. La grossesse et la naissance

La consommation de substances telles que l'alcool ou les drogues par la mère en cours de grossesse ou dans la famille peut également avoir une influence importante sur le développement de l'enfant. Le manque d'oxygène à la naissance et d'autres complications sont aussi associés à certains problèmes de comportement (Arseneault et autres, 2002). Toutefois, comme le soulignent Hallahan et Kauffman (1994), il est souvent difficile de savoir dans quelle mesure ces facteurs ont un effet déterminant sur les comportements de l'élève.

E. Le tempérament

On mentionne souvent certains traits de caractère ou encore la structure de la personnalité pour expliquer les problèmes de comportement. Le tempérament est invoqué par plusieurs (Kauffman, 2006 ; Kirk, Gallagher et Anastasiow, 1993) comme étant la cause de certains problèmes de comportement. Celui-ci s'exprime par des différences individuelles quant au taux d'activité, à la socialisation et aux émotions (Fortin et Bigras, 1996). Dans la même famille, certains enfants sont plus faciles à éduquer que d'autres. Les parents qui ont plusieurs enfants connaissent bien ces différences, qui se manifestent dès les premiers jours de la vie. Toutefois, Kauffman (2006) indique que si le tempérament est vu comme un style de base dans la façon de se comporter, le développement de difficultés est fortement influencé par l'environnement.

F. Le développement cognitif et affectif

Les habiletés cognitives ou les aspects affectifs (par exemple, l'estime de soi) sont aussi des facteurs de risque ou de protection. De pauvres habiletés sociales ou de résolution de problèmes sont associées à l'apparition de violence et d'agressivité. Nelson, Leone et Rutherford (2004) rapportent que de jeunes délinquants ont un Q.I. approximativement de huit points inférieur à la moyenne de la population, et ce, dans des milieux socioéconomiques équivalents. Le rendement scolaire des élèves en difficulté de comportement se révèle aussi plus faible que celui de leurs pairs.

6.4.2 Les facteurs familiaux

Le niveau socioéconomique de la famille, la pauvreté et le divorce sont autant de facteurs associés aux problèmes de comportement. Nelson et autres (2004) révèlent que des éléments comme la criminalité dans la famille, une discipline inappropriée, le manque d'engagement des parents et les conflits familiaux contribuent aux problèmes de comportement. L'abus, la négligence ou le rejet des enfants par les parents, un milieu familial violent ou la grande mobilité de la famille représentent également des facteurs de risque. Il se peut aussi que les parents aient eux-mêmes vécu des relations peu positives avec l'école. Cette situation entraîne chez eux une perception négative de l'école, et par conséquent ils ne sont pas portés à y chercher des solutions aux problèmes de leurs enfants ou à collaborer avec le personnel (Nelson, 2004). Or, de bonnes relations famille-école contribuent à la réduction des problèmes de comportement, alors qu'une attitude de rejet de l'école par les parents eux-mêmes est susceptible d'aggraver la problématique.

6.4.3 Les facteurs scolaires

L'école devrait pouvoir aider les élèves ayant des difficultés d'adaptation et de comportement ; malheureusement, il arrive que plusieurs conditions viennent aggraver la situation : le rejet par les pairs, les mauvaises relations avec les enseignants, un sentiment d'échec par rapport au rendement scolaire. Nous examinerons ici, à titre d'exemple de facteurs scolaires, les procédés visant à préparer ou à implanter les règles de discipline. Certains problèmes de comportement surviennent lorsque les règles, dans la classe ou dans l'école, ne sont pas définies clairement et que les élèves ne sont pas engagés dans la planification de ces règles. Des règlements trop nombreux ou impossibles à appliquer, des punitions données de manière non systématique ou sans motif réel sont autant de sources de conflits avec les élèves, qui engendrent des problèmes de comportement. Dans le chapitre 7 portant sur l'évaluation des difficultés d'adaptation et de comportement, nous aborderons des dimensions au sujet desquelles il est possible de réfléchir lorsque, dans une école, de nombreux élèves présentent des problèmes de comportement.

Il existe aussi une dynamique entre les problèmes de comportement et les réponses des intervenants. Rapportant les travaux de Cooper, Brophy (1983) indique que la présence persistante de problèmes de comportement fait obstacle au besoin de contrôle de l'enseignant. Celui-ci a alors tendance à orienter davantage ses interactions vers le thème de la conduite plutôt que vers l'apprentissage scolaire. Ces élèves en difficulté de comportement reçoivent alors un moins grand renforcement positif pour leurs travaux que d'autres élèves, non identifiés, n'en reçoivent pour un rendement semblable. Le climat de la classe et de l'école sont également des facteurs associés à la prévention des difficultés ou, à l'inverse, à l'émergence de celles-ci. Un climat d'appartenance de même qu'une bonne relation entre l'enseignant et l'élève constituent autant de facteurs positifs.

En ce qui concerne l'école et la famille, Furlong et autres (2004) constatent que divers facteurs peuvent créer une protection ou encore augmenter le risque de problèmes de comportement. C'est le cas de la relation de l'élève avec l'enseignant. Si cette relation est bonne, elle favorisera la résolution de plusieurs problèmes ; si elle est négative, elle viendra augmenter les difficultés. Le tableau 6.2 montre comment divers facteurs peuvent contribuer positivement ou négativement à la résolution des problèmes de comportement.

Tableau 6.2

Facteurs de protection et facteurs de risque associés à l'école

Facteurs de protection	Facteurs de risque
La discipline est une occasion d'apprentissage pour l'élève et une occasion pour l'école d'offrir de l'aide	Critère : tolérance zéro ; les normes varient d'école en école (par exemple, pour le langage non approprié, pour le fait de ne pas être prêt pour la classe)
Plusieurs services de soutien sont disponibles	Il n'y a pas de services de soutien disponibles pour les élèves posant des défis de comportement
Les membres du personnel dans la cour de récréation et dans les activités parascolaires sont des adultes aidants pour l'élève	La cour de recréation est supervisée par du personnel non enseignant ; ce personnel n'est pas formé à la résolution des conflits
Tout le personnel de l'école participe aux activités de formation continue sur le soutien positif que doit offrir l'école ; le personnel a un langage commun sur les attentes au regard des comportements et sur les conséquences de la violation des règles	Les élèves qui présentent des problèmes sont transférés d'école en école
Le directeur donne le ton pour ce qui est d'une communication basée sur le respect ; il a des attentes qui vont dans le même sens que celles de son personnel	Les normes de comportements et leurs conséquences ne sont pas claires ou cohérentes ; les membres du secrétariat sont irrespectueux envers les élèves qui sont assis devant leur bureau
Des données sont recueillies et compilées	Il n'y a pas de système de collecte de données
Le personnel est bilingue et perçu comme étant accessible par les parents qui parlent une langue autre que la langue commune	Peu de membres du personnel sont bilingues ou parlent la langue des parents des élèves
Le personnel du secrétariat est accueillant	Le personnel du secrétariat n'est pas affable
Les parents renforcent l'importance du travail scolaire	Les parents sont trop occupés ; ils ne discutent pas de l'école avec leurs enfants
Les parents prônent la fréquentation scolaire ; ils servent de médiateurs dans le processus scolaire	Les parents confient l'éducation aux enseignants ; les élèves doivent faire leur propre médiation ; les parents cherchent à affronter le personnel scolaire
La fratrie communique les attentes de l'école et des connaissances sur cette dernière	Le langage et la culture du foyer sont différents de ceux de l'école
Les parents encouragent l'école et ses efforts en matière de discipline	Les parents ont une approche agressive du soutien et de la résolution de problèmes
Les parents se rendent aux réunions scolaires et sont perçus comme étant aidants	La perception d'un manque de soutien de la part des parents est évaluée comme un facteur de risque par le personnel de l'école

Source : Furlong et autres (2004, p. 256 ; traduit et adapté par l'auteure).

6.4.4 Les facteurs culturels, sociaux et économiques

A. Les médias

La violence et l'agressivité sont présentes dans notre société et constamment véhiculées par les médias. « Les dessins animés du samedi matin présentent 25 actes violents par heure. À l'âge de 16 ans, l'adolescent moyen qui regarde environ 35 heures de programmation à la télévision par semaine aura vu 200 000 actes de violence, dont 33 000 meurtres ou tentatives de meurtre » (Goldstein, 1991, p. 29 ; traduit par l'auteure). Dès 1963, Bandura, Ross et Ross ont démontré que la violence à laquelle assistent les enfants a un impact sur leur comportement. Pour établir cette preuve, les auteurs ont comparé les comportements de quatre groupes d'enfants. Trois groupes observent des comportements agressifs envers une poupée, le premier de façon réelle, le deuxième dans un film et le troisième dans un dessin animé. Le groupe contrôle n'est pas exposé à ces comportements. Par la suite, les quatre groupes passent dans un local où se trouvent des jouets, dont la poupée. Les chercheurs calculent la fréquence des comportements agressifs. Le groupe contrôle manifeste significativement moins ce type de comportements.

Depuis plusieurs décennies, il existe un consensus quant aux effets des médias sur l'apparition de la violence. Huesmann, Moise-Titus, Podolski et Eron (2003) ont mené une étude longitudinale s'étendant sur une période de 15 ans. Ils en concluent que l'exposition à la violence dans les médias est liée à l'apparition de comportements agressifs à l'âge adulte. Cette conclusion s'applique autant aux femmes qu'aux hommes. La violence dans les médias favorise l'acquisition de schémas cognitifs où le monde est perçu comme étant hostile, ce qui favorise le développement de scénarios violents pour régler des conflits et qui laisse supposer que l'agressivité est acceptable dans ce règlement. Les médias donnent alors des modèles et l'imitation est une source importante d'apprentissage (Huesmann et autres, 2003).

B. Les caractéristiques du milieu social

Le milieu social peut aussi comporter certains facteurs de risque. Par exemple, la présence d'une forte criminalité dans un milieu va de pair avec l'augmentation de la violence. De même, la pauvreté, les inégalités sociales et les idéologies peuvent favoriser la violence (Bélanger, Gosselin, Bowen, Desbiens et Janosz, 2006). La faim, comme nous l'avons vu, contribue aussi au développement de divers problèmes de comportement. Le quartier et le groupe d'amis sont d'autres facteurs influant sur l'apparition des problèmes de comportement, et ce, spécialement à l'adolescence. Des problèmes de comportement, tels les actes délinquants, sont particulièrement associés à la présence de gangs (Goldstein, 1991). Dans certaines écoles, les jeunes font partie de groupes relativement bien structurés qui s'affrontent à l'occasion, ce qui génère des conflits dont la violence est souvent marquée. Dans l'étiologie des problèmes de comportement, il est impossible de nier l'influence de ces facteurs. La figure 6.1 résume les différents facteurs susceptibles d'occasionner chez les élèves des problèmes d'adaptation et de comportement.

6.4.5 L'interaction des différents facteurs

Les caractéristiques personnelles des élèves peuvent aussi être mises en relation les unes avec les autres. Les élèves ayant des problèmes de comportement présentent

Figure 6.1

Facteurs de risque

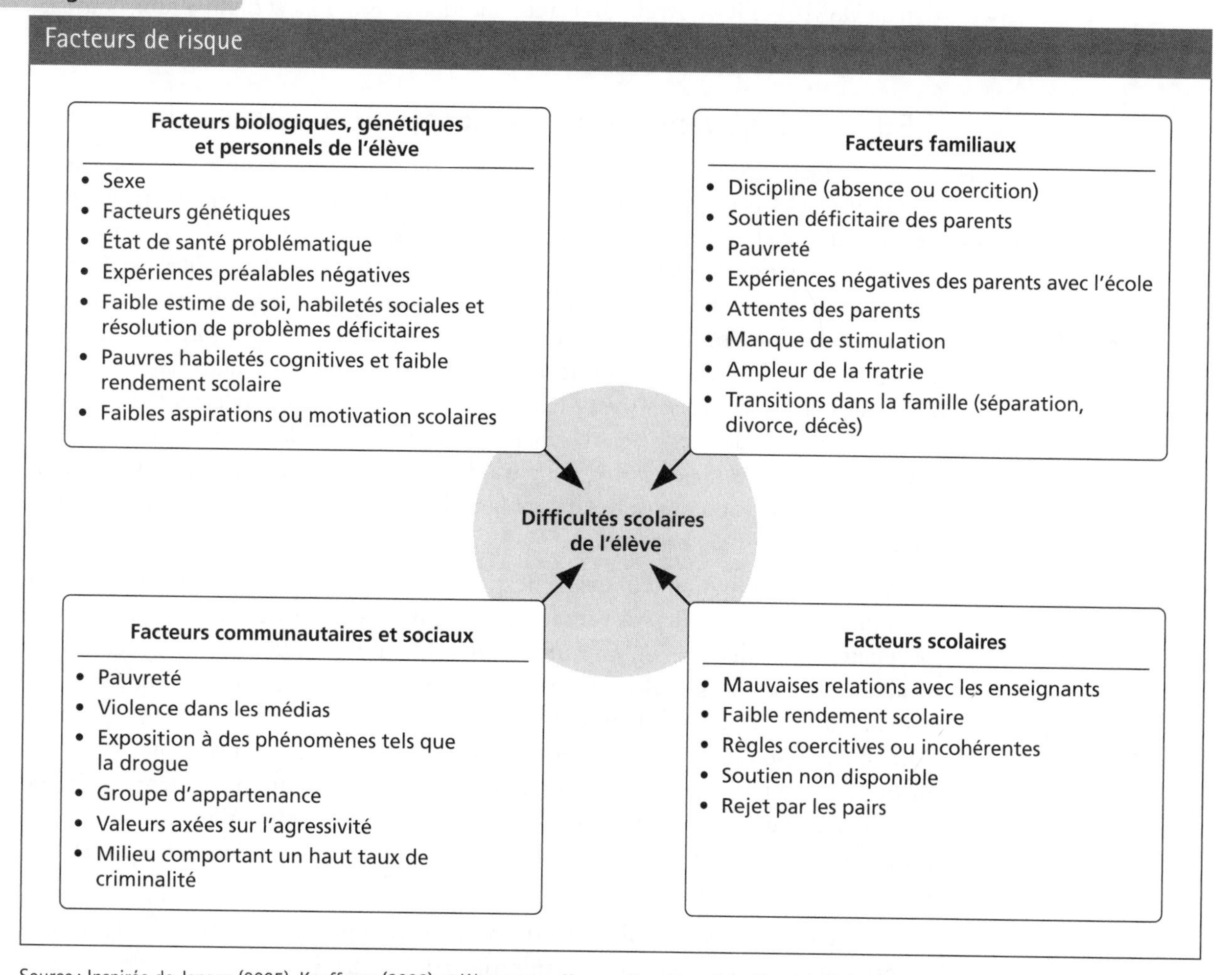

Source : Inspirée de Jensen (2005), Kauffman (2006) et Wasserman, Keenan, Tremblay, Coie, Herrenkohl, Loeber et Peterchuck (2003).

des difficultés d'apprentissage ou un rendement faible en classe. Le rendement scolaire exerce une influence sur le comportement social. Il est reconnu que les difficultés d'apprentissage apparaissent en parallèle avec les problèmes émotifs ou de comportement (Mattison, 2004). Kauffman, Cullinan et Epstein (1987) ont observé, auprès d'un groupe de 249 enfants ayant des problèmes de comportement, âgés de 7 à 19 ans, des relations significatives entre un rendement pauvre en lecture et les comportements agressifs de ces élèves. Les diverses expériences de l'élève interagissent les unes avec les autres.

6.5 Les classifications et les manifestations des problèmes d'adaptation et de comportement

Les problèmes affectifs ou de comportement se présentent sous différentes formes ; c'est pourquoi plusieurs auteurs ont établi des classifications. Nous verrons d'abord les avantages et les risques liés à ces modes de classification, puis nous présenterons trois classifications : la classification des problèmes extériorisés et intériorisés, la classification du DSM-IV-TR (APA, 2003) et la classification de Kauffman (2006). Enfin, nous examinerons différentes manifestations des problèmes d'adaptation et de comportement.

6.5.1 Les avantages et les inconvénients des classifications

Selon Cullinan (2004), les classifications présentent à la fois des avantages et des inconvénients. Parmi les avantages décrits par cet auteur, les classifications permettent aux intervenants et aux chercheurs d'ordonner et d'échanger des données. Elles facilitent la recherche de renseignements sur les interventions et leurs résultats. Elles permettent, dans une certaine mesure, de prévoir des phénomènes, en indiquant, par exemple, le pourcentage d'un groupe d'individus pour qui la situation se détériore ou s'améliore à l'âge adulte. Enfin, les classifications servent fréquemment à des fins administratives pour attribuer des services. Même dans une perspective totalement inclusive, il est impossible de donner des services appropriés sans connaître les besoins de l'élève ; une évaluation s'avère nécessaire. De plus, de nombreux auteurs insistent sur l'importance de la prévention des difficultés ; il faut donc disposer de certains critères afin de déterminer les besoins particuliers.

Par contre, l'utilisation d'une classification peut avoir des effets pervers, comme ceux d'étiqueter des élèves, de créer une image négative à leur sujet ou d'engendrer une prophétie autoréalisante (*self-fulfilling prophecy*) (Cullinan, 2004). La prophétie autoréalisante consiste à agir selon la manière dont on croit que le déficit devrait le déterminer. Ainsi, l'élève en difficulté d'apprentissage abandonne rapidement une tâche parce qu'il se croit incapable de la réussir. L'identification peut aussi entraîner des préjudices. Par exemple, un employeur apprend qu'un candidat à un poste fréquentait une école spéciale et hésite, à cause de cela, à l'engager. Plusieurs milieux scolaires ont ainsi choisi de considérer les élèves sur des bases non catégorielles, entre autres afin d'éviter ces problèmes.

Malgré ces écueils, compte tenu de la nécessité d'intervenir tôt, de l'importance accordée dans la littérature aux classifications des problèmes émotifs et de comportement, nous verrons ici trois d'entre elles.

6.5.2 Quelques exemples de classifications

A. Les problèmes extériorisés et intériorisés

Une façon classique de regrouper les problèmes de comportement est de les classer en problèmes extériorisés et intériorisés. Dans les problèmes extériorisés, Furlong et autres (2004) incluent les troubles de conduite et le trouble déficit de l'attention / hyperactivité. Un peu plus loin dans ce chapitre, nous reviendrons sur ces deux problématiques.

Dans les problèmes intériorisés, Gresham et Kern (2004) incluent les problèmes liés à l'anxiété, les désordres de l'humeur, dont la dépression, ainsi que le comportement suicidaire. Voici ce que comprennent, selon ces auteurs, les problèmes intériorisés :

1) Les problèmes liés à l'anxiété :
   - L'anxiété de séparation : la peur d'être séparé de sa famille ou de personnes auxquelles l'élève est attaché.

- Le mutisme sélectif : l'impossibilité persistante de s'exprimer dans des situations sociales.
- Le comportement obsessif compulsif : des comportements répétitifs obsessifs (comme vouloir toujours que ses choses soient placées exactement dans le même ordre).
- Le stress post-traumatique : des symptômes importants à la suite d'un événement stressant comme des peurs, des problèmes de sommeil, de l'agitation ou de la désorganisation.

2) Les désordres de l'humeur : la dépression majeure ou le désordre de dysrythmie (humeur dépressive).

3) Le comportement suicidaire.

Les catégories sont loin d'être étanches, car des problèmes intériorisés et extériorisés peuvent apparaître simultanément chez un individu. De plus, l'apparition concomitante de problèmes est plus souvent la règle que l'exception (Kauffman, Brigham et Mock, 2004). Des troubles déficit de l'attention et de l'hyperactivité peuvent aussi apparaître en concomitance avec des problèmes de la conduite ou des troubles oppositionnels (APA, 2003). « Ces différents troubles s'additionnent très souvent les uns aux autres ; il en résulte des problèmes importants pour le milieu scolaire, comme l'usage de drogues, la violence dans les écoles et le décrochage scolaire » (Massé et autres, 2006, p. 2).

B. La classification du DSM-IV-TR

Le *Manuel diagnostique et statistique des troubles mentaux, 4ᵉ édition, texte révisé* (APA, 2003) présente une classification utilisée surtout par les psychologues, les médecins et les psychiatres. Cette classification est connue sous l'abréviation DSM-IV-TR. Cet ouvrage est basé sur des revues spécialisées et sur la recherche. Si la plupart des catégories décrites dans ce manuel concernent surtout les intervenants en santé mentale, certaines peuvent donner des balises intéressantes aux enseignants. Nous verrons sommairement l'ensemble des troubles apparaissant durant l'enfance ou l'adolescence. Toutefois, les auteurs du DSM-IV-TR indiquent que certains problèmes éprouvés par les enfants sont aussi éprouvés à l'âge adulte ; la dépression en est un exemple. Le clinicien utilise donc non seulement la section des troubles apparaissant durant l'enfance et l'adolescence, mais aussi d'autres parties du manuel portant à la fois sur les enfants et les adultes.

La classification du DSM-IV-TR, qui présente les troubles apparaissant au cours de l'enfance et de l'adolescence, comporte 10 catégories de troubles : (1) le retard mental, (2) les troubles des apprentissages, (3) le trouble des habiletés motrices, (4) les troubles de la communication, (5) les troubles envahissants du développement (comme l'autisme et le syndrome de Rett), (6) le déficit de l'attention et le comportement perturbateur, (7) les troubles de l'alimentation et les troubles des conduites alimentaires (par exemple, l'anorexie mentale et la boulimie), (8) les troubles liés aux tics (comme le syndrome Gilles de la Tourette), (9) les troubles du contrôle sphinctérien et (10) une catégorie liée à d'autres troubles de la première enfance, de la deuxième enfance ou de l'adolescence (telle l'angoisse de séparation). Certaines de ces catégories, comme le retard mental, touchent d'autres groupes que celui des élèves faisant l'objet du présent chapitre. D'autres catégories, bien qu'elles fassent référence à des problèmes de comportement, sont surtout utiles aux milieux cliniques ; c'est le cas des troubles de l'alimentation.

La sixième catégorie, le déficit de l'attention et le comportement perturbateur, est susceptible d'intéresser des intervenants dans le milieu scolaire. Cette catégorie inclut : (1) le trouble déficit de l'attention / hyperactivité, (2) les troubles de la conduite, (3) le trouble oppositionnel avec provocation et (4) le comportement perturbateur non spécifié. Les critères diagnostiques du trouble déficit de l'attention / hyperactivité, des troubles de la conduite et du trouble oppositionnel avec provocation seront présentés plus loin dans les tableaux 6.4 à 6.6. Quant au comportement perturbateur non spécifié, il désigne les comportements qui ne correspondent pas entièrement aux critères des autres catégories, mais qui sont suffisamment importants pour justifier une appellation.

Comme nous l'avons mentionné précédemment, le DSM-IV-TR est surtout utilisé dans les milieux cliniques. Cependant, plusieurs auteurs ont formulé des classifications à l'intention des milieux éducatifs. Nous verrons ici l'une de ces classifications, soit celle de Kauffman (2006). Le tableau 6.3 en présente une autre, celle d'Achenbach, un auteur qui a élaboré l'ASEBA, un système d'évaluation des problèmes de comportement utilisé fréquemment en milieu scolaire.

Tableau 6.3

Classification d'Achenbach résumée par Cullinan

Infraction des règles	**Comportements agressifs**	
Compagnons nuisibles	Détruit la propriété d'autrui	
Manque de regret pour des comportements déviants	Désobéit à l'école	
Mensonges, récriminations	Se bat	
Vols à l'extérieur de la maison	Menace ou intimide les gens	
Anxiété/dépression	**Solitude/dépression**	**Plaintes somatiques**
Pleure souvent	A peu de plaisir	Vertiges
Se sent seul	Garde ses sentiments pour lui	Maux de tête
Parle de se tuer	Malheureux, triste, déprimé	Nausées
Trop craintif ou anxieux	Retiré, non engagé	Grande fatigue
Problèmes sociaux	**Problèmes de pensée**	**Problèmes d'attention**
Se plaint de solitude	Ne peut sortir de ses pensées	Ne peut se concentrer
Sent que les autres le maltraitent	Entend des choses	Ne peut rester assis
Jaloux de ses pairs	A un comportement étrange	Impulsif
Non aimé de ses pairs	A des idées étranges	Pauvre travail scolaire

Source : Cullinan (2004, p. 38 ; traduit par l'auteure).

C. La classification de Kauffman

L'ouvrage de Kauffman (2006) est une publication majeure dans le domaine des difficultés d'ordre comportemental. Depuis sa parution en 1977, cet ouvrage en est à sa huitième édition et il est devenu un classique dans le domaine des problèmes émotifs et de comportement chez les enfants et les adolescents. La classification de Kauffman inclut sept catégories de problèmes de comportement ou d'adaptation :

1) les désordres liés à l'activité et à l'attention ;
2) les désordres de la conduite : l'agressivité ouverte ;
3) les désordres de la conduite : le comportement antisocial couvert ;
4) la délinquance, l'abus de substances et l'activité sexuelle précoce ; l'activité sexuelle précoce est incluse dans cette catégorie par Kauffman à cause des risques de grossesse, d'infections transmises sexuellement et de problèmes de santé physique ou mentale qui peuvent y être associés ;
5) l'anxiété et les désordres qui y sont liés (comme les troubles alimentaires) ;
6) la dépression et le comportement suicidaire ;
7) les désordres liés à la schizophrénie et aux troubles envahissants du développement ; cette catégorie inclut, pour Kauffman, les troubles autistiques.

Il est à noter que les troubles envahissants du développement (septième catégorie) sont décrits, entre autres, par le Ministère (MELS, 2006b) non pas dans la catégorie des difficultés de comportement, comme le fait Kauffman, mais dans une catégorie séparée. Nous reviendrons sur cette catégorie du Ministère dans le chapitre 11.

Afin de mieux comprendre les manifestations des problèmes de comportement, nous reprendrons plusieurs des difficultés incluses dans ces classifications, en voyant comment divers auteurs les décrivent. Nous examinerons donc : (1) le trouble déficit de l'attention / hyperactivité, (2) les troubles de la conduite, (3) la délinquance juvénile et les problèmes de toxicomanie, (4) les difficultés liées à l'anxiété, à l'isolement et à la dépression ainsi que (5) le risque suicidaire. Il est évident que ces catégories ne sont pas hermétiques ; par exemple, la délinquance est associée étroitement aux troubles de la conduite.

Des manifestations telles que les troubles de l'alimentation et des problèmes liés à la sexualité ou à la schizophrénie ne seront pas abordés, car ils dépassent le cadre d'un ouvrage d'introduction comme celui-ci.

6.5.3 La description de quelques manifestations fréquentes des problèmes d'adaptation et de comportement

A. Le trouble déficit de l'attention / hyperactivité

Le diagnostic du trouble déficit de l'attention et de l'hyperactivité (TDAH) est difficile à poser et la détermination de ses causes est encore moins simple. De plus, historiquement, l'hyperactivité a été attribuée à de nombreux facteurs, comme les dommages cérébraux mineurs, la présence d'additifs alimentaires (Feingold, 1976), la consommation de sucre, les produits irritants dans l'environnement ou encore des manques dans l'éducation familiale ou scolaire. La multiplicité de ces hypothèses explicatives rend donc la situation complexe, que ce soit sur le plan du diagnostic ou sur celui de l'intervention.

L'historique

Selon Dubé (1992), plusieurs conceptions ont tenté d'éclairer la nature de l'hyperactivité. Ces conceptions se sont succédé dans le temps ou se sont chevauchées. La notion d'atteinte cérébrale (*brain damage*) a été étudiée par Still en 1902, par Tredgold en 1914 et par Hohman et Ebaugh dans les années 20. Les enfants atteints d'hyperactivité le seraient en raison d'un dommage au cerveau. Signalons que les chercheurs étudiant cette hypothèse travaillent surtout auprès d'enfants qui séjournent dans un établissement et qui présentent des déficits importants justifiant ce placement. Dubé précise qu'on ne peut étendre les conclusions de ces recherches à une population générale.

Une atteinte cérébrale légère (*minimal brain damage*) expliquerait l'apparition de l'hyperactivité avec un déficit de l'attention. Ce dommage pourrait être ou non repéré à l'aide de l'électro-encéphalogramme (EEG). Cette hypothèse a été étudiée par de nombreux chercheurs, dont Bradley dans les années 40 ainsi que Bax et MacKeith dans les années 60. L'hypothèse vient d'observations chez des enfants dont l'examen neurologique conventionnel était normal, mais qui présentaient des symptômes semblables, par exemple, à ceux de personnes ayant subi un traumatisme crânien. On a alors postulé que les enfants hyperactifs avaient une atteinte cérébrale légère. Cette hypothèse a eu une grande influence sur les conceptions de l'hyperactivité. Dubé (1992) résume ainsi la question :

> L'entité atteinte cérébrale légère comporte sa part de vérité et il existe probablement des enfants à qui elle s'applique avec justesse. Mais il est impossible actuellement de distinguer ceux-ci parmi tous ceux qui présentent des symptômes similaires. De plus, l'hyperactivité ne semble pas être le symptôme le plus caractéristique d'une atteinte cérébrale même légère. En fin de compte, le problème ne vient pas du fait que la notion soit fausse, mais de l'utilisation souvent abusive que l'on en fait pour classifier des enfants manifestant des problèmes divers (p. 14).

Le nombre de termes pour désigner les enfants hyperactifs s'étant multiplié au cours des années, Clements a proposé, en 1966, la notion de dysfonction cérébrale minime (*minimal brain dysfunction*). Ce terme s'applique :

> [...] à des enfants d'intelligence normale qui présentent des problèmes de comportement ou d'apprentissage d'intensité variable et associés à des dérèglements du système nerveux central, dérèglements qui se manifestent par des difficultés de perception, d'abstraction, de langage, de mémoire, d'attention et de contrôle de la motricité (Dubé, 1992, p. 15).

Pour ce qui est, enfin, de la notion de déficit de l'attention, Douglas disait, en 1972, que le problème fondamental des enfants hyperactifs serait l'incapacité de s'arrêter, de regarder et d'écouter. L'hyperactivité était alors associée à des problèmes de l'attention. Dans le DSM-III, en 1980, on trouve une catégorie de troubles déficitaires de l'attention avec ou sans hyperactivité. Actuellement, ce sont les critères du DSM-IV-TR qui sont utilisés par la plupart des milieux. Le tableau 6.4 présente les critères diagnostiques du trouble déficit de l'attention / hyperactivité du DSM-IV-TR.

Le DSM-IV-TR dégage trois types de troubles déficit de l'attention / hyperactivité : un type mixte où il y a à la fois hyperactivité et déficit de l'attention, un type où l'inattention est prédominante et un type où ce sont l'hyperactivité et l'impulsivité qui priment.

La prévalence du trouble déficit de l'attention / hyperactivité

Le taux de prévalence du trouble déficit de l'attention / hyperactivité varie de 5 % à 20 % selon les populations étudiées (Reid, Maag et Vasa, 1994). Le DSM-IV-TR estime qu'il se situe entre 3 % et 7 % des enfants d'âge scolaire, précisant qu'il est difficile d'établir des données pour les adolescents et les adultes. Il y a entre quatre et neuf fois plus de garçons que de filles qui présentent ces problèmes, le taux fluctuant selon les

Tableau 6.4

Critères diagnostiques du Trouble : Déficit de l'attention / hyperactivité

A. Présence soit de (1), soit de (2) :

(1) six des symptômes suivants d'inattention (ou plus) ont persisté pendant au moins 6 mois, à un degré qui est inadapté et ne correspond pas au niveau de développement de l'enfant :

Inattention

(a) souvent, ne parvient pas à prêter attention aux détails, ou fait des fautes d'étourderie dans les devoirs scolaires, le travail ou d'autres activités
(b) a souvent du mal à soutenir son attention au travail ou dans les jeux
(c) semble souvent ne pas écouter quand on lui parle personnellement
(d) souvent, ne se conforme pas aux consignes et ne parvient pas à mener à terme ses devoirs scolaires, ses tâches domestiques ou ses obligations professionnelles (cela n'est pas dû à un comportement d'opposition, ni à une incapacité à comprendre les consignes)
(e) a souvent du mal à organiser ses travaux ou ses activités
(f) souvent, évite, a en aversion, ou fait à contrecœur les tâches qui nécessitent un effort mental soutenu (comme le travail scolaire ou les devoirs à la maison)
(g) perd souvent les objets nécessaires à son travail ou à ses activités (p. ex., jouets, cahiers de devoirs, crayons, livres ou outils)
(h) souvent, se laisse facilement distraire par des stimulus externes
(i) a des oublis fréquents dans la vie quotidienne

(2) six des symptômes suivants d'hyperactivité-impulsivité (ou plus) ont persisté pendant au moins 6 mois, à un degré qui est inadapté et ne correspond pas au niveau de développement de l'enfant :

Hyperactivité

(a) remue souvent les mains ou les pieds, ou se tortille sur son siège
(b) se lève souvent en classe ou dans d'autres situations où il est supposé rester assis
(c) souvent, court ou grimpe partout, dans des situations où cela est inapproprié (chez les adolescents ou les adultes, ce symptôme peut se limiter à un sentiment subjectif d'impatience motrice)
(d) a souvent du mal à se tenir tranquille dans les jeux ou les activités de loisir
(e) est souvent « sur la brèche » ou agit souvent comme s'il était « monté sur ressorts »
(f) parle souvent trop

Impulsivité

(g) laisse souvent échapper la réponse à une question qui n'est pas encore entièrement posée
(h) a souvent du mal à attendre son tour
(i) interrompt souvent les autres ou impose sa présence (p. ex., fait irruption dans les conversations ou dans les jeux)

B. Certains des symptômes d'hyperactivité-impulsivité ou d'inattention ayant provoqué une gêne fonctionnelle étaient présents avant l'âge de 7 ans.

C. Présence d'un certain degré de gêne fonctionnelle liée aux symptômes dans deux, ou plus de deux types d'environnement différents (p. ex., à l'école – ou au travail – et à la maison).

D. On doit mettre clairement en évidence une altération cliniquement significative du fonctionnement social, scolaire ou professionnel.

E. Les symptômes ne surviennent pas exclusivement au cours d'un Trouble envahissant du développement, d'une Schizophrénie ou d'un autre Trouble psychotique, et ils ne sont pas mieux expliqués par un autre trouble mental (p. ex., Trouble thymique, Trouble anxieux, Trouble dissociatif ou Trouble de la personnalité).

Source : American Psychiatric Association (2003, p. 107-109).

études. Le DSM-IV-TR rapporte des proportions de deux garçons pour une fille quand il s'agit du type « inattention prédominante » et de neuf garçons pour une fille dans le cas des autres types. Le diagnostic demeure délicat à poser (Reid et Maag, 1994). En effet, comme toute difficulté de comportement, l'hyperactivité ne peut être comprise qu'en fonction des normes qualifiant l'activité motrice normale d'un enfant. Le diagnostic exige qu'on recueille le plus de renseignements possible auprès de plusieurs intervenants (les parents, les enseignants, etc.). Il faut, en outre, utiliser des instruments dont les qualités de mesure sont reconnues (Reid et Maag, 1994). Les principaux facteurs actuellement considérés comme prédisposant à l'hyperactivité sont les facteurs neurologiques, génétiques et environnementaux.

B. Les troubles des conduites

Les désordres de la conduite peuvent se manifester de multiples façons. Nous nous pencherons d'abord sur une façon courante de décrire ces problèmes : les troubles ouverts et les troubles couverts de la conduite. Nous donnerons par la suite les critères du DSM-IV-TR, qui utilise les termes « troubles des conduites » et « trouble oppositionnel avec provocation ».

Le trouble ouvert de la conduite se manifestant par l'agressivité et la violence

Tremblay et Royer (1992) définissent ainsi le trouble ouvert de la conduite :

> Le trouble ouvert de la conduite se caractérise par un comportement antisocial persistant qui nuit sérieusement au fonctionnement du jeune dans sa vie de tous les jours, ou qui a pour conséquence que les adultes le traitent comme intraitable. Le trouble de la conduite est ouvert lorsqu'il s'exprime par des comportements ouvertement agressifs ou hostiles, comme faire mal aux autres ou défier directement l'autorité de l'enseignant (p. 20).

L'agressivité constitue une réaction devant laquelle l'intervenant est trop souvent désarmé. Que faire face à l'élève en crise, qui se bat dans la cour de récréation ou qui détruit les objets qui l'entourent ? L'élève agressif est celui qui se comporte intentionnellement (soit physiquement ou verbalement) de manière à faire mal et à entrer en conflit avec un autre élève (Smith et Green, 1975). Il y a agression lorsqu'une personne inflige de la douleur à une autre (Patterson, 1982). L'agressivité est habituellement définie et reconnue à l'aide de ces manifestations comportementales. Ainsi, Patterson, Reid, Jones et Conger (1975) proposent une série de 14 comportements apparaissant avec une fréquence plus élevée chez des garçons identifiés comme étant agressifs : des cris, des attaques physiques envers d'autres personnes, la destruction d'objets, des comportements d'humiliation, etc.

En majorité de sexe masculin, les enfants agressifs sont en général rejetés par leurs pairs. Leurs résultats scolaires sont faibles (Mattison, 2004). Ils viennent de familles où tous les membres démontrent, eux aussi, un taux élevé de comportements agressifs. De plus, ils sont davantage punis, et ce, même lorsqu'ils agissent correctement (Patterson et autres, 1975). Ces injustices entretiennent chez eux un sentiment de rejet. L'enfant agressif serait à la fois la victime et l'architecte de ce système coercitif (Patterson et autres, 1975). Les membres de la famille entrent en interaction par des comportements agressifs, les comportements des uns déclenchant les comportements des autres. Par exemple, un enfant agressif demande un service à ses parents en criant ; ceux-ci lui répondent en haussant le ton, et l'enfant réplique par un autre cri. L'escalade de comportements agressifs marque ce régime coercitif.

Si nombre d'auteurs et d'enseignants voient l'origine de l'agressivité dans la cellule familiale, d'autres n'excluent pas le rôle de l'école à ce sujet (Furlong et autres, 2004). Dans l'apparition de l'agressivité, particulièrement à l'adolescence, il ne faudrait pas ignorer le rôle des pairs et de l'environnement social de l'élève. La participation à des gangs s'adonnant à la violence favorise aussi l'émergence de la violence chez certains élèves.

Le trouble couvert de la conduite

Kauffman (2006) place dans la catégorie des troubles couverts des problèmes tels que le vol, les feux, le vandalisme, le mensonge, l'absentéisme scolaire et le refus de se conformer aux normes. Le problème du vol requiert une intervention précoce afin d'éviter qu'il ne devienne chronique et ne mène à la délinquance. Selon Kauffman, il se peut que les élèves qui mettent le feu ne soient pas conscients des dangers réels, éprouvent de la haine et des sentiments de vengeance ou ne soient pas reconnus socialement. En général, ce problème n'est pas associé à la pyromanie, mais plutôt à un problème de conduite. Selon le DSM-IV-TR, beaucoup d'enfants et d'adolescents allument des incendies, puisque plus de 40 % des personnes accusées aux États-Unis pour incendie sont mineures. Audet et Royer (1993) incluent aussi dans les troubles couverts des problèmes plus scolaires comme l'absentéisme, l'expulsion de l'école et l'indiscipline.

Les critères diagnostiques des troubles de la conduite et du trouble oppositionnel avec provocation

Les termes « troubles de la conduite » et « trouble oppositionnel avec provocation » sont surtout utilisés en milieu clinique, car, dans les écoles, le vocabulaire fait davantage référence à des questions comme l'indiscipline, la violence, l'intimidation et le défi de l'autorité. Toutefois, Gagnon, Boisjoli, Gendreau et Vitaro (2006) croient qu'il est important que les enseignants ou que les intervenants psychosociaux soient au courant des critères du DSM.

> Une bonne compréhension par ces derniers [les intervenants psychosociaux et les enseignants] de ce que sont les TOP [troubles oppositionnels avec provocation] et les TC [troubles de la conduite] au sens pédopsychiatrique leur permettrait de mieux évaluer les enfants et les adolescents qui présentent des problèmes de comportement. Ils pourraient ainsi déterminer si ces élèves répondent aux critères cliniques de ces syndromes, s'ils sont en voie d'y répondre ou s'ils manifestent plutôt des difficultés d'une autre nature (p. 18).

Les tableaux 6.5 (à la page 138) et 6.6 (à la page 139) présentent respectivement les critères du DSM-IV-TR sur les troubles de la conduite et sur le trouble oppositionnel avec provocation.

C. La délinquance juvénile et les problèmes de toxicomanie

« La délinquance caractérise une conduite antisociale exprimant de l'inadaptation d'un individu à une société » (Larousse, 1991, p. 195). La délinquance se manifeste dans des infractions contre l'État, les biens, les personnes ou les mœurs. Selon Brunelle, Plourde et Tremblay (2006) :

> La délinquance est un mode de vie caractérisé par des délits répétés, c'est-à-dire des actions dont les lois prévoient la sanction par une peine. Commettre un délit c'est transgresser une loi. Les deux principales catégories de délits sont :
>
> 1) les délits lucratifs ou contre les biens (vols, vente de drogues, prostitution, etc.) ;
>
> 2) les délits de violence (voies de faits, agressions sexuelles, etc.) (p. 31).

Tableau 6.5

Critères diagnostiques du Trouble des conduites
A. Ensemble de conduites, répétitives et persistantes, dans lequel sont bafoués les droits fondamentaux d'autrui ou les normes et règles sociales correspondant à l'âge du sujet, comme en témoigne la présence de trois des critères suivants (ou plus) au cours des 12 derniers mois, et d'au moins un de ces critères au cours des 6 derniers mois :
Agressions envers des personnes ou des animaux (1) brutalise, menace ou intimide souvent d'autres personnes (2) commence souvent les bagarres (3) a utilisé une arme pouvant blesser sérieusement autrui (p. ex., un bâton, une brique, une bouteille cassée, un couteau, une arme à feu) (4) a fait preuve de cruauté physique envers des personnes (5) a fait preuve de cruauté physique envers des animaux (6) a commis un vol en affrontant la victime (p. ex., agression, vol de sac à main, extorsion d'argent, vol à main armée) (7) a contraint quelqu'un à avoir des relations sexuelles **Destruction de biens matériels** (8) a délibérément mis le feu avec l'intention de provoquer des dégâts importants (9) a délibérément détruit le bien d'autrui (autrement qu'en y mettant le feu) **Fraude ou vol** (10) a pénétré par effraction dans une maison, un bâtiment ou une voiture appartenant à autrui (11) ment souvent pour obtenir des biens ou des faveurs ou pour échapper à des obligations (p. ex., « arnaque » les autres) (12) a volé des objets d'une certaine valeur sans affronter la victime (p. ex., vol à l'étalage sans destruction ou effraction ; contrefaçon) **Violations graves de règles établies** (13) reste dehors tard la nuit en dépit des interdictions de ses parents, et cela a commencé avant l'âge de 13 ans (14) a fugué et passé la nuit dehors au moins à deux reprises alors qu'il vivait avec ses parents ou en placement familial (ou a fugué une seule fois sans rentrer à la maison pendant une longue période) (15) fait souvent l'école buissonnière, et cela a commencé avant l'âge de 13 ans
B. La perturbation du comportement entraîne une altération cliniquement significative du fonctionnement social, scolaire ou professionnel.
C. Si le sujet est âgé de 18 ans ou plus, le trouble ne répond pas aux critères de la Personnalité antisociale.

Source : American Psychiatric Association (2003, p. 115-116).

Plusieurs facteurs ont été mis en évidence à propos de l'apparition de la délinquance juvénile : des facteurs sociaux (les lacunes du milieu familial, l'appartenance à des gangs, la violence dans les médias, etc.), économiques, politiques et individuels. Vitaro, Dobkin, Gagnon et Le Blanc (1994) précisent des facteurs de risque liés à la société, à la communauté, à l'école, à la famille et à l'individu. Parmi les facteurs liés à la société, ces auteurs relèvent les inégalités économiques, l'inaccessibilité de l'éducation, l'hétérogénéité ethnique et l'insuffisance des services sociaux et de santé. À ces facteurs s'ajoutent la présentation de modèles déviants par les médias et le manque de protection des biens ou du milieu physique. Parmi les facteurs liés à la

Tableau 6.6

Critères diagnostiques du Trouble oppositionnel avec provocation
A. Ensemble de comportements négativistes, hostiles ou provocateurs, persistant pendant au moins 6 mois durant lesquels sont présentes quatre des manifestations suivantes (ou plus) :
(1) se met souvent en colère
(2) conteste souvent ce que disent les adultes
(3) s'oppose souvent activement ou refuse de se plier aux demandes ou aux règles des adultes
(4) embête souvent les autres délibérément
(5) fait souvent porter à autrui la responsabilité de ses erreurs ou de sa mauvaise conduite
(6) est souvent susceptible ou facilement agacé par les autres
(7) est souvent fâché et plein de ressentiment
(8) se montre souvent méchant ou vindicatif
N.B. : On ne considère qu'un critère est rempli que si le comportement survient plus fréquemment qu'on ne l'observe habituellement chez des sujets d'âge et de niveau de développement comparables.
B. La perturbation des conduites entraîne une altération cliniquement significative du fonctionnement social, scolaire ou professionnel.
C. Les comportements décrits en A ne surviennent pas exclusivement au cours d'un Trouble psychotique ou d'un Trouble de l'humeur.
D. Le trouble ne répond pas aux critères du Trouble des conduites ni, si le sujet est âgé de 18 ans ou plus, à ceux de la Personnalité antisociale.

Source : American Psychiatric Association (2003, p. 120-121).

communauté, Vitaro et ses collaborateurs indiquent les ghettos, la désorganisation sociale ou la présence de milieux criminels florissants. En ce qui a trait à l'école, les auteurs mentionnent le manque de préparation à la scolarisation de certains élèves venant de milieux défavorisés ou encore des déficiences de l'école sur le plan organisationnel, par exemple. Les auteurs signalent aussi que beaucoup de jeunes délinquants ont des difficultés d'apprentissage et que plusieurs quittent l'école avant d'avoir obtenu un diplôme.

En ce qui concerne les facteurs liés à la famille, le fait de vivre dans une famille brisée constitue un facteur de risque important ; la présence de la criminalité dans la famille et la violence familiale sont également des facteurs de risque. Au sujet de la famille, Vitaro et autres (1994) écrivent : « Toutefois, il a été établi que le fait de vivre dans une famille reconstituée au moment de l'adolescence est un facteur de risque supérieur au fait d'appartenir à une famille monoparentale, et en particulier à une famille dirigée par la mère » (p. 124). Il y a enfin des facteurs de risque chez l'individu : ses capacités biologiques (par exemple, des déficiences neurologiques), une cognition déficiente ou encore un tempérament difficile.

Selon Genaux, Morgan et Friedman (1995), les élèves identifiés comme ayant des difficultés de comportement, qu'ils soient dans un milieu spécialisé ou dans un milieu ordinaire, ont des taux de consommation de drogue plus élevés que leurs pairs qui n'ont pas de difficulté. Face à cette situation, ces auteurs soulignent la nécessité d'instaurer des programmes de prévention qui pourront être utilisés par les enseignants œuvrant auprès de ces élèves.

Vitaro et autres (1994) indiquent que les données concernant l'usage de psychotropes chez les jeunes au Québec sont plutôt dispersées. De plus, ces données ne sont pas simples à établir, car il faut pouvoir distinguer, par exemple, les expérimentateurs des consommateurs abusifs.

D. Les difficultés liées à l'anxiété, à l'isolement et à la dépression

Voici ce que constatent Tremblay et Royer (1992) dans un document pour le ministère de l'Éducation du Québec en ce qui concerne les problèmes d'introversion, c'est-à-dire principalement l'anxiété et l'isolement:

> Les divers problèmes d'introversion ne sont pas bien définis. Les comportements associés à l'anxiété ou à l'isolement (sentiments d'infériorité, préoccupation exagérée de sa personne, timidité, peurs et hypersensibilité, par exemple) sont en général plus passagers que ceux liés aux troubles d'extraversion, et ils semblent comporter moins de risques de mener à une éventuelle maladie psychiatrique à l'âge adulte. L'anxiété ou l'isolement caractérise peut-être de 2 à 5 p. 100 de la population infantile et de 20 à 30 p. 100 des jeunes recommandés pour être vus en clinique pour un trouble du comportement (p. 21).

Les élèves présentant des difficultés d'ordre comportemental seraient, socialement, moins choisis que les autres élèves (Kavale, Mathur et Mostert, 2004). Plusieurs de ces jeunes sont isolés, négligés ou carrément rejetés par leurs pairs. Or, les relations avec les autres sont un indice important de l'épanouissement futur de l'enfant (Ladd et Asher, 1985 ; Schloss, Schloss, Wood et Kiehl, 1986) : les enfants isolés socialement sont plus susceptibles de présenter des problèmes d'acceptation sociale, d'abandon scolaire de même que des problèmes de santé mentale à l'âge adulte (Gresham et Nagle, 1980). Le suicide et l'alcoolisme également sont liés au rejet et à l'isolement sociaux durant l'enfance et l'adolescence (Ladd et Asher, 1985).

Dans cette catégorie de difficultés, on regroupe aussi les problèmes de phobies, les troubles de l'alimentation et d'autres troubles divers. Toutefois, ce genre de problèmes, malgré sa gravité, concerne davantage l'intervention clinique que l'intervention scolaire, même si des répercussions peuvent se faire sentir à l'école et même s'il arrive souvent que des intervenants scolaires puissent accorder du soutien à l'élève.

De plus en plus, les spécialistes admettent que la dépression peut se produire chez les enfants (Wright-Strawderman, Lindsey, Navarette et Flippo, 1996). Selon Cullinan, Schloss et Epstein (1987), divers critères ont été sélectionnés pour permettre de reconnaître cet état dépressif: l'évidence d'un état récent de tristesse, des changements dans le comportement, une détérioration des relations sociales. À ces éléments s'ajoute, entre autres, la présence de deux ou plus de ces symptômes : les perturbations dans le sommeil et dans l'appétit, des expressions de dépréciation de soi, des menaces ou des comportements suicidaires, de l'irritabilité, des plaintes psychosomatiques, des comportements de vagabondage, etc. Wright-Strawderman et autres (1996) indiquent que les personnes dépressives manquent de motivation et d'intérêt, ont une mauvaise humeur persistante, une mauvaise estime d'elles-mêmes et des difficultés dans leurs relations interpersonnelles. Le tableau 6.7 présente les signes et les symptômes de la dépression chez les enfants et les adolescents.

Les facteurs de risque de la dépression sont les problèmes de santé mentale dans la famille, des pertes importantes (comme le deuil et le divorce), des changements importants ou des stress marqués dans la famille, un stress chronique dans la famille et des abus subis sur les plans physique, sexuel ou émotif.

Cullinan et autres (1987) soulignent les interactions possibles des comportements déviants en classe avec l'état dépressif : ces comportements servent-ils à masquer la dépression ou bien la dépression serait-elle une conséquence de ces comportements déviants ? Rappelons que ces actions inappropriées créent un rejet social et peuvent contribuer à susciter des sentiments de solitude, de manque de maîtrise de soi ou de désintérêt chronique. Voilà autant d'éléments auxquels les enseignants doivent être sensibilisés.

E. Le risque suicidaire

Rapportant une enquête du gouvernement du Québec en 2002, Gratton (2004) indique que des idées suicidaires sérieuses hantent 7 % des adolescents de 13 ans et plus et 10 % des jeunes de 16 ans. Bien que les filles fassent plus de tentatives de suicide, les garçons se suicident davantage que les filles. À partir des statistiques du Bureau du coroner du Québec, Marcotte et Pronovost (2006) rapportent qu'au Québec 68 adolescents entre 12 et 18 ans (22 filles et 46 garçons) se sont donné la mort par suicide en 2001.

Parent (2004) indique que les liens entre victimisation et violence et entre victimisation et suicide sont particulièrement importants. Les élèves rejetés socialement

Tableau 6.7

Signes et symptômes de la dépression chez les enfants et les adolescents

Humeur dépressive
- Semble triste la plupart du temps
- Se plaint de se sentir triste, mauvais ou fatigué
- Pleure facilement
- Est très anxieux
- A des changements d'humeur soudains

Retrait
- Est très calme
- Perd de l'intérêt pour les activités
- Reste dans sa chambre la plupart du temps

Faible concentration
- Oublie des choses
- A un faible rendement scolaire, de la difficulté à terminer des travaux routiniers ou ses devoirs et ses leçons
- Est enclin à avoir des accidents

Changements dans l'appétit
- Perd ou gagne du poids
- A un faible appétit
- Est affamé la plupart du temps
- Arrête de grandir

Augmentation ou diminution de l'énergie
- Semble vivre au ralenti ou en accéléré
- Se fatigue vite
- Se réveille la nuit ou très tôt le matin
- Se plaint de ne pas dormir
- Dort tout le temps
- Ne veut pas sortir du lit

Aspects suicidaires
- Parle de la mort
- N'a pas de projets d'avenir

Changements significatifs chez l'enfant et l'adolescent
- A des maux de tête ou des douleurs
- Agit de manière enfantine
- Utilise des drogues
- Multiplie les partenaires sexuels

Faible estime de soi
- Est incapable de tolérer les compliments
- Fait des commentaires négatifs sur lui-même
- Ne peut pas tolérer ses imperfections
- Achète des amis

Source : Adapté de Wright-Strawderman et autres (1996, p. 263). © 1996 Pro-Ed Inc. Reproduit avec permission.

peuvent adopter des comportements violents. Aux États-Unis, les médias ont rapporté plusieurs cas où des élèves en tuent d'autres avant de se suicider ; le film *Bowling for Columbine* de Michael Moore en est un témoignage tristement célèbre. Marcotte et Pronovost (2006) notent une corrélation significative entre la dépression, les tentatives de suicide et les troubles du comportement. En effet, les jeunes présentant des troubles du comportement ont entre 6 et 13 fois plus de chances de faire une tentative de suicide.

Plusieurs facteurs de risque ou de protection sont associés à la société, à la famille, à la communauté et à l'école. Le tableau 6.8 présente quelques-uns de ces facteurs. À cela peut s'ajouter la contagion médiatique qu'on observe à la suite du suicide de personnes admirées par les adolescents (Marcotte et Pronovost, 2006).

Tableau 6.8

Facteurs de risque et facteurs de protection associés au risque suicidaire	
Facteurs contribuants, qui augmentent la vulnérabilité	
• Manque d'habiletés sociales • Abus et consommation de substances (drogues, alcool) • Instabilité familiale et dans les relations amoureuses	• Manque de ressources dans l'entourage immédiat • Rejet de la part des autres élèves • Psychopathologie chez le jeune ou dans sa famille • Facteurs biologiques
Facteurs précipitants, qui entraînent la désorganisation	
• Expérience d'échec • Humiliation • Rupture amoureuse	
Facteurs de protection	
• Modèles sains • Ressources • Développement d'habiletés sociales • Relations de confiance avec des amis, la famille ou des intervenants	

Source : Inspiré de Labelle (2004) et de Marcotte et Pronovost (2006).

Selon Dorais (2004), les écoles doivent prendre conscience des éléments qui marginalisent certains élèves et les discriminent, les poussant ainsi au désespoir, dont l'aboutissement pour certains sera le suicide. La discrimination par l'orientation sexuelle, chez les adolescents, est courante et de surcroît taboue dans les écoles. L'orientation sexuelle différente de celle de la majorité fait souvent qu'un jeune est rejeté par ses pairs et devient victime d'ostracisme (Dorais, 2004). Parent (2004) indique que les enseignants peuvent jouer un rôle actif dans la promotion de la santé mentale et dans la prévention du suicide. De plus, il est important que les écoles aient un plan de prévention du suicide et d'intervention lorsqu'un suicide survient.

Il existe actuellement dans la littérature une pluralité d'approches pour prévenir le suicide. À la fois les enseignants, les professionnels et les directions d'école ont un rôle à jouer sur ce plan en s'associant aux partenaires de la communauté (Parent et Rhéaume, 2004).

RÉSUMÉ

La définition des problèmes de comportement est souvent ardue, car de nombreux éléments doivent être considérés : la nature et la persistance des problèmes rencontrés, les attentes et le seuil de tolérance des milieux intéressés, la qualité de l'évaluation et des modèles conceptuels sous-jacents à l'évaluation. Il faut examiner plusieurs facteurs au cours de l'étude des causes des problèmes de comportement : les caractéristiques de l'élève, le milieu familial, l'école, la classe et l'environnement social. Ces divers facteurs sont en interaction les uns avec les autres. Les élèves en difficulté d'adaptation et de comportement peuvent vivre diverses difficultés : l'agressivité, le trouble déficit de l'attention / hyperactivité, le retrait social, la dépression, etc. Plusieurs auteurs ont élaboré des classifications de ces problèmes. Lorsqu'on interprète la gravité de ces manifestations, on doit tenir compte des normes et des exigences des milieux dans lesquels elles se produisent.

QUESTIONS

1. Pourquoi est-il difficile d'établir les critères exacts servant à définir les difficultés d'ordre comportemental ?
2. Comment le ministère de l'Éducation, du Loisir et du Sport du Québec définit-il les élèves ayant des difficultés graves d'ordre comportemental ?
3. Dans le milieu scolaire, il y a plus de garçons que de filles qui sont identifiés (officiellement) comme ayant des difficultés de comportement. Comment expliquer ce phénomène ?
4. Comment les interactions se produisant dans l'environnement peuvent-elles déterminer l'apparition de problèmes de comportement ?
5. Quelles sont les causes possibles de l'apprentissage de comportements agressifs ?
6. Quelles sont les causes possibles du trouble déficit de l'attention / hyperactivité ?
7. Comment le DSM-IV-TR définit-il les troubles de la conduite et le trouble oppositionnel avec provocation ?
8. Décrivez quelques manifestations de la dépression chez les enfants et les adolescents.

RÉFÉRENCES SUGGÉRÉES

Sur la situation générale des élèves présentant des problèmes émotifs ou de comportement :

KAUFFMAN, J.M. (2006). *Characteristics of Emotional and Behavioral Disorders of Children and Youth* (8e éd.). Upper Saddle River, New Jersey : Pearson/Merrill/Prentice-Hall.

MASSÉ, L., DESBIENS, N. et LANARIS, C. (dir.) (2006). *Les troubles du comportement à l'école*. Montréal : Gaëtan Morin Éditeur.

RUTHERFORD, R.B., QUINN, M.M. et MATHUR, S.R. (dir.) (2004). *Handbook of Research in Emotional and Behavioral Disorders*. New York : The Guilford Press.

Sur la prévention du suicide :

PARENT, G. et RHÉAUME, D. (dir.) (2004). *La prévention du suicide à l'école*. Sainte-Foy, Québec : Presses de l'Université du Québec.

Sur les facteurs de risque des difficultés de comportement et les programmes d'intervention :

FORTIN, L. et BIGRAS, M. (1996). *Les facteurs de risque et les programmes de prévention auprès d'enfants en troubles du comportement*. Eastman, Québec : Éditions Behaviora.

VITARO, F., DOBKIN, P.L., GAGNON, C. et LE BLANC, M. (1994). *Les problèmes d'adaptation psychosociale chez l'enfant et l'adolescent : prévalence, déterminants et prévention*. Sainte-Foy, Québec : Presses de l'Université du Québec.

L'évaluation des difficultés d'adaptation et de comportement

Objectifs

Après avoir lu ce chapitre, le lecteur devrait pouvoir :

- décrire divers aspects qui, au regard de l'élève, des parents, de l'école, de la classe et de l'enseignant, peuvent faire l'objet d'une évaluation lorsqu'un élève présente des difficultés de comportement ;
- préciser l'utilité des échelles d'évaluation du comportement ;
- décrire différents outils susceptibles de faciliter l'observation de l'élève en classe ;
- définir un questionnaire sociométrique et en montrer l'utilité ;
- décrire comment l'évaluation peut faciliter l'élaboration d'un plan d'intervention.

INTRODUCTION

Dans une classe, il peut survenir des problèmes de comportement plus ou moins graves. Ainsi, à l'occasion, certains élèves sont « un peu plus agités » ou éprouvent des difficultés qui sont, somme toute, normales dans leur éducation. D'autres sont aux prises avec des problèmes beaucoup plus sérieux. Dans les situations peu complexes, l'enseignant observera simplement ce qui se passe, discutera avec l'élève et, sans doute, trouvera rapidement une solution. Dans d'autres cas, la situation peut être plus difficile et nécessiter une évaluation plus approfondie. En fonction des événements, l'évaluation peut donc épouser différentes formes et être effectuée plus ou moins en profondeur. Des évaluations sont conduites par l'enseignant, tandis que d'autres sont faites par des intervenants tels les psychologues, les psychoéducateurs ou les travailleurs sociaux.

Toutefois, avant de choisir les modalités d'évaluation, il importe que l'enseignant considère les aspects devant faire l'objet de cette évaluation et précise ses conceptions sur l'apparition des problèmes d'adaptation et de comportement. Dans un premier temps, lorsqu'un élève présente des problèmes graves de comportement, c'est sur ce dernier, d'abord, qu'est centrée l'attention de l'enseignant. Cependant, il ne faudrait pas négliger le cadre dans lequel se produisent ces réactions de même que les diverses influences subies par l'élève. Si l'élève réagit, c'est généralement qu'il existe une cause, un stimulus déclencheur. Le cadre scolaire et l'environnement doivent aussi être pris en considération dans cette évaluation.

L'évaluation des élèves en difficulté d'adaptation et de comportement a plusieurs fonctions. Elle vise dans un premier temps à identifier les élèves à risque dans le but de mettre en place des mesures de prévention. Selon Massé et Pronovost (2006), l'évaluation vise aussi à mieux comprendre la situation de l'élève et à l'aider avec des mesures adaptées à sa situation, mesures qui, au fur et à mesure de leur application, seront également jugées. Enfin, l'évaluation a des fins administratives ; par exemple, elle offre une vue d'ensemble des difficultés éprouvées par les élèves, ce qui permet d'affecter les ressources nécessaires. « Ainsi l'évaluation vise avant tout à mieux comprendre la situation de l'élève afin de lui offrir les mesures d'aide adaptées à ses besoins et de favoriser son adaptation psychosociale » (Massé et Pronovost, 2006, p. 104).

7.1 Une évaluation graduée

L'évaluation des élèves en difficulté de comportement se déroule habituellement par étapes. Si l'élève n'a pas été identifié préalablement, c'est en général l'enseignant qui observe chez l'élève des difficultés en classe. Dès cette étape, il peut noter différents renseignements qui seront utiles par la suite. Kauffman (2006) souligne la nécessité de consigner par écrit divers renseignements. Il suggère à l'enseignant de noter :

- ce qui préoccupe l'enseignant ;
- pourquoi il est préoccupé par ce problème ;
- les dates, les lieux et les activités où il a observé le problème ;
- des précisions sur ce qu'il a fait pour essayer de résoudre le problème ;
- qui, si tel est le cas, a aidé l'enseignant à mettre en place les solutions ou les stratégies utilisées ;
- les indices qui indiquent que les stratégies ont été efficaces ou non (p. 109 ; traduit par l'auteure).

Par la suite, si l'enseignant n'arrive pas à régler le problème avec l'élève, il communique habituellement avec les parents. Selon les cas, il y aura une ou plusieurs rencontres pendant lesquelles les parents et l'enseignant chercheront des solutions et veilleront à assurer leur suivi. Lorsque le problème persiste, l'enseignant peut référer l'élève à la direction de son école, qui verra à organiser une étude de cas où seront, au besoin, convoqués d'autres intervenants (le psychoéducateur, par exemple). Si une évaluation plus approfondie doit être effectuée par ces intervenants, elle nécessitera les autorisations nécessaires (le consentement) des parents et, le cas échéant, de l'élève. Elle aura pour but de trouver des mesures pour aider l'élève. Ces mesures pourront être consignées dans le plan d'intervention individualisé. La figure 7.1 présente les différentes étapes de l'évaluation graduée.

Figure 7.1

Étapes d'une évaluation graduée

L'enseignant observe des difficultés de comportement, fait des interventions et essaie de comprendre la situation en rencontrant l'élève

Observations du comportement en classe : événements qui précèdent et suivent les problèmes, contexte d'apparition, importance du problème (durée, fréquence)

Étude des moyens utilisés : détermination des moyens efficaces et inefficaces, consignation des interventions réalisées

Observation des conditions présentes dans l'environnement

Rencontres avec l'élève pour préciser ses forces, ses difficultés, connaître sa perception du problème et trouver des solutions

Si le problème persiste

L'enseignant communique avec les parents et essaie de trouver des solutions avec eux et l'élève. Il explore avec les parents et l'élève les forces de l'élève, leur perception du problème, leurs suggestions, l'établissement de moyens de communication, les ressources disponibles

Si le problème persiste

Référence à la direction de l'école, recherche de solutions et étude de cas, éventuellement, avec d'autres intervenants (au besoin)

Étude de la situation, évaluation par des spécialistes (psychoéducateur, psychologue, etc.) au besoin. Ces spécialistes pourront faire :

— une évaluation basée sur l'observation et complétée par des entrevues avec l'élève, ses parents et l'enseignant

— une évaluation normative, au besoin avec des tests, des échelles de comportements et des questionnaires

— une analyse du rendement scolaire et des variables qui y sont associées (par exemple, la motivation et l'assiduité)

Élaboration d'un plan d'intervention

Application du plan d'intervention et réévaluation périodique

De multiples sources d'information peuvent être utilisées dans l'évaluation des élèves : l'observation, les échelles d'évaluation du comportement, l'évaluation du contexte dans lequel se produit le problème, etc. Dans un premier temps, nous verrons deux conceptions de l'évaluation du comportement, soit l'évaluation normative et l'évaluation fonctionnelle. Puis, nous verrons divers outils d'évaluation : l'observation, les entrevues, l'évaluation du rendement scolaire et l'évaluation du statut social.

7.2 L'évaluation du comportement

L'évaluation du comportement est souvent regroupée en deux catégories, à savoir l'évaluation normative et l'évaluation fonctionnelle (Massé et Pronovost, 2006 ; Tremblay et Royer, 1992). Nous verrons sommairement ces deux catégories, avant de décrire différents outils pouvant appartenir à l'une ou l'autre d'entre elles.

7.2.1 L'évaluation normative

Dans la méthode de l'évaluation normative, l'élève est comparé avec un groupe du même âge, parfois du même sexe et de la même communauté. Dans cette catégorie, on trouve des outils d'évaluation tels que les tests d'intelligence et de la personnalité et des échelles normalisées d'évaluation du comportement. Ces instruments ont fait l'objet d'une standardisation et les résultats de l'élève sont soumis à une comparaison avec un groupe de référence. La méthode normative permet de juger de l'importance relative d'un problème en fournissant des normes de comparaison. L'utilisation de plusieurs de ces tests est généralement faite sous la responsabilité d'un professionnel ayant une formation appropriée en psychométrie (par exemple, un psychologue ou un conseiller d'orientation).

En ce qui a trait au comportement et à diverses dimensions de la personnalité, il existe sur le marché des centaines de questionnaires et d'échelles permettant d'évaluer les comportements ou divers aspects émotifs (l'anxiété, la dépression, etc.). Parmi les outils utilisés couramment au Québec, mentionnons les échelles d'évaluation de Connors, les inventaires de Beck, le système d'évaluation d'Achenbach (ASEBA), le Dominique[1] version papier ou interactif, et le profil socioaffectif (PSA).

Le professionnel qui utilise ces échelles doit d'abord s'assurer de la qualité de l'instrument de mesure choisi en jugeant de sa fidélité et de sa validité. La fidélité réside dans le degré de cohérence avec lequel un test mesure ce qu'il est censé mesurer (Kauffman, 2006). La fidélité peut être évaluée, entre autres, en test-retest. Pour obtenir la fidélité en test-retest, on fait passer ce test au même groupe à deux reprises. On obtient alors un coefficient de stabilité indiquant le degré de fidélité dans le temps (Sattler, 2001). Quant à la validité, il s'agit du degré auquel le test mesure ce qu'il est censé mesurer chez un groupe donné de personnes. Il y a plusieurs types de validité :

- la validité de construit, qui « renvoie à la capacité du test de mesurer un construit psychologique (c'est-à-dire une entité inférée) ou un trait » (Sattler, 2001, p. 115 ; traduit par l'auteure) ;

1. Le Dominique ne compare pas l'élève avec des groupes d'âge, mais il évalue la présence de symptômes tels que définis par le DSM.

- la validité concomitante, soit le degré de concordance des résultats du test avec un autre test qui est censé mesurer la même chose et qu'on fait passer à la même période;
- la validité prédictive, qui « fait référence à la corrélation entre les résultats d'un test et la performance future sur un critère pertinent » (Sattler, 2001, p. 115; traduit par l'auteure);
- la validité de contenu, c'est-à-dire le degré auquel le test ou le questionnaire évalue ce qu'il est censé évaluer (Kauffman, 2006).

A. Les avantages et les inconvénients des échelles et des questionnaires normalisés

Les échelles d'évaluation du comportement sont en général complétées par le parent, par l'enseignant, par le professionnel ou par l'élève lui-même. Elliott et Busse (2004) indiquent que ces échelles sont des outils intéressants pour résumer les observations des autres (les enseignants, par exemple) ou de l'élève lui-même sur son comportement. Ces échelles quantifient en quelque sorte le jugement des parents et des enseignants.

Les échelles d'évaluation du comportement présentent plusieurs autres avantages. D'abord, elles sont économiques, car elles permettent de recueillir rapidement de nombreuses données sur un élève. Elles sont généralement faciles à remplir. Elles permettent aussi de comparer les perceptions de plusieurs évaluateurs (par exemple, l'enseignant et le psychoéducateur) à propos du même élève. Grâce aux échelles disposant de normes, on peut aussi comparer un élève avec un groupe de référence constitué d'élèves du même âge et du même sexe. Ces échelles, associées à d'autres formes d'évaluation telles que les entrevues et les relevés d'observations, peuvent suggérer des cibles dans le plan d'intervention. De plus, elles aident à suivre l'évolution d'un élève durant une longue période étant donné qu'on peut les réutiliser à intervalles réguliers. Enfin, les échelles peuvent contribuer à la recherche en permettant de recueillir des données sur des groupes d'élèves (Dubé, 1992; Tremblay et Royer, 1992).

Cependant, les échelles présentent aussi les inconvénients liés à l'évaluation normative. Il est difficile avec elles de cerner les caractéristiques de l'environnement qui influent sur le comportement de l'élève. En comparant l'élève avec un groupe de référence, elles posent en quelque sorte un jugement risquant de catégoriser cet élève. Par ailleurs, ces échelles doivent être utilisées avec prudence par un personnel qualifié en psychométrie et en même temps que plusieurs autres formes d'évaluation: l'observation, les entrevues, etc. (Tremblay et Royer, 1992). De plus, certains instruments ne disposent pas de normes établies spécifiquement pour la population québécoise. En outre, la méthode normative néglige certaines variables importantes, notamment le soutien social dont bénéficie l'élève et l'influence de l'environnement sur son comportement. Par conséquent, il est souvent nécessaire de recourir à une autre forme d'évaluation, soit l'évaluation fonctionnelle.

7.2.2 L'évaluation fonctionnelle

La méthode de l'évaluation fonctionnelle est continue et n'a pas pour fonction première de catégoriser l'élève. Elle est continue en ce sens qu'elle suit un processus qui commence avec la collecte des données, se poursuit avec la planification de l'intervention et l'intervention elle-même, et se termine par l'évaluation et la révision de

Exemple d'échelle : l'échelle d'évaluation des dimensions du comportement (EDC)

L'échelle d'évaluation des dimensions du comportement (EDC) a été élaborée, en anglais, par Bullock et Wilson en 1989. À la suite d'une évaluation faite par Marie Poirier, professeure en psychométrie à l'Université Laval, cette échelle a été choisie parmi une trentaine d'instruments américains pour faire l'objet d'une traduction et d'une mise à l'épreuve. Poirier, Tremblay et Freeston (1992) ainsi que Parent, Poirier, Freeston et Tremblay (1994) ont traduit cet instrument et l'ont mis à l'essai auprès d'enseignants d'élèves du primaire et du secondaire de la commission scolaire de La Jeune-Lorette. Cette grille peut servir d'outil de dépistage des problèmes de comportement, mais on doit l'utiliser avec d'autres instruments pour établir un diagnostic.

La version « enseignant » de l'EDC inclut 43 items sous la forme d'une description bipolaire du comportement : « [...] un pôle décrit un comportement désirable ou adapté et l'autre, une difficulté comportementale » (Tremblay, 1992, p. 47). L'évaluateur pose son jugement sur une échelle en sept points. Cet évaluateur doit connaître suffisamment l'élève et avoir pu l'observer de manière valable pendant une période d'au moins deux semaines. Conséquemment, l'échelle est souvent remplie par l'enseignant.

L'échelle donne un score global et des résultats pour quatre échelles : (1) agressif, perturbateur ; (2) irresponsable, inattentif ; (3) renfermé ; (4) craintif, anxieux. Les tables convertissent les résultats en scores T (moyenne : 50 ; écart type : 10). L'échelle fournit un profil et permet de suivre l'évolution de l'élève.

Cette échelle est facile à remplir par le participant. Cependant, les personnes responsables de l'adaptation québécoise apportent une mise en garde importante : si les enseignants peuvent remplir le questionnaire pour leurs élèves, seules les personnes qui possèdent une formation suffisante en psychométrie peuvent en interpréter les résultats (Tremblay, 1994). Il existe aussi une version pour les parents.

cette intervention (Tremblay et Royer, 1992). Une analyse comportementale fonctionnelle est désormais obligatoire aux États-Unis en vertu de l'*Individuals with Disabilities Education Improvement Act* (Gouvernement des États-Unis, 2004) lorsque le comportement d'un élève interfère avec son éducation ou encore avec celle des autres élèves.

Selon Tremblay et Royer (1992), la méthode fonctionnelle évalue « les relations entre le comportement de l'élève et le contexte où il se manifeste » (p. 40). On qualifie cette méthode de fonctionnelle parce qu'elle :

> [...] cherche à découvrir les variables qui sont susceptibles d'être modifiées et qui servent directement aux prises de décisions éducatives. L'évaluation fonctionnelle ne se contente pas de trouver les facteurs qui influent sur le comportement quotidien de l'élève, mais elle recherche surtout les facteurs qui sont directement sous l'emprise de l'enseignant et de ses partenaires immédiats (p. 40).

La méthode fonctionnelle utilise des techniques telles que l'observation systématique, des questionnaires sur le comportement, des entrevues auprès de l'élève, de ses parents et des enseignants de même que des enquêtes écologiques. Tremblay et Royer (1992) définissent ainsi ce dernier moyen :

> L'enquête écologique, quant à elle, se présente habituellement sous forme de questionnaire où le répondant est appelé à reconnaître les situations dans lesquelles se manifestent les comportements ciblés. Elle peut prendre l'allure d'une enquête qui porte sur le milieu et l'entourage du jeune : équipement, matériel, éclairage, ambiance, etc. (p. 43).

Demchak et Bossert (1996) proposent d'adopter les étapes suivantes dans une évaluation des problèmes de type fonctionnel : (1) déterminer les problèmes de comportement,

(2) ordonner les problèmes selon les priorités, (3) définir les comportements de manière opérationnelle, (4) formuler des hypothèses, (5) établir des liens entre les résultats de l'évaluation et les interventions (voir le tableau 7.1). Nous examinerons chacune de ces étapes.

Tableau 7.1

Étapes de l'évaluation fonctionnelle des problèmes de comportement
Première étape : déterminer les problèmes de comportement
• Problèmes • Fréquence des problèmes • Importance des problèmes • Activités et lieux
Deuxième étape : ordonner les problèmes selon les priorités
Troisième étape : définir les comportements de manière opérationnelle
Quatrième étape : formuler des hypothèses
1. Procéder à des entrevues structurées avec les personnes signifiantes. 2. Faire des observations structurées. Types d'observations • Durée • Fréquence • Autres : par exemple, une grille par intervalles (voir la figure 7.2, p. 157) 3. Faire une analyse systématique et fonctionnelle du problème de comportement.
Cinquième étape : établir des liens entre les résultats de l'évaluation et les interventions
1. Choisir des comportements de remplacement. 2. Agir sur les antécédents. 3. Agir sur les conséquences.

Source : Adapté de Demchak et Bossert (1996, p. 5). Reproduit avec la permission de l'American Association on Mental Retardation.

A. Déterminer les problèmes de comportement

Au cours de la première étape, les personnes signifiantes (comme l'enseignant et les parents) déterminent les problèmes, le nombre de fois qu'ils se produisent, leur importance et leurs circonstances. Pendant cette étape, il est possible que les comportements soient définis de manière générale ; il faudra alors, à la troisième étape, les définir de manière plus précise en utilisant une formulation basée sur des données observables et mesurables.

B. Ordonner les problèmes selon les priorités

À la deuxième étape, on classifie les problèmes en fonction des priorités. Ainsi, certains comportements peuvent nécessiter une intervention urgente. Selon Demchak et Bossert (1996), il faut alors s'interroger sur les conséquences de ces comportements pour l'élève lui-même (bien-être, sécurité, apprentissage, acceptation sociale) et pour les autres élèves. Il faut aussi considérer l'effet de ces comportements sur l'environnement physique (par exemple, la destruction des biens). En classifiant ainsi les problèmes de comportement, on tient également compte des comportements les plus susceptibles de s'aggraver.

C. Définir les comportements de manière opérationnelle

À la troisième étape, il faut définir les comportements de manière opérationnelle. Au lieu de dire « Pierre dérange les autres », on précisera exactement ce qu'il fait : parle-t-il alors que ce n'est pas permis ? Prend-il des objets sur le bureau des autres élèves ? Jette-t-il des objets par terre ?

D. Formuler des hypothèses

La quatrième étape consiste à formuler des hypothèses. Pour enrichir ces hypothèses, on recueillera des données au moyen d'entrevues et d'observations structurées, et l'on fera une analyse systématique des facteurs qui entourent l'apparition des comportements. Pour faciliter cette étape, Demchak et Bossert (1996) proposent d'utiliser différentes questions de manière à mieux évaluer le problème. Voici quelques exemples de questions suggérées par ces auteurs :

1) Pour chaque problème de comportement, dans quelles activités le problème se produit-il ?
2) Pour chaque comportement, que se produit-il ? (Réactions de l'enseignant, des autres élèves, des parents.)
3) Y a-t-il des événements particuliers qui précèdent les problèmes ? (Comme l'annonce d'une activité particulière.)
4) Y a-t-il des choses que vous ne faites plus parce que l'élève crée ce problème ?
5) Est-ce que vous suggérez fréquemment des activités particulières parce que vous savez qu'alors l'élève ne manifestera pas le problème de comportement dans cette activité ou cet environnement ? Décrivez ces activités ou cet environnement.
6) Est-ce que l'élève utilise son problème de comportement pour communiquer avec les autres ?
7) Y a-t-il des liens entre le problème de comportement et des conditions physiques ou médicales ?
8) Est-ce qu'il y a des changements dans l'humeur de l'élève avant ou après l'apparition de son problème de comportement ?
9) Certains facteurs de l'environnement semblent-ils modifier le comportement ? (Comme le nombre de personnes dans la pièce, le bruit, l'éclairage, la température.)
10) Y a-t-il des facteurs qui influent sur le comportement de l'élève ? (Comme son sommeil ou un changement d'habitudes.) (p. 7 ; traduit par l'auteure. Reproduit avec la permission de l'American Association on Mental Retardation).

E. Établir des liens entre les résultats de l'évaluation et les interventions

Toujours selon Demchak et Bossert (1996), au cours de la cinquième étape, les intervenants établiront des liens entre l'évaluation et les interventions nécessaires en choisissant de nouveaux comportements que l'élève pourra adopter et en agissant, en cas de besoin, sur les antécédents et les conséquences des comportements. Nous reviendrons à la fin de ce chapitre sur la nécessité de rédiger, dans ce contexte, un plan d'intervention.

7.3 Des outils pour évaluer la situation de l'élève

Les méthodes d'évaluation normative et d'évaluation fonctionnelle cernent donc les comportements de multiples façons. Dans le cadre de ce chapitre, nous examinerons donc différentes manières d'évaluer les problèmes de comportement. Ainsi, nous aborderons l'observation des comportements, les entrevues, les mesures sociométriques et l'évaluation de l'environnement dans lequel se produisent les problèmes de comportement.

7.3.1 L'observation des comportements

Une des premières fonctions de l'observation est de permettre à l'enseignant d'objectiver ses perceptions. Cette objectivation le force à distinguer ce qui est de l'ordre d'un comportement de ce qui est de l'ordre d'un jugement. Nous analyserons d'abord la nécessité de cette objectivation, puis nous présenterons les caractéristiques du comportement sur lequel se fonde l'observation.

A. L'objectivation des perceptions

En classe, lorsqu'un élève présente des comportements dérangeants, l'une des premières étapes que l'enseignant doit franchir consiste à observer ce qui se passe et à objectiver ses perceptions. Sans cette étape, il lui sera difficile de discuter avec l'élève, ses parents ou un autre intervenant de la situation réelle, de donner une rétroaction appropriée et de trouver des moyens d'intervention efficaces.

Trop souvent, les premières réflexions sont teintées de jugements : « Cet élève est agressif » ; « Bon, il n'a encore rien compris ! » ; « Ah, il a sûrement des problèmes chez lui pour réagir comme ça ! ». Les jugements et les interprétations l'emportent alors sur une description factuelle. Or, cela risque d'entraîner diverses conséquences. Par exemple, si l'enseignant décide de communiquer avec les parents et que son message est basé uniquement sur des jugements, les parents pourront imaginer des événements différents des faits réels. « Pierre dérange tout le temps. » Mais que fait donc Pierre ? Bavarde-t-il avec ses compagnons ? Refuse-t-il de remettre ou de terminer ses exercices ? A-t-il oublié son matériel ? Combien de fois ces comportements se produisent-ils ?

De telles réactions sont spontanées, mais elles risquent d'entretenir chez l'élève un sentiment de rejet : « Je dérange tout le temps, je suis agressif, je ne suis pas bon ! » L'élève voit alors toute sa personne mise en cause. Les parents, quant à eux, peuvent se sentir fort coupables. De plus, ces réactions fournissent très peu d'information et, par conséquent, ne permettent pas d'améliorer vraiment la situation. Au cours de l'évaluation spontanée, la première étape consiste donc à dissocier le jugement du fait réel ou du comportement. Le tableau 7.2, à la page suivante, présente quelques exemples.

L'observation permet de décrire en termes objectifs la situation qui vient de se produire. On utilise alors des descriptions comportementales. En effet, ces comportements ont des caractéristiques qui peuvent se révéler importantes, notamment la durée et la fréquence. Ainsi, un élève qui arrive en retard plusieurs fois par semaine exigera une intervention différente de celui qui le fait exceptionnellement, une fois par année.

B. Les caractéristiques significatives des comportements

Les comportements présentent donc diverses caractéristiques : la fréquence, la durée, l'adéquation, le temps de latence, l'intensité et la topographie (Epps, 1983). Lorsque l'observateur choisit un instrument, non seulement il le définit de manière

Tableau 7.2

Jugements et comportements	
Jugement	**Comportements**
Tu es agressif !	– Tu t'es battu dans la cour de récréation. – Tu as déchiré les pages de ton cahier. – Tu as enlevé le ballon à Pierre.
Tu n'as rien compris !	– Tu es arrivé à 9 heures ce matin, une demi-heure en retard. – Tu n'as pas conjugué tes verbes à la bonne personne. – Les chiffres de ton addition sont mal placés.
Que tu es devenu bon !	– Tu gardes ton cahier propre. – Tu as réussi ta dictée.

précise, observable et mesurable, mais encore il choisit sur quelle caractéristique il basera son relevé. S'il note la fréquence, il indiquera combien de fois le comportement se produit dans une unité de temps définie : « Marie a terminé 6 problèmes en 15 minutes. » S'il relève la durée, il comptabilisera le temps de la manifestation d'un comportement, là aussi en fonction d'une unité de temps définie : « Cette semaine, Éric a joué pendant huit heures à des jeux vidéo. » L'adéquation porte sur le respect de certains critères au cours d'une réponse : « Lorsque Jacques demande de l'aide, c'est toujours au mauvais moment. » Le temps de latence correspond à la durée qui s'écoule entre le stimulus qui doit déclencher la réponse et l'émission de cette dernière : « Après qu'on lui a demandé d'aller se coucher, Jeanne s'attarde pendant deux heures. » L'intensité concerne la force de la réponse : en classe, on parle plus ou moins fort. Quant à la topographie, elle est centrée sur la forme de la réponse : par exemple, le type de mouvements dans la pratique d'un sport. Le tableau 7.3 résume ces caractéristiques.

C. Les méthodes d'observation et d'enregistrement des comportements

Les comportements et les observations peuvent donc être consignés de différentes façons, plus ou moins rigoureuses, systématiques et exigeantes. Certaines, relativement simples, peuvent être utilisées par l'intervenant dans le feu de l'action ; d'autres, plus complexes, sont destinées à un observateur se consacrant entièrement à cet enregistrement. Nous décrirons sommairement quelques outils. Le lecteur qui désirerait les approfondir pourra consulter la référence suggérée à ce sujet à la fin du chapitre.

Les rapports narratifs

Les rapports narratifs constituent un excellent outil pour commencer une observation, car ils sont l'occasion de repérer les comportements saillants, leurs antécédents et leurs conséquences (Barton et Ascione, 1984). Dans ces textes, les événements sont décrits de manière plus ou moins formelle, à mesure qu'ils se déroulent.

Dans ces rapports, il importe d'être le plus objectif possible, de présenter les faits importants et de ne pas restreindre les descriptions aux comportements qui posent problème. En effet, l'intervenant fera référence aux forces et aux faiblesses de l'élève

Tableau 7.3

Caractéristiques des comportements

Caractéristique	Définition
Fréquence	Cette caractéristique renvoie au nombre de fois que se produit une réponse dans un laps de temps donné. Par exemple, l'élève se lève inutilement en classe quatre, cinq ou six fois au cours de la même période.
Durée	La durée renvoie au temps pris pour exécuter une réponse. Ainsi, Sylvain peut regarder la télévision deux heures chaque soir.
Adéquation	Pour être correctes, certaines réponses doivent non seulement être émises, mais aussi respecter certains critères. Ainsi, les élèves doivent résoudre des problèmes de mathématique ; en outre, ils ne doivent pas commettre d'erreurs de calcul. De même, les verbes doivent être accordés avec leurs sujets.
Temps de latence	Le temps de latence renvoie au temps qui s'écoule entre un stimulus et la réponse qu'il doit déclencher. Ainsi, si je dis à Lorraine de ranger ses jouets et qu'elle le fait au bout d'une demi-heure, le temps de latence sera d'une demi-heure.
Intensité	Les comportements peuvent avoir une certaine intensité. On peut parler plus ou moins fort en classe ; certains mouvements peuvent être exécutés avec plus ou moins de vigueur. Ainsi, un élève peut peser plus ou moins fort sur son crayon. S'il pèse très fort, le trait sera très noir et pourra même passer au travers de sa feuille ; s'il n'y met pas assez de force, le trait risquera d'être trop pâle pour être lisible. L'intensité peut aussi être un élément important dans l'exécution de plusieurs mouvements physiques.
Topographie	Les comportements manifestés peuvent respecter certaines formes. Ainsi, si l'élève écrit un « a », cette lettre devra avoir une certaine forme pour être reconnaissable. S'il exécute des mouvements en éducation physique, ceux-ci devront respecter une certaine forme.

Extrait d'un rapport narratif

Ce matin, Jacques est arrivé à 8 h 40. Il avait oublié son livre de lecture et son coffret de crayons. Il a demandé à Rémi de lui prêter un crayon. Rémi a refusé, mais Jacques le lui a emprunté quand même. Les deux élèves se sont alors verbalement attaqués, et le ton de leurs voix était élevé. J'ai dû intervenir en demandant à Jacques de retourner à sa place. J'ai fourni le matériel qui lui manquait en lui indiquant que demain il devrait apporter toutes ses choses.

Le reste de l'avant-midi s'est déroulé comme d'habitude. Jacques a terminé chacun des exercices. Il a présenté oralement sa recherche sur les castors. Les autres élèves lui ont posé plusieurs questions auxquelles il a fourni des réponses exactes.

dans ses discussions avec lui et ses parents. Il élaborera l'intervention en tenant compte des acquis de l'élève. Par conséquent, les comportements appropriés figurent aussi dans le relevé. À la suite des rapports narratifs, l'organisation des données issues de l'observation permet d'établir des relations entre les événements.

L'organisation des observations en séquences pour analyser les relations entre les comportements, leurs antécédents et leurs conséquences

Lorsqu'un comportement (C) se produit, il a généralement été précédé d'un antécédent (A) et il sera suivi d'une conséquence (C). Il est souvent utile d'enregistrer cette séquence (A-C-C) afin de vérifier s'il existe des relations entre ces divers faits. À cette séquence peut s'ajouter le contexte (la classe, la cafétéria, la maison) dans lequel la réaction se produit. Le tableau 7.4, à la page suivante, illustre une telle séquence.

Tableau 7.4

Séquence comportementale		
Antécédent (A)	**Comportement (C)**	**Conséquence (C)**
Les parents de Lyne lui disent d'aller se coucher.	Lyne refuse et se met à pleurer.	Ses parents lui accordent un délai d'une heure.

Malheureusement, les relations entre les faits ne sont pas toujours évidentes. En effet, les antécédents peuvent être multiples, les comportements variés, et les conséquences peuvent entraîner des changements simples ou complexes dans l'environnement. Dans cette analyse, il faut pouvoir noter plusieurs éléments. Le tableau 7.5 présente plusieurs suggestions d'observations sur les antécédents (A), le comportement (C) et ses conséquences (C).

Tableau 7.5

Observations sur les antécédents, le comportement et ses conséquences		
Antécédents (A)	**Comportement (C)**	**Conséquences (C)**
Lieux où le comportement se produit (en classe, dans la cour de récréation, dans l'autobus scolaire, etc.) Moments de la journée Personnes en présence (pairs, adultes) Activités en cours Si l'activité est en classe, type d'activité et degré de difficulté pour l'élève Événements particuliers dans les derniers jours (par exemple, à la maison) Source : Inspiré de Sattler (2002)	Quand le comportement commence-t-il ? Quand se termine-t-il ? Intensité, fréquence, rythme (comportement qui apparaît graduellement ou qui devient de plus en plus intense) (voir le tableau 7.3, p. 155, sur les caractéristiques des comportements) Quand le comportement s'est-il manifesté la première fois ? la dernière fois ? Y a-t-il des événements qui semblent provoquer ce comportement ? Caractéristiques de l'élève susceptibles d'aggraver le problème (consommation de drogues, manque de sommeil, médication, etc.)	Réactions des pairs, de l'enseignant, le cas échéant de la direction ou des autres intervenants Temps de réaction des intervenants Le comportement permet-il d'éviter une situation difficile (par exemple, une matière scolaire dans laquelle l'élève est en situation d'échec) ? Quelles semblent être les fonctions du comportement (par exemple, se valoriser aux yeux des autres) ? Interventions qui semblent efficaces, inutiles ou qui, au contraire, exacerbent le problème

Les grilles d'observation par durée et fréquence

La fréquence et la durée sont des caractéristiques qu'on utilise très souvent pour relever les comportements dans le milieu scolaire. Ceux-ci peuvent être notés dans des grilles d'observation spécifiques. En effet, ces grilles très simples peuvent servir non seulement aux enseignants, mais aussi aux parents. Le tableau 7.6 présente un exemple de relevé simple d'un comportement selon la durée et la fréquence.

Tableau 7.6

Exemple de relevé selon la durée et la fréquence

Jour	Durée du retard le matin	Fréquence du comportement : sortir de la classe sans permission
Lundi	10 minutes	5 fois
Mardi	5 minutes	6 fois
Mercredi	–	2 fois
Jeudi	18 minutes	–
Vendredi	5 minutes	2 fois

Les grilles par intervalles

Outre ces grilles très simples, il en existe d'autres, telles les grilles par intervalles, qui sont destinées à un observateur se consacrant entièrement à cette tâche (voir la figure 7.2). Chaque ligne de cette grille correspond à un « intervalle » d'observation, c'est-à-dire à une période d'observation suivie d'une période d'enregistrement des données. Ces intervalles sont généralement déterminés en secondes (15 secondes d'observation suivies de 15 secondes de notation). Ils sont toujours les mêmes tout au long de la grille.

Figure 7.2

Exemple de grille par intervalles

Nom de l'élève : ____________________ **Classe :** __________ **École :** __________

Date de l'observation : ____________________ **Lieu de l'observation :** ____________________

Heure : de __________ **à** __________ **Activité en cours au moment de l'observation :** ____________________

Enseignant : ____________________

Nombre d'élèves en présence : ____________________

Comportements de l'élève	Comportements d'attention de l'enseignant	Attention des pairs
1. Déplacement	Attention verbale	X
2. Fait des bruits inutiles	Attention verbale	
3. Fait des bruits inutiles		X
4. Fait des bruits inutiles	Attention verbale	
5. Fait l'exercice demandé		
6. Fait l'exercice demandé		
7. Fait l'exercice demandé		
8. Fait l'exercice demandé		
9. Fait l'exercice demandé		
10. Fait l'exercice demandé		
…		
30. Fait l'exercice demandé		

Source : Inspirée d'Otis, Forest-Lindemann et Forget (1974).

L'observation par intervalles dure 60 minutes ou moins (Barton et Ascione, 1984). Une grille utilisant 30 intervalles de 15 secondes d'observation et de 15 secondes de notation dure 15 minutes. Il va sans dire que, pour obtenir des données représentatives, il faut prendre plusieurs relevés. On effectue habituellement ces relevés à l'aide de codes pour faciliter l'enregistrement. Par exemple, l'« absence de réaction » ou « aucune réaction » pourrait être symbolisée par le code A. Plusieurs auteurs (Forget et Otis, 1984 ; Forget, Otis et Leduc, 1988) présentent aussi des listes détaillées destinées à faciliter la notation des comportements des élèves, les réactions des enseignants et des pairs. Ces listes incluent la description de comportements tels que les déplacements, les activités motrices, l'émission de bruit et le bavardage.

La compilation et l'analyse de plusieurs relevés par intervalles permettent de noter les comportements présentés par l'élève et de les mettre en relation avec ceux des pairs et de l'enseignant. La complexité d'un tel instrument exige le recours à un observateur formé adéquatement et centré uniquement sur cette tâche.

À la suite de ses propres observations ou de celles d'un autre intervenant, l'enseignant dispose d'une description objective des faits. S'il y a eu plusieurs relevés, on peut placer les données sur un graphique illustrant les comportements observés. Cette représentation permettra alors de suivre la progression de l'élève (voir la figure 8.2, page 185).

7.3.2 Les entrevues

A. La rencontre avec l'élève

Comme pour ce qui est des élèves en difficulté d'apprentissage, il est souvent nécessaire de rencontrer l'élève en difficulté de comportement et ses parents. Les principes présentés dans le chapitre 4 pourront alors s'appliquer. Toutefois, lorsqu'il est question de ces élèves, la situation peut s'avérer plus délicate, car très souvent les problèmes de comportement ont déclenché toute une série de réponses émotives chez l'intervenant. Il faut néanmoins éviter de rencontrer l'élève sous le coup de la colère :

> Une situation de crise n'est pas le meilleur temps pour entreprendre avec l'élève une réflexion approfondie sur sa situation à l'école et sur les moyens pour l'améliorer. Il vaut mieux pour cela choisir un moment caractérisé par une certaine harmonie dans les rapports entre les personnes. Par exemple une journée où l'élève a réalisé certaines acquisitions, certains progrès, où il a manifesté des comportements correspondant davantage à ce qu'on attend de lui, en somme une situation qui favorise l'instauration d'un climat positif (MEQ, 1982b, p. 5).

Pour préparer la rencontre avec l'élève, l'enseignant doit recueillir de manière objective des faits détaillés au sujet desquels il entretiendra l'élève. Dans un guide sur l'entrevue avec l'élève, le ministère de l'Éducation du Québec (1982b) suggère aux enseignants, en préparation à la rencontre, de dresser une liste d'observations regroupant autant de points forts que de points faibles.

Les situations sont abordées concrètement. Ainsi, au lieu de dire à l'élève qu'il est agressif, il est préférable de lui dire : « Tu t'es battu deux fois hier dans la cour de récréation. » Il est important que l'élève sente qu'il n'est pas rejeté comme personne, mais que certains de ses comportements sont jugés inadéquats.

Cette rencontre avec l'élève devrait permettre d'atteindre les buts suivants:

- connaître sa perception de la situation de l'école;
- savoir s'il désire y apporter des changements;
- connaître les éléments, les personnes ou les moyens qu'il croit susceptibles d'aider à améliorer sa situation;
- le renseigner sur la perception que les personnes qui l'entourent ont de la situation;
- lui faire part du désir des adultes d'agir pour rendre cette situation plus satisfaisante pour tous (l'élève, ses parents, ses éducateurs);
- lui faire connaître l'intention que l'on a de demander la participation de ses parents et d'autres éducateurs afin de trouver les meilleurs moyens pour l'aider (MEQ, 1982b, p. 5).

B. La rencontre avec les parents

Des avantages pour tous?

Lorsqu'un élève présente des problèmes d'adaptation et de comportement, la collaboration des parents offre de nombreux avantages à la fois pour l'élève, les parents et l'enseignant. Shea et Bauer (1985) soulignent les bénéfices d'une telle collaboration. Celle-ci permet d'établir une concertation entre parents et enseignant, ce qui favorise la généralisation des acquisitions, la valorisation aux yeux de l'élève de la communication entre l'école et sa famille, etc. Pour les parents, cette collaboration permet d'obtenir de l'information, de connaître les forces et les faiblesses de leur enfant, et de recevoir de l'aide.

Au cours de cette rencontre, il est possible d'explorer avec les parents:

- leur perception du comportement de l'élève;
- leur perception de leur relation avec l'école dans ce contexte;
- des événements qui, selon eux, peuvent expliquer le comportement de leur enfant;
- leurs suggestions quant à une intervention.

Massé et Pronovost (2006) décrivent ainsi les buts de l'entrevue de l'enseignant avec les parents:

> Celle-ci a pour but de trouver des solutions pour favoriser l'adaptation de l'élève. Lors de cette rencontre, l'enseignant peut choisir parmi les interventions suivantes: parler des points positifs de l'enfant; faire part de ses inquiétudes; exprimer ses besoins et ses limites comme collaborateur; faire connaître aux parents les actions déjà entreprises; leur demander s'ils ont d'autres solutions à suggérer; chercher à s'entendre avec les parents sur les solutions; convenir d'un moyen efficace de communication; prendre note de l'entente et en donner une copie aux parents (p. 124).

La rencontre avec les parents devrait en outre permettre de mieux évaluer les forces de la famille. Il peut être bon aussi à cette occasion d'explorer avec eux les ressources communautaires qui seraient de nature à aider le jeune; il pourrait s'agir, par exemple, d'activités sportives, d'aide aux devoirs, de participation à des loisirs, etc.

L'enseignant retirera de cet appui plusieurs avantages: de l'information, le respect et la compréhension des parents, le renforcement de ses actions, le partage de responsabilités. À moins de posséder des indices sérieux laissant soupçonner que l'élève pourrait être puni outre mesure ou encore battu si l'enseignant signalait ses difficultés à ses parents[2], la communication avec ces derniers peut donc être bénéfique.

---

2. Il faudrait alors envisager un autre type d'intervention, par exemple discuter avec le travailleur social ou avertir la Direction de la protection de la jeunesse si le cas le nécessite.

Le choix du moment opportun

Toutefois, lorsqu'il s'agit d'élèves en difficulté d'adaptation ou de comportement, la communication peut paraître malaisée. Souvent, l'enseignant convoque les parents quand un événement particulier a perturbé le fonctionnement de la classe. Dans le cas où l'enseignant sait à l'avance qu'un élève présente des difficultés sérieuses, Shea et Bauer (1985) recommandent de toujours effectuer un premier contact avant que ne se produise une situation de crise. Dans de telles circonstances, les émotions sont en effet plus vives et la tension entre parents et enseignant nuit au processus de résolution de problèmes. Ainsi, s'il doit y avoir communication à la suite d'une situation de crise, il faut éviter qu'elle ne se fasse dans un climat de colère. C'est pourquoi, lorsque l'enseignant sait qu'un élève présente des difficultés de comportement, il est important qu'il adopte une attitude proactive et qu'il fasse d'abord la connaissance des parents dans des circonstances « normales », c'est-à-dire avant que ne survienne une difficulté majeure.

L'appel téléphonique initial et la première rencontre

Le premier contact avec les parents au sujet des difficultés s'effectue souvent par téléphone. De part et d'autre, cet appel suscite souvent de l'anxiété. Shea et Bauer (1985) proposent à l'enseignant d'adopter un ton courtois et d'aborder les points positifs avant de présenter le problème, tout en utilisant un langage à la portée des parents.

Lorsqu'un parent se rend à l'école parce que son enfant a des difficultés d'adaptation ou de comportement, il s'agit généralement d'une situation peu agréable pour lui : certains parents se sentent coupables, d'autres, agressifs. Selon Shea et Bauer (1985), la première rencontre pour sensibiliser le parent d'un enfant en difficulté est surtout centrée sur l'information. Cette entrevue doit être différente d'une entrevue de type « thérapeutique » destinée à explorer les problèmes sociaux ou conjugaux des parents. Le contact vise plutôt à fournir aux parents une perception réaliste de la situation et, ainsi, à amorcer un processus de résolution de problèmes.

Commentaires de titulaires sur leurs communications avec les parents d'enfants en difficulté de comportement

- « C'est difficile parce que j'ai parfois l'impression d'utiliser un vocabulaire trop compliqué pour lui, ou bien le parent en profite pour me parler de ses problèmes personnels. »
- « Il est important mais beaucoup plus difficile de rencontrer les parents d'élèves en difficulté, car ceux-ci ont souvent des réactions négatives et même agressives envers l'enseignant. Il faut beaucoup de doigté. »
- « Je dédramatise toujours pour faire comprendre aux parents qu'il y a une possibilité d'arriver à un résultat. Je parle des points forts de l'élève, pas seulement de ses faiblesses. Ensuite, nous essayons ensemble de trouver des moyens d'aider l'enfant et les parents. »
- « J'aime communiquer avec le parent, mais je me sens souvent démunie face à son attente quant à des solutions. »
- « Ce n'est pas toujours facile. Il faut parler avec beaucoup de délicatesse. »
- « C'est ardu quand tu ressens que la mère est seule pour éduquer son enfant et que tu la sens démunie dans tous les domaines. Elle est consciente de la situation : "Présentement, je fais tout ce que je peux pour lui, je lui donne l'amour et l'attention dont il a besoin ; au point de vue scolaire, je lui demande ce qu'il peut m'offrir et je l'accepte tel qu'il est..." »

Source : Commentaires tirés d'une recherche de Michelle Comeau et Georgette Goupil sur les relations entre les parents et l'école.

Divers obstacles peuvent alors nuire à une bonne communication: la fatigue (souvent due au fait que parents et enseignant ont travaillé toute la journée), des sentiments trop vifs, des mots trop chargés d'émotion, la prise de parole uniquement par l'enseignant ou un environnement non approprié à l'entrevue (Kroth, cité dans Shea et Bauer, 1985). Dans ce dernier cas, il peut s'agir d'un local mal situé, trop bruyant ou encore n'assurant pas la confidentialité de l'entrevue.

Particulièrement dans les cas de problèmes de comportement, il importe que l'enseignant ait préparé soigneusement l'entrevue de manière à faire référence à des faits objectifs touchant autant aux forces qu'aux faiblesses de l'élève. L'enseignant dispose du matériel nécessaire: le cahier de l'élève, ses examens, etc. Au cours de l'entrevue, non seulement il doit décrire la situation de l'élève aux parents, mais il doit aussi chercher à connaître leur perception de la situation, leur degré de satisfaction, les appuis éventuels du milieu familial ainsi que leurs propositions et leurs suggestions. Des recommandations de base pour mener une entrevue avec les parents sont exposées au chapitre 13.

7.3.3 Les autres outils d'évaluation et les autres données à recueillir

A. L'évaluation du rendement scolaire et des difficultés d'apprentissage

L'élève qui a des difficultés graves de comportement présente souvent des difficultés d'apprentissage ou encore un rendement très faible en classe. Mattison (2004) souligne un haut taux de prévalence des difficultés d'apprentissage chez les élèves ayant des difficultés de comportement. De plus, cet auteur rapporte que l'amélioration dans les apprentissages scolaires est liée à une amélioration dans le comportement. Il peut alors être nécessaire d'évaluer le rendement scolaire de l'élève et ses stratégies d'apprentissage, et d'établir à ce sujet un plan d'intervention adapté. Les psychologues utilisent fréquemment des tests d'intelligence (tels que le WISC-IV, décrit dans le chapitre 4) de manière à s'assurer que les difficultés de comportement ne sont pas dues à un problème d'ordre cognitif qui demanderait davantage l'adaptation du curriculum qu'une intervention strictement du point de vue du comportement.

Pour les élèves en difficulté de comportement, il ne faut donc pas négliger les aspects liés à l'apprentissage, car ces élèves ont fréquemment un rendement plus faible que leurs pairs et vivent souvent des échecs dans différentes matières. Or, l'échec est en soi une situation aversive susceptible de provoquer différentes réactions émotives: la fuite (par exemple, l'élève qui s'absente ou s'organise pour être suspendu), l'agressivité (se manifestant, par exemple, par des remarques déplaisantes) ou la passivité (l'élève qui ne fournit plus d'efforts parce qu'il ne croit plus possible d'obtenir du succès). On devra alors cibler différentes stratégies pour motiver l'élève et veiller à ce qu'il puisse percevoir sa progression (par exemple, l'utilisation d'un portfolio où l'élève se fixe des défis par rapport à lui-même et où il peut choisir des productions qui illustreront aussi ses forces).

B. L'évaluation du statut social de l'élève

Il est aussi possible d'évaluer la position sociale de l'élève à l'aide de questionnaires sociométriques. Ces questionnaires permettent de connaître les préférences ou encore les rejets mutuels des membres d'un groupe (par exemple, une classe). Les questionnaires sociométriques sont issus de la sociométrie, une discipline élaborée par Moreno dans les années 30. La sociométrie a pour objet l'étude des relations des individus au sein d'un groupe.

Il existe plusieurs types de questionnaires. Certains sont basés sur la nomination des membres du groupe. Ces nominations, pour diverses activités, peuvent être positives (« Avec qui aimerais-tu… faire du français, par exemple ? ») ou négatives (« Avec qui n'aimerais-tu pas… jouer à la récréation, par exemple ? »).

Les nominations négatives sont cependant beaucoup moins utilisées à cause des restrictions posées par les parents ou le personnel scolaire (Hops et Lewin, 1984). Bien qu'elles ne soient pas fondées empiriquement selon Hops et Lewin, ces restrictions reposent sur le fait que ce processus de nominations négatives des élèves entre eux nuirait aux élèves rejetés. Plusieurs auteurs (Hops et Lewin, 1984) croient cependant que, combinées avec les nominations positives, les nominations négatives représentent une source d'information.

D'autres questionnaires sociométriques sont basés sur la présentation de la liste complète des membres du groupe, à chacun d'entre eux. Chaque membre cote alors sur une échelle de Likert (de 1 à 5, par exemple, où 1 = pas du tout, 2 = un peu, 3 = moyennement, 4 = assez, 5 = beaucoup) les autres membres du groupe. Ce type de questionnaire présente des avantages : tous les élèves s'évaluent les uns les autres, et le nombre d'élèves évitant de faire des nominations parce qu'ils ignorent comment écrire le nom d'un pair est réduit (Hops et Lewin, 1984). Avec les élèves du préscolaire ou de première année, les nominations peuvent s'effectuer au cours d'une entrevue, où l'on indique les préférences sur des photographies du groupe.

Le questionnaire est distribué à tous les élèves et, lorsqu'il le fait remplir, l'intervenant s'engage à garder les données confidentielles. Une fois le questionnaire rempli, il faut dépouiller les données sur un tableau prévu à cette fin, la sociomatrice. Par la suite, on construit le sociogramme, c'est-à-dire le schéma qui représente le groupe et situe chaque élève en fonction de son score et des liens établis avec ses pairs.

Pour venir en aide à un élève isolé ou rejeté, il faut souvent obtenir des renseignements complémentaires au questionnaire sociométrique. Par exemple, l'élève essaie-t-il d'établir des contacts avec les autres ? Y a-t-il des raisons apparentes qui justifient ce rejet ? Y a-t-il des comportements évidents qui amènent les autres à rejeter cet élève ? Il est utile ici de se rappeler les liens existant entre le résultat sociométrique de l'élève et ses comportements sociaux.

Questionnaire sociométrique faisant appel à des nominations positives

- Avec qui, dans ta classe, aimes-tu faire du français ?
- Avec qui d'autre ?
- Et avec qui encore ?
- Avec qui, dans ta classe, aimes-tu jouer à la récréation ?
- Avec qui d'autre ?
- Et avec qui encore ?
- Qui, dans ta classe, inviterais-tu à ton anniversaire ?
- Qui d'autre ?
- Et qui encore ?

C. L'évaluation des caractéristiques de l'école et de la classe

Plusieurs difficultés de comportement se traduisent par des manifestations regroupées sous le terme général de problèmes de discipline. Certaines caractéristiques de l'école et de la classe ainsi que les attitudes du personnel peuvent avoir une influence sur l'apparition des problèmes de comportement. Nous aborderons sommairement l'évaluation de quelques caractéristiques du milieu scolaire.

Doucet, Gagnier, Houle et Tregonning (s. d.) décrivent une série de causalités plausibles dans l'apparition des problèmes de discipline. Ce système causal inclut divers participants : la direction de l'école, l'enseignant, les élèves, les autres enseignants et les parents. Nous examinerons, à l'aide des éléments suggérés par Doucet et ses collaborateurs, chacun de ces participants.

En ce qui concerne la direction de l'école, voici quelques points qui méritent réflexion : la concertation du personnel sur la philosophie de l'école, la cohérence des politiques face aux problèmes de discipline, les modalités d'application de ces politiques, les actions à entreprendre lorsque l'élève ou l'enseignant a tort, la justice du système d'évaluation ainsi que la disponibilité et la présence de la direction.

Pour ce qui est de l'enseignant, les points suivants peuvent, entre autres, être soumis à une analyse : l'application cohérente des politiques de l'école, le dialogue avec les élèves et la disponibilité à leur égard, la valorisation des règlements, la préparation de leçons motivantes de même que la justice et l'équité pour tous. À propos des élèves, Doucet et autres (s. d.) proposent de s'interroger sur leurs besoins physiques et psychologiques, sur la pression des pairs, sur leur intérêt pour l'apprentissage, etc. Les autres enseignants ont également un rôle à jouer puisqu'ils rencontrent régulièrement les élèves, par exemple au cours des déplacements ou des récréations. Les parents ont aussi leur part de responsabilité : comment valorisent-ils le succès de l'élève ? Quelle connaissance ont-ils des enseignants, des règlements de l'école, etc. ? Les écoles peuvent systématiser leur introspection à l'aide de divers questionnaires ou inventaires (Carducchi-Geoffrion et Archambault, 1984 ; Wayson, 1982).

L'environnement spécifique qu'offre la classe mérite aussi d'être examiné. L'enseignant peut, grâce à divers inventaires, évaluer la perception des élèves au sujet du climat. Des questions toutes simples permettent également de réfléchir sur les relations qu'entretient l'élève avec sa classe. En voici quelques exemples. Comment l'élève a-t-il été accueilli ? Quelles activités de la classe permettent aux élèves de différents niveaux de réussir ? L'élève peut-il vivre des expériences de succès ou ses expériences se sont-elles la plupart du temps soldées par un échec et de la frustration ? Quelles sont les attitudes de l'enseignant face à l'élève en difficulté de comportement ?

Dans un dépliant destiné aux enseignants placés devant des comportements plus difficiles, Comeau et Goupil (s. d.) suggèrent aux intervenants de se poser les questions suivantes :

- Êtes-vous calme lorsque vous intervenez ?
- Les explications que vous donnez à l'élève sont-elles claires ?
- Les parents sont-ils informés des comportements de leur enfant ?
- Relevez-vous les comportements appropriés de l'élève ?
- Votre seuil de tolérance varie-t-il dans la journée ?

- Vos exigences sont-elles constantes ?
- Y a-t-il des moments dans la journée où vos exigences fluctuent face à des comportements similaires, comme à la fin de la journée, lorsque vous êtes plus fatigué ?
- Quelles images votre intervention laisse-t-elle de l'élève aux autres élèves ? Si, par exemple, les comportements d'un élève créent autour de lui un rejet social, le fait de l'isoler face aux autres n'accentuera-t-il pas cette image ? (s. p.)

Voilà autant de questions qui attirent l'attention sur la classe et ses participants. L'évaluation de ces questions ainsi que des attitudes de l'enseignant et des pairs permet bien souvent de dégager des solutions.

7.4 L'élaboration d'un plan d'intervention fonctionnel

Les données que l'enseignant recueille pourront être utilisées pour l'élaboration d'un plan d'intervention. Sattler (2002) propose de faire appel à différents renseignements pour mettre en place ce plan. Ainsi, il suggère de relever :

- les stratégies positives pour diminuer les comportements problématiques et développer des comportements appropriés de façon à remplacer les comportements déviants, par exemple l'entraînement à des stratégies d'étude plus efficaces, une aide supplémentaire ou encore des méthodes d'autocontrôle ;
- les adaptations nécessaires dans l'environnement pour prévenir l'apparition des difficultés de comportement (les règles sont-elles claires et les renforçateurs utilisés en classe sont-ils efficaces ?) ;
- les facteurs qui influeront sur l'application du plan (par exemple, est-ce que l'élève peut manifester les comportements prévus ? Quelles seront les stratégies nécessaires ? Doit-on prévoir des mesures en cas de crise ?) ;
- la structuration des interventions quant à la durée et aux conditions de leur mise en place ;
- les moyens d'évaluer l'efficacité du plan.

Lorsqu'il s'agit d'adopter des interventions sur les comportements, il faut que l'évaluation soit un processus continu pendant lequel on analyse les résultats en fonction des conditions qui ont été établies.

RÉSUMÉ

Il y a deux méthodes principales d'évaluation des problèmes de comportement : l'évaluation normative et l'évaluation fonctionnelle. Lorsqu'un élève présente des difficultés d'ordre comportemental, on peut recourir à diverses sources d'information pour mieux comprendre la situation : l'observation des comportements de l'élève en classe, des rencontres avec l'élève et ses parents, l'évaluation du rendement scolaire et l'évaluation de son statut social. Cette évaluation peut en partie être réalisée par l'enseignant, mais elle peut aussi être complétée par le travail de divers spécialistes, comme le psychologue, le travailleur social ou le psychoéducateur. Toutefois, l'évaluation ne doit pas se limiter aux caractéristiques personnelles de l'élève ; elle doit également s'attacher aux conditions que lui offre le milieu scolaire.

QUESTIONS

1. Songez à un enfant qui est près de vous, comme votre fils ou votre fille, votre neveu ou encore votre voisine. Cet enfant doit être d'âge scolaire et ne pas avoir une relation professionnelle avec vous (il ne peut donc s'agir d'un de vos élèves, par exemple). Imaginez la situation que voici. Vous recevez son bulletin, lequel porte cette remarque : « Cet enfant a de grandes difficultés en ce qui concerne ses relations sociales. » Que pensez-vous ? Que dites-vous ? Que faites-vous ?
2. Pourquoi est-il utile de recourir aux descriptions les plus objectives possible lorsqu'il est question de problèmes de comportement ?
3. Observez un groupe de personnes en action pendant cinq minutes. À la suite de vos observations, rédigez un court rapport narratif. Vous pouvez comparer votre rapport avec celui d'un collègue. Y voyez-vous des différences ? Lesquelles et pourquoi ?
4. Qu'est-ce qu'un questionnaire sociométrique ? Quelle en est l'utilité ?
5. Décrivez sommairement les évaluations qu'un psychologue scolaire peut réaliser lorsqu'un élève présente des problèmes de comportement.
6. Quelles caractéristiques de l'école et de la classe peuvent exercer une influence sur l'apparition des problèmes de comportement ?

RÉFÉRENCES SUGGÉRÉES

Sur l'observation :

GOUPIL, G. (1985). *Observer en classe.* Brossard, Québec : Éditions Behaviora.

Sur l'évaluation psychosociale des élèves ayant des difficultés de comportement :

MASSÉ, L. et PRONOVOST, J. (2006). L'évaluation psychosociale, la tenue de dossiers et la rédaction de rapports, dans L. Massé, N. Desbiens, et C. Lanaris (dir.), *Les troubles du comportement à l'école.* Montréal : Gaëtan Morin Éditeur, 101-140. Ce chapitre décrit entre autres les types de dossiers qu'ont les élèves à l'école et présente une liste exhaustive de divers tests et questionnaires portant sur l'adaptation, la personnalité ou le comportement des élèves.

Sur l'évaluation psychologique :

SATTLER, J.M. et HOGE, R.D. (2006). *Assessment of Children. Behavioral, Social and Clinical Foundations* (5e éd.). San Diego, Californie : Jerome M. Sattler Publisher, Inc. Ce volume sera particulièrement utile aux psychoéducateurs et aux psychologues scolaires.

L'intervention face aux difficultés d'adaptation et de comportement

Objectifs

Après avoir lu ce chapitre, le lecteur devrait pouvoir :

- décrire ce qu'est une approche préventive et préciser quelle peut être sa gradation ;
- exposer divers moyens qui facilitent la prévention des problèmes de comportement ;
- décrire les étapes de l'intervention auprès d'élèves en difficulté de comportement ;
- présenter divers exemples d'apprentissage des comportements ;
- décrire les principes à la base de différentes méthodes d'intervention béhavioriste : le renforcement positif, le renforcement négatif, la punition et l'extinction ;
- décrire différentes méthodes d'inspiration cognitivo-béhavioriste qu'on peut utiliser avec les élèves ayant des difficultés de comportement.

INTRODUCTION

La scolarisation des élèves ayant des difficultés d'ordre comportemental pose de nombreux défis : le défi de déterminer à qui appartient le problème, la préparation des enseignants, l'extrême diversité des problèmes observés, l'identification précoce et la prévention, l'accessibilité aux ressources, la nécessité d'adapter les programmes et la gestion de la classe, les défis de l'intégration et de l'inclusion, la coordination des services, la collaboration avec la communauté (Kauffman, 2006 ; Muscott, Morgan et Meadows, 1996). À ces défis s'ajoutent la présence de comportements violents et asociaux de même que la contestation de l'autorité par certains élèves. Les interventions peuvent donc toucher à de nombreux domaines, être plus ou moins urgentes et faire appel à différents intervenants. De plus, comme nous l'avons vu dans le chapitre 6, les modèles explicatifs des difficultés de comportement sont fort variés. Il en est de même pour les modèles d'intervention proposés. Certains se centrent davantage sur les émotions et les comportements de l'élève, et d'autres, sur la communication avec la famille et les organismes communautaires. Il va sans dire que certains moyens d'intervention, telle la collaboration avec la famille, sont utilisés par différentes approches. D'ailleurs, les modèles d'intervention misent de plus en plus sur des approches multimodales. Entre ces divers modèles théoriques, les cloisons ne sont donc pas nécessairement étanches. Le tableau 8.1 présente quelques-unes de ces conceptions et illustre certains moyens d'intervention qui découlent de ces modèles théoriques.

Tableau 8.1

Quelques approches utilisées avec les élèves ayant des difficultés de comportement

Approches	Définition	Quelques moyens d'intervention utilisés
Approche écologique	L'individu est considéré comme faisant partie d'un système social complexe où il a des interactions sociales avec les autres (Kauffman, 2006).	Mettre l'accent sur l'apprentissage social et comportemental ; orienter l'intervention vers les milieux sociaux où vit l'élève. L'intervention vise à atteindre non seulement l'élève, mais aussi sa famille, son école et sa communauté (Létourneau, 1995).
Approches éducatives et psychoéducatives centrées sur la prévention et sur la gradation des mesures d'intervention	Ces approches tiennent compte des motivations et des conflits tout en mettant l'accent sur les demandes quotidiennes de l'école, de la famille et de la communauté (Kauffman, 2006). Elles analysent le système éducatif dans sa globalité (en tenant compte des relations avec la famille) afin de mettre en place des moyens préventifs et gradués.	Mettre l'accent sur la prévention en classe et dans l'école en établissant des règles de fonctionnement. Identifier les groupes à risque et établir des moyens de prévention.
Approche d'inspiration médicale	Les difficultés sont attribuées, par exemple, à des dysfonctions cérébrales, à des problèmes alimentaires, à des facteurs génétiques ou à des déséquilibres biochimiques. L'élève est perçu comme présentant des symptômes.	Recourir à des médicaments comme les psychostimulants (par exemple, le Ritalin®), à la rétroaction biologique (*biofeedback*), à l'exercice, à des diètes (Feingold, 1976), etc. Traiter l'élève.
Approche béhavioriste ou comportementale	L'accent est mis sur le comportement et ses modalités d'acquisition, et sur la façon dont l'environnement modifie les comportements.	Utiliser différentes techniques et méthodes pour modifier les comportements : le renforcement positif, le contrat de comportement, les systèmes de jetons, etc.
Approche cognitivo-béhavioriste	Cette approche permet d'établir des relations entre les événements cognitifs internes et les changements de comportements grâce à l'apprentissage de différentes stratégies.	Enseigner aux élèves des habiletés d'autocontrôle, d'autoévaluation, de résolution de problèmes, etc.

Il existe d'autres approches, notamment des modèles conceptuels psychodynamique, humaniste et socioconstructiviste. De plus, les intervenants utilisent souvent des moyens d'intervention empruntant à différentes approches.

Dans les pages qui suivent, nous examinerons les approches présentées dans le tableau 8.1. À l'intérieur de ces approches, nous verrons différents moyens permettant aux enseignants d'intervenir auprès des élèves qui ont des difficultés de comportement. Nous mettrons l'accent sur la prévention, car, comme l'indique Slavin (2006), « les problèmes les plus simples à régler sont ceux qui ne sont jamais apparus » (p. 365 ; traduit par l'auteure).

Nous compléterons ces données par une entrevue avec Égide Royer, un chercheur qui a réalisé de nombreuses recherches auprès d'élèves présentant des difficultés graves de comportement.

8.1 L'approche écologique : intervenir à l'école, dans la famille et dans la communauté

Dans une approche de type écologique, l'élève est considéré comme faisant partie d'un système social complexe où il est à la fois récepteur et émetteur d'interactions sociales avec des adultes et d'autres jeunes. Dans ce système social complexe, l'élève peut jouer plusieurs rôles dans des environnements différents (Kauffman, 2006). En vertu de cette conception, l'intervention porte non seulement sur l'élève, mais aussi sur les différents milieux dans lesquels il évolue. Pour Jensen (2005), les problèmes de comportement seraient dus, suivant une perspective écologique, à un mauvais appariement entre les habiletés de l'élève et les demandes de son environnement. On reconnaît ainsi que si l'élève doit s'adapter à l'école et à sa communauté, les organisations scolaires doivent aussi s'adapter aux besoins de l'élève.

Cette approche a eu une influence dans le milieu scolaire, car on reconnaît de plus en plus que l'intervention auprès des élèves qui ont des problèmes graves de comportement ne peut être effectuée que par l'école. À ce propos, Walker, Colvin et Ramsey (1995) écrivent :

> Les écoles peuvent faire peu de choses seules pour servir de médiateurs ou atténuer les effets des facteurs socioenvironnementaux agissant à l'échelle de la société, de la communauté ou du voisinage. Cependant, avec la coopération et le soutien actif des agences de services sociaux, des paroisses, des associations de quartier, des volontaires, des groupes communautaires et des familles, les écoles peuvent faire beaucoup de choses (p. 39 ; traduit par l'auteure).

Pour Walker et autres (1995), divers principes doivent alors guider l'intervention : (1) commencer à intervenir, dans la mesure du possible, dès le préscolaire ; (2) établir avec toutes les familles une communication facilitant la coopération et le respect mutuel ; (3) travailler avec les ressources et les services de la communauté de manière à intervenir très tôt dans la carrière scolaire des élèves à risque ; (4) travailler le plus tôt possible avec les services de manière à donner aux familles en détresse le soutien dont elles ont besoin pour composer avec les problèmes qui affectent leurs enfants.

Tout comme les approches éducatives et psychoéducatives, l'approche écologique mise sur la prévention des difficultés. Nous verrons comment, dans une perspective à la fois écologique et éducative, la prévention peut contribuer à diminuer les problèmes de comportement ou leurs conséquences.

8.2 Les approches éducatives et psychoéducatives centrées sur la prévention et sur la gradation des mesures d'intervention

8.2.1 La prévention

La prévention a pour objectif « de favoriser un fonctionnement optimal ou un bien-être dans des domaines psychologiques et sociaux et dans le développement des compétences » (Capuzzi et Gross, 2004, p. 23 ; traduit par l'auteure). Comme nous l'avons vu dans les chapitres 1 et 5, la prévention est la première voie d'action privilégiée dans la politique de l'adaptation scolaire du ministère de l'Éducation du Québec (1999a) :

> Par où commencer pour assurer la réussite de l'élève ? La réponse est simple : par le début, le plus tôt possible, avant même l'apparition des difficultés ou de façon à en prévenir l'aggravation. La prévention est la première voie d'action à privilégier pour obtenir des résultats durables et elle doit se faire avec l'aide de l'ensemble des partenaires, particulièrement des parents (p. 18).

La figure 8.1 présente les trois paliers de prévention : primaire, secondaire et tertiaire.

Figure 8.1

Paliers de prévention

Paliers	Proportion	Intervention
Prévention tertiaire Élèves identifiés en difficulté de comportement. Peu d'élèves.	1 % à 7 %	Intervention intensive, coordonnée, adaptée à la culture, impliquant la famille et la communauté.
Prévention secondaire Élèves à risque. Quelques élèves.	5 % à 15 %	Intervention précoce sur les facteurs de risque. Intervention fréquente sur des groupes à risque.
Prévention primaire Ensemble de l'école. Tous les élèves.	80 % à 90 %	À l'échelle de l'école et de la classe : discipline positive, climat favorisant l'apprentissage, l'épanouissement personnel, la résolution de problèmes. Soutien positif de la part du personnel.

Source : Inspirée de Hunt et Marshall (2006), Kendziora (2004) et Office of Special Education Programs (2006).

Nous verrons maintenant comment, dans les écoles, on peut mettre à contribution ces divers paliers de prévention pour limiter l'apparition des problèmes de comportement ou encore leurs conséquences.

A. La prévention primaire

En médecine, la prévention primaire vise à éviter l'apparition des maladies en utilisant, par exemple, la vaccination ou en éliminant certains risques environnementaux (comme les contaminants). Dans les écoles, la prévention primaire consiste, entre autres, à mettre en place des règles et des interventions afin de limiter l'apparition des problèmes de comportement. Ces mesures permettent aux élèves, au personnel scolaire, aux parents et aux membres de la communauté de fixer les responsabilités et les attentes de chacun des groupes. Selon l'Office of Special Education Programs (OSEP, 2006), pour implanter la prévention primaire, il faut répondre à ces trois questions:

1) Est-ce qu'il y a un problème sur lequel nous devrions nous pencher?
2) Quelle est la nature de ce problème?
3) Que ferons-nous à propos de celui-ci? (p. 2; traduit par l'auteure).

La prévention primaire concerne tous les élèves et tous les adultes. Elle vise à créer une culture où les événements sont prévisibles et où l'on peut répondre rapidement à un problème de comportement. En effet, ce qui est admissible ou non acceptable dans l'école a déjà été convenu (Bambara et Kern, 2005). La prévention primaire s'effectue à la fois à l'échelle de l'école et à celle des classes. Nous verrons donc ces deux paliers de prévention.

La prévention primaire à l'échelle de l'école

Nous avons vu dans le chapitre 6 que l'école présente à la fois des facteurs de risque et des facteurs de protection au regard des difficultés comportementales. Selon Liaupsin, Jolivette et Scott (2004), les écoles ayant des systèmes de prévention efficaces possèdent les quatre caractéristiques suivantes:

1) une vision partagée par le personnel quant aux mesures destinées à prévenir les problèmes de comportement;
2) le leadership du personnel de direction;
3) la collaboration du personnel aux décisions;
4) la collecte de renseignements pour mesurer les changements (par exemple, le relevé du nombre de suspensions et d'élèves envoyés au bureau de la direction, l'évaluation du rendement scolaire des élèves).

Outre ces caractéristiques générales, les écoles doivent être attentives à leurs politiques et pratiques disciplinaires. Pour Wayson (1982), dans les écoles qui semblent avoir la meilleure discipline, le personnel instaure des pratiques amenant les élèves à penser par eux-mêmes et à prendre leurs responsabilités pour eux-mêmes, ce qui vise à maintenir une atmosphère saine dans l'école. Ces élèves se comportent correctement même lorsque les adultes sont absents.

Dans les écoles, diverses stratégies peuvent faciliter l'implantation d'une discipline préventive: la rédaction d'un code de vie exposant clairement les règlements, l'engagement des élèves et de leurs parents, et surtout la concertation de tous les intervenants. La communication entre les intervenants est l'une des assises d'une saine discipline (Wayson, 1982). L'élève ayant un problème grave de comportement, comme tous les élèves d'ailleurs, entre en relation avec plusieurs personnes: l'enseignant titulaire, les spécialistes en éducation physique et en musique, la direction, les surveillants dans la cour de récréation et le midi, etc. Lorsque ces intervenants s'entendent sur la conduite et les attitudes à privilégier, il est beaucoup plus facile pour l'élève de connaître les règles adoptées par l'école. Par contre, lorsque les exigences sont floues et varient d'une personne à l'autre, il est difficile de connaître et de respecter les règles de fonctionnement de l'école.

La nécessité d'avoir des règlements cohérents est soulignée par plusieurs auteurs (Archambault et Chouinard, 2003; Doucet et autres, s. d.). Ces règlements ne doivent pas être trop nombreux ; de plus, il s'avère utile que les élèves connaissent les raisons sur lesquelles ils s'appuient et soient invités à participer à leur élaboration, ce qui s'inscrit bien dans le développement de compétences transversales prescrit par le Programme de formation de l'école québécoise (MEQ, 2001). L'application des règlements repose sur tous les intervenants : la direction, les enseignants, les parents et les élèves eux-mêmes (Doucet et autres, s. d.). À titre préventif, Doucet et ses collaborateurs recommandent de faire parvenir à la maison un guide décrivant la philosophie et les politiques de l'école, les règlements et leur raison d'être, le rôle des parents face à l'école, le matériel requis, les horaires, etc.

Outre la mise en place des règles et des procédures, notons la façon dont l'école accepte les différences individuelles. À ce propos, Kauffman (2006) écrit :

> En ayant les mêmes exigences scolaires et comportementales pour chaque élève, les écoles sont susceptibles d'amener des élèves qui sont légèrement différents des autres à adopter des rôles d'échec ou de déviance scolaire. En étant inflexibles ou en insistant sur l'homogénéité, elles risquent de créer des conditions qui inhibent ou punissent l'expression de l'individualité. Dans une atmosphère de régiment ou de répression, plusieurs élèves peuvent répondre par le ressentiment, l'hostilité, le vandalisme ou une résistance passive au système (p. 216 ; traduit par l'auteure).

Walker et autres (1995) décrivent divers principes permettant de mettre en place une discipline plus efficace :

1) La discipline n'est pas une fin en soi ; elle doit être subordonnée à des objectifs d'apprentissage scolaires et au développement social des élèves. La maîtrise du comportement ne doit pas en être l'objectif premier.
2) Il faut mettre l'accent sur des approches proactives privilégiant des processus de résolution de problèmes.
3) La direction de l'école doit manifester un leadership visible et positif.
4) Tous les membres du personnel de l'école doivent participer à la mise en place d'une discipline plus efficace.
5) Il faut organiser des activités de développement du personnel et des pratiques d'enseignement efficaces.
6) Le personnel de l'école doit manifester des attentes élevées face au comportement social et à l'apprentissage. Il est important que les intervenants ne s'habituent pas à considérer que les problèmes de comportement ont pour causes des facteurs extérieurs sur lesquels ils n'ont aucune prise.
7) Il doit s'établir une communication efficace entre le personnel de l'école et la direction.
8) Le climat de l'école doit être positif.
9) Il doit y avoir dans l'école une collaboration interdisciplinaire, c'est-à-dire entre tous les membres du personnel de l'école (les services aux élèves, les enseignants, la direction et le personnel de soutien) et également avec les services extérieurs à l'école.
10) Il faut que l'école ait des règles et des attentes claires et réalistes envers les élèves.
11) Le personnel doit établir un système de collecte de données et d'évaluation afin d'évaluer régulièrement le code de vie mis en place, d'identifier les élèves à risque et de proposer des interventions proactives.

De nombreux moyens peuvent donc contribuer à la prévention, dans l'école, des difficultés de comportement. Les mesures mises sur pied dans chacune des classes faciliteront également cette prévention.

La prévention primaire à l'échelle de la classe

- **Les principes de base**

Les enseignants peuvent contribuer à prévenir les problèmes de discipline en structurant leur classe de manière à créer un meilleur climat où les attentes seront claires. Selon Létourneau (1995), outre le manque d'organisation et de structure dans les activités, différentes conditions créent des risques de problèmes de comportement :

> [...] l'utilisation inconsistante des récompenses et des punitions, la présentation de tâches frustrantes ou ennuyantes, les activités compétitives, les réactions imprévisibles de l'enseignant, les attentes imprécises de la part de l'enseignant, un milieu hyperstimulant et les périodes d'attente entre les activités (p. 13).

Afin d'éviter ces écueils, toujours selon Létourneau, il faut utiliser des modes d'intervention préventifs, par exemple en clarifiant ses attentes, en définissant les règles de fonctionnement et en aménageant le local. L'enseignant doit communiquer avec ses élèves, maximiser le temps consacré au travail scolaire, élaborer le contenu de ses activités, faire participer les parents et favoriser le développement socioaffectif des élèves.

En vue de faciliter l'intervention auprès des élèves, des auteurs ont élaboré différentes listes de conseils à l'usage des enseignants. Le tableau 8.2, à la page suivante, présente les suggestions de Winzer (1993).

- **Favoriser l'apprentissage scolaire**

L'élève qui a des difficultés de comportement a souvent aussi des difficultés d'apprentissage ou un faible rendement scolaire (Conseil supérieur de l'éducation, 2001b). Par exemple, la délinquance va fréquemment de pair avec un faible rendement, alors qu'on observe une relation inverse avec de bons résultats scolaires (Liaupsin et autres, 2004). En outre, différentes études (Nelson, 2004) indiquent que les interventions à la fois sur le plan social et sur le plan de l'apprentissage scolaire contribuent à réduire les problèmes de comportement. D'autre part, des mesures telles que les suspensions hors de l'école réduisent le temps en classe en plus de renforcer à la fois les élèves et les enseignants par l'évitement de situations difficiles (Liaupsin et autres, 2004). Face à ce constat, certaines écoles ont aboli ce type de mesures pour les remplacer par des suspensions à l'intérieur de l'école. L'élève reçoit, pendant ces périodes, de l'aide pour ses travaux scolaires ou encore du soutien sur le plan émotif et sur celui du comportement (Joncas et Goupil, 2006).

B. La prévention secondaire

La prévention secondaire concerne les élèves à risque. Elle prône une intervention précoce ou cible des groupes identifiés comme ayant des problèmes (Kendziora, 2004). Ainsi, Vitaro et Tremblay (1998) ont implanté, dans une perspective longitudinale, un programme concernant à la fois des parents et leurs garçons. Ces derniers sont identifiés comme étant agressifs et hyperactifs à l'aide de questionnaires remplis par leur enseignante de maternelle. Les chercheurs utilisent un groupe contrôle (non soumis à l'intervention) et un groupe expérimental. Alors que les garçons sont âgés de huit et neuf ans, le programme a pour objectif de réduire les interactions coercitives entre les parents et leurs garçons en initiant les parents à la gestion des comportements de leur enfant. L'intervention vise aussi l'apprentissage de stratégies de résolution de problèmes et d'habiletés sociales par les enfants. À l'âge de 12 et 13 ans, le groupe contrôle et le groupe expérimental sont de nouveau évalués. Les résultats révèlent des bénéfices pour le groupe expérimental. Un suivi de ce programme indique aussi des effets positifs à long terme sur le rendement scolaire, la diminution de la délinquance et la diminution de l'appartenance à des gangs.

Il existe de multiples plans de prévention secondaire dans la littérature, comme des programmes auprès des parents et des programmes axés sur l'apprentissage scolaire à l'aide, par exemple, de tuteurs. D'autres plans visent le développement du raisonnement moral, l'apprentissage d'habiletés de résolution de problèmes,

Tableau 8.2

Suggestions pour faciliter l'intervention auprès d'élèves ayant des difficultés de comportement

Créez l'environnement

- Établissez des relations interpersonnelles aidantes avec les élèves.
- Essayez de créer une atmosphère chaleureuse caractérisée par une acceptation sans permissivité.
- Établissez la routine : précisez les limites des comportements.
- Établissez des règles pour la classe avec parcimonie.
- Rappelez souvent ces règles aux élèves.
- Soyez cohérent.
- Mettez l'accent sur les habiletés scolaires.
- Permettez aux élèves de vivre des expériences qu'ils peuvent réussir.
- Pardonnez et oubliez le passé : ne basez pas les interventions présentes sur les fautes passées.
- Convenez de l'idée que vous aimez l'élève même si son comportement ne vous paraît pas acceptable.
- Autorisez les élèves plus âgés à mettre sur pied les systèmes de renforcement.
- Assoyez l'élève qui a des problèmes au milieu d'élèves qui se comportent bien.
- Analysez vos horaires ; si une période semble plus susceptible de poser des problèmes, modifiez-la.
- Scindez une leçon en allouant des pauses et en permettant aux élèves de faire des mouvements.
- Soyez logique dans vos demandes et attentes.
- Rétablissez l'ordre le plus tôt possible après les situations de crise.
- Si vous devez punir, faites-le sans agressivité.
- Enlevez le jouet ou l'objet qui pose problème.
- Gardez un relevé rigoureux de vos interventions béhavioristes.
- Enseignez les interactions sociales.
- Assurez-vous que les élèves participent le plus possible à la prise de décision à l'école.
- Aidez les élèves anxieux, retirés et immatures à se faire une image positive d'eux-mêmes.
- Ne demandez pas aux élèves retirés de répondre à des questions à moins qu'ils n'offrent de le faire.
- Lorsqu'un élève anxieux fait une erreur, soutenez-le en disant : « C'était un bon essai », et allez aussitôt à un autre élève.

Organisez l'environnement

- Ne laissez pas les élèves s'agresser.
- Donnez à des provocations des modèles de réponses non agressives.
- Donnez du renforcement pour les comportements non agressifs ; ne renforcez pas les comportements agressifs.

Source : Winzer (1993, p. 446 ; traduit par l'auteure).

d'autocontrôle, de restructuration cognitive[1], de gestion de l'attention, etc. (Massé, 2006; OSEP, 2006). Parmi les programmes de prévention, notons le programme *Fast Track* aux États-Unis, un programme s'étalant sur plus de 10 ans[2]. Ce programme a exigé le dépistage de plus de 10 000 enfants à la maternelle. Un échantillon de 891 enfants présentant un haut risque de problèmes de comportement a été retenu et divisé en un groupe contrôle et un groupe expérimental. Le programme s'étend de la première année du primaire jusqu'à la dixième année du secondaire (système américain). Une partie du programme vise tous les élèves de la classe et l'autre partie, les élèves ciblés comme étant à haut risque (Rhule, Vitaro et Vachon, 2004). Ce programme est multimodal et basé sur les théories du développement. Entre la première et la cinquième année, au primaire, le programme inclut un volet d'intervention par les enseignants pour développer chez leurs élèves, entre autres, l'autocontrôle et la compréhension des situations sociales. Ce programme, appelé PATHS, vise la promotion de stratégies différentes de raisonnement. Pour les parents, le programme comprend des groupes de formation axés sur le développement de relations positives entre l'école et la famille, et des visites à domicile. Pour les élèves, le programme propose des groupes d'entraînement aux habiletés sociales, du tutorat en lecture et l'établissement d'amitiés avec les pairs. Les résultats obtenus jusqu'ici se révèlent modestes mais positifs. Ainsi, à la fin de la troisième année du primaire, 37 % des élèves du groupe expérimental n'ont pas de problèmes de comportement, alors que 27 % des élèves du groupe contrôle sont dans cette situation (*Fast Track,* [en ligne]). En quatrième et cinquième année, le groupe de recherche observe aussi une influence positive mais modeste sur le fonctionnement social, avec les pairs ou à la maison (Conduct Problems Prevention Research Group, 2004). Les auteurs prévoient évaluer la cohorte d'élèves dans les prochaines années au secondaire. En somme, les plans de prévention peuvent être plus ou moins complexes à implanter et leur taux d'efficacité varie. Avant d'adopter une démarche, il est donc souhaitable de consulter la littérature scientifique à son sujet.

C. La prévention tertiaire

La prévention tertiaire vise à réduire les effets d'un problème en mettant en place des interventions pour soutenir l'élève. Parmi les mesures populaires aux États-Unis, soulignons l'établissement de plans de transition de l'école à la vie adulte à l'intention des élèves identifiés en difficulté de comportement. En effet, de nombreuses études montrent que les élèves en difficulté de comportement décrochent avant d'avoir terminé leur scolarisation ou sont, à l'âge adulte, sous-employés ou encore au chômage (Cheney et Bullis, 2004). Le risque de se livrer à des activités criminelles se révèle aussi plus élevé.

Dans ce contexte, le plan de transition prévoit, plusieurs années à l'avance, différentes mesures qui permettront aux jeunes d'accéder plus facilement au marché du travail ou encore d'achever leurs études. En plus de cibler l'apprentissage de

1. Cette intervention consiste à faire reconnaître par l'élève ses distorsions cognitives (par exemple, la dramatisation d'un événement ou une attitude défaitiste) et leur effet négatif sur ses réactions (Massé, 2006).
2. Voir le site du programme *Fast Track,* [en ligne], [http://pubpol.duke.edu/centers/child/fasttrack/fasttrackoverview.htm] (11 octobre 2006).

différentes habiletés, le plan de transition a pour but de coordonner les ressources en assurant le soutien émotif dont ces jeunes ont besoin (Lane, Gresham et O'Shaughnessy, 2002).

D. Un exemple de prévention appliqué à l'intimidation

Les moyens de prévention sont diversifiés. Il est à noter que si l'on parle de prévention primaire, secondaire et tertiaire, un même programme peut toucher à ces trois niveaux; tel est le cas d'un programme portant sur l'intimidation. Nous verrons un exemple de projet de prévention appliqué à l'intimidation, projet auquel participent à la fois les parents, les enseignants et les élèves.

Au sujet de l'intimidation, Olweus (1993) écrit ceci:

> Je définis l'intimidation ou la victimisation de la façon générale suivante: un élève est intimidé ou pris pour victime lorsqu'il est exposé, de manière répétitive et durant une certaine période, à des actions négatives de la part d'un ou de plusieurs élèves (p. 6; traduit par l'auteure).

Par «actions négatives», Olweus entend autant des actions physiques agressives que des paroles blessantes. Il peut s'agir de contacts physiques (comme un coup, un pincement ou une poussée) ou encore de gestes faits pour exclure l'élève en question d'un groupe. Selon Bélanger et autres (2006), l'intimidation peut épouser différentes formes: la violence physique (l'agression par la force physique, des armes ou des objets), la violence psychologique (par exemple, les railleries) ou la violence instrumentale (par exemple, la destruction des travaux scolaires). Les victimes, quant à elles, vivent plusieurs problèmes psychologiques: une baisse de l'estime de soi, de l'isolement, etc.

Si l'intimidation est un problème sérieux pour les élèves qui en sont victimes, cette situation est aussi un handicap pour les intimidateurs eux-mêmes. En effet, les intimidateurs deviennent de plus en plus isolés et présentent une probabilité plus élevée d'avoir un casier judiciaire et d'abandonner les études. Rapportant les résultats d'une étude longitudinale (celle d'Eron et autres, 1987) ayant duré 22 ans, Tattum et Herbert (1993) indiquent qu'il y a une probabilité que 1 intimidateur sur 4 ait un casier judiciaire à 30 ans, alors que cette probabilité est de 1 sur 20 pour les autres enfants. Rendant compte des travaux d'Olweus (en 1989), ces mêmes auteurs signalent qu'approximativement 60 % des garçons qualifiés d'intimidateurs entre la sixième et la neuvième année ont été convoqués devant les tribunaux avant l'âge de 24 ans. Pour Tattum et Herbert, il s'agit donc d'un problème qu'on ne peut ignorer.

Selon Gagné (1996, 2003), un des problèmes majeurs liés à l'intimidation est le silence qui entoure ce phénomène. Souvent, les adultes (les enseignants et les parents) décident d'ignorer l'intimidation, et les parents n'osent agir parce qu'ils ont peur que des représailles s'exercent sur leur enfant. Les jeunes intimidés, eux, se taisent par crainte de la vengeance. Ils confondent délation et dénonciation. Certains adultes auxquels ils se sont confiés ne leur ont pas donné une réponse appropriée. Gagné indique que des conceptions telles que «C'est de leur âge, ce n'est pas grave» ou «Les enfants doivent apprendre à régler eux-mêmes leurs problèmes» contribuent à renforcer le silence entourant généralement l'intimidation.

Olweus (1993) a mis sur pied un programme qui a été repris par de nombreux pays pour contrer l'intimidation dans les écoles. Ce programme s'appuie sur les principes d'action suivants :

- Il faut créer un climat positif et chaleureux dans l'école. Cependant, il doit y avoir des limites précises en ce qui concerne les comportements inacceptables.
- Lorsqu'il y a violation de ces limites, il faut que des sanctions non violentes et non physiques soient appliquées systématiquement.
- On doit établir un système de surveillance à l'intérieur et à l'extérieur de l'école.
- Lorsqu'il y a intimidation, les adultes doivent intervenir.
- Il doit y avoir des discussions avec les intimidateurs, les victimes, les autres élèves et les parents afin de clarifier les valeurs de l'école, les attentes, les règles et les procédures de même que les conséquences des comportements (inspiré de Kauffman, 1997, p. 365, d'Olweus, 1991, de Walker et autres, 1995, p. 181).

Reprenant les principes proposés par Olweus, Gagné (1996, 2003) et d'autres psychologues scolaires (De Garie et Jacques, 2003 ; Michaud, 2003) ont instauré un programme de prévention de l'intimidation à la commission scolaire Val-des-Cerfs. Après une évaluation de l'ampleur du problème, des actions s'exercent dans les classes et auprès des enseignants, des élèves et des parents. À l'échelle de l'école, on donne de l'information, on introduit dans le code de vie des mesures sur l'intimidation, on établit des stratégies d'action, on procède à un échange d'information parmi les membres du personnel et l'on surveille les endroits importants (comme ceux où ont lieu les déplacements).

Dans les classes, il y a des échanges hebdomadaires (par exemple, pendant les conseils de coopération), des jeux de rôles pour appliquer des interventions ; de même, on modifie les règles de la classe pour tenir compte de l'intimidation et l'on discute de cette question. Face aux intimidateurs, on intervient (par exemple, quant aux conséquences des actes d'intimidation), on accorde une attention positive lorsque les comportements sont adéquats et l'on discute avec les parents. On prévoit également des mesures pour protéger les élèves victimes d'intimidation. Dans le programme mis en place à la commission scolaire Val-des-Cerfs, le psychologue joue un rôle important en sensibilisant le milieu, en transmettant les résultats de recherches sur la question, en mesurant l'étendue de l'intimidation et les progrès en cours d'intervention. Il intervient aussi dans les cas plus complexes et les situations délicates. Gagné (1996) rapporte des effets positifs, au primaire, de l'application de ce programme.

8.2.2 Une approche éducative graduée

Comme nous l'avons vu, la prévention est graduée. Dans une approche éducative visant à donner entre autres les bons services aux élèves, plusieurs auteurs proposent un processus d'attribution des services lui aussi gradué (Archambault et Chouinard, 2003 ; Audet et Royer, 1993). Quand surviennent des problèmes de comportement, l'intervention peut s'élaborer en fonction de différents paliers. Par exemple, l'enseignant discute avec l'élève et trouve des solutions. Il se peut également que le problème ne se règle pas et qu'il faille communiquer avec les parents. De même, l'enseignant devra peut-être faire appel à des professionnels ou à la direction de l'école. Il existe donc plusieurs niveaux d'intervention face aux élèves ayant des difficultés de comportement. Ainsi, reprenant le modèle appliqué dans l'État de l'Iowa, aux États-Unis, le ministère de l'Éducation du Québec (Audet et Royer, 1993) propose, par l'intermédiaire de ses guides à l'intention des enseignants, le processus d'intervention présenté dans le tableau 8.3.

Si une approche graduée permet dans bien des cas de trouver des solutions, il est néanmoins souvent nécessaire de recourir, dans ce processus, à des méthodes d'intervention plus spécialisées. Il sera également nécessaire d'inclure les lignes directrices

Tableau 8.3

Étapes d'un processus d'intervention	
Étape 1 Les mises au point en classe ou au foyer	Lorsqu'un enseignant, un parent ou tout autre adulte se rend compte qu'un élève a un comportement qui nuit à ses apprentissages ou qui l'empêche de vivre des relations sociales satisfaisantes, il agit dans l'espoir d'améliorer ce comportement. Ensemble, les adultes en cause cherchent à répondre aux besoins de l'élève ; ils font les ajustements nécessaires pour le faire progresser en utilisant les ressources immédiatement disponibles. Ils ne demandent aucune aide extérieure au foyer ou à la classe et agissent de la manière qu'ils considèrent comme appropriée. Les interventions suivantes sont pertinentes à cette étape : préciser les attentes de l'enseignant et les règles du groupe, rencontrer l'élève individuellement, renforcer les comportements appropriés, donner des indications verbales et des commentaires relativement aux comportements adéquats.
Étape 2 Les activités préalables à la demande d'identification officielle	L'enseignant ou le parent signale le problème de l'élève à d'autres personnes capables de l'aider. Il utilise de façon officieuse les ressources usuelles disponibles à l'école et tout particulièrement les services complémentaires : psychologue, psychoéducateur, travailleur social, etc. L'enseignant continue à assumer la responsabilité de l'aide apportée à l'élève. L'engagement des parents est sollicité, car ceux-ci sont partenaires dans la recherche d'une solution. Divers types d'intervention sont suggérés : contrat avec l'élève, entente écrite précisant les attentes et les comportements souhaités, système d'émulation, fiche de communication maison-école, modification du calendrier des activités.
Étape 3 L'étude du bien-fondé d'une demande d'adaptation des services éducatifs	Dans la mesure où les interventions des deux étapes précédentes n'ont pas réglé de façon satisfaisante les difficultés vécues par l'élève, le directeur forme une équipe chargée de déterminer les interventions nécessitées par la situation de l'élève. Cette équipe recueille toute l'information qui permettra de préciser les services éducatifs que l'élève doit recevoir. Ensemble, ils font une évaluation précise de la situation du jeune, exempte de préjugés et axée sur ses besoins. Divers moyens peuvent être utilisés pour réaliser cette évaluation : une analyse du milieu, des comptes rendus d'observation, des données sur le comportement social, de l'information provenant d'entrevues, des renseignements plus détaillés sur les agissements de l'élève à l'école et, le cas échéant, des évaluations médicales et psychosociales.
Étape 4 Le choix des services éducatifs	Après avoir clairement défini les besoins et les difficultés vécues par le jeune, des services éducatifs lui sont proposés. Il peut s'agir d'un programme d'enseignement individualisé sur le plan des apprentissages scolaires, d'un programme de modification du comportement et de services de soutien ou d'accompagnement.
Étape 5 La mise en œuvre et la révision des interventions sélectionnées	Les décisions concernant l'évaluation des besoins, les ressources spéciales, le classement et les interventions privilégiées font l'objet d'un bilan. Celui-ci contient des renseignements sur le comportement actuel du jeune, des objectifs à long et court terme, les services accordés, les noms des responsables des diverses interventions, les modalités de révision périodique et, le cas échéant, il prévoit les critères de retour en classe ordinaire.

Source : Audet et Royer (1993, p. 18-20).

de l'intervention dans un plan d'intervention personnalisé. Comme en ce qui concerne les élèves en difficulté d'apprentissage, l'intervention repose sur l'analyse des évaluations et des observations qui l'ont précédée. Inscrite dans un plan d'intervention personnalisé, l'intervention sera formulée relativement à des buts et à des objectifs. Les principes et les étapes (l'évaluation, l'analyse, la synthèse, etc.) de l'élaboration de ce plan ont été décrits dans le chapitre 2. Cependant, des difficultés particulières peuvent survenir au cours de la rédaction du plan. Dans le cas de problèmes de comportement, les principales difficultés consistent à établir les objectifs de l'intervention, à les sélectionner et à préciser les valeurs présidant à leur sélection. Pour y arriver, on peut prendre comme point de départ les observations en classe et l'ensemble des données fournies par l'évaluation. Que fait l'élève exactement ? Pourquoi et quand ces comportements sont-ils inadmissibles en classe ? Quels comportements devrait-il adopter ? Pourquoi et quand devrait-il adopter ces comportements ? Au sujet des comportements non appropriés, il faut se demander pourquoi certains comportements sont considérés comme tels. Ainsi, un élève peut discuter avec son voisin pendant un travail. Ce comportement, valorisé dans certaines classes, peut être désapprouvé dans d'autres. Les valeurs de l'enseignant influent sur les consignes données aux élèves. Avant d'indiquer qu'un comportement pose problème, il faut par conséquent s'interroger sur les valeurs qui sous-tendent ce jugement. Dans certains cas, la situation est claire (par exemple, un élève qui en blesse un autre). Dans d'autres, elle demande beaucoup plus de réflexion. La rédaction du plan d'intervention est donc une étape importante dans la planification des actions éducatives à l'intention des élèves ayant des difficultés d'ordre comportemental.

Les approches éducatives et psychoéducatives ont donc mis au point de nombreux moyens de prévention et d'intervention. Nous verrons un autre exemple d'approche, soit une approche d'inspiration médicale.

8.3 L'approche d'inspiration médicale : un exemple appliqué au trouble déficit de l'attention / hyperactivité

Le trouble déficit de l'attention / hyperactivité (TDAH) est associé fréquemment à des problèmes neurologiques ou physiques. Cette manifestation permet d'illustrer comment une approche d'inspiration médicale exerce une influence différente sur l'intervention effectuée auprès des élèves ayant ce type de problème de comportement.

8.3.1 La définition de l'approche médicale

Dans une approche de type médical, le problème est vu comme un ensemble de symptômes et le traitement s'applique à l'élève qui présente ces symptômes. Dans notre exemple, le TDAH est considéré comme un ensemble de symptômes, et son étiologie se réfère à des facteurs biologiques ou neurobiologiques. Différentes hypothèses expliquent ce trouble. Le tableau 8.4, à la page suivante, en présente quelques-unes.

L'évaluation du TDAH doit être réalisée à l'aide de multiples outils et donner une vue d'ensemble de la situation, au moyen d'entrevues (avec les parents, l'enseignant, l'élève), de l'étude des symptômes, des échelles psychométriques et d'examens physiques et complémentaires (MEQ et MSSS, 2003).

Tableau 8.4

Quelques hypothèses explicatives du trouble déficit de l'attention / hyperactivité

Hypothèses	Quelques facteurs en cause
Hypothèses neurobiologiques	• Atteintes cérébrales responsables du haut taux d'activité et du manque d'attention, particulièrement dans les régions frontales et préfrontales. Parallèle fait avec des observations comportementales chez des patients ayant des lésions frontales. Cependant, plusieurs enfants n'ont pas de lésions visibles. • Déséquilibres dans les neurotransmetteurs (par exemple, un faible taux de dopamine, un messager chimique cérébral) et dysfonctionnement cérébral. Pas de conclusions définitives. • Complications périnatales : atteintes cérébrales dues à une naissance prématurée, à l'anoxie, à la consommation d'alcool, de drogue ou de tabac par la mère en cours de grossesse. • Dommages cérébraux après la naissance (par exemple, une infection ou un traumatisme crânien).
Hypothèses génétiques	Plus de risques pour l'enfant de présenter un TDAH si l'un des parents a aussi un TDAH (APA, 2003). Corrélations élevées entre les jumeaux, et plus élevées chez les jumeaux monozygotes que dizygotes (Berquin, 2005).
Hypothèses bio-environnementales	Présence de facteurs contaminants ou toxiques dans l'environnement (par exemple, une intoxication au plomb).
Hypothèses diététiques	Facteurs liés à l'alimentation (Feingold, 1976), entre autres au sucre. Faible taux d'évidence par les recherches sur l'alimentation.
Hypothèses psychosociales	Sous-stimulation, pauvreté : peuvent exacerber le problème, mais ne peuvent être considérées comme des causes directes.

Source : Inspiré du ministère de l'Éducation du Québec et du ministère de la Santé et des Services sociaux du Québec (2003), de l'APA (2003) et de Berquin (2005).

8.3.2 Les médicaments et le trouble déficit de l'attention / hyperactivité

Les stimulants ont pour effet d'augmenter la capacité d'attention et de réduire les comportements inappropriés et impulsifs. Les principales familles de psychostimulants utilisés dans le traitement du TDAH sont la famille des méthylphénidates (dont fait partie le Ritalin®) et celle des amphétamines (Collège des médecins du Québec et Ordre des psychologues du Québec, 2006). D'autres médicaments sont aussi utilisés pour contribuer au traitement du TDAH : le bupropion, la clonidine, les antidépresseurs tricycliques et des neuroleptiques (Collège des médecins du Québec et Ordre des psychologues du Québec, 2001). Parmi les effets secondaires les plus courants, notons la réduction de l'appétit et l'insomnie. Lavoie (2005) indique que, « dans le modèle médical, l'hyperactivité étant conçue dans une perspective symptomatique, le traitement mis de l'avant prend alors l'enfant comme cible principale d'intervention, celui-ci étant en effet le porteur des symptômes » (p. 7).

Konopasek et Forness (2004) et Kauffman (2006) indiquent que les médicaments ont prouvé leur efficacité de manière non équivoque auprès d'enfants ayant reçu un diagnostic de TDAH. Cependant, cet usage n'est pas sans soulever de nombreuses réticences, que ce soit dans les écrits scientifiques ou dans les médias. Si les traitements semblent efficaces, devant le nombre imposant d'élèves consommant de tels médicaments

TDAH et consommation de médicaments

« Selon Safer, Zito et Fine (1996, cités dans Barkley, 1998), environ 2,8 % des enfants d'âge scolaire aux États-Unis utilisent des stimulants pour gérer leur comportement. De plus, il y a eu récemment une augmentation de l'utilisation de cette médication auprès de la population adulte et adolescente qui présente un TDAH. Au Québec, la Régie de l'assurance maladie du Québec (RAMQ), par l'entremise du Comité de revue de l'utilisation des médicaments (CRUM), a rendu public, en 2001, un rapport sur l'utilisation de la médication dans le traitement du TDAH. Selon ce rapport, on remarque une hausse de l'utilisation des SSNC [stimulants du système nerveux central] variant de 23,3 % à 30,1 % de 1995 à 1999, soit une augmentation moyenne de 4 % à 6 % par année, selon la catégorie d'assurés de la RAMQ âgés de 18 ans et moins. Le nombre d'utilisateurs de SSNC varie de 2,3 % à 3,2 % de la population, ce qui concorde avec ce qui est observé aux États-Unis. Ce sont les garçons âgés de 6 à 9 ans qui présentent la plus grande proportion des utilisateurs de SSNC. »

Source : Ministère de l'Éducation du Québec (2003c, p. 207).

dans certains milieux, on peut s'interroger sur la sévérité des critères diagnostiques pour le TDAH. En effet, tous les élèves qui consomment ces stimulants répondent-ils aux critères stricts du TDAH adoptés dans les recherches prouvant l'efficacité de ce mode de traitement ? Le Collège des médecins du Québec et l'Ordre des psychologues du Québec (2001) soulignent d'ailleurs que le processus d'évaluation doit être fait selon une approche rigoureuse et multidisciplinaire à laquelle participeront les différents intervenants. Les entrevues avec les parents, l'enseignant, l'enfant ou l'adolescent seront des sources d'information importantes, lesquelles seront complétées par des observations et une évaluation psychométrique. « Quel que soit la porte d'entrée ou le milieu de pratique, l'évaluation de l'enfant doit être effectuée avec rigueur et exige une collecte d'informations entre les différents milieux de vie de l'enfant (famille, école et loisirs), s'il y a lieu » (Collège des médecins du Québec et Ordre des psychologues du Québec, 2001, p. 7).

Le ministère de l'Éducation du Québec (2000b) indique que le nombre d'ordonnances de méthylphénidate a augmenté entre 1992 et 1997 de 47 822 à 175 547. Toujours selon le Ministère, la Régie de l'assurance maladie du Québec révèle que 12 % des enfants bénéficiaires de l'aide sociale consomment de tels médicaments. Ce nombre est nettement supérieur au taux de prévalence du TDAH dans la population normale (entre 5 % et 7 % des enfants d'âge scolaire, selon le DSM-IV-TR). De plus, ce sont surtout les garçons qui sont identifiés comme présentant un TDAH.

Quant à Lewis, Heflin et DiGangi (1995), ils apportent les réserves suivantes :

> Les recherches démontrent que certains médicaments ont une action bénéfique sur l'attention et l'impulsivité. Cependant, on est en droit de se demander si ces médicaments ne faussent pas la perception de l'élève en ce qui concerne son propre comportement. Celui-ci risque en effet de faire davantage confiance aux médicaments pour régulariser son comportement qu'à sa capacité de se maîtriser. L'acquisition d'habiletés favorisant l'autorégulation pourrait être compromise si l'élève en vient à croire qu'il est incapable de se maîtriser (p. 22).

Si les médicaments aident bon nombre d'élèves hyperactifs, la plupart des auteurs recommandent une approche multimodale dans l'intervention à la fois auprès du jeune, de la famille et du milieu scolaire. De plus, le DSM-IV-TR souligne l'importance de distinguer le TDAH des comportements appropriés à l'âge chez les enfants actifs. Ainsi, il est normal pour un jeune enfant de faire du bruit et de courir.

8.3.3 Des recommandations aux enseignants en regard de la médication

Epstein et Olinger (1987) suggèrent que le personnel scolaire soit bien informé et puisse communiquer avec le personnel médical.

Recommandations pour le personnel scolaire lorsque les élèves sont sous médication

1. Être informé au sujet des traitements que comporte la médication.
2. Suivre les politiques de l'école en ce qui concerne l'administration des médicaments à l'école (certains États ou provinces n'ont pas de règlements à ce propos et devraient en adopter de manière à protéger légalement le personnel qui doit administrer des médicaments).
3. Établir un système de communication entre les médecins et les parents.
4. Consigner des données sur les comportements cibles avant, pendant et après la prise de médicaments.
5. Mesurer les effets secondaires ; en cas de besoin, modifier les horaires à l'école et le programme durant la phase d'adaptation aux médicaments.
6. Dans un langage adapté, discuter directement avec les élèves des traitements que comporte la médication.
7. Former des groupes de parents afin de montrer diverses habiletés d'apprentissage des comportements.
8. Continuer à donner le meilleur programme éducatif possible et offrir les services nécessaires.

Source : Epstein et Olinger (1987, p. 142 ; traduit par l'auteure).

Quant à l'Institut Chesapeake (1994), il formule la recommandation suivante aux enseignants :

> Les parents et le médecin détermineront si, oui ou non, [l'élève] devra recevoir un traitement médical. Votre rôle n'est pas de faire des recommandations à l'un ou l'autre mais bien, lorsqu'un de vos élèves suit un traitement médical, de fournir des renseignements à la personne chargée de l'application du traitement. En effet, puisque vous côtoyez quotidiennement l'élève, vous êtes en mesure d'observer son comportement et ainsi de vérifier si les médicaments ont l'effet escompté (p. 11).

Enfin, aucune thérapie par la médication ne peut enseigner de nouveaux comportements (Epstein et Olinger, 1987). Parmi les approches proposées pour compléter la médication, notons l'approche béhavioriste, l'apprentissage des habiletés sociales, les psychothérapies individuelles, les activités de sport et de loisir, les mesures de soutien ou de répit destinées à la famille, les programmes de formation parentale, l'adaptation de l'organisation du travail en classe, la stimulation des capacités d'attention (Collège des médecins du Québec et Ordre des psychologues du Québec, 2001).

8.4 L'approche béhavioriste ou comportementale

8.4.1 Les principes

Parmi les approches utilisées avec les élèves ayant des problèmes de comportement, l'approche béhavioriste ou comportementale a donné de bons résultats en relation avec certains problèmes. L'analyse appliquée du comportement est utilisée à la fois pour comprendre les schémas d'apparition des comportements et pour les modifier (Lewis, Lewis-Palmer, Newcomer et Stichter, 2004). L'approche béhavioriste est basée en grande partie sur les principes du conditionnement. Avant même de permettre la mise en place de méthodes d'intervention précises, cette approche rend possible l'analyse des situations problématiques. Dans plusieurs cas, cette analyse aide à régler des situations avant qu'on n'en vienne à utiliser des moyens dépassant le cadre normal de la classe.

Nous illustrerons cela par quelques exemples. Jacques réalise un problème de mathématique au tableau. Tous les autres élèves rient de la façon dont il s'y prend. Jacques est dans une situation de punition. En effet, les moqueries de ses pairs lui sont désagréables. Il est probable que, la prochaine fois, il ne proposera pas d'exécuter un problème au tableau ! Voici un deuxième exemple. Hier soir, Évelyne a travaillé pendant deux heures à la rédaction de sa composition. Aujourd'hui, les seules remarques de l'enseignant concernent quelques fautes d'orthographe qu'elle a faites. Ces remarques lui déplaisent ; Évelyne aurait certes préféré que l'enseignant lui fasse des compliments sur son travail. Travaillera-t-elle autant la prochaine fois ? L'observation et l'analyse du déroulement des événements en classe permettent souvent de comprendre pourquoi apparaissent et disparaissent les comportements. Le tableau 8.5 indique comment les conséquences des comportements modifient les probabilités d'apparition de ces comportements.

Tableau 8.5

Antécédents et comportements, leurs conséquences et leurs effets

Antécédent	Comportement	Conséquence	Effet obtenu
L'enseignant demande à Pierre de faire un exposé	Pierre fait son exposé	Ses camarades et l'enseignant le félicitent	La probabilité augmente que Pierre veuille de nouveau faire un exposé Renforcement positif
Il fait très froid	Pierre fait des mouvements pour se réchauffer	La sensation de froid diminue	Quand la sensation de froid reviendra, Pierre fera de nouveau des mouvements Renforcement négatif
Pierre voit son compagnon	Pierre bavarde avec son compagnon pendant l'examen	L'enseignant lui donne un devoir supplémentaire	Il y a diminution du bavardage Punition positive (par ajout)
Pierre voit trois élèves avec lesquels il est en conflit	Pierre se bagarre dans la cour de récréation trois fois cette semaine	Il est privé de la sortie avec l'école	Il diminue le nombre de ses bagarres Punition négative (par retrait)
Pierre voit la vaisselle sale	Pierre lave la vaisselle	Cette action n'entraîne pas de conséquence : ses parents ignorent le geste	Pierre ne fait plus la vaisselle Extinction

Les exemples précédents illustrent quelques principes de l'apprentissage des comportements. Dans le renforcement positif, la probabilité d'apparition du comportement augmente parce que le comportement est suivi d'une conséquence positive (renforçateur positif). Dans le renforcement négatif, la probabilité d'apparition du comportement augmente parce que le comportement a pour effet de diminuer la présence d'un stimulus désagréable (renforçateur négatif) pour la personne.

Dans la punition, il y a diminution de la probabilité d'apparition du comportement. Dans la punition positive (par ajout), la probabilité d'apparition du comportement diminue après qu'on a appliqué un stimulus (qui prend généralement une valeur désagréable pour l'individu). Dans la punition négative (par retrait), la probabilité d'apparition du comportement diminue parce qu'elle est suivie du retrait d'un stimulus (qui a habituellement une valeur agréable pour l'individu). Dans l'extinction, la probabilité d'apparition du comportement baisse parce que ce comportement n'est suivi d'aucune conséquence (voir le tableau 8.6).

Tableau 8.6

Effets des conséquences sur la probabilité d'apparition du comportement

	Effets sur le comportement	
Conséquences	**Augmentation du comportement**	**Diminution du comportement**
Ajout	Renforcement positif Faire un exercice : obtention de bonnes notes Faire le clown en classe : succès auprès des pairs	Punition positive (par ajout d'un stimulus) Bavarder en classe : réprimande
Retrait	Renforcement négatif Boucler sa ceinture de sécurité en voiture : arrêt de la sonnerie Faire le clown en classe pour être expulsé de la classe : évitement d'un exercice difficile	Punition négative (par retrait d'un stimulus) Se disputer : perte d'un privilège
Aucune		Extinction Faire du sport uniquement pour maigrir : aucun effet sur le poids Diminution, par conséquent, du comportement consistant à faire du sport

À partir des principes régissant l'acquisition des comportements, les béhavioristes ont élaboré et expérimenté une série de méthodes d'intervention destinées à faciliter l'apprentissage de comportements appropriés ou à entraîner la disparition de comportements jugés inadéquats (Gresham, 2004). Reprenant la définition de Cooper, Lewis et autres (2004) définissent ainsi cette approche :

> L'analyse appliquée du comportement est une science dans laquelle les procédures dérivées des principes du comportement sont systématiquement appliquées pour améliorer des comportements sociaux importants à un degré significatif et pour démontrer expérimentalement que les procédures utilisées sont responsables du changement de comportement (p. 523-524 ; traduit par l'auteure).

L'approche béhavioriste a pour fondement le fait que les comportements se déroulent selon une séquence. Ainsi, chaque comportement est précédé d'un événement (le stimulus discriminatif), puis suivi ou non d'une conséquence. Cette séquence est généralement symbolisée par la suite de lettres ACC. Le tableau 8.7 présente quelques exemples de séquences comportementales.

Tableau 8.7

Exemples de séquences comportementales

A	C	C
Annonce d'une leçon de mathématique (matière aversive pour Jean)	Jean se met à faire de nombreuses blagues	Il est envoyé au bureau du directeur, où on lui impose une suspension du cours
Promenade dans l'épicerie	Mathieu hurle pour obtenir du chocolat	Dans le but de le faire taire, sa mère lui achète le chocolat

L'analyse appliquée du comportement vise à reconnaître les antécédents des comportements et les événements qui les suivent de manière à poser des hypothèses sur ce qui déclenche et maintient les comportements. Elle recourt aussi à l'observation systématique des comportements. Cette observation peut être faite de façon assez simple par l'utilisation de tableaux de type ACC ou, dans certains cas, de grilles plus complexes d'observation souvent remplies par un professionnel comme un psychoéducateur ou un psychologue (voir le chapitre 7). Il est courant d'illustrer les relevés d'observation sur des graphiques afin de les comparer avant l'intervention (niveau de base), pendant l'intervention et après l'intervention (relance) (voir la figure 8.2).

Figure 8.2

Graphique illustrant la fréquence du comportement consistant à prendre sans permission des objets qui se trouvent sur le bureau des autres élèves

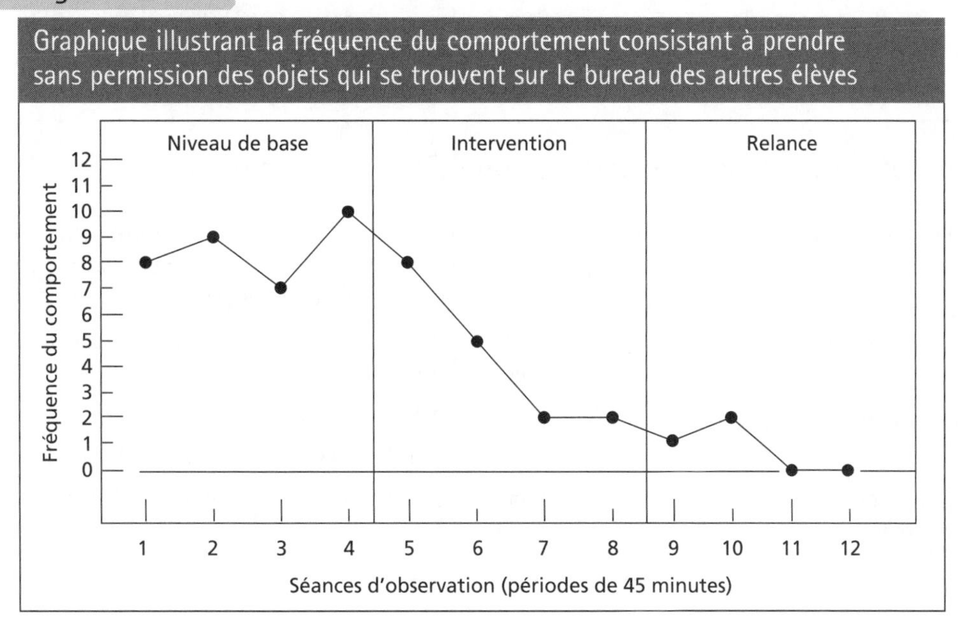

Source : Goupil et Lusignan (1995a, p. 34).

Par ailleurs, il arrive que certains éléments, comme le stimulus qui déclenche le comportement, soient difficilement observables. Ce peut être le cas, par exemple, de Thierry qui prétexte des maux de ventre parce qu'il ne veut pas aller à l'école étant donné qu'il y est victime d'intimidation. Ce n'est qu'au cours d'une entrevue que Thierry révélera ce qui déclenche son comportement. Cette analyse fonctionnelle permet de dégager les variables associées aux comportements. Ainsi, il a été observé qu'un élève peut avoir des comportements pour échapper à des tâches auxquelles il ne veut pas participer (Lewis et autres, 2004).

L'analyse appliquée du comportement est également utilisée à travers différentes techniques, telles que la distribution sélective de l'attention, le contrat comportemental et l'apprentissage des habiletés sociales. Toutefois, avant de sélectionner un de ces moyens d'intervention, il importe d'effectuer une bonne analyse des observations (complétées au besoin par d'autres données) et de tenir compte de certains principes.

Magerotte (1984a) décrit six règles de base dans le choix d'un moyen d'intervention. (1) Avant de mettre en place un programme de modification du comportement, il faut vérifier si des solutions simples ne régleraient pas le problème. Parfois, changer un élève d'équipe diminue le nombre d'altercations avec les pairs. (2) Il faut viser l'acquisition de nouveaux comportements appropriés ou l'augmentation de comportements déjà acquis avant d'envisager la possibilité de faire disparaître certains comportements. Ainsi, l'élève ne peut, en même temps, faire ses exercices et se déplacer dans la classe. Il est souvent souhaitable de renforcer ce premier comportement plutôt que de punir l'élève à cause du second. (3) Il faut utiliser les moyens d'intervention les moins contraignants et les moins artificiels possible. Si l'élève est sensible à l'attention de l'adulte, pourquoi ne pas utiliser ce moyen au lieu d'une récompense matérielle ? (4) Il faut recourir à des procédés qui maximisent le succès de l'intervention. (5) S'il y a emploi de stimuli désagréables (comme dans la punition), il doit être soumis à des conditions éthiques très strictes, surtout en ce qui a trait à la compétence de l'intervenant. (6) Il faut assurer le maintien et le transfert des acquis. En général, l'application d'un programme de modification du comportement suit des étapes précises.

Étapes de l'implantation d'un programme de modification du comportement

1. Observations narratives des comportements et du contexte de leur apparition.
2. Analyse de ces observations, étude des relations entre les antécédents, les comportements et les conséquences.
3. Définition des comportements cibles qui seront soumis à l'intervention.
4. Observation systématique de ces comportements (à l'aide de grilles, par exemple).
5. Évaluation du niveau de base des comportements (c'est-à-dire du niveau des comportements avant l'intervention, par exemple, la fréquence ou la durée).
6. Mise au point du programme d'intervention, choix des moyens et des intervenants.
7. Application de l'intervention.
8. Observation et suivi des résultats à intervalles réguliers.
9. Évaluation du programme d'intervention et révision au besoin.

8.4.2 Quelques applications

A. La distribution sélective de l'attention

Certains élèves présentent en classe des comportements « déviants » destinés à attirer l'attention de l'enseignant ou de leurs pairs. Parallèlement, il arrive que des élèves reçoivent peu d'attention pour leurs comportements liés aux exigences de la classe. Lorsque c'est le cas, si l'attention de l'enseignant est un élément important, voire déterminant, dans le maintien des comportements, la distribution sélective de l'attention peut se révéler un outil d'intervention intéressant.

Le recours systématique à l'attention de l'enseignant a été et est encore l'une des premières techniques béhavioristes utilisées avec succès dans le milieu scolaire (Archambault et Chouinard, 2003 ; O'Leary et O'Leary, 1976). L'attention peut prendre diverses formes : verbale (des félicitations, par exemple), visuelle (un regard, une mimique), motrice (un geste de la main), graphique (une mention « bien » dans un cahier). On peut aussi l'exprimer par la proximité (en se déplaçant vers l'élève, par exemple) ou par le toucher.

L'attention de l'enseignant est un puissant renforçateur pour plusieurs élèves, et le retrait de cette attention (le fait d'ignorer) correspond en gros à des conditions d'extinction. Aussi les psychologues béhavioristes ont-ils mis au point des techniques permettant d'utiliser cette attention de manière sélective pour modifier les comportements. Il s'agit d'accorder de l'attention aux comportements « appropriés » (renforcement positif) et d'ignorer les comportements « déviants » (extinction). Globalement, la technique de la distribution sélective de l'attention s'applique comme suit :

1) Par l'observation, l'intervenant détermine les comportements à renforcer (ceux qui sont demandés) et ceux qui seront soumis à l'extinction (les comportements « déviants »).
2) L'enseignant ignore les comportements déviants (les soumet à l'extinction) et renforce les comportements demandés en donnant de l'attention immédiatement après leur manifestation. En général, l'intervenant essaie de choisir des comportements appropriés incompatibles avec les comportements non tolérés.
3) L'intervenant évalue, en cours d'application, les taux de manifestation des comportements.

Cette technique peut paraître très simple, mais elle est difficile à appliquer efficacement. D'une part, il peut être ardu pour l'enseignant d'ignorer certains comportements : ses expressions non verbales indiquent souvent à l'élève qu'il a reçu de l'attention pour ses comportements alors que l'enseignant croit ne pas lui en avoir donné. D'autre part, Alberto et Troutman (1986) soulignent que, pendant l'extinction des comportements non tolérés, peut se produire soit l'apparition de réponses de type agressif chez les élèves, soit le retour spontané de comportements qui semblaient avoir disparu.

Il va sans dire que cette technique est applicable uniquement si les comportements déviants ne portent pas un préjudice sérieux à l'élève ou aux autres élèves. Il ne saurait être question d'ignorer un élève qui en agresse un autre physiquement, qui quitte le terrain de l'école ou qui détruit des biens. Malgré ces réserves, il reste que cette technique a fait ses preuves et donné de bons résultats.

B. Le contrat de comportement

Le contrat de comportement est une technique qui consiste à conclure par écrit une entente entre l'élève et l'enseignant. Habituellement, l'élève s'engage à adopter certains comportements (définis encore une fois de façon très précise) en échange desquels l'enseignant s'engage à lui accorder certains privilèges. Cette technique s'applique assez aisément. Toutefois, elle demande à être appliquée avec équité.

De plus, l'élève doit être capable de manifester les comportements cibles, il doit choisir ses renforçateurs (lesquels ne doivent pas être trop faciles ni trop difficiles à obtenir), et les engagements doivent être respectés de part et d'autre. Les parents peuvent également employer cette technique avec leur enfant. Cependant, il convient d'accorder une bonne supervision et de s'assurer que les parents ont bien compris la démarche.

Au cours de la rédaction d'un contrat de comportement, il faut préciser les points suivants (voir la figure 8.3) :

1) la date à laquelle le contrat commence, se termine ou sera renégocié;
2) une description claire des comportements ciblés par l'intervention;
3) les conséquences (comme les renforçateurs) prévues pour le cas où les obligations contenues dans le contrat seront respectées;
4) le nom des personnes qui attribueront les conséquences;
5) la signature de toutes les parties au contrat (Rosenberg et autres, 1997).

Figure 8.3

Contrat de comportement

École : ______________________________

Date : ______________

Moi, (nom de l'élève), je m'engage à :

____

____

Si je réalise ces engagements, j'obtiendrai de mon enseignant le privilège suivant (ou les privilèges suivants) :

____

____

____

Ce contrat commence le : ____________ et se terminera le : ____________

Signature de l'élève : ____________________ Date : ____________

Signature de l'enseignant : ____________________ Date : ____________

Autre signature (par exemple, direction ou parent) ____________________

Date : ____________

C. Les programmes de formation aux habiletés sociales

La définition des habiletés sociales

Bellack et Hersen (1977, cités dans Philips, 1985) définissent les habiletés sociales comme « les habiletés d'un individu pour exprimer ses sentiments dans un contexte interpersonnel sans souffrir d'une perte du renforcement social, et ce, dans une grande variété de contacts interpersonnels » (p. 4-5; traduit par l'auteure). Cela signifie que l'individu est capable de réagir efficacement autant dans des situations agréables ou neutres que dans des situations plus difficiles. Bowen, Desbiens, Gendron et Bélanger (2006) soulignent la nécessité de distinguer la compétence sociale des habiletés sociales, « la compétence sociale étant la capacité d'intégrer les éléments cognitifs et affectifs ainsi que les comportements afin d'accomplir des tâches sociales précises et d'obtenir des éléments de développement positifs» (p. 214), alors que les habiletés sociales sont un ensemble de comportements appropriés à une situation. Un manque de compétence sociale peut entraver l'adaptation des élèves qui ont des troubles du comportement (Kavale et autres, 2004).

Les comportements prosociaux exigent la coordination de réponses verbales et non verbales. Par exemple, lorsqu'on fait une demande d'information, il faut savoir comment regarder son interlocuteur et comment lui adresser la parole. Divers répertoires de réponses facilitent les interactions d'une personne avec ses pairs. Ainsi, Budd (1985) présente trois catégories de comportements facilitant la formation des enfants en ce qui concerne les contacts avec leurs pairs: les comportements d'affirmation de soi, de résolution de problèmes, et les comportements d'interaction dans les jeux et les relations d'amitié. Chacune de ces catégories inclut une série de comportements cibles. Le tableau 8.8 présente des dimensions qui peuvent faire l'objet d'une formation aux habiletés sociales avec des enfants.

Tableau 8.8

Habiletés sociales et comportements

Catégorie	Description	Comportements cibles
Affirmation de soi	Expression franche de ses sentiments et opinions	– Établir un contact visuel – Choisir un ton de voix approprié – Déterminer la durée du discours – Demander un nouveau comportement – Refuser une demande déraisonnable – Affirmer une opinion – Agréer ou refuser l'opinion d'une autre personne
Résolution de problèmes	Stratégies verbales pour analyser et résoudre des conflits	– Poser le problème – Préciser ses propres sentiments – Découvrir les sentiments de l'autre – Découvrir la perception de l'autre – Établir les choix – Décrire les conséquences – Planifier des actions pour atteindre un but
Jeu et amitié	Réponses verbales et autres pour inciter à l'acceptation	– Saluer ou accueillir les autres – Inviter les autres à se joindre à une activité – Demander de l'information – Montrer de l'approbation – Donner de l'aide – Attendre son tour – Partager du matériel

Source: Budd (1985, p. 249; traduit par l'auteure). Reproduit avec la permission de John Wiley and Sons, Inc.

Les méthodes et les programmes

Les élèves en difficulté de comportement présentent souvent des déficits importants dans les compétences sociales. Ces déficits sont associés à un pauvre concept de soi et au rejet de l'élève par ses pairs (Kavale et autres, 2004). De multiples écrits ont porté sur la description d'ateliers et de méthodes favorisant l'apprentissage d'habiletés sociales (L'Abate et Milan, 1985). Ces études ont été effectuées auprès de divers types de populations: des personnes déficientes (L'Abate et Milan, 1985), des personnes âgées (Gambrill, 1985), des parents (Budd, 1985), des élèves en difficulté de comportement (Schloss et autres, 1986; Vitaro, Audy et Dumoulin, 1986), etc.

Ordinairement, l'apprentissage des habiletés se fait en atelier, c'est-à-dire en groupe sous la responsabilité d'un ou de plusieurs animateurs. Les participants sont habituellement conviés à plusieurs ateliers. Ainsi, Vitaro et autres (1986) indiquent qu'ils ont utilisé une série de 20 ateliers de 40 minutes chacun, durant une période de 10 semaines, auprès d'un groupe d'élèves de maternelle et de première année jugés agressifs et isolés socialement. Selon Vitaro et Charest (1988), ces ateliers visent d'abord l'acquisition « d'une connaissance des habiletés interpersonnelles (et personnelles) nécessaires à l'établissement de relations harmonieuses avec autrui » (p. 153). Toujours selon ces auteurs, les élèves peu populaires auraient une méconnaissance des normes et des conventions du groupe. La première étape consiste donc à fournir de l'information sur les comportements requis pour un fonctionnement avec les pairs et sur les conséquences rattachées à ces actes.

La deuxième étape réside dans l'exercice des habiletés (Vitaro et Charest, 1988). Après avoir pris connaissance de modèles (en regardant des démonstrations *in vivo* ou sur vidéo), le participant s'exerce à l'habileté démontrée, comme dans un jeu de rôle. Ce jeu de rôle est suivi d'une rétroaction. La rétroaction peut être donnée par les autres participants, par une autoévaluation, par l'animateur ou encore à l'aide d'enregistrements vidéo (Ouellet et L'Abbé, 1986). Des grilles très simples peuvent faciliter cette évaluation.

La dernière étape est axée sur le transfert des acquis dans le milieu naturel du sujet. Il s'agit de généraliser les acquisitions dans des contextes autres que celui des ateliers. Un changement de comportement est généralisé s'il dure, s'il s'applique à une grande variété de contextes et à la suite d'une grande variété de comportements qui y sont associés (Baer, Wolf et Risley, cités dans Schloss et autres, 1986). Kazdin (cité dans Schloss et autres, 1986) indique que la généralisation devrait être favorisée par les procédés suivants: l'usage de contingences naturelles et l'estompage des contingences artificielles, la distribution des renforçateurs dans le temps, le recours aux pairs pour renforcer les comportements cibles et l'apprentissage de comportements d'autocontrôle. On facilite l'autocontrôle notamment en encourageant les sujets à utiliser un « langage intérieur (c'est-à-dire identifier le problème, faire un plan d'action, se donner des instructions destinées à guider la réalisation du plan et enfin, en évaluer les conséquences) » (Vitaro et Charest, 1988, p. 164). La figure 8.4 résume les principales étapes suivies au cours de l'apprentissage des habiletés sociales.

L'entraînement aux habiletés sociales a joui et jouit encore d'une grande popularité. Toutefois, plusieurs auteurs soulignent la nécessité de poursuivre les recherches dans ce domaine. Ainsi, après avoir effectué une méta-analyse, Kavale et autres (2004) concluent à des effets modestes de ces programmes. De plus, la généralisation des

Figure 8.4

Étapes de l'apprentissage des habiletés sociales

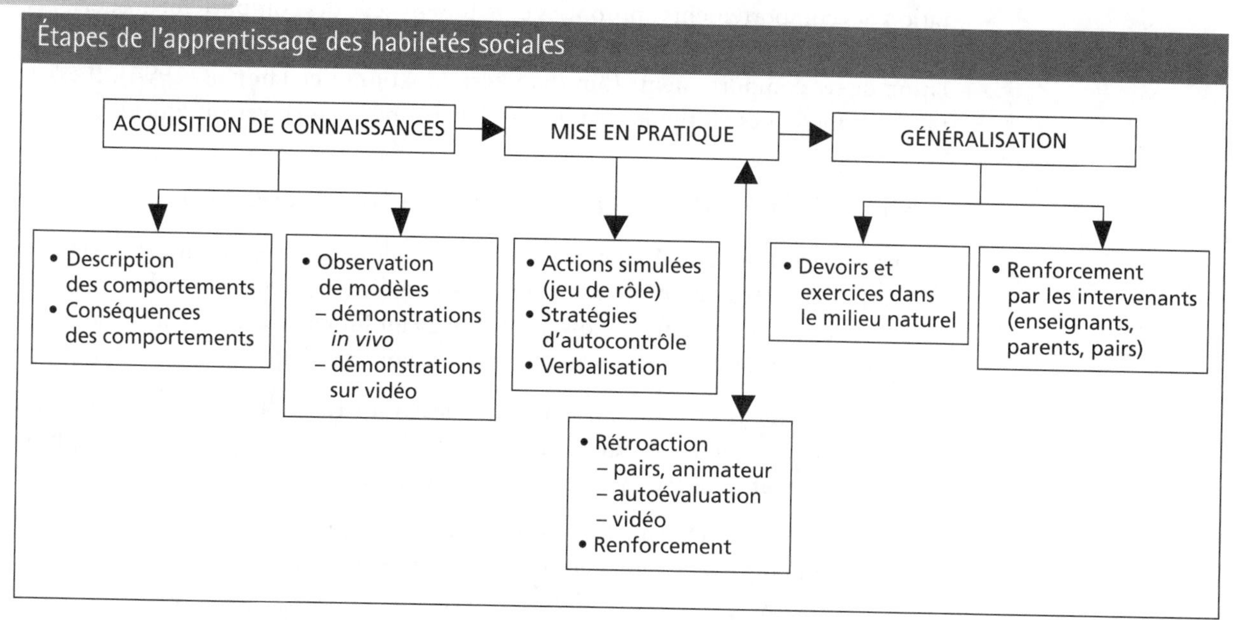

comportements dans d'autres environnements que celui où a lieu l'entraînement est une autre question qui préoccupe les chercheurs (Bowen et autres, 2006). Cependant, de nombreux programmes sont disponibles sur le marché et plusieurs (Quinn et autres, cités dans Kavale et autres, 2004) recommandent de continuer la recherche à ce sujet, car nombre d'élèves ont de grands besoins sur le plan des habiletés et de la compétence sociales. Néanmoins, ces constats de la recherche soulignent l'importance de s'informer sur les résultats disponibles concernant un programme. Bowen et autres (2006) soulignent l'importance d'associer les activités d'un programme à une intervention multimodale où l'on prendra en considération le milieu de vie du jeune et la coopération de plusieurs partenaires.

La distribution sélective de l'attention, les contrats de comportement et l'apprentissage des habiletés sociales ne sont que trois exemples de méthodes béhavioristes qu'on utilise avec des élèves ayant des difficultés d'ordre comportemental. Plusieurs autres méthodes, telles que les systèmes d'économie de points ou de jetons et le modelage, ont également été utilisées avec ces élèves.

8.5 L'approche cognitivo-béhavioriste

Pour Archambault et Chouinard (2003), « les élèves qui ont des problèmes de comportement ont souvent du mal à utiliser les habiletés reliées à l'autocontrôle et à gérer eux-mêmes leur conduite » (p. 282). L'approche cognitivo-béhavioriste apprend aux élèves à se donner des auto-instructions et à employer différentes stratégies cognitives ou métacognitives. Elle représente une solution de rechange à des systèmes extérieurs de contrôle du comportement. Cette approche postule une relation entre les événements cognitifs internes et le comportement observable de l'élève. On suscite les changements de comportement en enseignant des stratégies qui guident l'élève au cours de la réalisation des tâches. Ces stratégies augmentent la manifestation des comportements appropriés et réduisent celle des comportements déviants. Cette approche fournit aux enseignants des moyens de faciliter à l'élève l'autorégulation de ses comportements (Smith, Siegel, O'Connor et Thomas, 1994). Il existe plusieurs méthodes d'origine cognitivo-béhavioriste ; nous en verrons quelques-unes.

8.5.1 Les auto-instructions et l'auto-observation

Les auto-instructions constituent une méthode à l'aide de laquelle, en suivant des étapes, l'élève apprend certains comportements. D'abord, l'enseignant exécute le comportement ; ensuite, l'élève l'imite tandis que l'enseignant lui retire graduellement son soutien ; enfin, l'élève intériorise le comportement. Voici ces étapes :

1) L'enseignant effectue une tâche en décrivant les indices ou les stimuli qui l'orientent, de même que la façon dont il planifie ses réponses, accomplit la tâche, compose avec ses sentiments et évalue son rendement.
2) L'élève et l'enseignant font la même tâche ensemble pendant que l'élève suit le comportement verbal et non verbal de l'enseignant.
3) L'élève effectue seul la tâche en en verbalisant les principales phases.
4) Graduellement, l'élève intériorise le processus, d'abord en se bornant à murmurer les consignes, puis en effectuant silencieusement la tâche (Kauffman, 1997 ; Létourneau, 1995).

Il est aussi possible de demander à l'élève d'observer son propre comportement. On lui fournit alors des grilles très simples sur lesquelles il note l'apparition de certains comportements.

8.5.2 Le processus de résolution de problèmes

On peut également employer avec les élèves un processus de résolution de problèmes. Celui-ci comprend les six étapes suivantes :

1) Déterminer et définir le problème.
2) Générer des solutions possibles au problème.
3) Évaluer la qualité de ces solutions possibles, c'est-à-dire les avantages et les inconvénients de chacune d'entre elles.
4) Choisir une solution, autrement dit prendre une décision.
5) Implanter la solution retenue.
6) Procéder à une rétroaction sur l'intervention mise en application.

Différents auteurs ont élaboré des formules visant à faciliter l'implantation du processus de résolution de problèmes. Ces stratégies sont souvent représentées par leur acronyme. Ainsi, Dettmer, Dyck et Thurston (1996) ont mis au point le système POCS (P : détermination du Problème ; O : détermination des Options de solutions ; C : détermination des Conséquences des différentes solutions ; S : planification de l'implantation de la Solution). La figure 8.5 illustre la démarche que ces auteurs proposent.

Figure 8.5

Démarche de résolution de problèmes

Problème : ____________________

Résultat attendu : ____________________

Options	Conséquences
1.	1.
2.	2.
3.	3.
4.	4.
5.	5.
6.	6.

Solution choisie : ____________________

Responsabilités et engagements : ____________________

Date et heure de la prochaine rencontre : ____________________

Source : Dettmer et autres (1996, p. 128 ; traduit par l'auteure). © 1996 Allyn and Bacon. Reproduit avec permission.

Bos et Vaughn (1994) ont élaboré un processus de résolution de problèmes à l'intention des élèves, désigné par l'acronyme FAST (F : *freeze and think,* ou la détermination du problème ; A : *alternatives,* ou la détermination des solutions possibles ; S : *solution evaluation,* soit l'évaluation des solutions ; T : *try it,* ou la mise en application de ces solutions).

Il est intéressant d'utiliser un processus de résolution de problèmes parce qu'il responsabilise l'élève et l'engage directement dans le choix de la solution, plutôt que de lui imposer un contrôle purement extérieur. Mentionnons la mise sur pied de quelques programmes québécois visant l'autocontrôle et le développement de compétences sociales : le programme PARC (Potvin, Massé, Beaudry et autres, 1994), conçu pour des élèves du début du primaire, et le programme *Prends le volant* (Potvin, Massé, Veillette et autres, 1994), destiné à des adolescents du premier cycle du secondaire. Ces programmes sont d'inspiration cognitivo-béhavioriste. Il existe de nombreux autres programmes ou méthodes pour intervenir auprès des élèves en difficulté de comportement : l'entraînement à la responsabilité, la gestion du stress, le développement du raisonnement moral, l'entraînement à l'empathie, etc. L'ouvrage de Massé et autres (2006) décrit de nombreuses méthodes d'intervention.

Nous prendrons maintenant connaissance d'une entrevue avec un chercheur spécialiste des difficultés d'ordre comportemental. Égide Royer est professeur en adaptation scolaire au département de psychopédagogie de la Faculté des sciences de l'éducation de l'Université Laval. Ses recherches concernent les problèmes de comportement dans les écoles. Nous l'avons rencontré pour connaître ses perceptions au sujet des problèmes de comportement.

Entrevue avec Égide Royer (1997)

Selon votre expérience, quelles sont les principales manifestations des problèmes de comportement ?

Ce qui retient actuellement le plus l'attention au préscolaire et au primaire, ce sont les conduites agressives. L'élève a appris à s'engager dans une conduite agressive pour obtenir ce qu'il veut. Cela prendra la forme de l'opposition aux adultes ou de l'agression des autres. Ce qui ressort aussi, ce sont les problèmes d'attention, l'hyperactivité. Il y a aussi, bien sûr, les problèmes de sous-activité ou le manque d'habiletés sociales. Mais ces manifestations sont moins marquées que l'hyperactivité ou les troubles de conduites agressives.

Au secondaire, on observe les conduites d'opposition face à l'autorité et les conduites agressives. Plus on avance dans le secondaire, plus il y a des situations qui s'apparentent à la délinquance. Des élèves qui manifestent au primaire des conduites agressives comme le taxage tentent, au secondaire, de se regrouper avec des élèves qui adoptent le même style social. Là aussi, ça n'enlève pas la pertinence d'agir sur les conduites sous-réactives, mais ce qui ressort dans les écoles actuellement, ce n'est pas ce type de conduites. Il y a aussi, d'une manière plus large et plus générale, ce qu'on pourrait appeler l'indiscipline en classe.

Quel est le taux de prévalence de ces problèmes ?

Entre 5 % et 10 % des élèves, environ, auront besoin d'une intervention éducative particulière par rapport à des conduites ; ce nombre ne concorde pas nécessairement avec celui que l'on trouve à des fins d'identification administrative. Également, cela n'exclut pas le fait qu'un nombre plus élevé d'élèves requerront une intervention relativement à des difficultés d'apprentissage.

Quelles sont les causes des difficultés de comportement ?

On peut probablement affirmer qu'il y a plus de jeunes qui manifestent aujourd'hui des problèmes de comportement qu'il n'y en avait auparavant. Certaines variables sont associées directement au type de structure familiale dans laquelle les enfants grandissent. Les enfants ont besoin d'un cadre prévisible, structuré pour pouvoir se développer ; ils doivent savoir à quelle heure ils se lèveront, se coucheront, mangeront, etc.

D'autres variables sont reliées au contexte social en général. Il y a eu une sorte de désensibilisation aux comportements violents. On constate le modelage par la télévision et d'autres médias. La société présente beaucoup de modèles violents.

Dans une perspective strictement scolaire, on peut dire que certains enseignants n'ont pas reçu une formation suffisante pour intervenir par rapport aux difficultés de comportement. Cela explique, entre autres, qu'à la maîtrise nos cours sur les difficultés de comportement sont extrêmement populaires.

Par ailleurs, certaines façons de faire dans des écoles risquent d'aggraver les difficultés de comportement. Je vais vous donner un exemple : dire à un élève que s'il s'absente trois jours sans autorisation... il sera suspendu à la maison. Il s'agit d'une prime ! C'est comme ne jamais travailler le lendemain d'un congé : c'est un processus circulaire. On a le même problème lorsque l'approche est strictement punitive.

Y a-t-il des facteurs qui créent des différences quant au taux de prévalence des problèmes de comportement entre des écoles situées dans des milieux socioéconomiques comparables ?

Si, dans une classe, les attentes ne sont pas claires et que le respect ou le non-respect de ces attentes n'ont pas de conséquences, si l'enseignant a une relation surtout punitive avec ses élèves, les problèmes se présenteront. Il faut savoir qu'avec les jeunes en difficulté de comportement la punition est une intervention qui, utilisée seule, fonctionne très mal parce que ces élèves en ont une grande expérience. Très vite cela mène à l'escalade ; les élèves sont habitués à ce phénomène. Pour résumer, quand une classe est mal structurée, quand les attentes ne sont pas claires, quand on ne renforce pas le respect de ces attentes, quand il n'y a pas de conséquences et qu'il y a uniquement une approche punitive, quand l'enseignant n'est pas assez formé pour intervenir par rapport aux problèmes de comportement ou à la prévention de l'indiscipline, on est dans de beaux draps...

Il y a un autre aspect à considérer. Si l'enseignant a une classe bien structurée, certains comportements ou manifestations pourront dépasser l'encadrement usuel donné dans une classe. Il y aura toujours des jeunes qui vont dépasser cet encadrement. On connaît l'expression consacrée : est-ce que l'enseignant « travaille avec ou sans filet » ?

Voici un exemple. Un élève de deuxième secondaire se lève et dit à l'enseignante : « Tu la fermes ou je te plante. » L'enseignante répond : « Je n'accepte pas qu'on me parle sur ce ton. Si tu continues, attends-toi à ce que je te demande de sortir. » L'élève dit : « Je ne sors pas » et renverse son bureau en jurant. Si l'enseignante « travaille avec un filet », il y a une procédure claire prévue dans l'école, de la même façon qu'il y a une procédure en cas d'incendie. L'enseignante peut demander à une élève d'aller chercher le directeur ou une autre personne et éloigner les autres élèves pour que personne ne soit blessé. Il y a toujours une personne capable d'intervenir. L'intervention du deuxième niveau prévoit un filet, des conséquences, des mesures qui soutiennent l'enseignant en cas de crise.

Qu'en est-il de l'évaluation des élèves en difficulté de comportement ?

On a écrit là-dessus et cela fait un certain temps qu'on le dit : les écoles ne sont ni des centres de psychothérapie, ni des lieux cliniques, ni des centres de réadaptation ; les écoles sont des maisons d'éducation. Ça prend des outils que les agents d'éducation puissent comprendre et utiliser, des outils qui viennent soutenir l'intervention dans l'éducation. Au fond, il faut fonctionner avec deux grands types d'évaluation : l'évaluation normative et l'évaluation fonctionnelle. L'évaluation normative nous donne une idée de l'importance comme telle des difficultés ; on trouve au Québec l'échelle d'évaluation des dimensions du comportement de Bullock et Wilson, qui comporte des normes québécoises. Quant à l'évaluation fonctionnelle, c'est une mesure qui permet de savoir où l'on s'en va et que l'on peut gérer dans un contexte d'urgence. Elle comprend l'entrevue avec l'élève, l'enseignant, le parent et des données d'observation.

Et l'intervention ?

Dans les écrits ou dans la pratique, l'intervention qui a le plus d'effet consiste à utiliser le renforcement après la manifestation d'une conduite demandée et une punition légère dans les situations plus difficiles. Il faut joindre à cela un programme pour augmenter et développer les habiletés sociales et l'autocontrôle. Au bout du compte, on veut qu'un jour le jeune n'ait plus besoin d'un renforcement systématique. Le principe est de créer une autre structure pour aider le jeune handicapé par son comportement et, par la suite, de pouvoir amincir le cadre au fur et à mesure qu'il apprend à se comporter correctement. Il y a cependant des groupes d'adolescents qui ont des comportements agressifs bien ancrés et fonctionnellement « utiles ». On peut structurer l'environnement de manière à les amener à se comporter correctement à l'école et à apprendre. Cependant, on ne pourra probablement pas les changer fondamentalement. Par exemple, comment peut-on empêcher ces groupes de voler la fin de semaine ?

Le leitmotiv est le suivant : avec des jeunes en difficulté de comportement, l'enseignement est nécessaire mais ne suffit pas. Il faut avoir des plans d'intervention bien articulés, faisant participer la famille, les enseignants, les autres intervenants, etc. Il faut aussi recourir à des consultants.

Quelles sont les habiletés de ces consultants, comme les psychologues ?

Ces consultants doivent posséder des habiletés de base béhavioristes incluant le modelage, l'extinction et le renforcement positif. Ils doivent aussi posséder des habiletés plus sophistiquées, dont la restructuration cognitive et le développement de stratégies cognitives qu'on utilise, par exemple, avec des élèves qui ont un déficit de l'attention. Les consultants doivent également connaître les programmes de formation aux habiletés sociales qui, au primaire et au secondaire, sont appliqués dans le contexte de la classe. Ils doivent donc être capables d'appliquer ces programmes dans un contexte donné et de planifier la généralisation et le transfert des habiletés acquises. Ils doivent aussi être en mesure de bâtir un plan d'intervention bien articulé. En effet, au secondaire, l'élève peut rencontrer une demi-douzaine d'enseignants.

Quelle serait la priorité dans ce dossier?

La prévention. Walker indique que si la stabilité du quotient intellectuel est de 0,70, sur 10 ans, celle de l'agressivité est de 0,80. L'agressivité est donc un problème qui a une longue durée. Si un enseignant voit un enfant de cinq ans secouer comme un sac un de ses amis de maternelle, crier, faire des crises continuellement, il faut alors faire rapidement une intervention et mettre en place un plan d'intervention bien articulé.

Avec les élèves en difficulté de comportement, il faut, stratégiquement, associer les parents et faire collaborer ensemble la famille, les ressources sociales, telles que les CLSC, et l'école.

RÉSUMÉ

On peut utiliser plusieurs moyens pour aider les élèves en difficulté d'adaptation et de comportement. Une saine discipline permet, dans un premier temps, de prévenir l'apparition de plusieurs difficultés. Lorsque l'intervention doit être systématisée, on peut la décrire à l'aide d'un plan d'intervention personnalisé. Parmi les différentes approches adoptées avec les élèves en difficulté de comportement, l'approche béhavioriste a permis d'élaborer diverses méthodes: la distribution sélective de l'attention, le contrat de comportement, les programmes de formation aux habiletés sociales, et ainsi de suite. Par ailleurs, dans le milieu scolaire, plusieurs personnes-ressources peuvent aider l'élève: les psychologues, les psychoéducateurs, les travailleurs sociaux, etc.

L'intervention auprès d'élèves qui ont des difficultés graves de comportement exige donc la concertation des intervenants. Cette concertation est facilitée par diverses démarches: un inventaire des ressources disponibles, la détermination des besoins des élèves, la planification d'un plan d'intervention personnalisé. L'inventaire des ressources disponibles ne doit pas se limiter au personnel scolaire; il doit aussi inclure les services communautaires du quartier, les groupes d'entraide et les divers services existants. Dans ce processus, la direction de l'école joue un rôle primordial de coordination, d'animation et de soutien aux intervenants.

QUESTIONS

1. Quelles sont les principales approches d'intervention pour les élèves qui ont des difficultés de comportement?
2. Pourquoi est-il important que l'école agisse en collaboration avec plusieurs autres intervenants lorsque des élèves présentent des difficultés graves de comportement?
3. Quels sont les principes de l'approche béhavioriste? Comment peut-on utiliser ces principes dans l'intervention?
4. Qu'est-ce qu'un contrat de comportement? Quels éléments doit-il inclure?
5. Quelle est l'importance de la discipline face aux difficultés de comportement?

MISES EN SITUATION

Première situation

Pierre : 7 ans

Niveau scolaire : deuxième année du premier cycle du primaire

Nous sommes au début de novembre. Pierre perturbe le fonctionnement de sa classe et parfois les activités de l'école. Il s'est battu deux fois le mois dernier dans la cour de récréation et le chauffeur d'autobus se plaint de son comportement : il change deux ou trois fois de siège au cours d'un trajet. Des élèves se plaignent qu'il vole leurs choses. Les bulletins de la maternelle et de la première année du premier cycle ne signalent aucun problème. Le bulletin de l'année dernière indique que Pierre a atteint les objectifs du programme. Vous rencontrez quelques minutes l'enseignante de première année. Elle vous dit que Pierre est un enfant attachant, qui parlait peut-être un peu trop en classe, mais qui réussissait bien, particulièrement dans les activités coopératives. Il avait cependant tendance à oublier chez lui le matériel nécessaire. Somme toute, cela n'était pas grave, puisque cette enseignante prévoyait toujours du matériel en surplus. Inutile d'en faire un drame…

L'enseignante précise qu'actuellement, outre qu'il bouge tout le temps, Pierre a de sérieuses difficultés en mathématique. Son comportement se détériore encore plus durant ces périodes. Ce matin, Pierre est entré dans la classe et, une minute après, il en est ressorti à la course en disant qu'il avait oublié son livre dans son casier. Il est revenu cinq minutes plus tard, escorté par l'orthopédagogue qui l'avait trouvé en train d'« explorer » le casier d'un autre élève.

Au cours des leçons magistrales, Pierre se lève, prend des objets (crayons, gommes à effacer) sur le bureau de ses pairs, campe sa chaise sur deux pattes. Il finit souvent par basculer, faisant rire toute la classe. Cela entraîne à plusieurs reprises des réprimandes de la part de l'enseignante.

L'enseignante a appelé la mère de Pierre, qui est venue la rencontrer. Elle dit que Pierre a un comportement un peu plus difficile depuis que son père les a quittés en août dernier. Elle a d'ailleurs dû prendre un emploi d'infirmière. Actuellement, elle travaille le soir, mais elle espère pouvoir travailler le jour d'ici deux semaines. Pierre est gardé le soir par sa sœur âgée de 14 ans. La mère dit qu'elle s'inquiète plus pour sa fille que pour son fils parce que des amis de sa fille viennent à la maison en son absence. L'enseignante s'informe des habitudes de vie de Pierre. Ses heures de sommeil sont assez courtes. Il regarde la télévision tard le soir. Lorsque sa mère rentre à 23 heures, elle le trouve souvent endormi sur le sofa du salon. Toutefois, même la fin de semaine lorsque sa mère est présente, Pierre ne se couche pas avant 21 ou 22 heures.

L'enseignante a aussi rencontré Pierre individuellement. Il s'exprime peu sur ce qu'il vit en classe, sauf pour dire qu'il n'aime plus aller à l'école.

Question

Quelles seront les prochaines étapes de l'évaluation ou de l'intervention de l'enseignante ?

Deuxième situation

Les 15 élèves de deuxième secondaire en cheminement particulier de l'école Les Mésanges sont amateurs de profs : l'année dernière, en première secondaire, ils se sont organisés pour accueillir successivement en enfer huit titulaires différents. Leur plaisir, comme ils le disent, c'est de « faire craquer l'enseignant ». À ce plaisir s'ajoutent les paris sur le temps que tiendra le nouvel enseignant.

La direction de l'école a bien essayé d'aider ces pauvres enseignants, mais ses efforts, non systématiques, ont donné peu de résultats : la suspension de certains élèves, des punitions diverses, des séjours dans le corridor, des avertissements aux parents, etc.

Il faut donc engager un nouvel enseignant pour cette classe de cheminement particulier. N'ayant pas vraiment le choix (les enseignants d'expérience préférant, pour des motifs personnels faciles à comprendre, aller enseigner ailleurs que dans cette classe), la direction embauche un enseignant fraîchement diplômé. Mis à part ses stages, il n'a jamais enseigné, mais il a d'excellentes connaissances théoriques… et il veut réussir.

Cet enseignant, c'est vous !

Le directeur vous convoque. Votre mission : structurer un plan d'action avant la rentrée des élèves en septembre. Vous travaillerez à ce projet durant deux semaines en août. Il est prêt à vous donner un coup de main pendant plusieurs jours. Il est à noter également qu'un psychoéducateur est disponible deux jours par semaine pour votre classe, dont la réputation n'est plus à faire. La direction vous assure de son soutien et, chose exceptionnelle, vous alloue un budget de 3 000 $ pour réaliser des projets avec votre classe.

…

MISES EN SITUATION (*suite*)

Le directeur vous demande de lui présenter rapidement un plan du travail que vous avez l'intention de faire. Ce plan devra décrire les points sur lesquels vous vous pencherez, dans une optique de prévention, afin d'éviter un nouveau défilé d'enseignants dans cette classe durant la prochaine année scolaire.

Question

Décrivez les points que vous explorerez au cours de ces deux semaines.

RÉFÉRENCES SUGGÉRÉES

ARCHAMBAULT, J. et CHOUINARD, R. (2003). *Vers une gestion éducative de la classe* (2e éd.). Montréal : Gaëtan Morin Éditeur.

Sur diverses méthodes d'intervention :

MASSÉ, L., DESBIENS, N. et LANARIS, C. (dir.) (2006). *Les troubles du comportement à l'école.* Montréal : Gaëtan Morin Éditeur.

Sur le TDAH :

COLLÈGE DES MÉDECINS DU QUÉBEC et ORDRE DES PSYCHOLOGUES DU QUÉBEC (2001). *Le trouble déficit de l'attention / hyperactivité et l'usage de stimulants du système nerveux central. Lignes directrices du Collège des médecins du Québec et de l'Ordre des psychologues du Québec.* Montréal : Collège des médecins du Québec

COLLÈGE DES MÉDECINS DU QUÉBEC et ORDRE DES PSYCHOLOGUES DU QUÉBEC (2006). *Le trouble déficit de l'attention avec ou sans hyperactivité. Traitement pharmacologique (mise à jour).* Montréal : Collège des médecins du Québec. Ce document est disponible sur le site de l'Ordre des psychologues du Québec [http://www.ordrepsy.qc.ca/] et présente entre autres un tableau intéressant sur les principaux médicaments utilisés et leur durée d'action.

MINISTÈRE DE L'ÉDUCATION DU QUÉBEC et MINISTÈRE DE LA SANTÉ ET DES SERVICES SOCIAUX DU QUÉBEC (2003). *Trouble de déficit de l'attention / hyperactivité. Agir ensemble pour soutenir les jeunes.* Québec : Ministère de la Santé et des Services sociaux, Direction des communications.

Sur l'intimidation :

ASSOCIATION QUÉBÉCOISE DES PSYCHOLOGUES SCOLAIRES (2003). *Dossier intimidation.* s. l. : Association québécoise des psychologues scolaires. Ce document inclut la description du programme d'Olweus appliqué à la commission scolaire Val-des-Cerfs et plusieurs instruments d'évaluation.

ORDRE DES PSYCHOLOGUES DU QUÉBEC et COMMISSION SCOLAIRE DE MONTRÉAL (s. d.). *L'intimidation entre enfants : C'est aussi l'affaire des parents.* Montréal : Ordre des psychologues du Québec et Commission scolaire de Montréal.

Ce dépliant offre aux parents et aux intervenants divers indices qui permettent de s'apercevoir qu'un enfant est victime d'intimidation et décrit des conseils de base pour agir, le cas échéant. Disponible sur le site de l'Ordre.

Sur les psychoéducateurs et les travailleurs sociaux :

ORDRE DES CONSEILLERS ET CONSEILLÈRES D'ORIENTATION ET DES PSYCHOÉDUCATEURS ET PSYCHOÉDUCATRICES DU QUÉBEC (OCCOPPQ). [en ligne], [http://www.occoppq.qc.ca/] et [http://www.psyced.umontreal.ca/informations_supplementaires.htm].

ORDRE PROFESSIONNEL DES TRAVAILLEURS SOCIAUX DU QUÉBEC. [en ligne], [http://www.optsq.org/fr/index_ordre_travailleursocial_profession.cfm].

UNIVERSITÉ DE MONTRÉAL. [en ligne], [http://www.psyced.umontreal.ca/presentation.htm].

Vidéo :

TANDEM VISION et ORDRE DES PSYCHOLOGUES DU QUÉBEC (2001). *Zéro rejet.* Montréal : Tandem Vision et Ordre des psychologues du Québec.

Un court document (11 minutes) où des adolescents témoignent de l'intimidation pour sensibiliser d'autres jeunes à ce phénomène.

SECTION IV

Les élèves ayant une déficience intellectuelle, un trouble envahissant du développement ou une déficience sensorielle, langagière ou physique

Les élèves ayant une déficience intellectuelle

Partie I : Les définitions, les causes et l'évaluation

Objectifs

Après avoir lu ce chapitre, le lecteur devrait pouvoir :

- décrire les critères permettant de définir la déficience intellectuelle ;
- indiquer le taux de prévalence de la déficience intellectuelle dans la population ;
- énumérer les principales causes de la déficience intellectuelle ;
- exposer les caractéristiques du syndrome de Down ;
- définir une courbe normale et y situer les limites cognitives de la déficience intellectuelle ;
- décrire quelques problèmes qui peuvent être associés à la déficience intellectuelle.

INTRODUCTION

Ce chapitre, qui a pour thème les élèves ayant une déficience intellectuelle (ou retard mental[1]), expose d'abord les définitions de celle-ci et les critères qui servent à identifier ses niveaux de sévérité. Suit la présentation de quelques statistiques et des taux de prévalence dans la population.

Nous verrons ensuite les causes de la déficience intellectuelle et l'importance de la prévention de ces causes. Puis, nous décrirons les différentes dimensions à prendre en considération lors de l'évaluation de la déficience intellectuelle : l'intelligence, les comportements adaptatifs, l'étiologie de la déficience, la santé physique et mentale, le contexte de vie et le soutien. Enfin, nous verrons que la déficience intellectuelle doit être considérée dans une perspective multidimensionnelle qui permette à la personne d'assumer des rôles valorisants dans la société.

9.1 Les définitions et les niveaux de sévérité

9.1.1 Les définitions

Les définitions utilisées au Québec et ailleurs dans le monde sont influencées par les travaux de grands organismes comme l'Association américaine du retard mental (AAMR) et l'Organisation mondiale de la santé (OMS). L'AAMR, qui est une figure de proue dans ce domaine, publie régulièrement une mise à jour des définitions et des classifications du retard mental. Dans la définition de l'AAMR (2003a), on trouve trois critères de base :

1) le quotient intellectuel ou de développement ;
2) la mesure du comportement adaptatif ;
3) l'âge d'apparition de la déficience intellectuelle, qui doit survenir avant 18 ans.

Le tableau 9.1 expose les définitions du retard mental, de l'intelligence et du comportement adaptatif données par l'AAMR (2003a). Quant au Ministère (MELS, 2006b[2]), il décrit également la déficience intellectuelle selon des limitations sur les plans du quotient intellectuel (Q.I.) et des comportements adaptatifs dans son guide sur l'organisation des services éducatifs aux élèves handicapés ou en difficulté d'adaptation et d'apprentissage.

9.1.2 Les niveaux de sévérité

La population des personnes qui ont une déficience intellectuelle présente une grande hétérogénéité, le retard mental allant de léger à profond. De plus, cette hétérogénéité est accentuée par la probabilité que plus la déficience devient sévère, plus divers autres problèmes apparaissent.

1. Le ministère de l'Éducation, du Loisir et du Sport du Québec (2006b) utilise l'expression « déficience intellectuelle », alors que l'Association américaine du retard mental utilise le terme « retard mental ». Lorsque nous ferons référence aux travaux de cette association, nous utiliserons donc cette expression.

2. Pour la définition complète de la déficience moyenne à sévère et de la déficience profonde du MELS, voir, sur le site du MELS [http://www.mels.gouv.qc.ca/], le document *L'organisation des services éducatifs aux élèves à risque et aux élèves handicapés ou en difficulté d'adaptation et d'apprentissage (EHDAA).*

Tableau 9.1

Définitions du retard mental, de l'intelligence et du comportement adaptatif selon l'AAMR

Retard mental

Le retard mental est une incapacité caractérisée par des limitations significatives du fonctionnement intellectuel et du comportement adaptatif, lequel se manifeste dans les habiletés conceptuelles, sociales et pratiques. Cette incapacité survient avant l'âge de 18 ans.

Cinq postulats sont essentiels à l'utilisation de cette définition :

1. Les limitations dans le fonctionnement actuel devraient tenir compte des environnements typiques, du groupe d'âge de la personne et de son milieu culturel.
2. Une évaluation valide tient compte à la fois de la diversité culturelle et linguistique de la personne ainsi que des différences sur les plans sensorimoteurs, comportementaux et de la communication.
3. Chez une même personne, les limitations coexistent souvent avec des forces.
4. La description des limitations est importante, notamment pour déterminer les soutiens requis.
5. Si la personne présentant un retard mental reçoit un soutien adéquat et personnalisé sur une période soutenue, son fonctionnement devrait s'améliorer.

Intelligence

L'intelligence est une capacité mentale générale. Elle inclut le raisonnement, la planification, la résolution de problèmes, la pensée abstraite, la compréhension d'idées complexes, la facilité à apprendre et les apprentissages à partir d'expériences.

Les limitations au plan de l'intelligence doivent être considérées selon quatre autres dimensions : le comportement adaptatif ; la participation, les interactions et les rôles sociaux ; la santé ; le contexte.

Selon l'objectif visé, soit le diagnostic ou la classification, l'évaluation de l'intelligence sera considérée différemment.

Loin d'être parfait, le Q.I. constitue encore le meilleur moyen de représenter le fonctionnement intellectuel d'une personne, à condition qu'il ait été établi à l'aide d'instruments appropriés. Le critère diagnostique est d'environ deux écarts types sous la moyenne si on prend en considération l'erreur type[3] de mesure spécifique des instruments utilisés ainsi que leurs forces et leurs limites.

Comportement adaptatif

Le comportement adaptatif est l'ensemble des habiletés conceptuelles, sociales et pratiques apprises par la personne et lui permettant de fonctionner au quotidien.

Les limitations du comportement adaptatif compromettent tant les activités quotidiennes de la personne que sa capacité de s'adapter aux changements et aux exigences de l'environnement.

Les limitations du comportement adaptatif devraient être considérées selon quatre autres dimensions : les capacités intellectuelles ; la participation, les interactions, les rôles sociaux ; la santé ; le contexte.

Selon l'objectif visé, soit le diagnostic, la classification ou la planification du soutien, le comportement adaptatif sera considéré différemment.

Pour que soit établi un diagnostic de retard mental, des limitations significatives du comportement adaptatif devraient être identifiées à l'aide d'outils d'évaluation standardisés et normalisés auprès de la population, incluant des personnes présentant ou non des incapacités. Des limitations significatives sur le plan du comportement adaptatif sont définies de manière opérationnelle comme une performance ou un score qui se situe à au moins deux écarts types sous la moyenne : (a) à l'un des trois types de comportements adaptatifs suivants : conceptuel, social et pratique ; (b) à un score global mesuré à l'aide d'un instrument standardisé portant sur des habiletés conceptuelles, sociales et pratiques.

Source : Association américaine du retard mental (2003a, p. 15-16).

3. L'erreur type de mesure est associée au degré de fidélité d'un test, c'est-à-dire à sa capacité de mesurer avec consistance ce qu'il est censé mesurer. Moins le test est fidèle, plus l'erreur type de mesure est élevée. Cette erreur type de mesure permet de déterminer dans quelle zone se situent les résultats d'un individu, ce qu'on appelle l'intervalle de confiance. En effet, il faut toujours considérer une marge possible d'erreur lorsqu'il y a interprétation d'un résultat à un test.

La *Classification internationale des maladies et des problèmes de santé connexes* de l'Organisation mondiale de la santé, citée dans l'AAMR (2003a), relève les principaux niveaux de sévérité suivants:

1) Le retard mental léger: Q.I. entre 50 et 69. Dans ce groupe, plusieurs adultes auront un emploi et contribueront à la société. À la période scolaire, il y a une probabilité d'observer des difficultés d'apprentissage.

2) Le retard mental moyen: Q.I. de 35 à 49. La plupart des personnes développent un certain degré d'autonomie personnelle et des habiletés sur les plans scolaire et de la communication. Le soutien requis sera variable à l'âge adulte.

3) Le retard mental sévère: Q.I. de 20 à 34. Il y a un besoin continu de soutien.

4) Le retard mental profond: Q.I. inférieur à 20. Il y a des limitations sévères sur le plan de l'autonomie personnelle, de la continence, de la communication et de la mobilité.

Si l'Organisation mondiale de la santé et le DSM-IV-TR présentent les degrés de sévérité, en 1992, l'AAMR a éliminé dans ses définitions les niveaux de sévérité en les remplaçant par les niveaux de soutien requis pour aider la personne (voir le tableau 9.2, page 208).

Plus le degré de déficience augmente, plus il y a de limitations. Le langage, la motricité et l'autonomie sont touchés. Ainsi, le MELS (2006b) indique que les élèves ayant une déficience profonde (quotient intellectuel ou de développement inférieur à 20-25) auront, par exemple, des difficultés de communication et des difficultés sur les plans affectif, social, moteur et physique. De plus, pour ces élèves ayant une déficience profonde, la parole sera souvent non acquise et les apprentissages seront réalisés principalement par la manipulation, l'exploration et l'association. Ces problèmes seront souvent accompagnés d'un état de santé précaire. Ces limitations exigeront « des méthodes d'évaluation et de stimulation individualisées ou le recours à une aide technique » (p. 13).

En ce qui a trait à la déficience moyenne à sévère (quotient intellectuel ou de développement entre 20-25 et 50-55), le MELS (2006b) précise que l'élève a de la difficulté à traiter des données nombreuses et complexes, ainsi que des difficultés de généralisation et de transfert. La motricité fine et la motricité globale pourront aussi être touchées de même que la communication et le langage. Ces difficultés entraînent « des besoins d'assistance pour s'organiser dans des activités nouvelles, ou un besoin d'éducation à l'autonomie de base » (p. 14).

9.2 Le taux de prévalence

Le taux de prévalence est le nombre de personnes atteintes d'une déficience ou d'une maladie dans une population donnée. Tassé et Morin (2003) indiquent que le taux théorique de la déficience est estimé à environ 3 % de la population si l'on considère la limite de 70 pour le quotient intellectuel. Cependant, selon ces auteurs, si l'on tient aussi compte du comportement adaptatif, ce taux serait d'environ 1 %.

La figure 9.1 présente la répartition de la population ayant une déficience intellectuelle en fonction du niveau de sévérité de la déficience selon le DSM-IV-TR.

Figure 9.1

Répartition des niveaux de retard mental selon le DSM-IV-TR

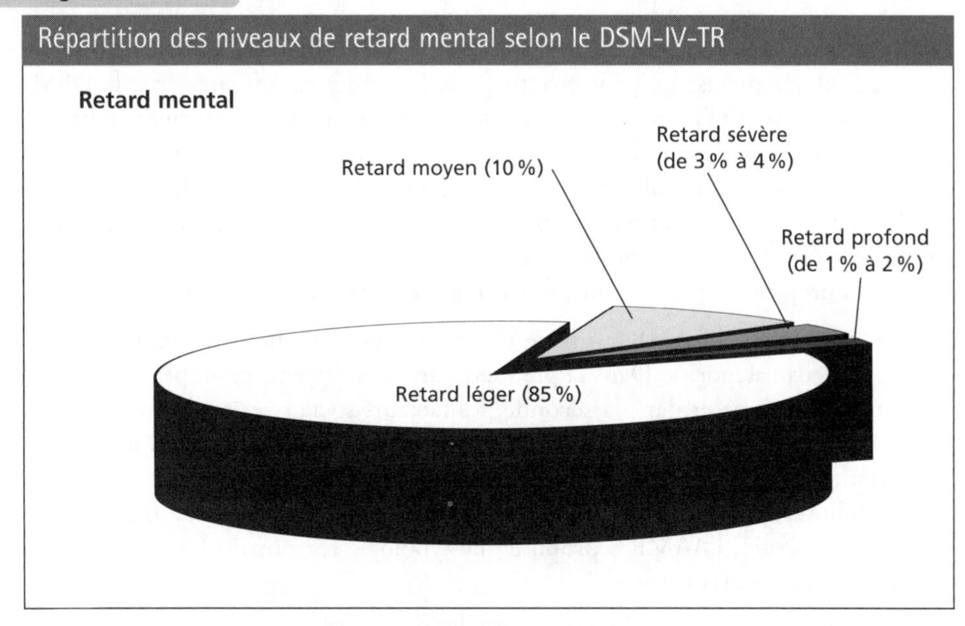

Source des données : American Psychiatric Association (2003).

Selon l'AAMR (2003a), les statistiques américaines indiquent qu'au cours des dernières années le nombre d'élèves classés dans la catégorie « retard mental léger » a diminué, alors que celui des élèves classés dans la catégorie des « troubles d'apprentissage » a augmenté. Le diagnostic du retard mental léger se heurte à plusieurs problèmes : l'hétérogénéité des élèves constituant ce groupe, la surreprésentation de groupes minoritaires classés durant la période scolaire et les stigmates associés au diagnostic (AAMR, 2003a). De plus, la déficience légère présente d'autres problèmes liés à son identification. Ainsi, les résultats à un test d'intelligence peuvent être biaisés si la personne évaluée appartient à une culture différente de celle de la population avec laquelle le test a été normalisé. Dans les années 70, il y a d'ailleurs eu aux États-Unis plusieurs procès à ce sujet. Des parents d'élèves de minorités ethniques ont en effet poursuivi des organisations scolaires qui avaient classé leurs enfants dans des milieux spécialisés sur la base de tests ne tenant pas compte des différences culturelles (voir le chapitre 1). Une autre difficulté réside dans le fait que les causes de la déficience légère ne sont connues que dans 25 % à 40 % des cas. Or, les causes sont identifiables dans 60 % à 75 % des situations en ce qui concerne la déficience moyenne, sévère ou profonde. À ces niveaux, les causes sont en général organiques et la déficience est diagnostiquée en bas âge (AAMR, 2003a).

Cependant, il est souvent nécessaire de diagnostiquer la déficience pour obtenir les services nécessaires. Greenspan écrit à ce sujet :

> Le concept de retard mental est utile parce qu'il permet surtout à la personne d'obtenir les services et le soutien dont elle a désespérément besoin. Il constitue cependant une fiction, en ce sens qu'aucune justification n'appuie l'idée selon laquelle il existerait une ligne magique qui séparerait celui qui présente cette condition d'une autre (AAMR, 2003a, p. 42).

9.3 Les causes de la déficience intellectuelle

Le DSM-IV-TR (APA, 2003) estime que, dans 30 % à 40 % des cas vus en clinique, aucune étiologie précise ne peut être trouvée. Parmi les causes citées par le DSM-IV-TR, mentionnons l'hérédité, des altérations précoces du développement embryonnaire (par exemple, des modifications chromosomiques ou des atteintes prénatales d'origine toxique), des problèmes en cours de grossesse (par exemple, la malnutrition fœtale) et des problèmes périnataux (par exemple, l'anoxie[4]), des maladies somatiques contractées dans la première ou la deuxième enfance, des facteurs environnementaux et d'autres problèmes (par exemple, une carence grave de stimulation).

Historiquement, l'AAMR a utilisé une typologie des causes du retard mental divisée en deux catégories. Dans la première catégorie étaient regroupés les facteurs de nature biologique et dans la seconde, les facteurs sociaux et environnementaux (Grossman, 1983). Il va sans dire que ces deux catégories n'étaient pas nécessairement étanches l'une par rapport à l'autre. Ainsi, dans des milieux très désavantagés, la probabilité est plus grande de trouver simultanément la sous-stimulation et la malnutrition. En 2003, l'AAMR a proposé une typologie regroupant les facteurs étiologiques en quatre classes :

- Biomédicaux : les facteurs reliés aux processus biologiques, tels que les troubles génétiques ou la nutrition.
- Sociaux : les facteurs liés aux interactions sociales et familiales que l'adulte procure à l'enfant et l'attention qu'il lui porte.
- Comportementaux : les facteurs liés aux comportements causant potentiellement le retard mental comme les activités dangereuses (nuisibles) ou l'abus de substances par la mère.
- Éducationnels : les facteurs reliés à la disponibilité du soutien éducationnel favorisant le développement mental et le développement d'habiletés adaptatives (AAMR, 2003a, p. 149).

Nous examinerons quelques-unes des causes mentionnées fréquemment dans l'apparition de la déficience intellectuelle.

9.3.1 Des chromosomes responsables

La cellule humaine contient 23 paires de chromosomes (22 paires d'autosomes et une vingt-troisième paire de chromosomes sexuels, XX chez la femme et XY chez l'homme). Plusieurs syndromes sont dus à des aberrations chromosomiques. Le plus connu de ces syndromes chromosomiques et celui dont la fréquence est la plus élevée est le syndrome de Down.

A. Le syndrome de Down

Ce syndrome est ainsi nommé à cause du Dr Langdon Down, qui fut le premier à décrire les personnes atteintes de cette affection. Au départ, le Dr Down utilise le terme « mongolisme », les caractéristiques faciales des enfants lui rappelant ce peuple oriental. Cependant, il serait actuellement incorrect d'utiliser ce terme de même que les vocables « mongol » ou « mongoloïde » ; ces mots ont des connotations péjoratives et sont associés à des préjugés raciaux.

4. Manque d'oxygène à la naissance.

Pour 95 % des enfants atteints du syndrome de Down, le problème est lié à la première cellule qui, au moment de la conception, possède un chromosome de plus (47 au lieu de 46). Ce chromosome supplémentaire est attaché à la vingt et unième paire (trisomie 21). Deux autres types d'aberrations chromosomiques sont parfois associés au syndrome de Down : la mosaïque et la translocation. Dans la mosaïque, une partie des cellules ont 46 chromosomes et une partie, 47. Les individus atteints de la mosaïque présentent le syndrome de Down de manière moins marquée, et le degré de déficience est moins élevé (Lambert, 1978). Dans la translocation, une partie d'un chromosome est attachée à un autre chromosome (par exemple, une partie du chromosome 21 est attachée au chromosome 14). Dans ce cas, il est possible que les parents soient porteurs de ce problème chromosomique.

Les personnes atteintes du syndrome de Down peuvent présenter diverses caractéristiques physiques, dont une taille plus petite, des yeux davantage bridés ou une langue en saillie. Le tonus des muscles peut être réduit (hypotonie), et près du tiers de ces enfants ont des problèmes cardiaques.

Jusqu'à ce jour, plusieurs théories ont tenté d'expliquer cette division chromosomique anormale : des infections virales, des problèmes hormonaux, la consommation de drogue, l'exposition aux rayons X, des prédispositions génétiques. Il est également reconnu que plus l'âge de la mère est élevé au moment de la grossesse, plus les risques de mettre au monde un enfant ayant un syndrome de Down augmentent. Le taux de prévalence est d'environ un cas sur 650 naissances (Tassé et Morin, 2003).

B. D'autres syndromes chromosomiques

Outre le syndrome de Down, certaines aberrations chromosomiques peuvent causer une déficience intellectuelle, comme le syndrome du cri du chat (dû à une délétion de la cinquième paire de chromosomes), le syndrome de Turner (avec ou sans déficience) et le syndrome de Klinefelter.

9.3.2 Des altérations des gènes

D'autres problèmes génétiques, telles des altérations des gènes, peuvent être liés à la déficience intellectuelle. Parmi ceux-ci, notons le syndrome de Tay-Sachs (un désordre du métabolisme des lipides touchant le système nerveux central), le syndrome de Lesch-Nyhan (un excès d'acide urique) ou encore les troubles métaboliques comme la phénylcétonurie ou la galactosémie.

Soulignons que les dommages créés par certaines maladies métaboliques congénitales peuvent être minimisés à l'aide, entre autres, d'une diétothérapie appropriée. Tel est le cas de la phénylcétonurie, qui a pratiquement été éliminée comme cause de la déficience intellectuelle grâce au dépistage et au traitement précoces. « La phénylcétonurie est caractérisée par un taux élevé de phénylalanine plasmatique et par la présence dans l'urine de phénylcétines » (Ciotti et Cacciari, 1987, p. 195). Au moyen du dépistage périnatal, il est maintenant possible de prévenir la déficience en soumettant les enfants atteints de phénylcétonurie à une diète appropriée. La galactosémie est, quant à elle, une erreur du métabolisme du galactose. Les enfants sont soumis à une diète où tous les produits dérivés du lait sont à éviter. Dans ces cas, « plus le traitement diététique est précoce, meilleur est le développement mental »

(Ciotti et Cacciari, 1987, p. 210). Malheureusement, tous les désordres génétiques ne peuvent être ainsi résolus. Le tableau 9.2 présente quelques facteurs chromosomiques ou génétiques.

Il y a aussi des variations héréditaires normales dans la distribution de l'intelligence. Ces variations héréditaires sont surtout associées à la déficience intellectuelle légère.

Tableau 9.2

Quelques facteurs de déficience intellectuelle

Facteurs	Syndrome	Prévalence	Phénomène	Manifestations
Génétiques	X fragile	1 sur 4000 hommes 1 sur 7000 femmes	Mutation du gène FMR1 situé sur le chromosome X	Déficience chez 85 % des garçons et 25 % des filles où l'on observe une mutation de ce gène ; caractéristiques physiques et comportementales
	Phénylcétonurie	1 naissance sur 15000	Phénomène récessif héréditaire, perturbation du système métabolique des acides aminés qui entraîne une concentration de phénylalanine dommageable pour la myéline du cerveau	Déficience intellectuelle, psychose, comportements problématiques, mais les symptômes peuvent être évités grâce à une diète
	Sclérose tubéreuse de Bourneville	Selon les études : 1 naissance sur 12000 à 1 naissance sur 6800	Désordre héréditaire dans des chromosomes	Épilepsie, déficience intellectuelle (pour 64 % à 82 % des personnes atteintes) et adénomes sébacés
	Syndrome de Lesch-Nyhan	Taux faible, uniquement chez les garçons	Transmission héréditaire récessive sur le bras long du chromosome X, absence de l'enzyme HPRT	Habituellement, déficience intellectuelle avec retard sur le plan moteur, spasticité musculaire, ataxie et hypertonie
Chromosomiques	Syndrome de Down ou trisomie 21	1 naissance sur 650	Erreur chromosomique sur la 21e paire de chromosomes	Déficience intellectuelle variable ; signes physiques, dont les yeux bridés
	Syndrome de Prader-Labhart-Willi	1 naissance sur 15000	Désordre complexe mettant en cause le chromosome 15	Fonctionnement cognitif inférieur à la moyenne ; signes physiques particuliers ; effets sur l'appétit
	Syndrome d'Angleman	1 naissance sur 12000 ou 25000 selon les études	Délétion* du chromosome 15	Retard mental sévère, signes physiques, absence de langage expressif

* Perte d'un morceau de chromosome, cause de problèmes congénitaux, c'est-à-dire avant la naissance.

Source : Inspiré de Tassé et Morin (2003).

9.3.3 D'autres facteurs prénatals

Avant la naissance, d'autres causes constitutionnelles, infectieuses ou environnementales peuvent être des facteurs de déficience : la toxoplasmose (une infection causée chez le fœtus par un protozoaire), la rubéole contractée en cours de grossesse par la mère, l'irradiation, la consommation de drogue, etc. Le syndrome d'alcoolisme fœtal est aussi reconnu comme l'une des causes de la déficience intellectuelle.

9.3.4 Les causes périnatales et les événements postnatals

Au moment de la naissance, des lésions, des traumatismes cérébraux ou l'interruption du flot d'oxygène (l'anoxie) peuvent créer des dommages entraînant une déficience intellectuelle. Une naissance prématurée, associée à un développement neurologique insuffisant, est reconnue comme un facteur de risque important. En ce qui concerne les causes postnatales, notons les dommages causés au cerveau à la suite de mauvais traitements, d'accidents, d'infections telles que la méningite et l'encéphalite, d'un empoisonnement au mercure, au plomb ou à l'oxyde de carbone, d'un manque important de stimulation, etc. (Institut canadien pour la déficience mentale, 1986). La figure 9.2 présente quelques-unes des causes associées à la déficience intellectuelle.

Figure 9.2

Quelques causes de la déficience intellectuelle

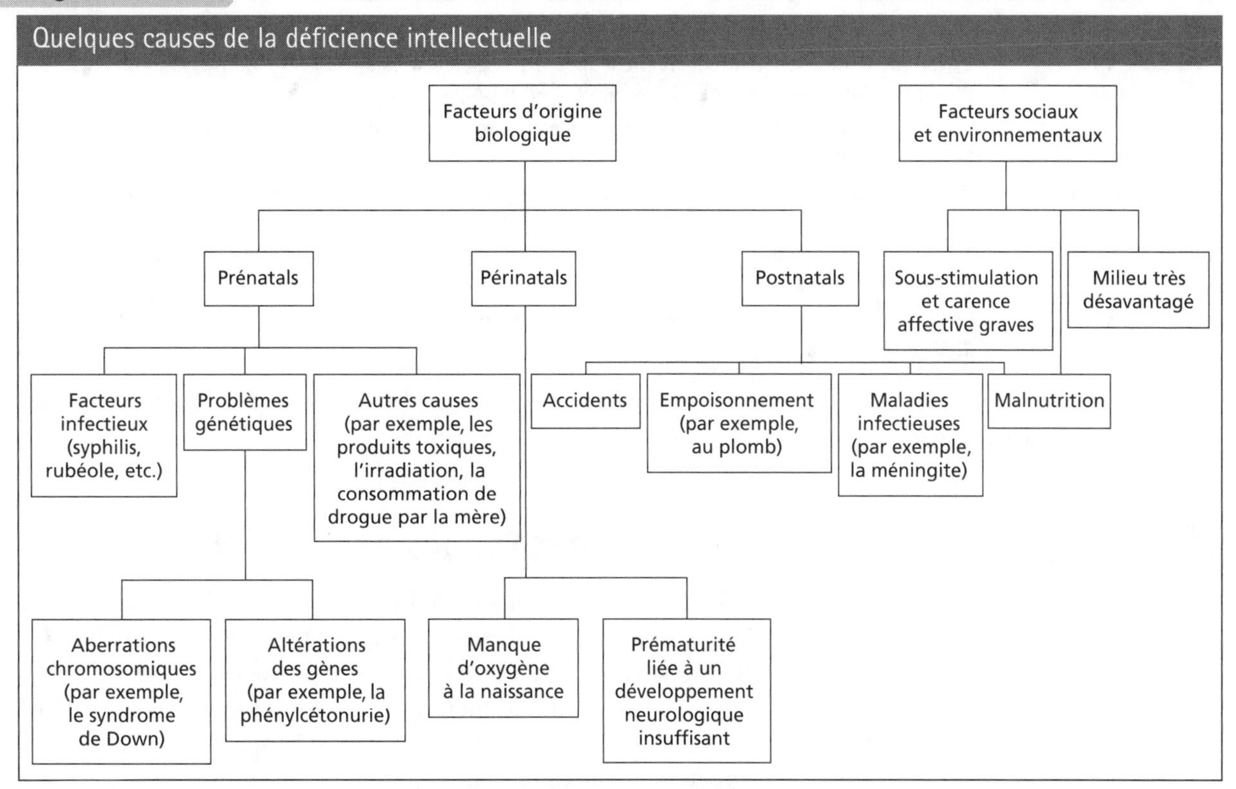

Source : Inspirée de la classification suggérée par l'American Association on Mental Deficiency (Grossman, 1983, chap. 5).

9.4 La prévention des causes de la déficience intellectuelle

La prévention et le dépistage précoce ont permis de réduire le nombre d'enfants ayant une déficience intellectuelle. Les progrès de la médecine et la prévention ont limité, par exemple, les dommages liés à certaines maladies métaboliques, comme la phénylcétonurie, ou le nombre d'infections dues à la rubéole. En particulier, la prévention pendant la grossesse permet de diminuer les facteurs de risque. Cette prévention peut s'exercer de plusieurs façons : par une saine alimentation, par le traitement rapide des infections transmises sexuellement, par l'abstinence en ce qui concerne l'usage du tabac, de drogue et d'alcool, et par des conditions de vie équilibrées. Des examens prénatals réguliers, l'échographie et l'amniocentèse sont aussi des mesures préventives très répandues aujourd'hui.

Il devient évident non seulement que des approches éducatives sont nécessaires avec les élèves ayant une déficience intellectuelle, mais que des interventions médicales, diététiques et sociales sont très souvent requises à la fois dans la prévention et dans l'intervention. Comme l'avons vu dans les chapitres 5 et 8, il faut aussi envisager la question de la prévention primaire, secondaire ou tertiaire de la déficience intellectuelle. Le tableau 9.3 présente ces degrés de prévention.

Tableau 9.3

Degrés de prévention de la déficience intellectuelle

Type de prévention	Objectifs
Primaire	Éviter que la déficience intellectuelle n'apparaisse. Exemple : ajout d'acide folique aux aliments pour prévenir le spina-bifida* et d'autres malformations du tube neural
	Conseiller à l'ensemble des futures mères d'éviter la consommation d'alcool, de drogue ou de tabac en cours de grossesse
Secondaire	Prévenir l'apparition de la déficience intellectuelle chez les personnes identifiées à risque (par exemple, une diète dans le cas de la phénylcétonurie)
	Mettre en œuvre un programme de stimulation précoce chez les enfants à risque de retard de développement
Tertiaire	Intervention spécialisée auprès de la personne diagnostiquée pour prévenir la détérioration du fonctionnement

* « Malformation congénitale de la colonne vertébrale consistant en une hernie d'une partie du contenu du canal rachidien » (*Le Petit Larousse*, 1992).

Source : Inspiré de Tassé et Morin (2003) et Jourdan-Ionescu (2003).

9.5 L'évaluation : les dimensions à considérer

La définition de l'AAMR (2003a) et celles du MELS (2006b) indiquent que le retard mental doit être évalué à l'aide d'instruments permettant de mesurer l'intelligence (ou un quotient de développement) et les comportements adaptatifs. Considérant l'évaluation dans une perspective multidimensionnelle (voir la figure 9.3), l'AAMR indique que l'évaluation doit, de plus, prendre en considération différentes dimensions comme le degré de soutien requis pour la personne, le contexte de vie, la santé et l'étiologie de la déficience. C'est ce que nous verrons dans les pages suivantes.

Figure 9.3

Modèle théorique du retard mental selon l'AAMR

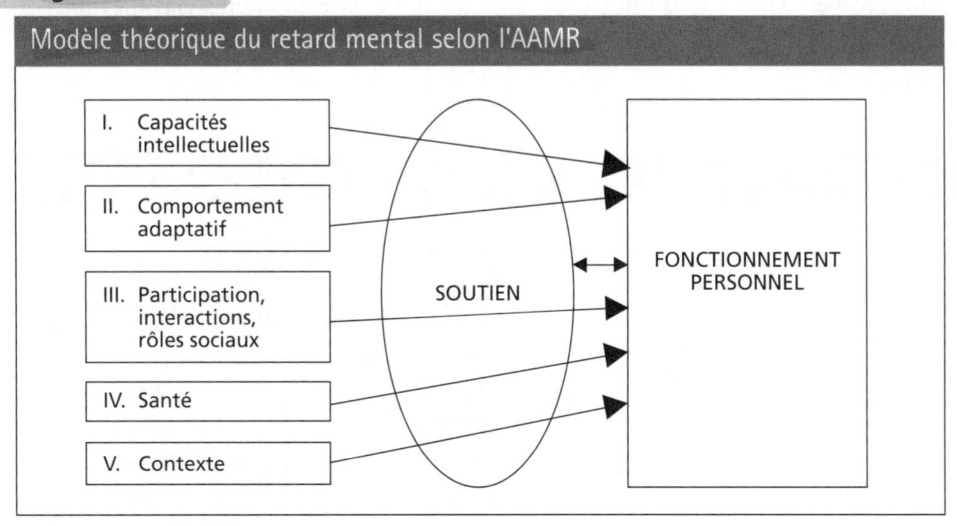

Source : Association américaine du retard mental (2003a, p. 11).

9.5.1 La mesure du fonctionnement intellectuel

Il n'est pas facile de définir l'intelligence ou encore le fonctionnement intellectuel. Binet décrit l'intelligence comme « la tendance à prendre et à maintenir une direction définie, la capacité de s'adapter dans le but d'atteindre un objectif désiré et le pouvoir de s'autocritiquer ». Pour sa part, Wechsler définit l'intelligence « comme la capacité globale d'un individu d'agir selon une intention, de penser rationnellement et de composer efficacement avec son environnement » (Wechsler et Binet, cités dans Sattler, 2002, p. 136 ; traduit par l'auteure).

Le fonctionnement intellectuel général est évalué à l'aide de tests d'intelligence ou d'échelles de développement standardisées, validées et normalisées. Un test standardisé répond à plusieurs critères : il a été soigneusement préparé, préexpérimenté, analysé et révisé. Ses instructions ainsi que ses conditions de passation et de correction demeurent toujours les mêmes. Les résultats s'interprètent à l'aide de normes, ces dernières ayant été établies auprès de populations représentatives. Lorsqu'ils se distribuent normalement, comme c'est le cas pour les tests d'intelligence, la plus grande partie des scores d'une population se situe dans les limites de la moyenne. Le taux de fréquence baisse de plus en plus à mesure qu'on s'éloigne de cette moyenne. La figure 9.4, à la page suivante, illustre ces proportions et présente une courbe normale.

Dans cette figure, on constate que la moyenne du quotient intellectuel (Q.I.) est de 100. Environ 68 % de la population se situe dans les limites d'un écart type de la moyenne. Par ailleurs, plus on s'éloigne de la moyenne, plus le nombre de sujets diminue dans les limites définies à l'aide des écarts types. Ainsi, entre deux et trois écarts types sous la moyenne (entre 55 et 70 de Q.I.) se situe 2,14 % de la population. Entre trois et quatre écarts types sous la moyenne, on trouve 0,13 % de cette population.

La mesure du quotient intellectuel permet de déterminer quatre catégories de déficience intellectuelle : légère, moyenne, sévère et profonde. Les limites de Q.I.

bornant ces catégories peuvent toutefois fluctuer quelque peu selon les classifications consultées et selon les tests utilisés. Le tableau 9.4 présente différentes classifications du retard mental.

Figure 9.4

Courbe normale

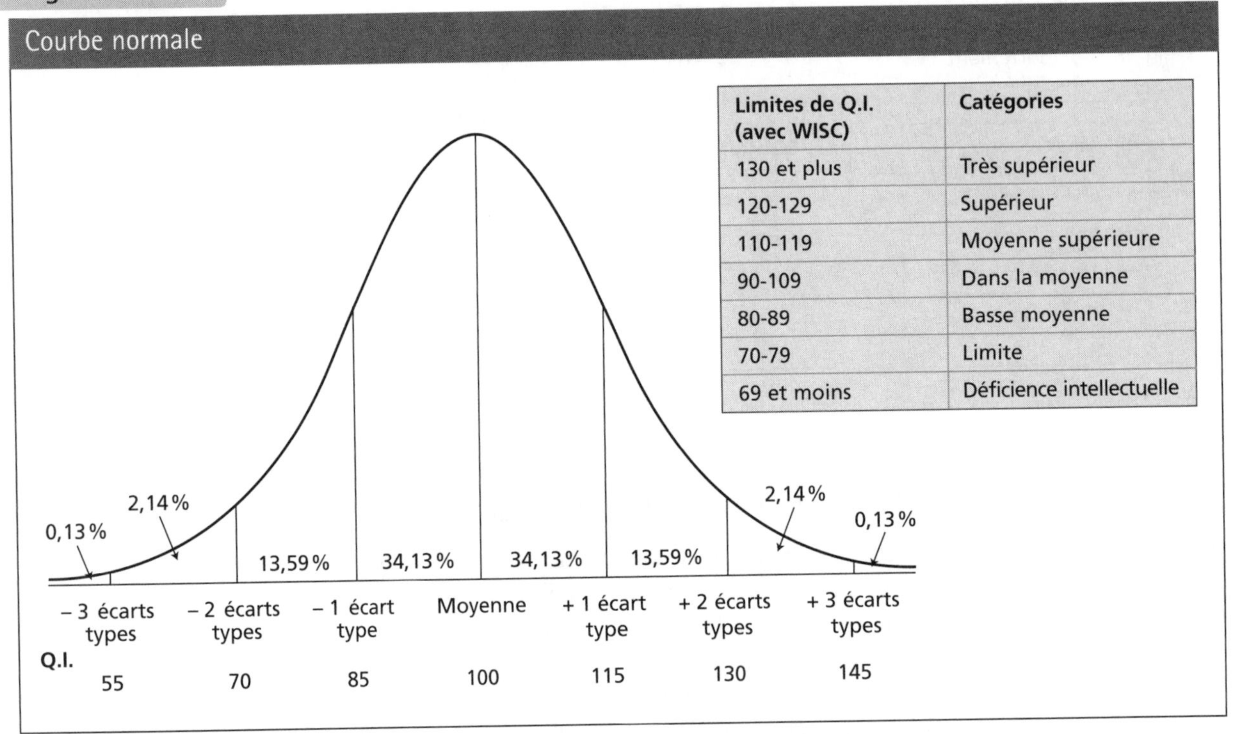

Limites de Q.I. (avec WISC)	Catégories
130 et plus	Très supérieur
120-129	Supérieur
110-119	Moyenne supérieure
90-109	Dans la moyenne
80-89	Basse moyenne
70-79	Limite
69 et moins	Déficience intellectuelle

Tableau 9.4

Différentes classifications du retard mental

	Degré de retard mental			
	Léger	**Moyen**	**Sévère**	**Profond**
OMS (CIM-10)*	50-69	35-49	20-34	moins de 20
DSM-IV-TR**	50-55 à approx. 70	35-40 à 50-55	20-25 à 35-40	moins de 20-25
APA***	55-70 et déficits dans deux domaines ou plus de comportements adaptatifs	35-54 et déficits dans deux domaines ou plus de comportements adaptatifs	20-24 et déficits dans tous les domaines de comportements adaptatifs	moins de 20 et déficits dans tous les domaines
AAMR****	Plutôt que d'établir des catégories de déficience, l'AAMR propose d'utiliser la description du genre de soutien requis par la personne (intermittent, limité, important et intense).			

* OMS (CIM-10) : Organisation mondiale de la santé. Cet organisme rédige la *Classification internationale des maladies et des problèmes de santé connexes* (CIM). Cette classification porte le chiffre 10 parce qu'il s'agit de la dixième révision.

** DSM-IV-TR : Manuel diagnostique et statistique des troubles mentaux.

*** APA : American Psychological Association (Jacobson et Mulich, 1996).

**** AAMR : Association américaine du retard mental.

Dans les définitions et les écrits sur la déficience, outre les références au quotient intellectuel (Q.I.), on note l'usage fréquent d'autres désignations comme l'âge mental (A.M.), le quotient de développement (Q.D.) et l'âge chronologique (A.C.).

Lambert (1978) précise ainsi ces notions :

> L'A.M., introduit par Binet, est obtenu à partir de la passation d'une série d'épreuves différentes selon l'âge. Le Q.I., mesuré à partir de tests de type Binet-Simon, n'est rien d'autre qu'un rapport entre l'A.M. donné par l'épreuve et l'Âge Chronologique (A.C.) du sujet. Dans lès épreuves visant à évaluer le développement de la première enfance, le résultat obtenu est généralement exprimé sous forme d'un Q.D. Le Q.D. est obtenu en divisant l'âge atteint au test par l'A.C. du sujet. Précisons également que la notion de Q.I., telle qu'elle est fournie par les échelles de Wechsler, n'est pas un rapport entre un A.M. et un A.C., mais bien un score standard, un rang obtenu dans une moyenne de réussite (p. 128).

Le quotient intellectuel ou le quotien de développement peuvent être évalués à l'aide de tests ou d'échelles. Parmi les tests d'intelligence qui permettent d'évaluer le quotient intellectuel, notons les échelles de Wechsler (la *Wechsler Preschool and Primary Scale on Intelligence* ou WPPSI, la *Wechsler Intelligence Scale for Children* ou WISC, la *Wechsler Adult Intelligence Scale-Revised* ou WAIS), l'échelle d'intelligence de Stanford-Binet, la *Kaufman Assessment Battery for Children* (KABC), le *Cognitive Assessment System* (CAS) et les épreuves individuelles d'habileté mentale de Chevrier. Un de ces tests, le WISC, a été présenté de façon détaillée dans le chapitre 4 ; le lecteur souhaitant avoir un exemple de ce test peut donc s'y référer.

Il est utile de mentionner que les limites de la déficience intellectuelle telles qu'elles sont précisées par les tests d'intelligence peuvent inclure des groupes d'élèves différents (Jensen, 1968a, 1968b, 1970). Pour certains élèves, cette mesure révèle leur véritable potentiel, alors que pour d'autres elle ne peut distinguer un rendement très faible d'une déficience proprement dite. Les tests d'intelligence mesurent le taux d'apprentissage d'une personne. Ces instruments, particulièrement dans les cas de sujets issus de milieux défavorisés ou culturellement différents, peuvent ne pas révéler leur véritable potentiel. Les tests d'intelligence comportent un biais culturel important, car ils renvoient à des situations et à des objets précis connus dans un type de société déterminé. De plus, certaines conditions, comme un manque de sommeil, la prise de médicaments ou une attention affaiblie, peuvent faire fluctuer l'évaluation (AAMR, 2003a).

Il n'est pas toujours possible d'employer des tests d'intelligence tels que le WISC-IV, par exemple lorsque le sujet n'a pas un langage suffisamment élaboré, qu'il ne comprend pas les consignes ou qu'il a une déficience sévère ou profonde. Dans ce cas, on peut se servir de diverses échelles de développement ou d'autres tests : les *Bayley Scales of Infant and Toddler Development* et la *Leiter International Performance Scale.* Les échelles de développement facilitent la sélection d'objectifs pour le plan d'intervention et permettent de suivre l'évolution de l'élève.

9.5.2 La mesure du comportement adaptatif

Comme nous l'avons vu, le deuxième critère présenté par l'AAMR et dans la définition du ministère de l'Éducation, du Loisir et du Sport du Québec (2006b) est lié à des déficiences dans le comportement adaptatif. Ces déficiences portent sur des limites quant à la réalisation de comportements fixés à partir des normes de maturité, d'apprentissage, d'indépendance ou de responsabilité sociale par référence à la tranche d'âge et à la culture de l'individu. L'Association américaine du retard mental (2003a) relève trois dimensions générales des habiletés adaptatives : la dimension conceptuelle (le langage, l'autonomie, la lecture et l'écriture ainsi que le concept de l'argent), la dimension sociale (la responsabilité, l'obéissance aux lois et le respect des règles) et la dimension pratique (les activités de la vie quotidienne et le maintien d'un environnement sécuritaire). Le tableau 9.5 présente les dimensions des comportements adaptatifs telles que définies par l'AAMR en 1992 et en 2002.

Tableau 9.5

Dimensions des comportements adaptatifs selon l'AAMR

Dimensions des habiletés adaptatives selon la définition de 2002	Habiletés représentatives selon la définition de 2002	Liste des dimensions des habiletés selon la définition de 1992
Conceptuelle	Langage Lecture et écriture Concept de l'argent Autonomie	Communication Habiletés scolaires fonctionnelles Autonomie Santé et sécurité
Sociale	Interpersonnelle Responsabilité Estime de soi Crédulité* Naïveté Respect des règles Obéissance aux lois Évite de se poser en victime	Habiletés sociales Loisirs
Pratique	Activités de la vie quotidienne Activités instrumentales de la vie quotidienne Habiletés occupationnelles Maintien d'un environnement sécuritaire	Soins personnels Compétences domestiques Utilisation des ressources communautaires Santé et sécurité Travail

* Il s'agit de la probabilité d'éviter de se faire piéger ou manipuler.

Source : Association américaine du retard mental (2003a, p. 96).

Les comportements adaptatifs sont évalués à l'aide d'observations et d'échelles standardisées. Les personnes qui ont un contact quotidien avec la personne ayant une déficience sont souvent en mesure de décrire ses réactions à la maison ou dans le voisinage. Ainsi, les observations des parents et des enseignants peuvent constituer un élément de cette évaluation (Lambert, 1978). Par ailleurs, il existe des instruments plus rigoureux sous forme d'échelles. Dans ces échelles, les comportements de l'individu pourront être mis en relation avec des normes ou des critères de comparaison établis pour son groupe de référence (culture et âge). Parmi ces échelles, notons l'*AMMD Adaptative Behavior*, les *Vineland Adaptative Behavior Scales* et l'échelle québécoise de comportements adaptatifs (EQCA).

A. L'échelle québécoise de comportements adaptatifs

À titre d'exemple, nous examinerons l'échelle québécoise de comportements adaptatifs (EQCA) (Atelier québécois des professionnels sur le retard mental [AQPRM]-UQAM, 1996). Cette échelle est disponible en version traditionnelle (papier) ou en version informatisée ; les deux versions sont fortement corrélées (Sénécal, 2003). L'EQCA permet d'obtenir une description générale du niveau des comportements adaptatifs. Ces comportements sont regroupés selon les sphères suivantes : (1) les comportements d'autonomie (par exemple, l'alimentation), (2) les habiletés domestiques, (3) les soins liés à la santé et l'aspect sensorimoteur, (4) la communication, (5) les habiletés préscolaires et scolaires, (6) la socialisation et (7) les habiletés de travail. À ces sphères s'ajoute une section concernant l'évaluation de comportements inadéquats (comportements stéréotypés, postures bizarres, comportements d'automutilation, etc.) (voir le tableau 9.6 à la page suivante).

Chacune de ces sphères regroupe des items présentés sous la forme d'énoncés décrivant les comportements évalués. En voici quelques exemples : « Lave ses cheveux au besoin » (comportement d'autonomie) ; « Regarde la personne qui parle » (communication) ; « Compte jusqu'à 20 » (habiletés préscolaires et scolaires). L'évaluateur indique si les comportements sont inexistants dans le répertoire de la personne, sont existants mais de manière sporadique, sont tout à fait acquis ou encore ne peuvent se présenter dans l'environnement du sujet. Corrigée à l'aide d'un logiciel, cette échelle permet d'obtenir la classification de la déficience relative aux comportements adaptatifs. Le niveau de comportement pour l'ensemble de l'épreuve et en liaison avec chacune des sphères est présenté à l'aide d'un histogramme (voir la figure 9.5, page 217).

Cet histogramme illustre le rendement d'un individu, quant à ses comportements adaptatifs, exprimé en niveau absolu. Les lignes horizontales indiquent, en niveau absolu, les points de passage d'un niveau de déficit à un autre en fonction de l'âge de l'individu évalué. Dans notre exemple, on remarque que la personne évaluée (14 ans) manifeste globalement un déficit moyen quant à ses comportements adaptatifs. Bien que les résultats pour chacune des sphères soient moins fiables que pour le rendement global, on constate que cette personne présente des déficits légers et moyens. Elle présente aussi un déficit grave dans la sphère « communication ».

B. La version scolaire de l'échelle québécoise de comportements adaptatifs

L'échelle québécoise de comportements adaptatifs existe aussi dans une version scolaire (Morin, 1993). On peut la soumettre à des jeunes dont le niveau de retard mental risque de se situer entre le retard léger et le retard moyen (Vandoni, Maurice et Auger, 1996). L'échelle inclut 9 des 10 domaines des habiletés adaptatives, le domaine « travail » n'étant pas jugé pertinent pour les jeunes de cet âge. La version scolaire de l'EQCA inclut deux questionnaires : l'un pour les parents et l'autre pour les enseignants. Cela

Tableau 9.6

Sphères de l'échelle québécoise de comportements adaptatifs

Sphère	Dimensions
1. Comportements d'autonomie	– Alimentation-cuisine – Hygiène – Utilisation des toilettes – Habillage et déshabillage
2. Habiletés domestiques	– Vêtements – Intérieur – Réparation – Sécurité – Extérieur
3. Soins liés à la santé et aspect sensorimoteur	– Santé – Motricité fine – Motricité globale
4. Communication	– Expression – Réception – Langage élaboré et complexe
5. Habiletés préscolaires et scolaires	– Graphisme – Notions de temps – Mathématique pratique – Lecture – Écriture
6. Socialisation	– Interactions – Déplacements – Ressources communautaires – Magasinage – Services prébancaires – Loisir
7. Habiletés de travail	– Habiletés dans l'emploi et recherche d'un emploi – Comportements au travail et relations interpersonnelles
8. Comportements inadéquats	– Comportements stéréotypés et postures bizarres – Comportements de retrait et d'inattention – Habitudes et comportements inacceptables – Manières interpersonnelles inappropriées et comportements antisociaux – Comportements sexuels inadéquats ou divergents – Violence ou agression – Automutilation

Source : Adapté d'AQPRM-UQAM (1993, p. 64-65). Reproduit avec permission.

Figure 9.5

Histogramme des niveaux adaptatifs (global et selon les sphères)

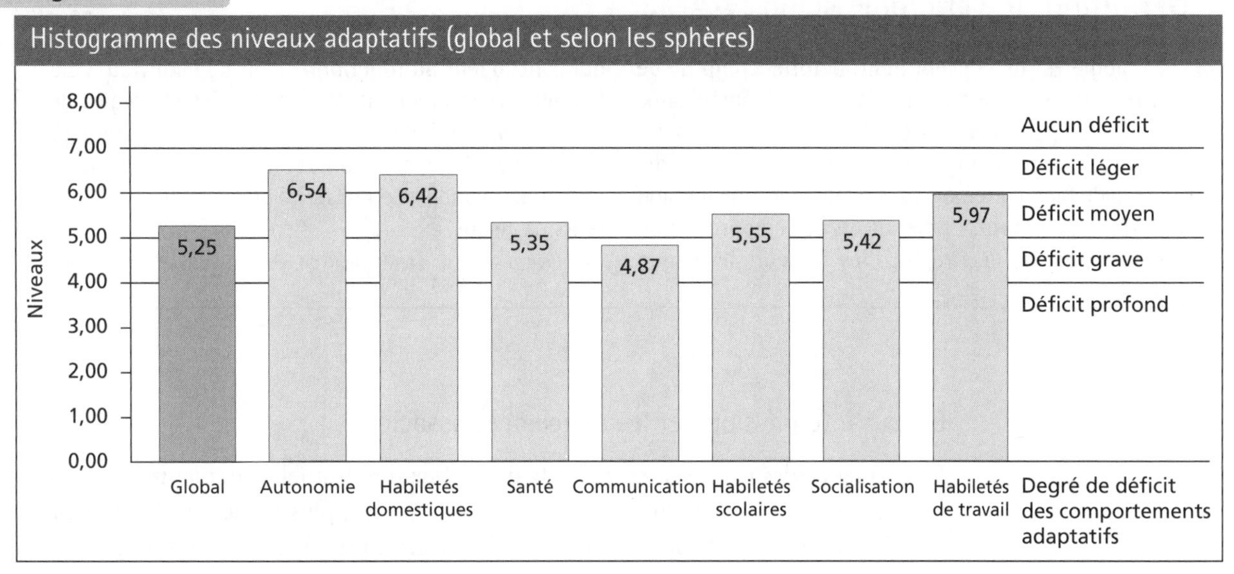

Source : Adaptée d'AQPRM-UQAM (1996, p. 3). Reproduit avec permission.

permet d'avoir une image globale de l'élève évalué dans des environnements différents. Le questionnaire destiné aux parents inclut neuf domaines, alors que le questionnaire destiné aux enseignants en comprend cinq. En effet, certaines sphères (par exemple, les habiletés domestiques ou les soins personnels) sont plus difficilement observables à l'école qu'à la maison. Tout comme l'EQCA ordinaire, la version scolaire est corrigée à l'aide d'un logiciel ; cette échelle permet d'obtenir la classification de la déficience relative aux comportements adaptatifs. Le niveau de comportement pour l'ensemble de l'épreuve et en liaison avec chacune des sphères est également présenté à l'aide d'un histogramme.

9.5.3 L'étiologie, la santé physique et mentale : des dimensions de l'évaluation

A. L'étiologie

Il faut tenir compte, dans l'évaluation, de la santé mentale et physique de même que de l'étiologie de la déficience. L'étiologie est importante, car elle permet de connaître les forces et les problèmes associés aux troubles. Par exemple, le syndrome de Prader-Labhart-Willi (voir le tableau 9.2 sur les facteurs de la déficience intellectuelle, page 208) entraîne un appétit insatiable chez la personne. Ainsi, certaines difficultés peuvent être anticipées et l'on peut prévoir des services spécialisés pour les minimiser (AAMR, 2003a). L'étiologie permet aussi de consulter différentes études décrivant l'évolution du trouble ou les recherches sur l'efficacité des méthodes d'évaluation et d'intervention. De plus, les parents ou les personnes peuvent se regrouper dans des associations qui leur donneront des renseignements ou du soutien.

Définition de l'étiologie selon l'AAMR

« L'étiologie est un concept multifactoriel composé de quatre catégories de facteurs de risque, biomédicaux, sociaux, comportementaux et éducationnels, qui interagissent dans le temps, soit durant la vie d'un individu, ou de façon intergénérationnelle par transmission du parent à l'enfant. L'objectif de cette approche de l'étiologie est de décrire tous les facteurs de risque qui contribuent au fonctionnement de l'individu. Cela permet aux intervenants d'identifier les stratégies de soutien pour un individu et sa famille, d'améliorer leur situation par l'implantation de stratégies de prévention primaire, secondaire ou tertiaire ou de prévenir les facteurs de risque. »

Source : Association américaine du retard mental (2003a, p. 146).

B. La santé physique et les déficiences associées

La fréquence des troubles associés à la déficience intellectuelle augmente avec la gravité de cette déficience. Plus la déficience est marquée, plus grande est la probabilité que l'élève présente d'autres types de déficience. Entre autres, l'épilepsie (pour plus de précisions sur le sujet, voir le chapitre 12) serait une déficience physique liée fréquemment à la déficience intellectuelle. Parlant des élèves qui ont une déficience intellectuelle profonde, le Ministère (MEQ, 2004c) indique que ces élèves ont souvent une santé physique précaire et peuvent contracter diverses maladies les obligeant à prendre différents médicaments qui auront souvent des effets secondaires en classe, comme la diminution du niveau d'attention ou l'augmentation de la fatigue. Certains problèmes peuvent entraîner de l'absentéisme, d'où une discontinuité dans les activités en classe. Parmi les autres troubles associés à la déficience intellectuelle, notons les problèmes moteurs et l'infirmité motrice cérébrale, les troubles sensoriels, les problèmes de langage (66 % des cas dans l'étude de McQueen et autres, 1987, cités dans Santé et Bien-être social Canada, 1988, menée auprès de sujets ayant un Q.I. inférieur à 55).

Très souvent, lorsque se produisent des dommages neurologiques importants causant une déficience intellectuelle, non seulement l'intelligence est atteinte, mais des problèmes visuels, auditifs, physiques ou de santé mentale sont présents chez certains élèves. Les enseignants qui travaillent auprès d'élèves ayant un retard mental doivent donc s'attendre à ce que ces élèves aient des besoins fort diversifiés.

C. La santé mentale

L'importance de l'évaluation des caractéristiques psychologiques et émotives est reconnue dans l'évaluation et l'intervention. Ainsi, l'Association américaine du retard mental (1994) précise :

> Le retard mental est un concept multidimensionnel qui exige une évaluation du comportement et du fonctionnement psychologique. La plupart des personnes évaluées selon cette définition sont trouvées saines du point de vue mental et sans problème majeur de comportement (Menolascino, 1977). Cependant, une minorité importante peut requérir une forme ou l'autre de services de santé mentale (p. 49 ; reproduit avec permission).

Au cours des dernières années, de nombreuses études se sont intéressées à la santé mentale des personnes qui ont une déficience intellectuelle. L'identification de la cooccurrence de problèmes de santé mentale avec la déficience intellectuelle fait référence au terme « double diagnostic » (Benson, 2005). Selon les méthodes de recherche utilisées, entre 10 % et 40 % des personnes ayant un retard mental auraient un double diagnostic, c'est-à-dire des problèmes de santé mentale en concomitance avec la déficience intellectuelle : des problèmes graves de comportement, une dépression sévère, de l'automutilation, etc. (Benson, 2005). Les intervenants se préoccupent de plus en plus de la proportion de personnes qui éprouvent ces problèmes, lesquels pouvaient autrefois être masqués par le retard mental. Ionescu (2003) indique que les problèmes sont plus fréquents chez les enfants que chez les adultes et que les manifestations d'un problème (par exemple, la dépression) peuvent fluctuer en fonction du niveau de déficience.

Citant les travaux de Pollock, Ionescu (2003) décrit quatre causes du haut taux d'incidence de ces problèmes : une faible capacité de résistance au stress, le manque de compétence sociale susceptible d'entraîner des réactions négatives des pairs, un manque d'habiletés de résolution de problèmes et une instabilité émotive. En effet, selon Benson (2005), les personnes ayant une déficience intellectuelle sont exposées plus que les autres à différents agents stressants : des échecs répétés, un environnement souvent instable (en raison, par exemple, d'un changement de personnel dans les établissements) et la stigmatisation. Ces agents stressants fragilisent l'équilibre d'une personne.

Ces constats soulignent l'importance de tenir compte de la santé mentale des élèves qui ont une déficience intellectuelle dans l'évaluation et dans l'intervention. L'intervention doit aussi prendre en considération les habiletés sociales et l'autodétermination. L'environnement peut également être l'objet d'une attention particulière, car si le jeune est constamment victime de stigmatisation, de rejet par ses pairs ou d'échecs répétés, ces conditions, pour tout individu d'ailleurs, ne sont pas favorables à un épanouissement personnel harmonieux. C'est pourquoi il est important d'évaluer le contexte de vie.

9.5.4 L'évaluation du contexte de vie et de la participation sociale

Le contexte décrit les conditions dans lesquelles vit la personne au jour le jour. Toujours selon l'AAMR, le contexte peut être considéré à trois niveaux : aux niveaux du microsystème (l'environnement immédiat et la famille), du mésosystème (l'entourage et la communauté) et du macrosystème (la société, la culture et le contexte sociopolitique). En ce qui concerne le macrosystème, par exemple, on sait qu'en milieu scolaire les politiques ont des effets sur l'intégration des élèves en classe ordinaire. Le fonctionnement de la personne est influencé par toutes ces variables et par le soutien mis en place pour aider celle-ci. Il importe aussi de voir les occasions de participation sociale offertes à l'élève dans ces différents contextes de vie. À l'école, par exemple, participe-t-il aux activités parascolaires, a-t-il des occasions valorisantes de participation ?

9.5.5 L'évaluation du soutien

L'AAMR (2003a) propose que le soutien, c'est-à-dire l'aide requise par la personne, fasse aussi l'objet d'une évaluation. Cet organisme définit de la façon suivante le soutien : « En clair, le soutien est composé de ressources et de stratégies qui visent à promouvoir le développement, l'éducation, les intérêts ainsi que le bien-être d'une personne et qui améliorent son fonctionnement individuel » (p. 179).

Ce soutien peut être naturel s'il fait déjà partie de l'environnement de la personne ou provenir de services. Il peut être intermittent, limité, important ou intense. Cette précision est importante dans les planifications individualisées, comme le plan d'intervention. L'AAMR parle aussi de plans de soutien individualisés.

Soulignons également que l'AAMR (2003b) a élaboré un formulaire qui permet de faire une synthèse du diagnostic de la classification et des systèmes de soutien. Ce formulaire tient compte des dimensions du modèle de cet organisme : les capacités intellectuelles, le comportement adaptatif, les rôles sociaux, la santé et le contexte de vie. Le tableau 9.7 résume ces différentes dimensions de l'évaluation.

Tableau 9.7

Évaluation du retard mental : les dimensions à considérer

Dimensions de l'évaluation	Modalités
Intelligence : capacité mentale générale	Tests d'intelligence : échelles de Wechsler, échelle d'intelligence de Stanford-Binet, échelles de Chevrier, etc. Échelles de développement : échelles de Bayley
Comportements adaptatifs : habiletés permettant à l'élève de fonctionner au quotidien	Échelles d'évaluation de ces comportements : EQCA, Vineland et autres
Santé physique, mentale Étiologie de la déficience	• Évaluations médicales pour déterminer la santé physique. • Tenir compte des problèmes de santé mentale (par exemple, dépression) • Comprendre les comportements problématiques et leurs fonctions • Tenir compte des problèmes créés par l'étiologie de la déficience et les problèmes associés (par exemple, un problème auditif)
Contexte de vie et participation sociale	• Tenir compte du degré d'intégration, du rôle social de l'élève • Tenir compte de l'environnement familial, de l'entourage, de la communauté, de la culture et du contexte sociopolitique
Soutien	Déterminer où le soutien est nécessaire, son intensité (intermittent, limité, important, intense), les stratégies à utiliser et leurs effets

* Les zones grises montrent les évaluations essentielles pour l'identification de la déficience intellectuelle (MELS, 2006b).

Source : Inspiré de l'Association américaine du retard mental (2003b).

En terminant ce chapitre, rappelons que la majorité (85 %) des élèves ayant un retard mental présente une déficience légère et que l'étiologie de leur déficience demeure, pour plusieurs, inconnue. Plusieurs outils d'évaluation présentés au chapitre 4 peuvent être utilisés avec ces élèves. En effet, la déficience intellectuelle légère se manifeste, entre autres, par une lenteur ou des difficultés dans les apprentissages scolaires. Dans une optique non catégorielle, la majorité des élèves ayant une déficience intellectuelle légère a d'ailleurs été considérée jusqu'en 2006 par le MEQ dans les élèves à risque qui incluaient aussi des élèves en difficulté d'apprentissage et de comportement (voir introduction et MEQ, 2000a). Soulignons également que plusieurs outils d'observation présentés dans le chapitre 7 peuvent aussi être employés avec les élèves qui ont une déficience intellectuelle. Les principes de base de l'observation et de l'évaluation fonctionnelle du comportement demeurent les mêmes.

Enfin, il est important de noter que l'évaluation ne concerne plus seulement l'identification des besoins des élèves, mais devrait aussi permettre de déterminer les interventions et le soutien dont ils auront besoin afin d'assumer des rôles valorisants (Tassé, 2006).

RÉSUMÉ

Selon l'Association américaine du retard mental, une personne est considérée comme présentant un retard mental lorsqu'elle manifeste un fonctionnement cognitif général significativement inférieur à la moyenne accompagné de difficultés d'adaptation, ces deux facteurs apparaissant pendant l'enfance. Selon ces critères, l'évaluation doit porter à la fois sur le quotient intellectuel et sur les comportements adaptatifs. La déficience intellectuelle peut se manifester à des degrés divers : elle peut être légère, moyenne, sévère ou profonde. La déficience (en particulier moyenne, sévère ou profonde) est souvent associée à d'autres problèmes, dont l'épilepsie, les lésions cérébrales et les problèmes de langage. Bien que l'on ait découvert plusieurs causes de la déficience intellectuelle, son étiologie est souvent inconnue, surtout en ce qui a trait à la déficience légère. Parmi les causes connues, notons les problèmes chromosomiques comme le syndrome de Down, les altérations des gènes, les infections ou l'intoxication chez la mère, l'anoxie à la naissance et les empoisonnements après celle-ci. Il va sans dire que les élèves ayant une déficience intellectuelle représentent une population hétérogène. La situation de chacun étant unique, les besoins de l'un à l'autre sont très variables. L'évaluation prend aussi en compte de multiples dimensions : l'intelligence, les comportements adaptatifs, la santé mentale et physique, l'étiologie, le contexte de vie, le soutien et la participation sociale. La déficience intellectuelle est considérée dans une perspective multidimensionnelle afin de permettre une meilleure participation sociale de la personne.

QUESTIONS

1. À partir de quels critères l'Association américaine du retard mental identifie-t-elle les personnes ayant une déficience intellectuelle ?
2. Quel est le taux de prévalence de la déficience intellectuelle dans la population normale ?
3. Les causes de la déficience intellectuelle sont-elles toujours précisées ? Quelles sont les principales causes ?
4. Qu'est-ce que le syndrome de Down ?
5. De quelles dimensions doit-on tenir compte dans l'évaluation de la déficience intellectuelle ?
6. Donnez une définition de l'intelligence et des comportements adaptatifs.
7. Comment le quotient intellectuel se distribue-t-il sur la courbe normale ?
8. Qu'est-ce que le double diagnostic ?

RÉFÉRENCES SUGGÉRÉES

AMERICAN ASSOCIATION ON MENTAL RETARDATION. [en ligne], [http://www.aamr.org/]. Cette association est connue depuis janvier 2007 sous un nouveau nom : American Association on Intellectual and Developmental Disabilities.

ASSOCIATION AMÉRICAINE DU RETARD MENTAL (2003a). *Retard mental. Définition, classification et systèmes de soutien* (10e éd.). Eastman, Québec : Éditions Behaviora. Ce livre est accompagné d'un cahier (AAMR, 2003b) qui présente des résumés, des explications et une étude de cas.

TASSÉ, M.J. et MORIN, D. (dir.) (2003). *La déficience intellectuelle.* Boucherville, Québec : Gaëtan Morin Éditeur. Un livre général sur la déficience intellectuelle traitant à la fois des causes, des fondements de l'évaluation et des interventions tant en milieu scolaire qu'en milieu de réadaptation. Le chapitre 2 traite de l'étiologie de la déficience intellectuelle. Le chapitre 17 aborde la psychopathologie et le double diagnostic.

Sur l'échelle québécoise de comportements adaptatifs (EQCA) :

Le site Web du Laboratoire de mesure du comportement adaptatif qui a réalisé cette échelle, [en ligne], [http://www.er.uqam.ca/nobel/eqca/].

Un article résumant la position de l'AAMR :

TASSÉ, M.J. (2006). Déficience intellectuelle : la définition et le système de classification de l'AAMR, dans H. Gascon, D. Boisvert, M.-C. Haelewyck, J.-R. Poulin et J.-J. Detraux (dir.), *Déficience intellectuelle : savoirs et perspectives d'action.* Cap-Rouge, Québec : Presses Inter Universitaires, tome 1, 23-30.

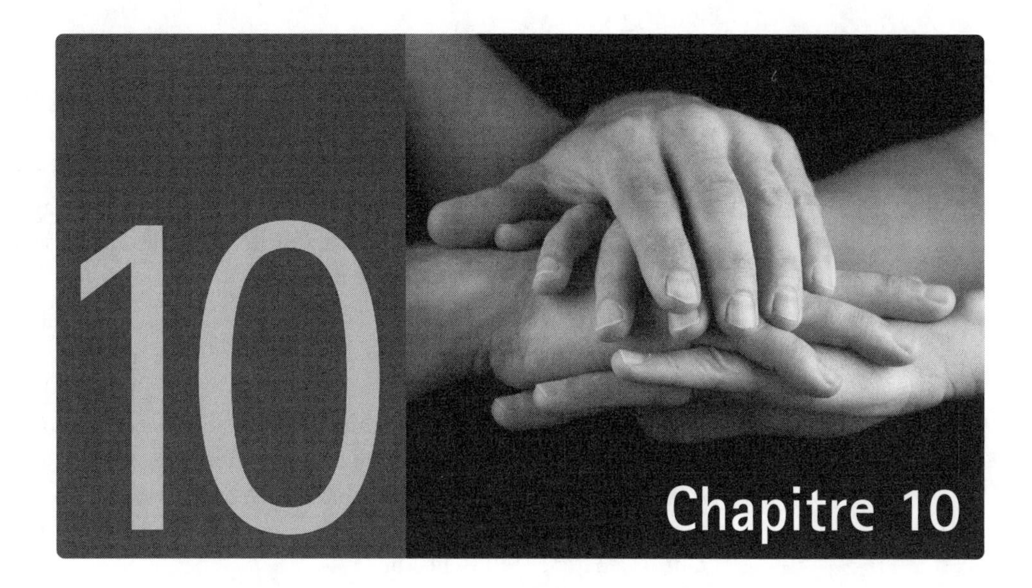

Les élèves ayant une déficience intellectuelle

Partie II : L'intervention

Objectifs

Après avoir lu ce chapitre, le lecteur devrait pouvoir :

- dire pourquoi il est important, dans l'intervention, de tenir compte non seulement des caractéristiques personnelles de l'élève, mais aussi de celles de son environnement ;
- décrire comment les différentes périodes de vie de l'élève influent sur les interventions ;
- expliquer le rôle que peut jouer la famille dans l'intervention précoce auprès de l'enfant ;
- décrire divers domaines d'intervention auprès de l'élève qui présente une déficience intellectuelle ;
- décrire l'approche centrée sur la personne ;
- décrire quelques méthodes d'intervention utilisées avec les élèves présentant une déficience intellectuelle.

INTRODUCTION

Les besoins des élèves ayant une déficience intellectuelle peuvent être fort différents d'un élève à l'autre. C'est pourquoi l'évaluation de leurs besoins et de leurs capacités est déterminante quant au choix des interventions. Toutefois, il faut aussi tenir compte des contraintes et des avantages des milieux où évoluent les élèves. En effet, le handicap est fonction des interactions des déficiences avec les facteurs sociaux et environnementaux.

Dans ce chapitre, nous aborderons plus longuement la notion de handicap et l'importance, dans une action éducative, de considérer à la fois les facteurs personnels et les facteurs extérieurs à l'élève. Puis, nous verrons comment les périodes de vie créent de nouveaux défis éducatifs, l'éducation de l'élève présentant une déficience devant être globale. Nous étudierons ensuite plusieurs domaines dans lesquels les éducateurs agissent puis nous présenterons quelques principes maximisant les actions éducatives. Enfin, nous examinerons brièvement quelques approches utilisées auprès des élèves présentant une déficience intellectuelle.

10.1 Le handicap : un processus interactif

Dans le chapitre 1, nous avons déjà abordé les concepts de déficience, d'incapacité et de handicap. Nous avons aussi examiné deux modèles de production du handicap, celui de Fougeyrollas (le PPH) et celui de la *Classification internationale du fonctionnement, du handicap et de la santé* (CIF). Dans cette perspective, selon le Ministère (MEQ, 1997a), l'action éducative doit contribuer à atténuer le handicap :

> Le grand défi sur le plan pédagogique sera donc, d'une part, d'effectuer des adaptations dans l'enseignement et dans le matériel pédagogique, pour permettre à l'élève ayant une déficience intellectuelle d'acquérir et de développer des habiletés essentielles à son autonomie et ainsi contribuer à diminuer ses incapacités et d'autre part de faire prendre conscience aux élèves sans déficience que la réalité humaine est essentiellement la diversité, en leur donnant l'occasion d'apprécier cette diversité à sa juste valeur et d'élargir leur vision du monde.
>
> Ainsi, l'action éducative contribuera à atténuer le handicap (p. 9).

La figure 10.1 présente, pour les élèves qui ont une déficience intellectuelle profonde, l'adaptation que fait le Ministère du processus de production du handicap.

Dans ce contexte, les intervenants considèrent non seulement les caractéristiques de la personne, mais également celles de son environnement. Pour Paour (1991), il faut connaître les propriétés de l'environnement physique et humain de la personne ainsi que les éléments qui pourront améliorer son fonctionnement cognitif. L'intervention auprès de la personne qui a une déficience intellectuelle repose donc sur de multiples dimensions et tient compte des différentes périodes de sa vie.

10.2 L'importance des périodes de vie

En général, l'annonce de la déficience d'un enfant est suivie d'un choc émotif pour les parents (voir le chapitre 13). Ces derniers cherchent alors à surmonter leurs réactions initiales et à retrouver leur équilibre. Un processus s'amorce. Les parents traversent alors diverses étapes : un état de choc, une période de négation, une période de désespoir, une acceptation apparente et, finalement, l'adaptation grâce à l'acceptation

Figure 10.1

Processus de production et de réduction du handicap appliqués à la déficience profonde

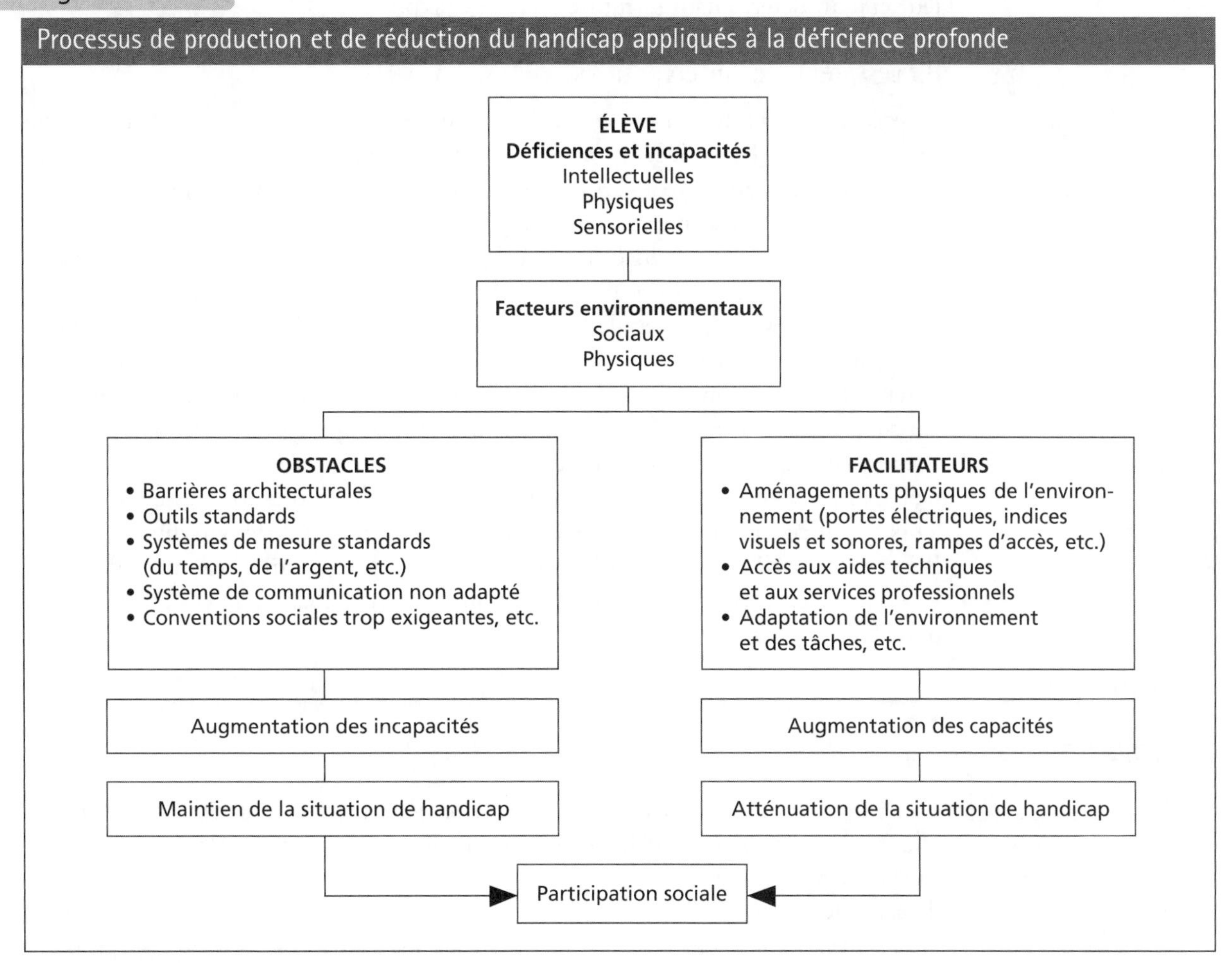

Source : Ministère de l'Éducation du Québec (2004c, p. 4).

des limites et du potentiel de l'enfant (Bouchard, 1987a). La famille apprend peu à peu à vivre avec l'enfant. Les frères, les sœurs, les voisins et les amis font en même temps cet apprentissage, qui peut être marqué de moments plus difficiles en fonction des périodes de vie.

10.2.1 L'annonce du handicap et les premières interventions avec la famille

A. L'annonce du handicap

L'annonce de la déficience d'un enfant est un moment important pour les parents ; malheureusement, elle n'est pas toujours faite de façon appropriée. Rapportant les travaux de Bouchard, Pelchat et Boudreault, Pelchat et Berthiaume (1996) rapportent qu'un couple sur cinq seulement est satisfait de la manière dont les professionnels leur ont annoncé la déficience de leur enfant. Pelchat et Berthiaume précisent à ce sujet : « [...] les mots utilisés par les professionnels s'inscrivent dans la mémoire des parents comme une marque “au fer rouge” et influencent la façon dont les parents vont percevoir leur enfant, déterminant sa future identité» (s. p.).

B. Les premières interventions

La précocité de l'intervention est un facteur important pour l'adaptation des parents (Pelchat, 1995). Pour aider les familles, Pelchat a élaboré un programme d'intervention qui s'adresse aux parents dès la naissance d'un enfant ayant une déficience. La précocité de son application distingue ce programme, qui débute dès l'annonce de la déficience et qui se caractérise aussi par la participation des deux parents et par l'accent mis sur les ressources de la famille et la valorisation de ses compétences. L'intervention est réalisée par des infirmières durant une série de six à huit rencontres. Au cours de ces rencontres, les intervenantes explorent les perceptions qu'ont les parents de la situation, renforcent leurs croyances favorisant l'adaptation, interrogent leurs croyances contraignantes et les encouragent à s'exprimer et à interagir avec leur nouveau-né. L'intervention auprès de la famille doit donc être précoce. Elle doit aussi permettre aux parents d'agir en collaboration avec les professionnels en apportant leurs ressources et leurs compétences. Les résultats d'une étude longitudinale (Pelchat, Bisson, Ricard, Perreault et Bouchard, 1999) sur ce programme montrent que les parents éprouvent alors moins de stress, ont une meilleure adaptation et des perceptions plus positives.

Témoignages

« Lorsque je suis allée à l'association, la mère d'un enfant trisomique m'a dit : "Félicitations pour la naissance de ton bébé !" Et je me suis rendu compte que personne ne m'avait félicitée pour la naissance de mon enfant! »

La mère d'un enfant trisomique

« Les parents n'ont pas l'impression qu'ils ont donné naissance à un enfant, mais à une déficience. »

Source : Extraits de la vidéo *Aux yeux des autres* (Goupil, 1992).

Pépin et autres (s. d.) précisent les concepts de stimulation précoce et d'intervention précoce. Pour ces auteurs, la stimulation précoce « a pour objet d'actualiser au maximum le potentiel de l'enfant en intervenant directement auprès de lui, et ce, dans les différentes sphères de son développement » (s. p.). Quant à l'intervention précoce, elle recouvre une réalité beaucoup plus étendue. En effet, elle « poursuit des objectifs plus larges. Elle vise le développement de l'enfant mais son action tient compte de l'ensemble de sa réalité, de celle de sa famille et de son entourage. Elle inclut la stimulation précoce » (s. p.). Jourdan-Ionescu (2003) indique que les programmes sont inspirés de quatre modèles théoriques principaux :

1) l'approche piagétienne, selon laquelle l'enfant s'adapte à son milieu et en même temps le modifie ;
2) l'approche affective interactive ;
3) l'approche béhavioriste, où les comportements sont définis de manière observable et mesurable, et où des objectifs précis balisent les apprentissages et leur progression ;

4) le modèle développemental, qui utilise, entre autres, le jeu pour favoriser les apprentissages.

Peu après la naissance de l'enfant, les parents sont invités à se présenter dans un centre de services (un CRDI ou un CRDP[1]) pour recevoir de l'aide et être initiés à diverses stratégies. Des parents investissent beaucoup de temps et d'énergie dans ces programmes et sont donc, au moment de l'entrée à l'école, très sensibilisés à la nécessité de placer leur enfant dans un cadre stimulant et normalisant. Ils sont bien informés sur les conditions qui facilitent l'apprentissage de leur enfant. D'ailleurs, cet engagement explique, du moins en partie, pourquoi tant de parents réclament un milieu « normal », c'est-à-dire l'école ordinaire. Ces parents sont même parfois déjà initiés par les centres de stimulation à une participation aux plans d'intervention et de services de leur enfant.

Il est à noter qu'au cours de la période préscolaire, les professionnels n'identifient pas encore l'enfant comme ayant une déficience intellectuelle, mais parlent plutôt de retard de développement.

10.2.2 La période scolaire

La période scolaire représente une étape importante pour l'enfant ayant une déficience intellectuelle. Elle incarne aussi un défi pour les parents, qui prennent alors contact avec un nouveau milieu de vie pour leur enfant, soit l'école. Si certains parents voient leur choix en matière d'éducation appuyé par le milieu scolaire, d'autres connaissent une situation plus difficile. Afin de mieux comprendre ce contexte, nous verrons d'abord, selon des statistiques, où sont scolarisés les élèves. Puis, il sera question de l'intégration dans les classes ordinaires du primaire et du secondaire.

A. La répartition des élèves en fonction des regroupements du Ministère

Les élèves sont scolarisés selon différentes modalités. Plusieurs fréquentent les classes ordinaires, d'autres fréquentent des classes ou des écoles spéciales. Les tableaux 10.1 et 10.2, à la page suivante, décrivent la répartition des élèves pour tous les ordres d'enseignement selon les regroupements du Ministère (voir dans le chapitre 1 la définition de chacun de ces regroupements). Mentionnons qu'au moment où nous préparions la réédition de ce livre, les statistiques concernant la déficience intellectuelle légère n'étaient pas disponibles, ces élèves étant inclus jusqu'en 2006 dans la catégorie des élèves à risque (élèves scolarisés en majorité dans des classes ordinaires). Le ministère de l'Éducation, du Loisir et du Sport du Québec (2006a) décrit toutefois les statistiques concernant les lieux de scolarisation pour 200 élèves ayant une déficience légère et reconnus comme handicapés au sens de la loi. La plupart de ces 200 élèves identifiés handicapés sont scolarisés dans des classes (111 élèves) ou des écoles spéciales (79 élèves).

B. L'intégration au primaire et au secondaire

Le choix de l'école constitue une démarche importante pour les parents. Certains choisissent l'école ou la classe spéciale ; d'autres préfèrent la classe ordinaire. Malgré le fait que, dans plusieurs cas, les parents s'entendent avec le milieu scolaire, des

1. CRDI : Centre de réadaptation en déficience intellectuelle. CRDP : Centre de réadaptation en déficience physique.

Tableau 10.1

Répartition des élèves présentant une déficience de moyenne à sévère	
Regroupement	**Nombre d'élèves (3 676)**
1. Classe ordinaire	382
2. Classe ordinaire avec participation à une classe-ressource	148
3. Classe spéciale homogène regroupant une seule catégorie de difficultés	204
4. Classe spéciale hétérogène qui regroupe plus d'une catégorie de difficultés	1 590
5. École spéciale	1 349
6. Scolarisation en centre d'accueil	0
7. Scolarisation en centre hospitalier	0
8. Scolarisation à domicile	3

Source : Ministère de l'Éducation, du Loisir et du Sport du Québec (2006a, s. p.).

Tableau 10.2

Répartition des élèves présentant une déficience intellectuelle profonde	
Regroupement	**Nombre d'élèves (896)**
1. Classe ordinaire	10
2. Classe ordinaire avec participation à une classe-ressource	5
3. Classe spéciale homogène regroupant une seule catégorie de difficultés	1
4. Classe spéciale hétérogène qui regroupe plus d'une catégorie de difficultés	197
5. École spéciale	666
6. Scolarisation en centre d'accueil	0
7. Scolarisation en centre hospitalier	10
8. Scolarisation à domicile	7

Source : Ministère de l'Éducation, du Loisir et du Sport du Québec (2006a, s. p.).

parents ayant opté pour l'intégration dans la classe ordinaire ont dû défendre leur cause, parfois même devant les tribunaux. En effet, l'intégration des élèves présentant une déficience intellectuelle se heurte à plusieurs obstacles : les craintes et les résistances du personnel, les lacunes de la formation du personnel quant à l'intégration de ces élèves, le manque d'outils pédagogiques ou d'outils d'évaluation, les craintes liées à la participation des parents, l'attribution des ressources humaines et financières de même que les défis liés aux transformations organisationnelles (Garon, 1994). Horth (1994) indique que les enseignants ont des attitudes plutôt négatives face à l'intégration des élèves présentant une déficience intellectuelle moyenne. Quant à Beaupré (1994), elle observe plusieurs lacunes en ce qui a trait à leur intégration, dont le manque de préparation des enseignants pour intervenir auprès des élèves.

La figure 10.2 illustre les lieux où sont scolarisés les élèves ayant une déficience de moyenne à sévère. L'examen de cette figure indique que la plupart des élèves ayant

Figure 10.2

Lieux de scolarisation pour les élèves ayant une déficience de moyenne à sévère

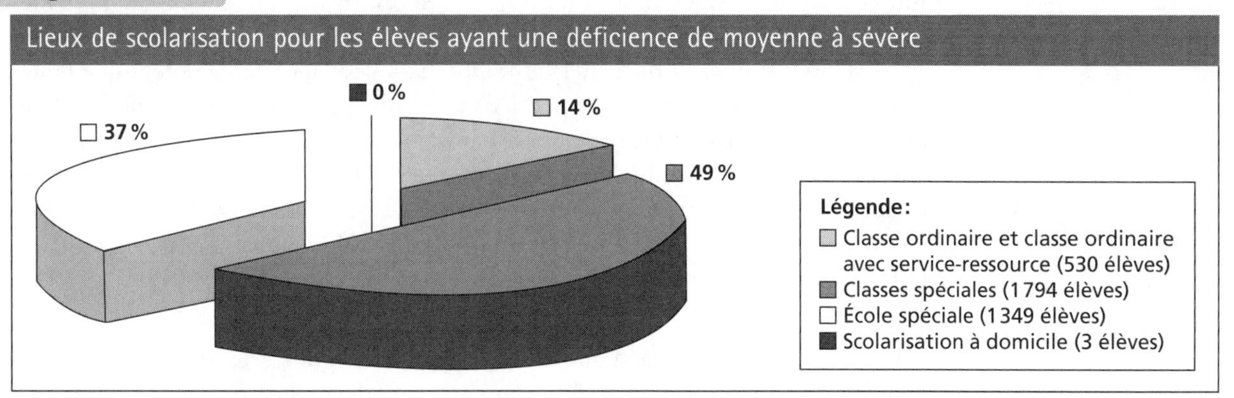

une déficience moyenne sont encore scolarisés dans des milieux spécialisés. Les élèves sont surtout intégrés au préscolaire, un peu moins au primaire et rarement au secondaire (Doré, Wagner et Brunet, 2003). Même si plusieurs réclament l'inclusion, il semble qu'on se trouve assez loin des objectifs visés, du moins si l'on se fie aux statistiques. Doré et autres (2003) soulignent plusieurs éléments qui conditionnent l'inclusion ou l'intégration dans la classe ordinaire : les lois et les interprétations qu'en font les tribunaux, l'opinion publique et les positions des groupes sociaux, la culture de l'école, les attitudes de la direction, la coopération entre intervenants, le nombre d'élèves par classe, l'utilisation des plans d'intervention individualisés ainsi que l'adaptation des programmes et des stratégies d'enseignement. À ces éléments pourraient s'ajouter les politiques du Ministère et des commissions scolaires, de même que le degré de préparation des futurs enseignants par les universités.

Malgré ces difficultés, on a enregistré certains changements. Ainsi, une étude menée par Goupil, Beaupré et autres (1995) auprès des parents et des enseignantes de 20 élèves présentant une déficience intellectuelle moyenne indique qu'à la fois les enseignantes et les parents semblent satisfaits des conditions d'intégration. Les enseignantes jugent que l'intégration est surtout profitable sur le plan social aux élèves intégrés. Elles soulignent aussi que l'intégration permet aux autres élèves d'apprendre à accepter la différence. Cependant, les enseignantes avouent aussi leur manque de préparation face à l'intégration.

L'ajout des services d'un aide-enseignant ou d'un éducateur spécialisé constitue un modèle de services couramment utilisé pour soutenir l'intégration des élèves au primaire. Cette personne est présente durant un nombre d'heures variant en fonction des milieux et des besoins des élèves. Blanchard et Stabile (s. d.) indiquent qu'il est préférable que cette personne soit rattachée directement à une classe plutôt qu'à un seul élève :

> La présence constante de l'aide auprès de l'élève peut affaiblir sa participation au vécu de la classe et accroître sa dépendance. Il ne s'agit pas d'éliminer totalement sa présence auprès de l'élève mais bien de la doser. Tout comme les autres élèves, l'élève présentant une déficience intellectuelle doit apprendre à travailler sans la supervision constante de l'adulte et aussi apprendre à travailler avec ses pairs (p. 20).

Les milieux scolaires font appel à d'autres ressources pour soutenir l'intégration, comme l'orthopédagogue et l'enseignant itinérant.

Qu'il s'agisse d'élèves ayant une déficience légère, de moyenne à sévère ou encore profonde, les statistiques indiquent que peu d'élèves fréquentent des classes ordinaires du secondaire, et ce, même si des parents réclament cette mesure, parfois par des moyens légaux (Doré, Wagner et Brunet, 1996). Doré et ses collaborateurs notent que l'intégration au secondaire implique deux défis particuliers : celui qui concerne les élèves ayant une déficience et celui qui est posé par l'école secondaire. Ces auteurs précisent : « [...] l'écart entre le niveau d'acquisition de l'élève présentant une déficience et celui des autres élèves est plus marqué au secondaire qu'au primaire et représente un défi particulier » (p. 48). L'école secondaire est structurée différemment de l'école primaire : l'enseignant rencontre plusieurs groupes d'élèves et l'enseignement est davantage structuré par matières.

Analysant les différentes conditions souhaitables pour réussir l'intégration au secondaire, Doré et autres (1996) proposent un modèle, que présente la figure 10.3.

Figure 10.3

Dimensions des conditions d'intégration au secondaire

Facteurs sociaux
- lois
- jugements des tribunaux
- intervenants scolaires et groupes de pression
- opinion publique

Programmes
- programme commun unique
- programme spécifique
- adaptations de programme
- matériel didactique
- sanction des études

Services de soutien
- spécialistes
- services thérapeutiques
- service d'aide à l'apprentissage
- bénévoles
- cercles d'amis et de soutien

Encadrement et suivi
- Plans éducatifs individualisés (PEI)
- Élaboration de plans d'action (EPA)
- Plan de transition individualisé
- indicateurs de réussite

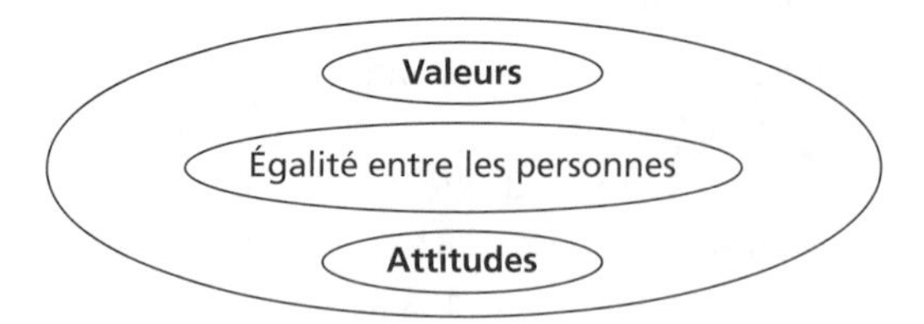

Organisation scolaire
- politiques
- culture de coopération
- structures d'intégration
- soutien administratif
- soutien budgétaire
- ressources
- transport, accessibilité
- ratios

Enseignement et apprentissage
- individualisation et personnalisation
- apprentissage coopératif
- enseignement dans une classe multiprogramme
- pédagogie de la maîtrise
- apprentissage par activités
- « tutorat »

Interactions avec le milieu
- collaboration école-famille
- collaboration école-collectivité

Préparation des agents
- personnes visées
- contenus des activités de préparation
- modalités de préparation

Source : Doré et autres (1996, p. 81). Reproduit avec permission.

10.2.3 Les transitions et l'entrée dans la vie adulte

Tout comme pour les autres élèves en difficulté ou handicapés, les transitions entre les différentes périodes constituent des défis à relever et peuvent générer du stress. Pour l'élève ayant une déficience intellectuelle, le changement entre la période préscolaire, le primaire et le secondaire ou l'entrée dans la vie adulte représentent des périodes à risque. Ainsi, plusieurs élèves ayant une déficience intellectuelle bénéficient d'une période de scolarisation prolongée leur permettant de fréquenter l'école jusqu'à 21 ans. Malgré cette mesure, plusieurs jeunes adultes se retrouvent sans travail et souvent avec peu de loisirs. Certains font face à des difficultés importantes touchant à l'adaptation à leur communauté, aux occasions restreintes de poursuivre des études postsecondaires, à des problèmes sociaux et personnels, et à un sentiment profond de solitude (Halpern, 1990).

Dowdy et Evers (1996) associent le degré de succès des élèves dans les activités postsecondaires à la programmation établie par les écoles. Dans ce contexte, les écoles doivent devenir non seulement des lieux d'apprentissage d'habiletés scolaires, mais aussi des endroits où les élèves peuvent développer d'autres compétences, telles que les habiletés préparant au travail et à la vie résidentielle, l'apprentissage de l'utilisation des services et des loisirs dans la communauté et les habiletés leur permettant d'utiliser la technologie de plus en plus présente dans la société. Le lecteur peut aussi consulter le chapitre 2 où il est question de ces périodes cruciales dans le cheminement de l'élève.

Le tableau 10.3, à la page suivante, présente un résumé du plan de transition entre l'école et la vie adulte.

10.3 Des domaines d'intervention

Outre les périodes de vie, le développement global de la personne s'avère important. Étant donné les besoins diversifiés des élèves ayant une déficience intellectuelle, l'intervention s'exerce dans plusieurs sphères. Nous verrons quelques-unes de ces sphères.

10.3.1 La communication

Dans le développement d'une personne, l'habileté à communiquer avec les autres est essentielle. Un problème pour plusieurs élèves présentant une déficience intellectuelle réside dans le retard du développement de la parole et du langage. La gravité des problèmes de communication s'accentue en fonction du degré de retard mental. Certains élèves ayant une déficience légère s'expriment bien et communiquent facilement. Les élèves ayant une déficience profonde présentent un retard majeur. Plusieurs ne parlent pas et utilisent des modes de communication primaires (cris, pleurs, sourires) que le milieu a souvent du mal à interpréter. Les personnes ayant une déficience intellectuelle ont également plus de difficulté que les autres à interpréter les expressions du visage de leurs interlocuteurs (Winzer, 1996). Certains problèmes d'élocution sont associés à des déficiences physiques : des fissures palatines, un tonus musculaire déficient, etc.

L'approche utilisée avec l'élève pour l'aider à communiquer dépendra de ses besoins et de ses capacités. Des élèves bénéficient d'un entraînement à la communication orale. Les parents et les enseignants favorisent cette communication en profitant des occasions qu'offrent quotidiennement les divers milieux de vie de l'élève, que ce soit l'école, les loisirs, la maison, etc.

Tableau 10.3

Plan de transition entre l'école et la vie adulte

Qu'est-ce que c'est?
- C'est une planification à long terme pour faciliter le passage de l'élève de l'école secondaire à la vie adulte et assurer une continuité entre les deux étapes de sa vie.

Pour qui?
- Les élèves qui ont des besoins importants et pour qui il faut planifier à l'avance les objectifs d'apprentissage afin de faciliter leur autonomie lorsqu'ils auront quitté l'école.

Qui y participe toujours?
- L'élève.
- Les parents.
- L'enseignant.

Quelles sont les autres personnes appelées à y participer régulièrement ou occasionnellement?
- Les autres intervenants de l'école impliqués auprès de l'élève.
- Ceux des centres de réadaptation et des CLSC.
- Ceux des ressources communautaires.
- Ceux des milieux de travail.

Qu'inclut le plan de transition?
- Des objectifs touchant les principaux secteurs de la vie de l'élève lorsqu'il aura quitté l'école : secteurs résidentiel, communautaire, des loisirs et du travail.

Quand fait-on un plan de transition?
- Au moins cinq ans avant la sortie de l'école.

Qu'y a-t-il de différent entre le plan de transition et le plan d'intervention adapté?
- Le plan de transition est à plus long terme. Il oriente les plans d'intervention annuels.
- Le plan de transition implique nécessairement la mise en place de liens avec la communauté.

Quels en sont les avantages?
- Le plan de transition permet un regard sur le futur.
- Il évite au moment de la sortie de l'école de regretter que certains apprentissages n'y aient pas été réalisés.
- Le plan permet aussi aux différents partenaires du milieu scolaire, de la famille et de la communauté d'agir en concertation pour faciliter un passage graduel de la vie scolaire à la vie adulte.

Quelles en sont les difficultés?
- Le plan de transition exige du temps.
- Il peut soulever plusieurs émotions liées aux discussions sur l'avenir de l'élève.
- Il peut exiger de prévoir des moyens alternatifs de communication (ex. : pictogramme) pour faciliter la participation des élèves ayant des difficultés importantes d'expression ou de compréhension.

Quelles démarches et quels outils utiliser?
- Différents outils ont été développés, plus particulièrement aux États-Unis.
- Les écoles peuvent adopter les outils et la démarche qui leur conviennent le mieux.
- Les ressources de l'école et de la communauté sont utilisées.

Quelles informations seront nécessaires pour considérer la globalité de la personne?

Les informations dans les domaines suivants faciliteront la rédaction du plan de transition :
- Communication.
- Soins personnels.
- Habiletés domestiques.
- Habiletés sociales.
- Utilisation des ressources communautaires.
- Autonomie.
- Santé et sécurité.
- Habiletés scolaires.
- Loisirs.
- Travail.
- Sexualité.
- Etc.

Quels changements résultent de la démarche du plan de transition?
- Collaboration de toutes les ressources susceptibles de soutenir l'intégration sociale et communautaire de la personne.
- Planification des démarches préparatoires à l'obtention d'un emploi et probabilité de succès accrue.
- Adoption d'un mode de vie résidentielle correspondant au degré maximal d'autonomie pouvant être atteint par la personne.
- Utilisation facilitée des services communautaires et des services publics.
- Participation s'accroissant progressivement aux loisirs de la communauté.

Source : Goupil, Tassé et Lanson (1996).

Certains élèves ont besoin de moyens davantage adaptés pour pouvoir communiquer. On recourt alors à des signes, à des pictogrammes, à des tableaux ou encore à des appareils informatiques ou électroniques. Il importe d'amener ces élèves à utiliser leurs capacités en leur permettant de communiquer leurs besoins et de discuter avec les autres.

Dyer et Luce (2005) soulignent l'importance de la communication pour l'établissement de relations sociales significatives. Pour ces auteurs, la communication ne doit pas être limitée à des modes verbaux ; elle doit aussi recourir à une variété de moyens dans un large spectre de contextes différents. L'apprentissage repose sur la détermination des préférences et des choix des élèves qui ont de la difficulté à s'exprimer et sur une sélection d'habiletés qui seront utiles. Selon Dyer et Luce, l'observation des situations suivantes permet de voir si les stratégies utilisées pour apprendre à l'élève à communiquer ont des résultats et répondent aux besoins de l'élève : « prendre son tour, attirer l'attention de l'autre, demander de l'aide, indiquer qu'une activité n'est pas souhaitée, demander la fin d'une activité, indiquer ses préférences et être capable de reconnaître quand il y a un bris dans la communication » (p. 199 ; traduit par l'auteure). Les auteurs indiquent qu'il est important de s'assurer que ces stratégies employées répondent aux besoins de l'élève, permettent à l'élève d'établir une communication pragmatique tout en ayant une autonomie grâce à laquelle il pourra amorcer ou poursuivre une communication.

10.3.2 Le développement de l'autonomie dans la vie quotidienne

Pour certains élèves présentant une déficience intellectuelle, l'intervention dans la famille ne sera pas suffisante pour leur apprendre les habiletés nécessaires à l'autonomie dans la vie quotidienne (Saint-Laurent, 1994). Des actions telles que l'habillage ou le déshabillage, l'entretien des vêtements et la préparation des repas demandent un apprentissage systématique. Cet apprentissage se réalise dans divers contextes : à la maison, à l'école, dans les loisirs, etc. Les enseignants tiennent également compte de l'âge de l'élève. Tous ces apprentissages permettront à l'élève d'être plus autonome.

10.3.3 L'insertion sociale

Un autre champ d'intervention important concerne l'insertion sociale de l'élève à l'école et dans sa communauté. Lanson (1995) définit ainsi les buts de l'insertion sociale des élèves ayant une déficience intellectuelle moyenne ou sévère :

- accroître l'autonomie et la responsabilité des jeunes dans les habitudes de vie quotidienne ;
- développer des attitudes appropriées dans leurs contacts avec les personnes jeunes ou adultes du monde « ordinaire » ;
- développer des habiletés permettant aux jeunes d'accéder et d'utiliser avec aise les services publics ou communautaires offerts à toute la population ;
- assurer le développement des attitudes et des habiletés qui permettront aux personnes ayant une déficience intellectuelle d'apporter leur contribution à la société (p. 5).

Les interactions avec les autres sont nécessaires, voire fondamentales, dans la plupart de nos actions quotidiennes. Par exemple, faire des achats ou louer une cassette vidéo demandent des interactions minimales. Citant les travaux de Chadsey-Rusch,

Haring (1993) indique que la cause principale de la perte d'un emploi chez les personnes handicapées est liée à des comportements sociaux inappropriés. Pour cet auteur, plusieurs raisons justifient l'apprentissage des interactions sociales:

1) Les parents estiment que les relations sociales et le fait de se faire des amis sont une de leurs principales préoccupations au sujet de leur enfant.
2) Les modèles actuels favorisant l'intégration proposent une intégration directe dans des contextes normalisés. Il est donc essentiel que l'élève développe des habiletés sociales afin qu'il ne soit pas marginalisé ou isolé de ses pairs.
3) Les interactions sociales sont essentielles dans la vie quotidienne.
4) Plusieurs comportements inadaptés ont souvent des fonctions de communication. Haring (1993) indique que, plutôt que de faire porter l'intervention directement sur la réduction du nombre de ces comportements, il peut être plus efficace de les remplacer par des comportements permettant les échanges et le développement de la communication.

De nombreuses actions favorisent l'insertion sociale des élèves. Lanson (1995) précise les suivantes: faciliter les interactions avec des personnes qui n'ont pas une déficience intellectuelle, proposer l'accomplissement d'activités correspondant à l'âge chronologique de l'élève (ainsi, éviter la visite au père Noël à un jeune de 15 ans), prévoir la répétition requise pour l'apprentissage, mettre en place des conditions facilitant l'apprentissage (une activité préparée, objectivée) et favoriser la fréquentation de lieux ouverts au public en général.

Haring (1993) indique qu'on doit tenir compte du contexte physique et social des interactions. Ainsi, certains jeux entraînent des interactions alors que d'autres loisirs (comme regarder la télévision) représentent surtout des activités solitaires. En dehors du fait qu'il analyse les conditions de l'environnement qui facilitent les contacts avec les autres, Haring propose des interventions plus systématiques pour favoriser le développement de compétences sociales: faire l'apprentissage d'un répertoire d'habiletés au jeu, apprendre à commencer une interaction, apprendre aux pairs à entreprendre des interactions avec l'élève ayant une déficience et faire l'apprentissage systématique d'habiletés sociales.

Dans les écoles, différentes actions favorisent l'insertion sociale, comme le tutorat, le jumelage d'élèves ou le parrainage (Lanson, 1995). Dans certains milieux spécialisés, les classes accueillent des élèves du secteur ordinaire à des activités qui sont souvent ludiques. Il est alors question d'« intégration inversée ».

10.3.4 L'apprentissage des matières scolaires et des outils de base

Selon le Ministère (MEQ, 1997a), « le français, la mathématique de même que la gestion du temps, de l'argent et de l'espace sont essentiels pour vivre de façon autonome dans la communauté et pour occuper un emploi. Ce sont des outils pour l'insertion dans tout milieu humain » (p. 36).

Comme nous l'avons vu, les besoins et les capacités des élèves présentant une déficience intellectuelle sont diversifiés. Par exemple, des élèves ayant une déficience légère pourront lire et écrire des textes variés. Pour d'autres qui ont une déficience plus importante, la situation sera différente. Ainsi, des élèves acquerront surtout une lecture fonctionnelle leur permettant de reconnaître les mots ou les symboles utilisés pour la sécurité, dans les transports et les lieux publics. Il est difficile, ici, de faire des généralisations. Saint-Laurent (1994) écrit à ce sujet :

> Les élèves présentant un déficit intellectuel de moyen à sévère doivent développer au maximum leurs connaissances et habiletés dans les matières scolaires. Les habiletés en lecture, écriture et mathématiques les rendront plus aptes à fonctionner dans la communauté. [...] Des activités agréables comme lire un livre ou écrire à un ami sont en effet accessibles à certains d'entre eux (p. 149).

Saint-Laurent (1994) indique qu'il faut prendre en considération plusieurs facteurs dans l'apprentissage des matières scolaires : l'âge de l'élève, son niveau d'habileté, ses habiletés en langage oral et écrit, son style d'apprentissage, le caractère fonctionnel des apprentissages, le principe de la participation partielle et l'utilisation d'adaptations. Pour cette auteure, « l'important c'est de donner l'occasion à chacun de développer ses capacités » (p. 152).

Signalons que le Ministère a publié divers programmes[2] à l'intention des élèves qui ont une déficience intellectuelle. Parmi les outils disponibles, notons ceux-ci :

- *DÉFIS : Démarche Éducative Favorisant l'Intégration Sociale* pour l'enseignement secondaire (MEQ, 1997a). Ce programme s'adresse à de jeunes adultes (de 16 à 21 ans) qui ont une déficience intellectuelle de moyenne à sévère. Dans ce programme, l'insertion dans la vie communautaire et la préparation au marché du travail ont été retenues comme priorités.
- Le programme *PACTE : Programmes d'études Adaptés aux Compétences Transférables Essentielles* pour l'enseignement secondaire (MEQ, 1997b). Ce programme, qui vise les jeunes de 12 à 15 ans, cherche à développer l'autonomie, le sens des responsabilités, la réalisation de soi et le sens de l'appartenance à un groupe social.
- Le *Programme éducatif adapté aux élèves handicapés par une déficience intellectuelle profonde* (MEQ, 2004b). Ce programme, qui est destiné aux élèves de 4 à 21 ans, vise en premier lieu le développement de l'autonomie.
- Les *Programmes d'études adaptés. Français, Mathématique, Sciences humaines, Enseignement primaire* (MEQ, 1996). Ces programmes sont destinés aux élèves du primaire qui présentent une déficience intellectuelle de moyenne à profonde.

10.3.5 La santé et le bien-être physique

Le bien-être physique et la promotion de la santé préoccupent de plus en plus les milieux éducatifs. La santé a un impact certain sur la qualité de vie. Dans le secteur de la déficience intellectuelle, on note aussi l'émergence d'un intérêt marqué à cet égard, d'autant plus qu'on observe un taux plus élevé de certains problèmes chez les personnes qui ont une déficience intellectuelle (Nehring, 2005). Ainsi, selon Coulter (2005), l'épilepsie touche 21% des personnes qui ont une déficience intellectuelle et 50 % des individus atteints à la fois d'une paralysie cérébrale et d'une déficience intellectuelle. L'auteur ne précise toutefois pas le degré de déficience intellectuelle pour les personnes chez qui ces données ont été relevées. L'AAMR (2003a) signale un taux d'épilepsie fluctuant entre 8,8 % et 32 % chez les personnes qui ont un retard

2. Ces programmes sont disponibles sur le site du MELS.

mental. L'obésité est aussi un problème souvent associé à certaines conditions telles que la trisomie (Bandini, 2005). Rimmer et Hiss (2005) rapportent ainsi que 80 % de femmes adultes ayant une trisomie présentent de l'obésité avec, en parallèle, un niveau bas d'activité physique.

L'AAMR se préoccupe de la promotion de la santé et de l'information à laquelle les personnes ayant une déficience intellectuelle peuvent avoir accès. Ainsi, White-Scott (2005) souligne le peu d'information que possèdent les adolescents ayant un retard mental sur la sexualité, la contraception et les infections transmises sexuellement :

> Les adolescents obtiennent souvent de l'information de leurs pairs, de leurs parents ou encore de l'école. Le secondaire est souvent une période d'exploration de la sexualité [...]. Comme les adultes, les adolescents ayant une déficience intellectuelle ou développementale sont souvent désavantagés, tout particulièrement dans l'apprentissage de leur sexualité. Les programmes éducatifs mis en œuvre dans les écoles doivent être adaptés aux besoins des individus en tenant compte d'un large spectre d'habiletés cognitives (p. 199 ; traduit par l'auteure).

Ce domaine de la santé comporte des implications pour les milieux scolaires. D'une part, il est important, tout en respectant les conditions de confidentialité et d'éthique, que les enseignants soient au fait des problèmes qui sont susceptibles d'affecter l'élève en classe, tels que les crises d'épilepsie ou les effets secondaires associés à certains médicaments. D'autre part, tout comme pour les élèves qui n'ont pas de déficit, il faut s'interroger sur les meilleures façons de faire la promotion de la santé en mettant à la disposition de ceux qui ont une déficience intellectuelle des programmes adaptés.

10.3.6 Le secteur des technologies informatiques et autres

Il est désormais impossible de passer une journée sans avoir recours aux technologies électroniques ou informatiques. Cela débute le matin avec le radio-réveil, et se poursuit pendant toute la journée avec l'utilisation de la télécommande du téléviseur, l'emploi du four à micro-ondes et même la programmation de la cafetière. Les ordinateurs sont partout : au travail, dans les loisirs, dans les communications. Il devient de plus en plus long de faire un retrait d'argent sans une carte bancaire, et que dire du téléphone où il est maintenant ardu d'obtenir un service sans passer par le dédale des instructions enregistrées dans une boîte vocale !

L'éducation des élèves qui ont une déficience intellectuelle ne peut ignorer ce champ qui peut devenir une aide précieuse pour améliorer la qualité de vie ou, à l'inverse, une entrave pour les élèves qui n'y sont pas initiés. Foshay et Ludlow (2005) indiquent que l'utilisation du soutien informatique requiert une bonne évaluation des besoins de l'élève tant sur le plan du matériel (*hardware*) que sur celui du logiciel (*software*). La plupart des élèves utilisent un clavier et une souris ordinaires ; toutefois, certains ont besoin d'un clavier adapté, d'un écran tactile ou de voix synthétiques. Le choix des logiciels demande aussi une attention particulière en fonction des objectifs d'apprentissage poursuivis et des caractéristiques de l'élève. Foshay et Ludlow soulignent la portée des technologies dans les pratiques inclusives, les liens avec les autres élèves ou les loisirs. Ils relèvent aussi leur potentiel dans les activités de planification de la transition à la vie adulte. Dans ces activités, on devra explorer, par exemple, la possibilité pour l'élève de conserver les noms et les adresses de ses proches dans un ordinateur personnel, l'utilisation des appareils domestiques qui demandent une programmation, la planification du budget, l'emploi des cartes bancaires et des cartes de crédit.

10.3.7 Les autres secteurs d'apprentissage

L'élève ayant une déficience intellectuelle pourra avoir besoin d'interventions dans d'autres domaines. Ces interventions varieront, bien sûr, en fonction de ses besoins et de ses capacités. Parmi les autres domaines d'intervention, mentionnons la motricité, la préparation au travail et l'apprentissage aux loisirs.

10.4 Une planification centrée sur la personne

Pour le ministère de la Santé et des Services sociaux du Québec (2001) :

> Comme tout enfant, ceux qui présentent une déficience intellectuelle ont différents besoins ; besoins physiologiques, besoin de sécurité, d'affectivité et d'appartenance, besoin d'estime et de reconnaissance, besoin d'apprendre, d'explorer leur environnement, de communiquer, de jouer, d'établir des relations avec les membres de leur famille, avec les autres enfants et avec les adultes de leur environnement et, enfin, besoin de se réaliser à travers les activités de leur âge (p. 33).

Si l'élève a des besoins particuliers, il ne faut pas pour autant perdre de vue la globalité de sa personne et réduire celle-ci à sa déficience. Par ailleurs, nous avons vu précédemment que les élèves ayant une déficience intellectuelle représentent une population dont les besoins et les habiletés sont hétérogènes. Cette hétérogénéité rend difficiles les généralisations quant à la nature des besoins ou encore à leur évaluation (Ardizzone et Scholl, 1985). Certains élèves ayant une déficience légère présentent surtout un retard dans les apprentissages scolaires. Les moyens d'évaluation et d'intervention présentés dans les chapitres 4 et 5 peuvent alors être utilisés en classe. Des problèmes de comportement peuvent aussi faire appel aux moyens d'évaluation et d'intervention présentés dans les chapitres 7 et 8. Des ouvrages spécialisés en matière de déficience intellectuelle proposent donc, lorsque cela s'avère nécessaire, de recourir à l'observation systématique des comportements (voir le chapitre 4, pages 68 à 86), à l'utilisation adaptée de processus de résolution de problèmes (voir le chapitre 8, pages 192 et 193), à des moyens d'autocontrôle et à la planification des transitions (voir le chapitre 2, pages 36 à 39).

Cependant, d'autres élèves ayant une déficience plus sévère ou encore des problèmes qui y sont associés ont besoin d'évaluations et d'interventions différentes. L'acquisition de comportements d'autonomie ou de comportements adaptatifs peut devenir, dans certains cas, la cible principale de l'intervention. Par ailleurs, dès leur naissance et parfois tout au long de leur vie, certains enfants auront besoin d'évaluations et d'interventions très spécialisées : médicales, diététiques, voire chirurgicales (par exemple, dans les cas d'hydrocéphalie). Nous n'entrerons pas dans ces détails étant donné que ce livre constitue une introduction. Cependant, nous verrons les principes de base d'une planification centrée sur la personne.

La planification centrée sur la personne (*person-centered planning*) s'inscrit dans la foulée des planifications individualisées (le plan d'intervention, le plan de services et le plan de transition). Elle s'appuie sur quatre principes : le respect des droits de la personne, la promotion de l'autonomie, l'exercice consistant à faire des choix et l'inclusion. Pour Mansell et Beadle-Brown (2004), la planification centrée sur la personne, en plus de respecter les principes de la planification individualisée, met l'accent sur les trois caractéristiques suivantes :

1) Elle considère les aspirations et les capacités de la personne (ou de celles qui s'expriment pour elle, comme la famille) plutôt que les besoins et les déficiences.
2) Elle cherche à mobiliser le réseau social élargi de la personne plutôt que de se limiter aux services offerts par l'établissement.
3) Elle cherche à donner le soutien requis pour réaliser les buts, plutôt que de limiter les objectifs à ceux que les services peuvent gérer.

D'un point de vue pragmatique, Holburn, Jacobson, Vietze, Schwartz et Sersen (2000) indiquent que ce type de planification vise à permettre à la personne de réaliser ses aspirations en réunissant autour d'elle les personnes les plus significatives. Cette planification lui permettra d'avoir un meilleur style de vie répondant à ses goûts, à ses talents et à ses préférences.

Pour Bambara (2005b), les valeurs suivantes soutiennent ces plans centrés sur la personne :

- Cette approche tient compte des besoins uniques et des préférences de la personne. Ainsi, plutôt que de forcer l'élève à s'adapter aux services, on essaiera d'adapter les services.
- Cette approche a pour cible ultime la qualité de vie. Cela implique aussi la participation à des activités agréables à l'école et dans la communauté, le sens d'appartenance à un groupe, la possibilité d'avoir des rêves et de faire des choix.
- Cette approche est centrée sur la personne, en ce sens qu'elle met en valeur ce que cette personne a en commun avec les autres au lieu d'insister sur les différences qu'elle présente.

Enfin, cette approche met l'accent sur la collaboration non seulement entre les services et les professionnels, mais aussi avec le réseau (famille, amis) de l'élève handicapé. Il existe des outils pour effectuer une telle planification, dont le MAP (*Making Action Plans*) de Forest et Pearpoint (1992). Dans un article paru dans la revue *Educational Leadership,* Forest et Pearpoint suggèrent plusieurs questions de base autour desquelles s'élaborera le MAP : qu'est-ce qu'un MAP ? Quelle est l'histoire de l'élève ? Quels rêves fait-il ? Quels cauchemars fait-il ? Qui est l'élève ? Quels sont ses forces, ses talents, son apport unique ? En quoi l'élève a-t-il des forces ? De quoi l'élève a-t-il besoin et qu'est-ce qui nous est nécessaire pour répondre à ces besoins ? Quel plan d'action devons-nous adopter pour lui éviter de faire des cauchemars et lui permettre d'actualiser ses rêves ?

La planification centrée sur la personne valorise le développement de l'autodétermination en utilisant différentes stratégies, comme celles-ci : tenir compte des préférences, des centres d'intérêt et des rêves de l'élève ; lui enseigner des habiletés pour qu'il puisse faire des choix, prendre des décisions ; créer des occasions pour qu'il puisse effectivement prendre des décisions. Parmi ces occasions, la participation aux réunions de plans d'intervention et de transition doit être privilégiée. Toutefois, il ne suffit pas que l'élève soit présent aux réunions qui le concernent ; une participation effective exige généralement une préparation aux activités de la classe et une intégration dans celles-ci. Il existe dans la littérature plusieurs démarches ou programmes pour amener les élèves à mieux participer à leur plan d'intervention ou de transition, à se l'approprier (Wehmeyer et Sands, 1998). Faire une planification centrée sur la personne représente un défi important, car la déficience intellectuelle comporte un large éventail de besoins, et certains élèves ont des problèmes graves.

10.5 Le choix des objectifs d'intervention

Qu'il s'agisse du plan d'intervention, du plan de services ou du plan de transition, au cours de la planification de l'intervention, il faut considérer le processus éducatif dans son ensemble. L'école n'a pas pour seule mission d'apprendre à lire et à compter (ou à s'y préparer) ; elle vise aussi le développement global de la personne. L'élève, par l'observation et par des contacts quotidiens avec ses pairs, réalise en effet plusieurs autres apprentissages que ceux qui sont inscrits au programme ! Dans la sélection des objectifs d'intervention, cette finalité a une grande importance.

Brown et autres (1985) précisent que, pour les personnes ayant une déficience sévère, les objectifs d'apprentissage doivent être appropriés à l'âge chronologique, nécessaires à l'âge adulte, appréciés de l'élève et valorisés par les parents. De plus, ces objectifs doivent être fonctionnels, c'est-à-dire utiles à la vie de l'élève. Il faut que ceux-ci favorisent les interactions sociales et en particulier les contacts avec les personnes qui n'ont pas de déficience. L'élève doit aussi être capable d'apprendre ces habiletés dans un temps raisonnable. Il ne s'agit donc pas uniquement de choisir des objectifs bien formulés ; il faut également s'interroger sur leur pertinence et sur leur apport au développement global de la personne.

Les principes à la base de la formulation des objectifs ont déjà été décrits dans les chapitres précédents. Toutefois, pour que les objectifs soient plus faciles à atteindre, il convient, pour certains comportements, d'utiliser ce qu'on appelle l'analyse de tâche. Cette opération « consiste à décomposer un comportement complexe en plusieurs comportements simples différents qui se suivent dans un ordre déterminé » (Magerotte, 1984b, p. 184).

Exemple d'une analyse de tâche

Enlever son chandail

1. Tenir le bord du vêtement avec les deux mains ;
2. Tirer le vêtement en dessous des bras ;
3. Mettre son bras en dessous du vêtement ;
4. Pousser contre la manche de l'autre bras ;
5. Enlever la main de la manche ;
6. Répéter les étapes 3, 4 et 5 pour l'autre manche ;
7. Placer ses deux mains sous le chandail ;
8. Pousser le chandail au-dessus de la tête.

Source : École Peter-Hall (1983, p. 71).

10.6 Des principes pédagogiques facilitant l'action éducative

Le Ministère (MEQ, 1997a) présente une série de principes facilitant l'apprentissage des élèves qui ont une déficience intellectuelle (voir le tableau 10.4 à la page suivante). Il est à noter qu'il s'agit de principes généraux qui seront également utiles aux élèves ne présentant aucune déficience particulière.

Tableau 10.4

Synthèse des principes fondamentaux de l'action éducative
Considérer l'apprentissage comme un processus actif • Favoriser l'expérimentation et la découverte par l'élève. • Encourager la prise en charge par l'élève. • Guider discrètement les essais. • Favoriser la participation active de l'élève aux activités de la classe.
Rendre les activités d'apprentissage signifiantes • Chercher à atteindre les objectifs essentiels. • Proposer des tâches signifiantes ayant des retombées utiles, fonctionnelles et immédiates. • Exploiter les contextes réels d'utilisation d'un apprentissage. • Informer l'élève des résultats attendus et de l'utilité de l'apprentissage.
Reconnaître la contribution des connaissances antérieures dans l'apprentissage • Prendre en considération les connaissances antérieures de l'élève au moment de la planification d'un nouvel apprentissage. • Fournir à l'élève des indices favorisant le rappel des connaissances antérieures. • Assurer la stabilité sémantique (sens) et morphologique (forme) de l'information.
Faciliter les apprentissages en réduisant la complexité des tâches • Adapter le travail, le matériel. • Simplifier la tâche. • Recourir à des ressources compétentes et disponibles : les autres élèves.
Présenter à l'élève des défis raisonnables • Faire expérimenter la réussite pour renverser le sentiment d'échec. • Donner à l'élève la possibilité de faire un choix d'activité ou de matériel. • Valoriser les petits succès. • Réduire la dépendance (« externisme »).
Privilégier le circuit visuel • Amplifier les indices de l'objet. • Aménager le milieu de manière à faciliter la visualisation des stimuli. • Fournir des occasions quotidiennes d'adaptation sociale.
Attirer et contrôler l'attention • Utiliser du matériel signifiant et attrayant. • Éliminer ou contrôler les stimuli non pertinents. • Exploiter certains éléments de l'expression verbale.
Guider l'apprentissage • Présenter des modèles à imiter. • Soutenir l'action et la réflexion de l'élève par la médiation. • Moduler les interventions de « guidage » et de médiation.
Soutenir la motivation • Donner du sens aux activités. • Souligner les progrès et les réussites. • Prodiguer à l'élève des félicitations pour ses efforts. • Encourager constamment l'élève (rétroaction, renforcement, récompense). • Fournir à l'élève les possibilités de faire comme les autres de son âge.
Assurer la rétention des apprentissages par des exercices répétés de pratique autonome • Diminuer l'accompagnement au profit d'une plus grande prise en charge par l'élève. • Intensifier les mises en situation de pratique autonome de l'activité (fréquence élevée et milieux variés). • Stabiliser la maîtrise de l'habileté cognitive ou sociale.
Prévoir des activités de transfert • Choisir des contextes se rapprochant le plus possible des contextes naturels d'utilisation de la connaissance ou de l'habileté. • Rendre explicites les conditions de transfert. • Décontextualiser les connaissances. • Travailler en collaboration étroite avec les parents pour s'assurer de l'application des apprentissages dans la vie quotidienne.

Source : Ministère de l'Éducation du Québec (1997a, p. 31).

10.7 Les méthodes et les approches d'intervention

Au fil des ans, on a fait appel à des méthodes d'intervention spécifiques auprès des élèves ayant une déficience intellectuelle. Parmi les méthodes psychologiques employées avec les personnes ayant une déficience intellectuelle, Ionescu (1987) présente les approches suivantes : la modification du comportement, les applications de la théorie piagétienne et les psychothérapies (comme la thérapie par le jeu ou par l'art). Quant à Henley (1985), il définit les approches éducatives suivantes pour les élèves intégrés dans une classe ordinaire : les méthodes cognitives (par exemple, de type piagétien), l'analyse de tâche (bien que cette méthode soit associée fréquemment à l'approche béhavioriste), l'approche béhavioriste (comportementale), l'approche écologique et les approches axées sur la préparation au travail (*career education*). D'autres approches privilégient l'éducation cognitive ou encore l'éducation intégrée dans la communauté. Nous verrons sommairement quelques-unes de ces approches. En ce qui concerne la préparation au travail, nous considérerons ces approches dans le processus global de transition de l'école à la vie adulte.

10.7.1 L'approche béhavioriste et les plans de soutien positifs

L'approche béhavioriste découle des principes de la psychologie de l'apprentissage et de l'analyse appliquée du comportement (AAC ou *Applied Behavior Analysis*, ABA). Elle concerne l'étude de méthodes visant à augmenter ou à diminuer la fréquence des comportements. De plus, elle met l'accent sur les relations entre l'individu et son environnement. Forget, Schuessler, Paquet et Giroux (2005) relèvent 10 étapes dans ce processus :

1) Traduire le problème en fonction de comportements (observables et mesurables).
2) Préciser la nature et les fonctions du comportement.
3) Choisir une technique d'observation.
4) Observer à plusieurs reprises les comportements cibles et le contexte de leur apparition.
5) Inscrire les données de l'observation sur un graphique.
6) Déterminer une technique d'intervention basée sur les théories du conditionnement.
7) Évaluer le degré d'implantation de la technique choisie.
8) Planifier la généralisation et le maintien dans le temps. À cette étape, les auteurs indiquent qu'il faut favoriser l'acquisition d'habiletés de gestion de soi, dont l'autoévaluation et l'autodétermination.
9) Évaluer la stratégie sur les comportements.
10) Évaluer la validité sociale, éducative ou clinique des changements obtenus.

Les chercheurs béhavioristes ont élaboré nombre de méthodes et de programmes en vue de faciliter les apprentissages chez les personnes ayant une déficience intellectuelle. Ces méthodes et programmes donnent en général des résultats positifs dans plusieurs secteurs, comme la réduction des comportements déviants, la réduction des comportements d'automutilation, l'apprentissage de comportements d'autonomie ou encore la lecture. Ainsi trouve-t-on des dizaines d'articles concernant les personnes qui ont une déficience intellectuelle dans des revues comme le *Journal of Applied Behavior Analysis*, l'*American Journal on Mental Retardation*, le *Journal of the Association for Persons with Severe Handicaps* ou le *Journal of Positive Behavior Interventions*. Les principes de base pour l'évaluation des comportements et l'approche comportementale ont déjà été présentés dans les chapitres 7 et 8. Nous invitons le lecteur à s'y reporter.

En ce qui a trait aux plans de soutien positifs (*positive behavior support plans*), ils tirent leur origine à la fois des approches centrées sur la personne, de l'importance de la qualité de vie et de l'approche béhavioriste. « Ils ont pour objectifs, entre autres, de réduire les problèmes de comportements pour améliorer la qualité de vie » (Duda, Dunlap, Fox, Lentini et Clarke, 2004, p. 143 ; traduit par l'auteure). Ils se basent sur des données obtenues, notamment, par l'observation, les entrevues et l'analyse des productions. Scott, Nelson, Liaupsin, Jolivette et Riney (2002) définissent ainsi les plans de soutien positifs :

> Premièrement, les plans de soutien positifs indiquent que leur but est d'aider les élèves à acquérir un répertoire d'habiletés appropriées qui leur permette de participer avec succès à divers milieux, que ce soit la famille, l'école ou la communauté. Deuxièmement, ces plans impliquent l'utilisation d'un continuum de stratégies comprenant une personnalisation adaptée qui porte sur les forces, les besoins et les préférences de l'élève et de sa famille (p. 535 ; traduit par l'auteure).

Selon Bambara et Knoster (2005), les plans de soutien positifs reposent sur quatre prémisses :

1) Les comportements problématiques (*challenging*) sont liés au contexte de leur apparition. Ces comportements sont influencés par les caractéristiques de l'environnement. Il faut déterminer si l'environnement offre suffisamment de situations positives à l'élève ou si celui-ci se retrouve surtout dans des situations négatives, d'échecs à répétition. Pour Bambara et Knoster (2005), les comportements ont une raison d'être. En effet, lorsqu'ils apparaissent, c'est parce que quelque chose les déclenche ; ils ne sont pas simplement les symptômes d'une déficience. Cette cause peut être externe ou interne (comme le manque de sommeil).
2) Les comportements problématiques ont une fonction pour l'élève. Ainsi, un élève non verbal peut exprimer ses choix en criant. Dans certains cas, les personnes proches de l'élève viennent renforcer ces comportements en lui donnant les objets ou les activités qu'il réclame de cette manière. La volonté de communiquer des besoins est ainsi à l'origine de plusieurs problèmes de comportement chez les élèves qui n'ont pas les habiletés nécessaires. Les plans de soutien positifs seront orientés non seulement sur la réduction des comportements problématiques, mais aussi sur l'établissement de moyens visant à permettre à l'élève de s'exprimer.
3) « Les interventions efficaces seront basées sur une compréhension réelle de la personne, de son contexte social et des fonctions du problème de comportement » (Bambara et Knoster, 2005, p. 150 ; traduit par l'auteure).
4) Les plans de soutien positifs se fondent sur les valeurs de l'élève, sur ses préférences, sur le respect de sa dignité et sur les buts personnalisés qui sont poursuivis.

Bambara (2005b) mentionne cinq étapes dans la réalisation de ces plans : (1) déterminer les priorités et le problème ; (2) faire une évaluation fonctionnelle (voir le chapitre 7) ; (3) développer des hypothèses sur les fonctions du problème de comportement ; (4) élaborer le plan de soutien en intervenant au besoin sur les antécédents du comportement et en favorisant l'émergence de comportements de remplacement, de même qu'en agissant sur les conséquences du comportement et en mettant en place des moyens de soutien à long terme ; (5) implanter le plan, l'évaluer et, le cas échéant, le modifier.

10.7.2 Les approches piagétienne, développementale et cognitive

Jean Piaget s'est surtout intéressé au développement de l'intelligence chez les enfants normaux. Dans cette optique, des chercheurs se sont penchés sur le développement cognitif des enfants ayant une déficience intellectuelle. La théorie piagétienne considère l'intelligence comme une capacité d'adaptation du comportement aux exigences du milieu. Cette adaptation relève d'une dynamique entre le processus d'assimilation (un processus qui permet d'assimiler la nouvelle information et de la rattacher à celle qui existe déjà dans les structures cognitives) et le processus d'accommodation (une modification des activités cognitives en vue de s'adapter aux situations nouvelles). Le développement de l'intelligence s'effectue graduellement : il commence avec la période sensorimotrice, se poursuit avec la période préopératoire et opératoire concrète, et se termine avec la période des opérations formelles.

Selon Jourdan-Ionescu (1987), les applications de la théorie piagétienne aux enfants ayant une déficience intellectuelle ont surtout porté sur l'évaluation de leur développement cognitif, sur l'élaboration d'instruments d'évaluation et finalement sur la mise en place de programmes d'intervention. Ces derniers ont pour but d'agir sur le développement à diverses périodes : par exemple, à la période sensorimotrice ou à la sous-période des opérations concrètes. Toujours selon cette auteure, des recherches expérimentales (Boersma et Wilton, 1976 ; Paour, 1979, tous cités dans Jourdan-Ionescu, 1987) ont visé l'acquisition d'opérations chez l'enfant ayant une déficience intellectuelle, telles que la conservation.

L'éducation cognitive a aussi été utilisée auprès d'élèves ayant une déficience intellectuelle. Pour Büchel et Paour (1990), le potentiel intellectuel désigne « des capacités cognitives qui ne peuvent s'exprimer qu'après une période d'aide apportée au cours d'une période d'apprentissage » (p. 89). De multiples programmes visent l'actualisation du potentiel intellectuel.

Reuven Feuerstein a élaboré une méthode de rééducation cognitive appelée « programme d'enrichissement instrumental ». La composante principale de ce programme repose sur la notion de médiation. Pour Feuerstein, les personnes qui entourent l'enfant (ses parents, ses frères et ses sœurs, etc.) jouent un rôle de médiation dans le développement de ses fonctions cognitives. Le médiateur soutient l'enfant en l'aidant à organiser et à ordonner les événements (Feuerstein, Rand et Rynders, 1988).

Le programme d'enrichissement instrumental de Feuerstein est destiné, entre autres, à améliorer les habiletés de résolution de problèmes des élèves qui présentent un retard de développement. Ce programme inclut des exercices et un système d'enseignement basé sur la médiation. Les exercices sont regroupés en contenus spécifiques tels que l'orientation dans l'espace et la catégorisation.

Dans le même ordre d'idées, intégrant les travaux de Feuerstein et de Sternberg, Pierre Audy a mis au point, au Québec, le programme *Actualisation du potentiel intellectuel* (API). Audy, Ruph et Richard (1993) y ont inclus 83 stratégies de résolution de problèmes. Ce programme privilégie aussi la médiation. L'API place les élèves devant des problèmes qu'ils réussiront à résoudre en utilisant la stratégie appropriée. Audy et ses collaborateurs indiquent que l'API a surtout donné lieu à des recherches exploratoires qui seront soumises à des vérifications dans des programmes de recherche plus élaborés. Signalons que cette approche a fait l'objet, auprès d'élèves présentant une déficience intellectuelle moyenne, d'une étude portant sur l'acquisition de stratégies de résolution de problèmes et sur leur transfert dans des tâches liées au marché du travail (Horth, 1999).

En France, depuis plusieurs années, Paour (1991) effectue des recherches sur l'apprentissage cognitif à l'aide de tâches d'inspiration piagétienne auprès de jeunes présentant une déficience intellectuelle. Il insiste sur le rôle déterminant de l'environnement dans le développement de la personne. Pour cet auteur, l'éducation cognitive des élèves ayant une déficience intellectuelle doit viser les objectifs suivants : (1) favoriser le développement de connaissances déclaratives et procédurales d'origine logico-mathématique ; (2) favoriser l'amélioration des réseaux conceptuels ; (3) faire acquérir des stratégies spécifiques et générales de réception de l'information, de résolution de problèmes, de compréhension, de mémorisation et d'apprentissage ; (4) faire acquérir des savoirs et des savoir-faire métacognitifs ; (5) favoriser l'automatisation de ces savoirs ; (6) favoriser la motivation intrinsèque (Paour, 1991).

10.7.3 L'approche écologique et l'éducation intégrée dans la communauté

L'approche écologique est centrée sur les modalités d'interaction de l'enfant avec les autres à l'intérieur de systèmes sociaux tels que l'école, la famille et le voisinage. Chaque système se caractérise par un ensemble de valeurs qui lui sont propres (Henley, 1985). Dans ces systèmes, les acteurs interagissent les uns avec les autres, les comportements de l'un influant sur les comportements de l'autre. Le point de vue écologique tient compte des interactions autant dans la classe que dans l'école entière. La cohésion entre les divers systèmes et la communication facilitent l'intégration de l'enfant dans la communauté (Henley, 1985).

Contrairement aux approches traditionnelles, où les habiletés de l'enfant et ses capacités personnelles sont isolées, où ses déficiences sont identifiées, l'approche écologique reconnaît l'importance des ressources de l'environnement. Elle présume que l'individu n'agit pas indépendamment des influences extérieures et étudie comment l'environnement produit des changements (Oka et Scholl, 1985).

Boudreault, Déry et Rousseau (1993) indiquent que, dans le cadre de l'approche écologique, le réseau social et les types d'activités sont des indicateurs de la qualité de vie. Le réseau de soutien de la personne est important en ce qui a trait à son adaptation à sa communauté. Il en est de même pour les activités (comme les loisirs).

Plus particulièrement, Brinker et Thorpe (1986) ont étudié la contribution proportionnelle d'éléments écologiques comme agents de prédiction des interactions sociales des élèves ayant une déficience avec les élèves qui n'ont pas de difficulté. Les éléments retenus sont les suivants : (1) le soutien de l'école et de l'enseignant, (2) la planification éducative, (3) les habiletés fonctionnelles selon l'âge des enfants ayant une déficience, (4) le nombre et le type de personnes dans l'environnement, (5) l'organisation de l'environnement physique et (6) l'environnement interactif déterminé par les comportements des autres élèves envers les élèves en difficulté. Suivant les résultats obtenus, 32 % de la variance du degré d'intégration est déterminée par les interactions des deux groupes d'élèves. Ces auteurs concluent que les élèves qui n'ont pas de difficulté sont la clé du succès d'une intégration réussie pour les élèves ayant une déficience.

Pour Brown (cité dans Saint-Laurent, 1993), le « but de l'éducation est l'intégration socioprofessionnelle future, c'est-à-dire vivre, travailler et s'amuser dans des environnements hétérogènes et variés » (p. 155). Ainsi, l'école doit viser l'intégration dans la communauté et un comportement le plus autonome possible. Saint-Laurent (1994) mentionne qu'au cours des dernières années, les programmes écologiques fonctionnels sont devenus des programmes éducatifs intégrés dans la communauté. Les programmes intégrés dans la communauté proposent, entre autres, de développer des habiletés dans les domaines suivants :

1) la vie à la maison, soit les activités importantes dans la vie quotidienne, comme se laver et entretenir ses vêtements ;
2) la vie communautaire, soit les activités dans la communauté, comme se déplacer de manière sécuritaire, prendre les transports en commun, fréquenter les lieux publics et faire des achats ;
3) les loisirs, soit les activités visant à occuper le temps libre et à améliorer la qualité de vie ; les loisirs permettent des interactions avec la famille, le voisinage et les membres de la communauté ;
4) le travail, soit le fait d'occuper un emploi réel rémunéré.

Dans une perspective d'éducation intégrée dans la communauté, la scolarisation dans l'école du quartier devient une condition du développement de ces habiletés. Les contacts avec des élèves non handicapés constituent une exigence de ces programmes, l'intégration scolaire, sociale et communautaire en étant l'assise. Cette approche vise à élargir le répertoire de comportements de l'élève de façon qu'il ait accès à plusieurs activités et milieux.

Le programme d'éducation intégrée dans la communauté mise sur la collaboration avec les parents, l'établissement d'un plan d'intervention personnalisé et d'un plan de transition. Pour Saint-Laurent (1994), les caractéristiques de ces programmes sont les suivantes :

> [...] l'intégration scolaire, l'individualisation de l'enseignement, les domaines de vie, les habiletés fonctionnelles, l'âge chronologique approprié, le transfert des apprentissages, la pratique répétée, la collaboration avec la famille, la pédagogie en milieu naturel, le principe de participation partielle [rendre l'élève capable de participer partiellement à des activités plutôt que de l'exclure totalement], les adaptations individualisées et le plan de transition (p. 34).

Ces diverses approches que nous avons abordées semblent à première vue relativement différentes. Cependant, l'enseignant peut puiser dans chacune d'elles des moyens qu'il utilisera à titre complémentaire au cours de son intervention auprès de l'élève.

RÉSUMÉ

Au moment de l'intervention auprès de l'élève ayant une déficience intellectuelle, il est important de considérer à la fois ses caractéristiques personnelles et celles de son environnement. En effet, le processus de production du handicap constitue une interaction de ces deux facteurs qu'on devra prendre en considération pendant la planification des actions éducatives. Les élèves ayant une déficience intellectuelle bénéficient de mesures de scolarisation diversifiées : des classes ordinaires, des classes et des écoles spéciales, etc. On note toutefois que peu d'élèves ayant une déficience moyenne ou profonde fréquentent les classes ordinaires au secondaire. L'intervention auprès de l'élève s'exerce dans de multiples secteurs, dont l'apprentissage d'habiletés scolaires, l'insertion sociale et la communication. Au fil des années, on a élaboré plusieurs méthodes d'intervention pour faciliter les apprentissages des élèves : les approches béhavioriste, développementale, cognitive, écologique, intégrée dans la communauté, etc.

QUESTIONS

1. Quels éléments influent sur la planification des services éducatifs à l'intention des élèves ayant une déficience intellectuelle ?
2. Quelle est l'importance des transitions d'une période de vie à l'autre pour les parents qui ont un enfant présentant une déficience intellectuelle ?
3. Quels sont les avantages de l'engagement des parents dans l'intervention ?
4. Quels sont les éléments à considérer au moment du choix d'objectifs d'intervention auprès des élèves ayant une déficience intellectuelle ?
5. Qu'est-ce qu'une analyse de tâche ?
6. Donnez deux exemples d'approches utilisées avec les élèves ayant une déficience intellectuelle.
7. Que sont les plans de soutien positifs et l'approche centrée sur la personne ?

ACTIVITÉ

Prenez connaissance des programmes du Ministère et relevez les caractéristiques des activités proposées pour la déficience intellectuelle de moyenne à sévère et pour la déficience profonde.

RÉFÉRENCES SUGGÉRÉES

ASSOCIATION DU QUÉBEC POUR L'INTÉGRATION SOCIALE (AQIS) et INSTITUT QUÉBÉCOIS DE LA DÉFICIENCE INTELLECTUELLE (IQDI). [en ligne], [http://www.aqis-iqdi.qc.ca/]. L'adresse postale est la suivante : 3958, rue Dandurand, Montréal (Québec) H1X 1P7.

BAMBARA, L.M. et KERN, L. (dir.) (2005). *Individualized Supports for Students with Problems Behaviors. Designing Positive Behavior Plans.* New York : The Guilford Press.

DORÉ, R., WAGNER, S. et BRUNET, J.-P. (1996). *Réussir l'intégration scolaire. La déficience intellectuelle.* Montréal : Les Éditions Logiques.

GASCON, H., BOISVERT, D., HAELEWYCK, M.-C., POULIN, J.-R. et DETRAUX, J.-J. (dir.) (2006). *Déficience intellectuelle : savoirs et perspectives d'action. Tome 1 : Représentations, diversité, partenariat et qualité. Tome 2 : Formation, interventions et soutien social.* Cap-Rouge, Québec : Presses Inter Universitaires.

...

RÉFÉRENCES SUGGÉRÉES (*suite*)

HORTH, R. (1999). *Efficience cognitive et déficience intellectuelle.* Montréal : Les Éditions Logiques.

Making Action Plans (2004), [en ligne], [http://www.inclusion.com/].

MINISTÈRE DE L'ÉDUCATION, DU LOISIR ET DU SPORT DU QUÉBEC. [en ligne], [http://www.mels.gouv.qc.ca/]. Les programmes *PACTE* et *DÉFIS* sont disponibles sur ce site. Un programme d'intervention pour les élèves qui ont une déficience intellectuelle profonde est aussi disponible. Les premières pages de ce programme expliquent bien ce qu'est la déficience profonde et les besoins de ces élèves.

SAINT-LAURENT, L. (1994). *L'éducation intégrée à la communauté en déficience intellectuelle.* Montréal : Les Éditions Logiques.

TASSÉ, M.J. et MORIN, D. (dir.) (2003). *La déficience intellectuelle.* Boucherville, Québec : Gaëtan Morin Éditeur.

Vidéo :

Karine (1993). Montréal : Université du Québec à Montréal, Service de l'audiovisuel. Une vidéo qui présente l'évolution d'une jeune fille trisomique de la naissance à l'âge de 16 ans.

Les élèves présentant un trouble envahissant du développement

Objectifs

Après avoir lu ce chapitre, le lecteur devrait pouvoir:

- donner une définition des troubles envahissants du développement;
- préciser les critères utilisés dans le diagnostic des troubles envahissants du développement;
- dresser l'historique de la découverte de l'autisme et du syndrome d'Asperger;
- présenter des programmes psychoéducatifs à l'intention des élèves ayant un syndrome dans le spectre des troubles envahissants du développement.

INTRODUCTION

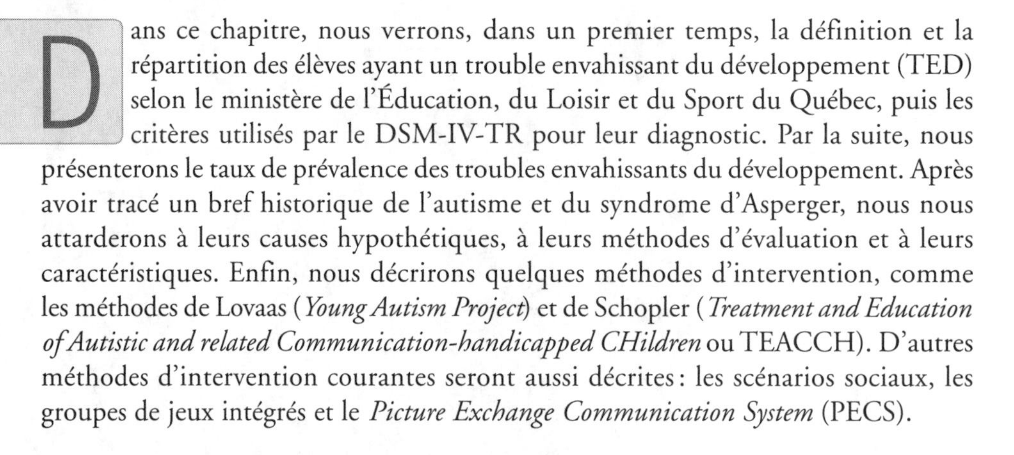

Dans ce chapitre, nous verrons, dans un premier temps, la définition et la répartition des élèves ayant un trouble envahissant du développement (TED) selon le ministère de l'Éducation, du Loisir et du Sport du Québec, puis les critères utilisés par le DSM-IV-TR pour leur diagnostic. Par la suite, nous présenterons le taux de prévalence des troubles envahissants du développement. Après avoir tracé un bref historique de l'autisme et du syndrome d'Asperger, nous nous attarderons à leurs causes hypothétiques, à leurs méthodes d'évaluation et à leurs caractéristiques. Enfin, nous décrirons quelques méthodes d'intervention, comme les méthodes de Lovaas (*Young Autism Project*) et de Schopler (*Treatment and Education of Autistic and related Communication-handicapped CHildren* ou TEACCH). D'autres méthodes d'intervention courantes seront aussi décrites : les scénarios sociaux, les groupes de jeux intégrés et le *Picture Exchange Communication System* (PECS).

11.1 La définition et la répartition selon le ministère de l'Éducation, du Loisir et du Sport du Québec

Le ministère de l'Éducation, du Loisir et du Sport du Québec a défini les troubles envahissants du développement. Le tableau 11.1 présente cette définition.

Tableau 11.1

Définition des troubles envahissants du développement selon le Ministère

Code de difficulté	Évaluation diagnostique et conclusions professionnelles	Limitations ou incapacités
50 Troubles envahissants du développement	L'élève qui a un trouble envahissant du développement • pour qui un diagnostic a été posé par un psychiatre ou un pédopsychiatre faisant partie d'une équipe multidisciplinaire ou par un médecin (généraliste ou pédiatre) faisant partie d'une équipe multidisciplinaire dont l'expertise est reconnue par le réseau de la santé et des services sociaux pour procéder à l'évaluation des troubles envahissants du développement ; • dont l'évaluation du fonctionnement global à l'aide de techniques d'observation systématique et d'examens standardisés conclut à l'un ou à l'autre des diagnostics suivants : – trouble autistique, – syndrome de Rett, – trouble désintégratif de l'enfance, – syndrome d'Asperger, – trouble envahissant du développement non spécifié.	• qui a des limites importantes concernant plusieurs des aspects suivants : – la communication, – la socialisation, – les apprentissages scolaires ; • dont la persistance et la sévérité des troubles l'empêchent d'accomplir les tâches scolaires normalement proposées aux jeunes de son âge.

Source : Ministère de l'Éducation, du Loisir et du Sport du Québec (2006b, p. 21).

Les élèves ayant des troubles envahissants du développement fréquentent différents établissements scolaires ou types de classes. Le tableau 11.2 présente la répartition des élèves pour tous les ordres d'enseignement selon les regroupements du Ministère.

Tableau 11.2

Répartition des élèves ayant un trouble envahissant du développement

Modalité de scolarisation	Nombre d'élèves (4483)
Classe ordinaire avec soutien à l'enseignant et à l'élève	1519
Classe ordinaire avec participation à une classe-ressource	221
Classe spéciale où se trouvent des élèves ayant une difficulté	896
Classe spéciale où se trouvent des élèves ayant plusieurs catégories de difficultés	882
École spéciale	944
Scolarisation en centre d'accueil	2
Scolarisation en centre hospitalier	16
Scolarisation à domicile	3

Source : Ministère de l'Éducation, du Loisir et du Sport du Québec (2006a).

11.2 La classification des troubles envahissants du développement selon le DSM-IV-TR

Dans la catégorie des troubles envahissants du développement, le DSM-IV-TR (APA, 2003) inclut le trouble désintégratif de l'enfance, le syndrome de Rett, le trouble autistique, le syndrome d'Asperger et les troubles envahissants du développement non spécifiés. Le trouble désintégratif de l'enfance, qui constitue un désordre rarissime, se manifeste par une régression marquée après un développement normal d'au moins deux ans. Quant au syndrome de Rett, il se caractérise, après une période de développement postnatal normal, par la perte progressive des capacités mentales et motrices. Il apparaît avant l'âge de quatre ans et se présente essentiellement chez les filles. Rogé (2003) rapporte toutefois que quelques cas ont été relevés chez les garçons. L'origine du syndrome de Rett est génétique ; elle est associée à la mutation du gène MECP2 (Rogé, 2003). Selon le DSM-IV-TR, le trouble désintégratif de l'enfance et le syndrome de Rett sont limités à quelques cas. Nous n'aborderons donc pas ces problématiques ici.

Quant au trouble autistique, selon le DSM-IV-TR (APA, 2003), il se caractérise par une triade de symptômes : une altération dans la façon d'établir des relations sociales, une altération dans la communication ainsi qu'un caractère restreint, répétitif et stéréotypé des comportements, des centres d'intérêt et des activités. Le tableau 11.3, à la page suivante, présente les critères du DSM-IV-TR pour le trouble autistique.

Le syndrome d'Asperger, toujours selon le DSM-IV-TR, est caractérisé par une altération prolongée de l'interaction sociale et par le développement de modes de comportements restreints, répétitifs et stéréotypés. Le tableau 11.4, à la page 253, présente

Tableau 11.3

Critères diagnostiques du trouble autistique selon le DSM-IV-TR

A. Un total de six (ou plus) parmi les éléments décrits en (1), (2) et (3), dont au moins deux de (1), un de (2) et un de (3) :

(1) altération qualitative des interactions sociales, comme en témoignent au moins deux des éléments suivants :

(a) altération marquée dans l'utilisation, pour réguler les interactions sociales, de comportements non verbaux multiples, tels que le contact oculaire, la mimique faciale, les postures corporelles, les gestes

(b) incapacité à établir des relations avec les pairs correspondant au niveau du développement

(c) le sujet ne cherche pas spontanément à partager ses plaisirs, ses intérêts ou ses réussites avec d'autres personnes (p. ex., il ne cherche pas à montrer, à désigner du doigt ou à apporter les objets qui l'intéressent)

(d) manque de réciprocité sociale ou émotionnelle

(2) altération qualitative de la communication, comme en témoigne au moins un des éléments suivants :

(a) retard ou absence totale de développement du langage parlé (sans tentative de compensation par d'autres modes de communication, comme le geste ou la mimique)

(b) chez les sujets maîtrisant suffisamment le langage, incapacité marquée à engager ou à soutenir une conversation avec autrui

(c) usage stéréotypé et répétitif du langage, ou langage idiosyncrasique

(d) absence d'un jeu de « faire semblant » varié et spontané, ou d'un jeu d'imitation sociale correspondant au niveau du développement

(3) caractère restreint, répétitif et stéréotypé des comportements, des intérêts et des activités, comme en témoigne au moins un des éléments suivants :

(a) préoccupation circonscrite à un ou plusieurs centres d'intérêt stéréotypés et restreints, anormale soit dans son intensité, soit dans son orientation

(b) adhésion apparemment inflexible à des habitudes ou à des rituels spécifiques et non fonctionnels

(c) maniérismes moteurs stéréotypés et répétitifs (p. ex., battements ou torsions des mains ou des doigts, mouvements complexes de tout le corps)

(d) préoccupations persistantes pour certaines parties des objets

B. Retard ou caractère anormal du fonctionnement, débutant avant l'âge de trois ans, dans au moins un des domaines suivants : (1) interactions sociales, (2) langage nécessaire à la communication sociale, (3) jeu symbolique ou d'imagination.

C. La perturbation n'est pas mieux expliquée par le diagnostic de Syndrome de Rett ou de Trouble désintégratif de l'enfance.

Source : American Psychiatric Association (2003, p. 87-88).

les caractéristiques de ce syndrome qui se distingue de l'autisme par l'absence de retard cognitif et langagier. Cependant, notons qu'il est souvent difficile de distinguer le syndrome d'Asperger de l'autisme « de haut niveau » où les sujets ont un Q.I. dans les limites normales ou supérieures. Ces deux syndromes se retrouvent sur le même continuum (Hénault, 2006).

Enfin, en ce qui concerne les troubles envahissants du développement non spécifiés, selon le DSM-IV-TR, ce diagnostic est utilisé dans les cas suivants :

> [...] quand il existe soit une altération sévère et envahissante du développement de l'interaction sociale réciproque associée à une altération des capacités de communication verbale ou non verbale, ou à la présence de comportements, intérêts et activités stéréotypés, en l'absence des critères complets d'un trouble envahissant du développement spécifique, de Schizophrénie, de Personnalité schizotypique ou de Personnalité évitante (APA, 2003, p. 99).

Plusieurs élèves qui présentent un trouble envahissant du développement ont reçu ce diagnostic.

Tableau 11.4

Critères diagnostiques du syndrome d'Asperger selon le DSM-IV-TR
A. Altération qualitative des interactions sociales, comme en témoignent au moins deux des éléments suivants : (1) altération marquée dans l'utilisation, pour réguler les interactions sociales, de comportements non verbaux multiples, tels que le contact oculaire, la mimique faciale, les postures corporelles, les gestes (2) incapacité à établir des relations avec les pairs correspondant au niveau du développement (3) le sujet ne cherche pas spontanément à partager ses plaisirs, ses intérêts ou ses réussites avec d'autres personnes (p. ex., il ne cherche pas à montrer, à désigner du doigt ou à apporter les objets qui l'intéressent) (4) manque de réciprocité sociale ou émotionnelle
B. Caractère restreint, répétitif et stéréotypé des comportements, des intérêts et des activités, comme en témoigne au moins un des éléments suivants : (1) préoccupation circonscrite à un ou plusieurs centres d'intérêt stéréotypés et restreints, anormale soit dans son intensité, soit dans son orientation (2) adhésion apparemment inflexible à des habitudes ou à des rituels spécifiques et non fonctionnels (3) maniérismes moteurs stéréotypés et répétitifs (p.ex., battements ou torsions des mains ou des doigts, mouvements complexes de tout le corps) (4) préoccupations persistantes pour certaines parties des objets
C. La perturbation entraîne une altération cliniquement significative du fonctionnement social, professionnel, ou dans d'autres domaines importants.
D. Il n'existe pas de retard général du langage significatif sur le plan clinique (p. ex., le sujet a utilisé des mots isolés vers l'âge de 2 ans et des phrases à valeur de communication vers l'âge de 3 ans).
E. Au cours de l'enfance, il n'y a pas eu de retard significatif sur le plan clinique dans le développement cognitif ni dans le développement, en fonction de l'âge, des capacités d'autonomie, du comportement adaptatif (sauf dans le domaine de l'interaction sociale) et de la curiosité pour l'environnement.
F. Le trouble ne répond pas aux critères d'un autre Trouble envahissant du développement spécifique ni à ceux d'une Schizophrénie.

Source : American Psychiatric Association (2003, p. 98-99).

11.3 Le taux de prévalence

On observe actuellement une augmentation du taux de prévalence des troubles envahissants du développement surtout en ce qui concerne les cas d'autisme, du syndrome d'Asperger et des TED non spécifiés. Le DSM-IV-TR estime, pour ce qui est de l'autisme, une proportion de 5 cas pour 10 000 personnes (APA, 2003). Cet ouvrage précise que les études indiquent des variations de 2 à 20 cas pour 10 000 personnes et qu'on ignore si ces variations sont dues à une augmentation réelle du nombre de cas ou à des différences dans les méthodes permettant de dénombrer ceux-ci. Il y a de quatre à cinq fois plus de garçons que de filles atteints d'autisme (APA, 2003).

Le DSM-IV-TR n'avance pas de chiffres sur le syndrome d'Asperger et les TED non spécifiés. À partir des recherches d'Attwood, Hénault (2006) rapporte une prévalence du syndrome d'Asperger variant de 0,2 % (c'est-à-dire 1 personne sur 500) à 0,5 % (c'est-à-dire 1 personne sur 200). Là aussi, il y a plus de garçons que de filles, soit quatre garçons pour une fille.

11.3.1 Une augmentation réelle?

Selon Wing et Potter (2002), les études sur le taux de prévalence varient considérablement: entre 1,9 et 60 cas de personnes présentant un TED pour 10 000 personnes. Après avoir recensé 23 études épidémiologiques, Fombonne (1999) estime ce taux à 18,7 cas pour 10 000 personnes, et ce, pour l'ensemble des troubles envahissants du développement. Il est certain que l'on observe une augmentation statistique dans le temps: s'agit-il d'une augmentation réelle ou les statistiques sont-elles en hausse parce que des cas non diagnostiqués autrefois sont maintenant identifiés? Wing et Potter (2002) soulignent les changements apportés dans les critères diagnostiques de même que des méthodes différentes pour dénombrer les cas. Ces auteurs notent aussi que les professionnels sont plus attentifs aux symptômes, qui sont désormais mieux connus. De plus, les cas d'autisme associés à un retard mental sont diagnostiqués. Wing et Potter posent également l'hypothèse d'une augmentation tangible, tout en demeurant prudents face à cette éventualité. En outre, Tidmarsh et Volkmar (2003) mentionnent que le spectre des troubles envahissants du développement inclut maintenant un éventail plus large de difficultés, dont les TED non spécifiés.

Dans le contexte québécois, le ministère de l'Éducation, du Loisir et du Sport rapporte des statistiques comprenant des augmentations importantes du nombre d'élèves qui ont des troubles envahissants du développement, sans toutefois distinguer le trouble autistique, le syndrome de Rett, le trouble désintégratif de l'enfance, le syndrome d'Asperger et les TED non spécifiés. La figure 11.1 présente les fréquences observées par le Ministère entre 1998 et 2006.

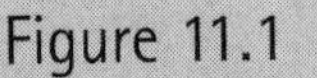

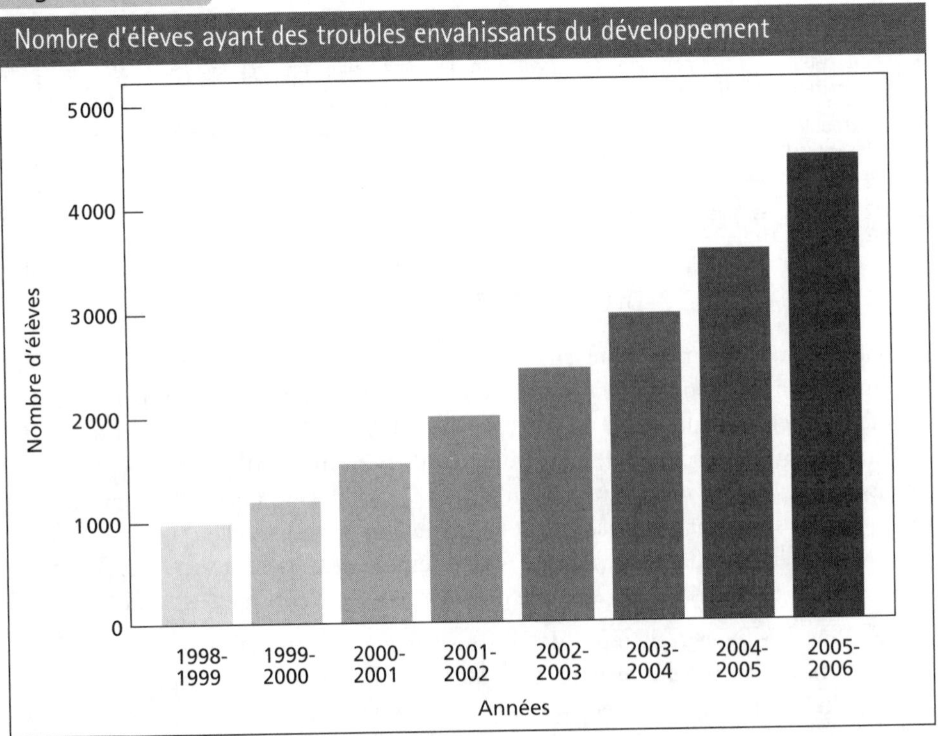

Source des données: Ministère de l'Éducation, du Loisir et du Sport du Québec (2006a).

Cette augmentation du nombre d'élèves ayant un trouble envahissant du développement n'est pas sans alerter les chercheurs, car ce phénomène se produit aussi dans d'autres pays. Pour Fombonne (1999), ces taux mettent en évidence la nécessité de développer des services pour mieux répondre aux besoins de ces élèves.

11.4 L'historique de l'autisme et du syndrome d'Asperger

Citant les nombreux cas d'enfants sauvages qui présentent une déficience de l'interaction sociale et des stéréotypes, Malby, Rouby et Sauvage (1995) rapportent que l'histoire de l'autisme débuterait au XXe siècle. Bien avant les travaux scientifiques qui ont été menés sur le sujet et bien avant 1943, où Kanner a donné un nom à l'ensemble des symptômes de l'autisme, il y aurait eu de nombreuses observations décrivant des comportements apparentés à l'autisme. Bettelheim (1967) indique qu'en 1809 Haslam a décrit le cas d'un garçon présentant des comportements apparentés à l'autisme infantile, admis en 1799 au Bethlem Asylum.

Malby et autres (1995) indiquent qu'en 1905 un médecin italien, Sanctis de Sanctis, a décrit une démence précoce qu'il a appelée « autisme ». Ce symptôme est défini ainsi : « L'évasion de la réalité en même temps, la prédominance de la vie intérieure » (p. 14). Malby et ses collaborateurs signalent aussi les travaux de Heller, qui, en 1908, a décrit six cas qui présentaient une instabilité psychomotrice, la perte du langage et du contrôle sphinctérien acquis préalablement, des états d'angoisse et une régression intellectuelle. Ces symptômes seraient apparus à l'âge de deux ou trois ans après un développement ayant semblé normal.

Cependant, c'est un article de Leo Kanner, paru en 1943 dans la revue *Nervous Child,* qui marquera l'histoire. À partir de l'étude de 11 cas (8 garçons et 3 filles), Kanner montre l'incapacité de ces enfants à établir des relations de façon normale avec les personnes. Il décrit ainsi la façon dont des parents lui ont présenté leur enfant :

> Les parents parlaient d'eux en ces termes : depuis toujours, enfant « se suffisant à lui-même » ; « comme dans une coquille » ; « plus heureux tout seul » ; « agissant comme si les autres n'étaient pas là » ; « parfaitement inconscient de tout ce qui l'entoure » ; « donnant l'impression d'une sagesse silencieuse » ; « échouant à développer une sociabilité normale » ; « agissant presque sous hypnose » (p. 22).

Parallèlement, en 1944, un psychiatre autrichien, Hans Asperger, publie un article en allemand sur quatre enfants qui ont des caractéristiques communes avec les enfants autistes de Kanner, mais qui ne les ont pas toutes. Les deux médecins ont travaillé indépendamment, et ce n'est qu'en 1981 que les travaux d'Asperger ont refait surface grâce à Lorna Wing.

À partir de l'étude de ses 11 patients, Kanner (1943) présente en détail leurs caractéristiques. Huit d'entre eux ont appris à parler à l'âge normal ou avec un certain retard, tandis que trois sont demeurés « mutiques ». Il mentionne l'excellence de leur faculté de mémorisation, leurs problèmes face à l'utilisation des pronoms personnels (ils parlent d'eux-mêmes en disant « tu » au lieu de « je »). Il décrit aussi leur problème de refus de la nourriture, leurs réactions vives aux bruits forts et aux mouvements, leurs répétitions monotones de gestes et leur obsession anxieuse de la permanence (le refus du changement dans les activités routinières de tous les jours). Pour Kanner, ces enfants ont un mode de relation complètement différent avec les personnes :

> Nous devons donc supposer que ces enfants sont venus au monde avec une incapacité innée à établir le contact affectif habituel avec les personnes, biologiquement prévue, exactement comme d'autres enfants viennent au monde avec des handicaps physiques ou intellectuels (p. 27).

Dans son article décrivant les cas d'enfants autistes, Kanner (1943) ajoute :

> Un autre fait ressort de façon marquée. Dans tout le groupe, très rares sont les pères et les mères réellement chaleureux. Dans la plupart des cas, les parents, grands-parents et collatéraux sont des personnes très préoccupées de choses abstraites, qu'elles soient de nature scientifique, littéraire ou artistique (p. 27).

Pendant plusieurs années, des problèmes de relations de l'enfant avec ses parents ont été invoqués, tout particulièrement par les psychanalystes, pour expliquer l'autisme :

> Chez les enfants destinés à devenir autistiques, la sensibilité aux affects maternels est peut-être si grande qu'elle les pousse à se fermer, défensivement, à une expérience pour eux trop destructrice. Nous ne savons pas grand-chose des rapports entre les développements affectif et cognitif de l'enfant. Néanmoins il est probable que de se fermer à l'expérience affective gêne la cognition et il se peut que l'un gêne l'autre jusqu'à aboutir à l'autisme (Bettelheim, 1967, p. 488).

Bettelheim (1967) propose qu'on inscrive les enfants autistes dans des programmes résidentiels, où ils ne pourront subir l'influence de leur famille : « Mais pourquoi l'enfant autistique devrait-il être traité dans des conditions l'exposant aux pressions impatientes de ses parents ? » (p. 500). Les thérapeutes utilisent alors différentes approches d'inspiration psychanalytique et thérapies basées sur le jeu.

Vers la fin des années 60, Lovaas a élaboré un mode d'intervention diamétralement opposé aux approches psychanalytiques en recourant auprès d'enfants autistes aux principes du conditionnement.

L'Association pour la recherche sur l'autisme et la prévention des inadaptations (1995) rapporte qu'en 1969 Leo Kanner a fait l'intervention suivante :

> Au banquet, le docteur Leo Kanner, qui, en 1943, a été le premier à décrire et à donner un nom à l'autisme, dit à l'assistance que dès le début il avait parlé de l'origine organique de cette affection. Il a fait part de son indignation qu'on se soit servi à tort de son article pour désigner les mères d'un doigt accusateur. Il a souligné le fait que par la suite il a écrit un livre intitulé *À la défense des mères*. Avec émotion, il a déclaré à cette assistance exceptionnelle :
>
> « Parents, je vous acquitte » (p. 4).

En 1971, Kanner reprend la description des 11 enfants en suivant leur évolution. Il constate alors que si l'adaptation sociale de certains sujets peut être associée à une adaptation sociale superficiellement bonne, l'adaptation sociale d'autres sujets s'est détériorée. À propos de la prise en charge de ces enfants, il écrit :

> On ne peut s'empêcher de penser que l'admission dans un hôpital d'État a été équivalente à une sentence à vie s'accompagnant de la disparition des extraordinaires exploits de la mémoire, de l'abandon du combat antérieur pathologique mais actif pour le maintien de la permanence, de la perte de l'intérêt pour les objets, auxquels s'ajoute une relation fondamentalement pauvre avec les personnes, en d'autres termes, un repli dans le « quasi néant » (p. 32 ; traduit par l'auteure).

11.5 Les causes de l'autisme

Les causes de l'autisme ne sont pas connues avec certitude. L'autisme est plus fréquent chez les personnes atteintes de différents syndromes, comme le syndrome de l'X fragile ou le syndrome de Williams. La sclérose tubéreuse est associée à plusieurs cas d'autisme. Celle-ci se caractérise par le développement de tumeurs bénignes à différents endroits du corps, tels que la peau, le cerveau ou les poumons. Une personne sur 10 000 serait touchée par ce problème probablement d'origine génétique. La sclérose tubéreuse peut être accompagnée d'un retard mental (Rogé, 2003). Rogé souligne aussi l'existence de plusieurs pathologies de type neurologique chez les personnes autistes. Divers autres facteurs de risque ont aussi été relevés : des facteurs obstétricaux, des troubles du métabolisme et des facteurs immunologiques (Rogé, 2003). Le DSM-IV-TR indique qu'il existe un risque accru lorsqu'un frère ou une sœur est aussi atteint d'autisme. Les études effectuées auprès de jumeaux confirment ces hypothèses génétiques.

11.6 Le diagnostic des troubles envahissants du développement

Le diagnostic des troubles envahissants du développement est, au Québec, habituellement posé par un psychiatre ou un pédopsychiatre. Une équipe multidisciplinaire évalue généralement les besoins de l'enfant. Des examens multiples peuvent alors être réalisés : des examens médicaux, sensoriels (la vision, l'audition), génétiques, psychologiques, un bilan psychoéducatif, etc. Outre les critères du DSM-IV-TR, plusieurs instruments sont utilisés auprès des enfants présentant un trouble envahissant du développement. On trouve actuellement dans les écrits scientifiques divers instruments d'évaluation élaborés spécialement pour compléter ce diagnostic. Rutter et Schopler (1988) proposent trois catégories d'instruments : (1) les instruments basés sur des questionnaires que remplissent les parents et les enseignants, (2) les instruments construits pour faire des observations systématiques du comportement de l'enfant et (3) les instruments utilisant des démarches standardisées d'entrevues avec les parents.

Parmi les instruments élaborés spécialement pour l'évaluation des personnes autistes, on trouve le *Behavior Rating Instrument for Autistic and Atypical Children* (BRIAAC), le *Behavior Observation System* (BOS), la *Childhood Autism Rating Scale* (CARS), l'*Autism Screening Instrument for Educational Planning* (ASIEP), le *Psychoeducational Profile-Revised* (PEP-R), l'*Autism Diagnostic Observation Schedule-Generic* (ADOS-G) et l'*Autism Diagnostic Interview-Revised* (ADI-R). D'autres examens, comme l'évaluation du fonctionnement intellectuel (par exemple, réalisée avec le WISC-IV ou des échelles de développement), l'évaluation du comportement adaptatif ou encore des problèmes psychopathologiques, sont utilisés pour compléter l'évaluation de l'enfant autiste. Il existe aussi des questionnaires spécialisés pour évaluer la présence des caractéristiques du syndrome d'Asperger, comme l'*Australian Scale for Asperger's Syndrome* ou l'*Asperger Syndrome Diagnostic Scale.*

11.7 Les caractéristiques des élèves ayant un trouble envahissant du développement

11.7.1 Les élèves ayant un trouble autistique

Les élèves ayant un trouble autistique constituent un groupe hétérogène. Le DSM-IV-TR indique qu'ils éprouvent des problèmes de développement cognitif (une proportion importante présente un retard mental). En 1996, le DSM-IV rapportait une proportion de 75 % d'élèves ayant un trouble autistique doublé d'un retard mental. Toutefois, plusieurs contestent actuellement ces chiffres ; ils indiquent, entre autres, que les épreuves de mesure utilisées ne permettent pas de révéler le potentiel réel de la personne et que le pourcentage d'élèves ayant un retard mental serait moindre (Mottron, 2004).

Les symptômes de l'autisme peuvent être variés : « [...] hyperactivité, déficit attentionnel, impulsivité, agressivité, comportement d'automutilation et surtout, chez les plus jeunes, crises de colère » (APA, 1996, p. 81). Des jeunes peuvent répondre de manière étrange à certains stimuli, par exemple ne pas avoir peur de situations réellement dangereuses et paniquer devant des objets inoffensifs. On observe fréquemment des problèmes alimentaires et des troubles du sommeil. Le trouble autistique peut être associé à d'autres conditions médicales ou neurologiques, comme la rubéole néonatale. L'épilepsie est aussi observée chez plusieurs personnes, surtout chez celles qui ont une déficience intellectuelle sévère ou profonde. Le DSM-IV-TR (APA, 2003) rapporte que 25 % des personnes autistes peuvent être atteintes de convulsions. Ces problèmes d'épilepsie se manifestent surtout à l'adolescence.

On décrit généralement les difficultés associées au trouble autistique par une triade : (1) les problèmes concernant les interactions sociales, la communication et l'imagination ; (2) les schémas de comportements répétitifs ; (3) la résistance au changement (Wing, 2001). Wing (1988) croit que les dysfonctions observées dans l'autisme doivent être envisagées dans un continuum parce qu'elles peuvent être plus ou moins sévères. Cette auteure signale que les problèmes se trouvent dans les interactions sociales (la reconnaissance des interactions sociales, de la communication et l'imagination sociale), dans le langage, dans la coordination motrice, dans les réponses aux stimuli et dans les fonctions cognitives. Nous verrons maintenant quelques-unes de ces caractéristiques.

A. Le développement cognitif

Comme nous l'avons vu, plusieurs élèves autistes présentent aussi un retard mental. Cependant, l'élève autiste possède également des caractéristiques différentes de celui qui a un retard mental. L'élève ayant un retard mental développera un langage et des habiletés sociales qui correspondront à ses habiletés intellectuelles. Pour sa part, l'élève autiste aura des difficultés de langage et d'habiletés sociales plus marquées par rapport à son potentiel général.

Un élève autiste qui a, par exemple, un quotient intellectuel normal peut très bien fonctionner et même avoir un rendement supérieur dans certaines matières scolaires, mais avoir de la difficulté à communiquer avec les autres. Selon le DSM-IV-TR, le profil cognitif de la personne autiste est souvent irrégulier, quel que soit le niveau de fonctionnement intellectuel (par exemple, un enfant autiste de quatre ans qui sait lire). Le Dr Laurent Mottron (2004) a avancé récemment la thèse d'une autre intelligence pour les personnes autistes dites « de haut niveau ». Ce chercheur observe des résultats supérieurs obtenus par ces personnes au sous-test « dessins avec blocs » (qui évalue des habiletés perceptives et la capacité de reproduire des modèles) du WISC-IV et constate les faibles résultats au sous-test « compréhension » (qui mesure la compréhension de situations sociales) de cette même épreuve d'intelligence. Les personnes autistes auraient ainsi une grande capacité de percevoir les régularités dans l'information, ce qui expliquerait les performances surprenantes de certaines d'entre elles à des activités comme celle du calendrier. Cette activité consiste à dire quel est le jour (lundi, mardi, etc.) d'une date particulière du calendrier. D'autres se distinguent par la mémorisation d'une quantité impressionnante de numéros de téléphone. Cependant, bien que des films comme *Rain Man* aient contribué à populariser ce type de phénomène, seule une minorité de personnes autistes présentent de telles habiletés spécifiques supérieures. Une bonne capacité de mémorisation soutient ces habiletés, comme celle de se souvenir de routes et d'horaires ou celle d'amasser une quantité importante de connaissances sur un sujet donné (Wing, 1988).

Les capacités imaginatives de la personne autiste sont aussi touchées. Cela est particulièrement évident dans le jeu. Les élèves autistes se servent peu du jeu symbolique (jouer à faire semblant). Les jouets sont utilisés surtout pour des raisons sensorielles et manipulés avec des gestes répétitifs. Ces problèmes sur le plan de l'imagination nuisent à la compréhension des émotions des autres personnes (Wing, 2001). Un tel déficit entraîne également un choix d'activités différentes qui procureront du plaisir : regarder des lumières, faire tourner des objets, etc. Prenons un exemple classique : un jeune garçon, au lieu de faire rouler un camion-jouet du point A au point B, le retourne pour regarder les roues tourner.

B. Le développement du langage et de la communication

Nous avons vu, suivant les critères du DSM-IV-TR, que les déficits relatifs à la communication représentent des problèmes majeurs dans l'autisme, que ce soit le retard du langage oral ou l'absence de celui-ci, les difficultés dans les communications avec autrui ou l'usage stéréotypé du langage.

Wing (1988) indique que les aspects formels de la communication sont retardés ou inappropriés chez la plupart des personnes autistes. Parmi les problèmes souvent observés, elle mentionne l'écholalie (l'imitation verbale de ce qui a été dit précédemment), l'utilisation idiosyncrasique de mots et de phrases (une utilisation particulière à l'individu), la confusion entre les mots comme les pronoms et les prépositions. Le langage peut aussi être répétitif. En ce qui concerne l'écholalie, elle peut être immédiate (la répétition d'une phrase qui vient d'être dite) ou différée (la répétition, par exemple, d'une phrase déjà entendue à la télévision).

De même, les aspects non verbaux de la communication, comme les postures, les expressions du visage, le contact visuel et les gestes, sont généralement atteints. Certains enfants resteront mutiques. D'autres enfants autistes adopteront des comportements comme les cris pour communiquer. Parmi les autres problèmes observés, notons ceux qui ont trait à la qualité de la voix et à la compréhension du langage.

Jacques et Tremblay (2005) classent les déficits de la communication de la personne autiste en trois catégories : les aspects réceptifs, expressifs et pragmatiques. Les aspects réceptifs se manifestent par des problèmes dans l'attention conjointe avec l'interlocuteur, entre autres dans l'utilisation correcte du regard. Des élèves autistes peuvent ne pas regarder la personne qui leur parle et regarder, par exemple, au plafond pendant une conversation. Il y a aussi des difficultés à décoder les expressions non verbales. Par exemple, tandis qu'un élève sourd prêtera attention aux mimiques et aux expressions de l'autre, indices précieux pour compléter une lecture labiale, l'élève autiste aura de la peine à lire ces signes et à décoder les intonations de la voix associées aux émotions.

Les aspects expressifs sont aussi touchés, et ce, même chez les élèves qui ont développé un langage verbal ; on constate, par exemple, des intonations monotones, de la difficulté à doser la quantité de renseignements à transmettre ou de l'écholalie. Quant aux aspects pragmatiques (l'utilisation du langage dans des situations sociales), ils sont également atteints. Ils se caractérisent par des problèmes pour savoir quand commencer et quand terminer une conversation, pour déterminer quand et comment s'introduire dans un échange avec d'autres personnes, etc. Il est à noter que certains comportements problématiques apparaissent chez les élèves ayant un trouble envahissant du développement parce qu'ils veulent communiquer leurs besoins et ne savent le faire autrement. Ainsi, certains recourront à des comportements excessifs pour éviter une situation ou pour obtenir quelque chose. En donnant à ces élèves des moyens de communication, plusieurs problèmes disparaissent parce qu'ils n'ont plus de raison d'être (Bondy et Frost, 2002).

Avec le temps, même les élèves sévèrement atteints font des progrès dans le domaine de la communication. Si ces élèves n'utilisent pas la parole, divers outils peuvent aider plusieurs à communiquer : les pictogrammes, les tableaux de communication, les appareils électroniques et les carnets de communication.

C. Le développement social

Il existe des déficits dans la capacité des élèves autistes et de ceux présentant un syndrome d'Asperger d'interagir avec les autres. Ces déficits se manifestent dans la reconnaissance de l'intérêt des interactions sociales, dans les difficultés de communication de même que dans un manque de compréhension et d'imagination des interactions sociales (ne pas comprendre les actions des autres, la signification et les fonctions de leurs actions). Peeters (1994) indique que, chez les personnes autistes, il y a eu une altération biologique affectant « l'intuition innée qui nous permet de chercher un sens derrière les perceptions » (p. 119).

> Elles ont un autre mode de communication, un autre style de relation sociale, une autre imagination et d'autres activités. Afin de les aider, il faut faire appel à des stratégies éducatives différentes.
>
> Pour n'en citer que quelques-unes : faire des évaluations plus détaillées, faire intervenir davantage des récompenses, leur offrir plus de prévisibilité, plus de cohérence dans le travail d'équipe, plus de coordination entre la maison et l'école, aménager l'environnement d'après leurs besoins (p. 138).

Les personnes autistes et celles qui présentent un syndrome d'Asperger ont de la difficulté à comprendre que les autres ont des pensées et que leurs pensées ou désirs influeront sur leurs comportements (Atwood, 1998). C'est ce que plusieurs auteurs appellent la théorie de la pensée ou de l'esprit.

11.7.2 Les manifestations du syndrome d'Asperger

Rapportant les travaux de Lorna Wing, Atwood (1998) décrit ainsi les manifestations du syndrome d'Asperger :

A. Manque d'empathie

B. Interactions naïves, inappropriées

C. Égocentrisme

D. Absence ou insuffisance d'habiletés pour former des amitiés

E. Langage pédant et répétitif
F. Pauvre communication non verbale
G. Intérêt marqué pour certains sujets
H. Mouvements mal coordonnés et postures étranges (p. 29 ; traduit par l'auteure).

Le comportement social est affecté chez les élèves ayant le syndrome d'Asperger, et ceux-ci ont de la difficulté à interagir avec leurs pairs. Certains, cependant, n'ont pas ce désir. Selon Atwood (1998), les personnes qui présentent le syndrome d'Asperger ont du mal à décoder les indices sociaux, utilisent un nombre limité de gestes et ont un langage corporel déficitaire. Elles rencontrent aussi des obstacles dans l'utilisation du regard et des expressions du visage dans la communication.

Même si le langage est bien développé, il présente des particularités quant à l'intonation et au type du langage, qui semble souvent formel et pédant. Certaines expressions figurées sont interprétées de manière littérale (« mourir de rire » : la personne croit qu'il y a mort réelle, ou encore « le chat t'a mangé la langue ? » : la personne imagine que le félin lui a vraiment mangé la langue). Les habiletés de conversation sont aussi déficitaires. Dans certains cas, la personne ne sait pas quand entrer dans une conversation ou quand la terminer.

Le syndrome d'Asperger affecte aussi la motricité. Les déplacements sont rigides et donnent parfois l'impression que la personne bouge à la façon d'un pantin. Rogé (2003) rapporte de l'incoordination dans les mouvements globaux et dans la motricité fine. Des champs d'intérêt très spécifiques mobilisent une grande partie des conversations, même si l'entourage est lassé de ces sujets. Les personnes autistes peuvent développer un goût stéréotypé pour l'observation de certaines parties des objets (comme les roues ou un balancier). Dans le cas du syndrome d'Asperger, il s'agira plutôt d'intérêt pour un sujet à propos duquel la personne accumule de manière exhaustive des faits et des renseignements. Le développement cognitif sera aussi particulier : difficulté à anticiper les réactions des autres et à comprendre leurs pensées (théorie de l'esprit), hyperlexie (développement très précoce de la capacité de lire à haute voix), capacités importantes de mémorisation et de rétention des chiffres, imagination particulière, apprentissages au moyen de stimuli visuels. À ces caractéristiques s'ajoute une sensibilité sensorielle particulière.

11.8 Des témoignages de personnes autistes ou présentant un syndrome d'Asperger

Voici quelques témoignages qui nous aideront à mieux comprendre ce que les personnes autistes et celles qui présentent un syndrome d'Asperger ressentent, et les difficultés auxquelles elles se heurtent. Des personnes décrivent ainsi certaines de leurs réactions :

> Je criais parce que c'était mon seul moyen de communication. Quand les adultes s'adressaient à moi, je pouvais comprendre tout ce qu'ils disaient. Quand les adultes parlaient entre eux, on aurait dit du charabia. Les mots que je voulais prononcer étaient dans mon esprit, mais je n'arrivais pas à les faire sortir, c'était comme un bégaiement. Quand ma mère me demandait de faire quelque chose, souvent je criais. Si quelque chose me gênait, je criais. C'était le seul moyen à ma disposition pour exprimer mon mécontentement (Grandin, professeure adjointe, université de l'État du Colorado, 1993-1994, p. 36).

Je comprends beaucoup de choses sur le fait de ne pas comprendre. Habituellement, je comprends lorsque je ne comprends pas quelque chose et je commence à être capable de reconnaître le fossé entre ce que je comprends réellement et ce que les autres supposent que je comprends. Certaines des connexions manquantes que je peux nommer sont drôles, d'autres sont affligeantes et certaines sont exaspérantes (Sinclair, 1993, p. 10).

Je continue à ne pas aimer les endroits où il y a de nombreux bruits différents, tels les centres commerciaux ou les stades. Des bruits continus et aigus, comme ceux d'un ventilateur de salle de bains ou d'un séchoir à cheveux, me gênent. J'arrive à couper mon audition et à m'isoler de la plupart des sons, mais certaines fréquences sont impossibles à éviter. Pour un enfant autiste, il est impossible de se concentrer dans une classe où il est bombardé par des bruits qui foncent à travers son cerveau comme un avion à réaction. Les bruits aigus et perçants sont les pires. Un bourdonnement grave n'a aucun effet sur moi mais un pétard qui explose me fait mal aux oreilles. Quand j'étais petite ma gouvernante faisait éclater un sac de papier pour me punir. Le bruit fort et soudain était une torture pour moi (Grandin, 1993-1994, p. 31).

Par exemple, quand j'étais plus jeune, j'avais tendance à prendre qu'est-ce que les autres me disaient au pied de la lettre. Exemple, si ma mère dit: «Tu vas mourir de fatigue» ou «mourir de rire», je pensais que les gens mouraient vraiment de rire ou de fatigue. C'est une expression, maintenant je l'ai appris avec le temps que c'est une expression «coloquiale». Alors ben des subtilités de la langue sont mal comprises. Par contre, je comprenais des termes assez concrets. Je... je me perdais facilement dans des conversations de groupe, alors que j'adorais beaucoup communiquer un à un avec quelqu'un. Et les gens trouvaient que je monopolisais trop la parole et que je ne savais pas quand c'était le tour de l'autre ou toutes les subtilités qui font qu'une communication de l'autre devient intéressante et évidemment, je comptais seulement sur la parole pour m'exprimer et non sur les gestes ou euh... les intonations. Souvent, quand j'étais plus jeune, on me considérait comme pédant ou monotone. Pédant dans le sens où j'utilisais des grands mots très souvent.

Et aussi, j'ai des sensibilités par rapport à certains sons. C'est quand les sons sont soudains et aigus, comme des explosions, comme style une brocheuse qui fait «paoff!», là, ça, ça me fait, euh... ça me fait sauter ou bien, euh... des ballons qui crèvent ou même des gens qui se mettre à m'engueuler tout d'un coup.

Et, pour un autiste, tout changement de routine, c'est la terreur. Un autiste aime sa routine, il s'attend à ce que tout le monde soit de tempérament égal tous les jours. Il s'attend à ce que tout soit prévisible et structuré (témoignage de Georges Huard extrait de la vidéo *Mon enfant est autiste,* Goupil, 1998).

11.9 L'intervention auprès des élèves ayant un trouble envahissant du développement

11.9.1 Une intervention planifiée

En général, on planifie avec la famille et une équipe multidisciplinaire l'intervention auprès de l'élève ayant un trouble envahissant du développement. Tout comme pour les autres élèves en difficulté ou handicapés, le plan d'intervention personnalisé, le plan de transition et le plan de services sont des outils permettant une meilleure planification des interventions.

Jusqu'à ce jour, on a mené des interventions de différentes natures auprès des jeunes autistes: l'intervention psychopharmacologique, le programme d'entraînement des parents, les diètes sans gluten, l'utilisation de mégavitamines, l'intégration sensorielle, l'entraînement auditif, la communication facilitée, etc. Les approches psychodynamiques ont aussi connu une grande popularité au cours des années 50.

Parmi les approches éducatives, il y a le programme de Lovaas et le modèle TEACCH de Schopler. Nous présenterons ces deux approches, entre autres par le biais d'une entrevue réalisée avec un spécialiste dans le domaine. Mentionnons que ces approches sont surtout utilisées auprès des jeunes autistes ou de jeunes qui ont un trouble envahissant du développement non spécifié. L'intervention auprès des jeunes ayant un syndrome d'Asperger est souvent différente, ces élèves ne présentant pas de retard cognitif et une proportion plus grande d'entre eux étant intégrés dans les classes ordinaires. Certains sont cependant scolarisés dans des classes TEACCH (Paquet, 2005).

Par la suite, nous nous pencherons sur des moyens d'intervention employés fréquemment en milieu scolaire : les scénarios sociaux, les groupes de jeux intégrés et le système PECS. Enfin, nous examinerons quelques pistes d'intervention pour aider l'élève qui présente un syndrome d'Asperger.

11.9.2 Les programmes

La connaissance de la psychologie des personnes ayant des troubles envahissants du développement a permis d'élaborer des types d'intervention favorisant leur adaptation. En effet, une meilleure connaissance de leurs modes de communication a permis à plusieurs élèves de faire des progrès marqués. Dans les pages qui suivent, nous verrons deux approches qui donnent actuellement des résultats intéressants.

A. Le programme de Lovaas et l'intervention comportementale intensive

Forget et autres (2005) indiquent que l'intervention comportementale intensive fait référence à « un certain nombre de programmes d'intervention issus de l'analyse appliquée du comportement[1] et utilisés auprès d'enfants autistes ou présentant d'autres troubles envahissants du développement » (p. 35). Cette approche prône l'intervention intensive et la précocité du programme. Le programme, qui est gradué, commence avec des apprentissages simples et se poursuit avec des apprentissages de plus en plus complexes. Le plus célèbre de ces programmes est celui de Lovaas.

Le *Young Autism Project* de Lovaas a été élaboré à partir de 1970 à l'université de Californie à Los Angeles (UCLA). Ce programme est béhavioriste, c'est-à-dire qu'il utilise les principes du conditionnement et de l'apprentissage. Il s'agit d'un programme intensif qui doit débuter avant que l'enfant n'atteigne l'âge de quatre ans, idéalement dès deux ans. Il est appliqué, dans la mesure du possible, 40 heures par semaine avec un ratio d'un éducateur par enfant.

Le programme de Lovaas a fait l'objet d'études expérimentales. Lovaas (1987) a appliqué son traitement à 19 sujets autistes d'un groupe expérimental. Il a aussi fait appel à deux groupes contrôles. Il a comparé ces sujets à l'âge de 13 ans. Aux tests d'intelligence, le groupe expérimental a obtenu 30 points de plus que les groupes contrôles pour ce qui est du quotient intellectuel. Dans ce groupe expérimental, neuf enfants (47 %) sont entrés en première année ordinaire avec un Q.I. moyen de 107, huit enfants (42 %) fréquentaient des classes pour élèves ayant des troubles du langage et présentaient un Q.I. se situant entre 56 et 95, et deux enfants (10 %)

1. Voir le chapitre 8 portant sur l'intervention auprès des élèves en difficulté de comportement pour une description des principes de cette approche.

fréquentaient des classes spéciales pour enfants déficients ou autistes et avaient un Q.I. inférieur à 30. Dans les groupes contrôles, un seul enfant présentait un Q.I. normal.

Le programme de Lovaas se déroule au domicile de l'enfant parce que, selon ce chercheur, il s'agit de son milieu de vie. Ce programme est basé sur la progression de l'enfant. Les interventions débutent là où l'enfant est capable de connaître des succès. Ce programme utilise les principes de l'approche béhavioriste, que nous avons vue dans le chapitre 8, et différentes techniques qui en découlent. Lovaas (1981) a décrit l'ensemble de ces principes dans *Teaching Developmentally Disabled Children* et publié à nouveau en 2003 sous le titre *Teaching Individuals with Developmental Delays.*

Depuis 1987, diverses équipes ont tenté de reproduire l'étude de Lovaas en respectant plus ou moins intégralement les conditions adoptées par Lovaas. Plusieurs de ces équipes ont obtenu des résultats positifs, des enfants faisant des progrès importants sur le plan du Q.I. et sur celui du développement. Plusieurs de ces enfants ont par la suite fréquenté des classes ordinaires. Toutefois, il y a encore de nombreuses recherches à faire dans ce secteur, notamment pour mieux déterminer les conditions d'efficacité maximales de ce programme. Après avoir recensé les études publiées dans des revues scientifiques, Green (2006) tire les conclusions suivantes :

- L'intervention de choix est l'enseignement intensif privilégiant les méthodes de l'analyse comportementale appliquée.
- L'intervention doit commencer avant que l'enfant ait cinq ans.
- Pour être efficace, le programme d'intervention par l'analyse comportementale appliquée à un jeune enfant autiste doit être offert par des personnes connaissant les méthodes, idéalement sous la supervision de professionnels ayant une solide formation et une grande expérience des principes et de l'analyse comportementale appliquée. [...]
- Le coût de l'intervention comportementale intensive pour un jeune enfant autiste est minime, considérant les avantages qu'il peut en retirer (p. 32).

Pour cette auteure, l'idéal serait que l'enfant participe au programme pendant 30 heures ou plus par semaine. Au Québec, l'intervention comportementale intensive (ICI) est offerte par le biais des centres de réadaptation en déficience intellectuelle[2] (CRDI) aux enfants qui ont un trouble envahissant du développement. Ce programme, qui est offert en général 20 heures par semaine aux familles par des intervenants de ces centres, fait suite au document intitulé *Un geste porteur d'avenir. Des services aux personnes présentant un trouble envahissant du développement, à leurs familles et à leurs proches* (Direction des communications du ministère de la Santé et des Services sociaux du Québec, 2003).

B. Le modèle TEACCH

Le modèle TEACCH (*Treatment and Education of Autistic and related Communication-handicapped CHildren*) a pour but de développer l'autonomie de l'enfant dans ses divers contextes de vie : à l'école, dans la famille et dans la communauté. Ce modèle, qui a été élaboré par Eric Schopler de l'université de la Caroline du Nord à Chapel Hill, s'inscrit dans une perspective très différente des approches psychanalytiques :

---

2. Au Québec, les services aux enfants ayant un trouble envahissant du développement sont offerts par le biais de ces centres, même si plusieurs enfants ayant un trouble envahissant du développement n'ont pas une déficience intellectuelle.

> Vers la fin des années 60, nous savions que les enfants autistes avaient été enfermés dans des établissements de santé mentale. Cela signifie qu'ils avaient été soumis à des traitements de psychothérapies psychodynamiques par le jeu inappropriés, séparés de leurs parents dans des thérapies résidentielles ou exclus des écoles publiques. Occasionnellement, lorsque ces enfants étaient inscrits dans des programmes scolaires, il s'agissait de classes pour des élèves présentant des troubles du comportement, de classes établies suivant la prémisse que l'apprentissage de l'élève augmenterait grâce à la liberté et à une expression de soi non structurée. Or, nous avons démontré, par une étude ABAB, que ces enfants apprenaient mieux dans une situation d'apprentissage structurée que dans une situation non structurée (Schopler, 1987, p. 377 ; traduit par l'auteure).

Le modèle TEACCH mise sur la participation des parents. Il favorise la structuration des programmes d'enseignement pour permettre à l'élève de bénéficier d'un système de communication expressif-réceptif.

Une classe structurée selon le modèle TEACCH présente une organisation physique des lieux, une organisation visuelle. Les activités sont prévues selon un horaire composé d'objets, d'images, etc. La classe est divisée en différentes parties, chacune étant réservée à une activité. Le matériel est aussi rangé selon une séquence (illustrée à l'aide de chiffres, par exemple). L'élève fera les différentes activités les unes après les autres. Les figures 11.2 et 11.3, à la page suivante, illustrent des séquences visant à faciliter visuellement les comportements.

Figure 11.2

Structuration visuelle d'un horaire

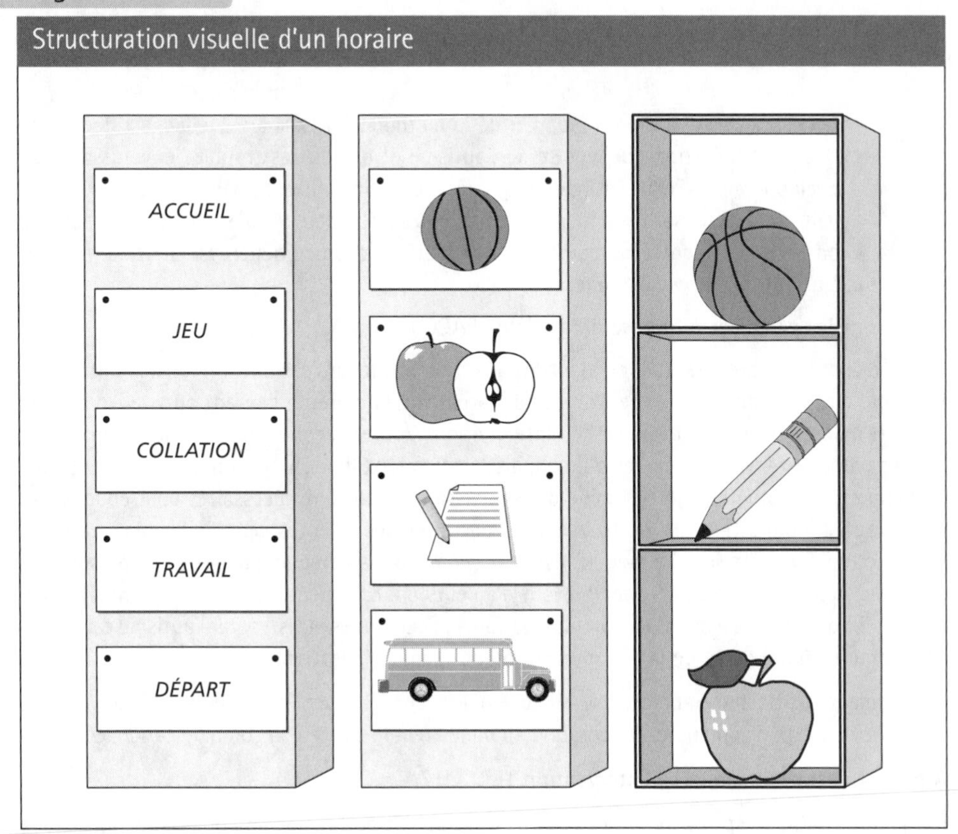

Source : Inspirée de Gillberg et Peeters (1995, p. 76).

Figure 11.3

Organisateur visuel décrivant une tâche

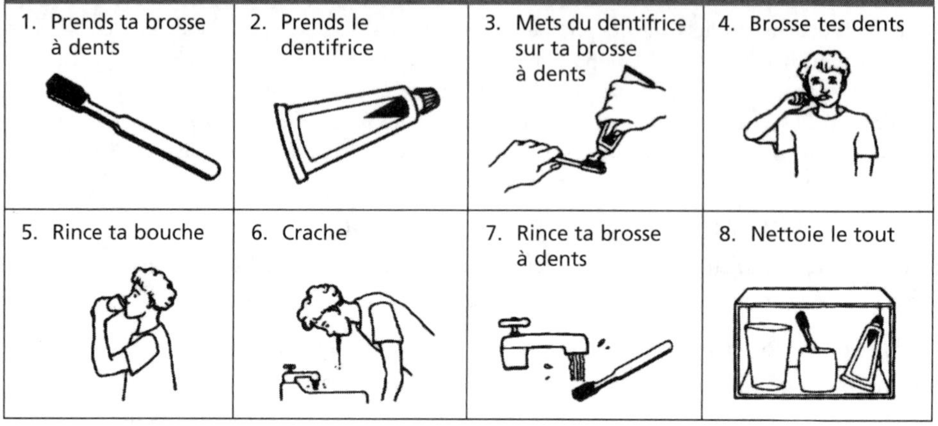

1. Prends ta brosse à dents	2. Prends le dentifrice	3. Mets du dentifrice sur ta brosse à dents	4. Brosse tes dents
5. Rince ta bouche	6. Crache	7. Rince ta brosse à dents	8. Nettoie le tout

Source : Hodgdon (1995, p. 80 ; traduit par l'auteure).

Le modèle TEACCH se caractérise aussi par la participation des parents et des professionnels, et par l'établissement de plans d'intervention personnalisés. L'entrevue qui suit avec Gilbert Leroux décrit ce modèle d'intervention plus en détail.

Entrevue avec Gilbert Leroux

Gilbert Leroux, qui a été un pionnier de la méthode TEACCH au Québec, est décédé en 2006. La Fédération québécoise de l'autisme et des autres troubles envahissants du développement (FQATED) indique que, grâce à son influence, les services aux élèves ayant un TED se sont grandement améliorés au Québec. Il nous a paru important de conserver cette entrevue que M. Leroux nous a accordée généreusement au moment de la deuxième édition de cet ouvrage.

Quels sont les principes à la base du modèle TEACCH ?

Il faut d'abord comprendre que, pendant 20 ans, Eric Schopler s'est battu pour démontrer que l'autisme n'est pas dû à l'absence d'amour de la part de la mère de l'enfant autiste. Le modèle TEACCH repose sur une philosophie de l'intervention. Le premier principe consiste à considérer que les parents sont les personnes qui connaissent le mieux leur enfant. Comme ils vivent avec leur enfant, ils acquièrent un ensemble de connaissances qui sont nécessaires pour éduquer un enfant autiste. Dans TEACCH, on trouve aussi des principes orientés vers l'individualisation du service et de l'intervention. Ce modèle vise l'autonomie de la personne, pour qu'elle puisse faire des choses par elle-même ; ce principe vaut d'ailleurs pour l'éducation de tout enfant. TEACCH vise aussi à donner des moyens de communication aux personnes autistes, car l'autisme est considéré comme un handicap de la communication et de la socialisation.

Somme toute, c'est une approche systémique qui touche à beaucoup d'aspects de l'intervention : la famille, la façon d'apprendre, l'intégration au milieu régulier, le jeu, la communication, etc.

À qui est destiné le modèle d'intervention TEACCH ?

Le modèle TEACCH est destiné à des enfants qui ont des problèmes de communication, à des enfants autistes et dysphasiques. On peut aussi utiliser plusieurs outils et modes d'intervention mis au point par TEACCH auprès des personnes qui ont une déficience intellectuelle. TEACCH aide finalement les personnes handicapées qui ont besoin d'un support visuel autour d'elles.

De quels outils dispose cette approche ?

Il y a d'abord une série d'instruments d'évaluation qui permettent de mieux comprendre les besoins de la personne autiste : le CARS, le PEP et l'APEP pour les adolescents. Ces instruments aident à mieux cerner les déficits de l'enfant de même que ses possibilités. L'évaluation permet de préciser les pistes d'intervention.

Avec le modèle TEACCH, les intervenants structurent l'environnement à la maison ou à l'école de façon qu'il ait du sens pour l'enfant. Par exemple, dans le milieu scolaire, on découpe l'environnement de manière à permettre à l'enfant de mieux se repérer dans ce contexte. Sur le plan visuel, on pourra exagérer certaines caractéristiques de l'environnement, créer un espace pour chaque activité parce qu'une personne autiste se réfère à ce qu'elle voit. Ce découpage ressemble à celui qu'on trouve dans une maison, où il y a un endroit où l'on mange, un autre où l'on dort, etc. Alors, si l'enfant a un devoir à faire, il existe un endroit où il va le faire. Il faut comprendre ici que la personne autiste a de la difficulté à conceptualiser. Elle tient compte généralement de ce qu'elle voit et l'associe à l'activité. Cette organisation de l'environnement constitue un premier aspect de la classe TEACCH.

Un deuxième aspect important est le développement de l'autonomie : il faut permettre à l'élève d'accomplir des tâches par lui-même. Ainsi, on lui enseigne une tâche individuellement, jusqu'à ce qu'elle soit apprise. Il pourra ensuite exécuter cette tâche dans l'espace ou le « coin » individuel, sans que l'on ait à intervenir.

Dans les classes TEACCH, l'horaire est important. Quand il y a une rupture dans la séquence des événements, les personnes autistes peuvent devenir anxieuses, faire des crises de comportement ou d'anxiété. Pour elles, il s'agit d'un événement imprévu. Alors, le modèle TEACCH utilise un horaire avec la personne autiste. Cet horaire peut être constitué avec des objets ou encore détaillé dans l'agenda, suivant ses capacités. La personne autiste a besoin de savoir ce qu'il y a à faire et à quel moment l'activité est terminée. Elle a beaucoup de difficulté à prédire. C'est pourquoi un horaire l'aide ; sa mémoire la sécurise. Voici un exemple. Plusieurs personnes pensent que, lorsque l'enfant autiste rentre de l'école, il faut qu'il se repose. Mais c'est justement à ce moment-là qu'il se désorganise : ne sachant pas quoi faire, il devient émotif. Entre 16 heures et 17 heures, il faut aussi que des activités prévisibles soient inscrites à son horaire. Il est important de structurer sa journée. Et même pendant la nuit, car plusieurs enfants ont des problèmes de sommeil. Certains enfants n'arrivent à dormir que trois ou quatre heures par nuit. Lorsqu'ils se réveillent, ils ne savent pas quoi faire ; ils se désorganisent. Mais s'ils ont un poste de travail dans leur chambre, ils s'y installeront d'eux-mêmes et travailleront sans déranger personne jusqu'au déjeuner.

Dans le modèle TEACCH, il n'y a pas d'objectifs imprécis.

En visitant des classes TEACCH, j'ai observé que les objets étaient étiquetés ou qu'il y avait des images associées au matériel. Pourquoi ?

Il faut comprendre que le modèle TEACCH, ce n'est pas que de petites images. Les images ont pour but de faciliter la communication, la compréhension des événements à partir de symboles. Dans certaines classes, on utilise des objets tridimensionnels. Un verre veut dire que je vais boire ; une assiette, que je vais manger ; un crayon, que je vais à mon bureau pour écrire. Lorsqu'on place ces objets dans une séquence, cela peut constituer un horaire. Avec certains élèves, on utilise des images en couleurs, puis sans couleurs. Avec d'autres, on recourt à des pictogrammes ou à des mots écrits.

Que doit faire un enseignant qui voudrait appliquer le modèle TEACCH dans sa classe ?

L'enseignant a besoin d'une formation générale sur l'autisme, où il apprendra les différentes approches à utiliser. Il a aussi besoin d'une formation plus poussée ; cela prend environ de trois à cinq ans pour bien connaître cette approche et l'ensemble des concepts qui y sont rattachés. L'enseignant devra aussi bénéficier d'une supervision.

Quelles conclusions tirez-vous de votre expérience avec le modèle TEACCH ?

Les difficultés éprouvées au cours de l'intervention auprès de la personne autiste sont souvent dues au manque de connaissances sur l'autisme et sur les résultats qu'il est possible d'attendre. Il y a trop de gens qui pensent encore qu'on ne peut rien faire. Cependant, on peut démontrer qu'il y a des façons d'organiser des services sans que cela coûte une fortune. Plus les enseignants seront formés au sujet des principes pédagogiques qui respectent le fonctionnement de la personne autiste, plus il sera possible de mettre en place des conditions favorisant les apprentissages des enfants autistes.

C. Les autres moyens d'intervention courants

Les scénarios sociaux

Les scénarios sociaux sont de courtes histoires rédigées à l'intention des jeunes. Carol Gray (1995, 1996a, 1996b), une enseignante, applique cette méthode avant tout pour régler un problème que connaît un de ses élèves. Ces histoires sont écrites pour résoudre un problème de comportement ou une difficulté dans une situation sociale précise. L'intervention est personnalisée en ce sens qu'il y a d'abord observation du comportement de l'élève et que le scénario est rédigé pour lui. Une histoire présente la situation en question, puis la manière de se comporter dans cette situation. Enfin, elle expose la réaction des autres personnes à cette nouvelle façon d'agir. Les scénarios sociaux incluent en général entre trois et cinq phrases. Ils possèdent un titre souvent formulé sous forme de question. Les phrases peuvent être descriptives (la description de la situation), prescriptives ou directives (comment faire dans cette situation) ou projectives (la description des réactions des autres à cette nouvelle façon de se comporter). Un scénario est lu une ou plusieurs fois par jour au cours d'une période de quelques semaines. Le tableau 11.5 donne un exemple de scénario social. La procédure a surtout été appliquée auprès des enfants, mais dans certains cas elle vise des adolescents.

De nombreuses études sur cette intervention indiquent qu'elle donne en général des résultats positifs pour le comportement ciblé. Toutefois, ce n'est pas une méthode miracle. Vaillancourt (2003) observe en milieu scolaire québécois que des enseignants arrivent facilement à appliquer ce procédé et que, dans l'ensemble, les résultats sont positifs. Cependant, le temps consacré à cette activité demeure une difficulté.

Les groupes de jeux intégrés

Chez les enfants, le jeu est une activité naturelle et généralement plaisante. Il permet le développement de nombreuses habiletés. Les jeux collectifs favorisent la socialisation. Or, les élèves ayant un trouble envahissant du développement ont tendance à s'isoler et leurs jeux sont répétitifs et solitaires. Le jeu symbolique (ou jeu du faire semblant) qui apparaît normalement vers l'âge de quatre ou cinq ans ne se développe pas. C'est pourquoi des auteurs ont pensé mettre en place des groupes de jeux avec des pairs non autistes pour favoriser, entre autres, l'insertion sociale. Ces groupes de jeux intégrés ont été mis au point en Californie par Wolfberg et Schuler (1992, 1993). Ces groupes incluent entre trois et cinq joueurs : des enfants ayant un trouble envahissant du développement et des enfants qui n'ont pas de problèmes. Ces derniers suivent une

Tableau 11.5

Exemple d'un scénario social

Pourquoi je dois lever la main ?	Type de phrases
Il y a beaucoup d'élèves dans la classe.	Descriptive
Quand toutes les personnes parlent en même temps, c'est difficile de comprendre ce qu'elles disent.	Descriptive
Quand un élève veut parler, il lève la main.	Descriptive
Quand l'élève lève sa main, l'enseignante lui demande habituellement de parler.	Descriptive
L'élève peut faire un commentaire ou poser une question.	Descriptive
Je vais essayer de lever ma main lorsque je veux parler.	Directive
Mon enseignante sera contente si je lève la main pour parler.	Projective

Source : Vaillancourt (2003, p. 18).

formation sur les caractéristiques de l'autisme et des stratégies pour jouer avec les amis autistes. Ces stratégies sont illustrées sur des affiches. Le programme se déroule dans un local offrant des jeux et des jouets favorisant, entre autres, le jeu symbolique. Les enfants sont réunis quelques fois par semaine pour ces séances de jeux où ils bénéficient aussi du soutien d'un adulte. À la suite de l'application de leur programme, Wolfberg et Schuler ont noté une réduction des jeux solitaires et stéréotypés chez les enfants autistes. Ces derniers s'engageaient dans des activités de jeux plus complexes avec leurs pairs. Richard et Goupil (2005) ont fait des observations similaires dans le contexte québécois.

Le système PECS

L'acronyme PECS signifie *Picture Exchange Communication System* (Bondy et Frost, 2002). Il s'agit d'un mode différent de communication. Grâce à un programme gradué et systématique d'entraînement, les élèves apprennent à exprimer leurs demandes à l'aide d'images et de manière autonome. Ce système est utilisé surtout avec les élèves non verbaux ou avec ceux qui ont de la difficulté à engager une communication. Comme plusieurs autres systèmes, il mise sur les forces visuelles de l'élève.

Les interventions auprès des élèves ayant un syndrome d'Asperger

Des moyens d'intervention tels que les scénarios sociaux pourront être utiles avec les élèves ayant un syndrome d'Asperger. Toutefois, ces élèves ne présentent pas de déficit cognitif et ont souvent des capacités cognitives étonnantes, entre autres sur le plan de la mémorisation. Atwood (1998) propose différentes actions sur les plans cognitif, langagier, social et sensoriel. Ainsi, il suggère qu'on explique aux élèves les figures de style et les métaphores, qu'on leur apprenne à reconnaître les indices du début et de la fin des conversations, qu'on leur montre à faire des commentaires empathiques. L'adolescence peut être une période pénible pour ces jeunes. Aussi, il peut s'avérer nécessaire de recourir à des spécialistes pour l'apprentissage des habiletés sociales. Ces intervenants auront la possibilité de discuter avec le jeune des changements qu'entraîne la puberté.

En effet, l'expression de la sexualité risque d'être difficile à cause du manque de compréhension des conventions sociales (Hénault, 2006). Néanmoins, plusieurs de ces jeunes pourront à l'âge adulte trouver un travail et être autonomes (APA, 2003).

RÉSUMÉ

Les troubles envahissants du développement sont caractérisés, entre autres, par des problèmes liés au développement cognitif, à la communication et aux relations sociales. L'évaluation des élèves atteints et l'intervention auprès d'eux requièrent une bonne compréhension de leurs modes de fonctionnement. Au cours des années, plusieurs méthodes d'intervention ont été élaborées à l'intention, notamment, des élèves autistes. Le programme de Lovaas et le modèle TEACCH en sont des exemples.

QUESTIONS

1. Que sont les troubles envahissants du développement ?
2. Selon quels critères l'autisme et le syndrome d'Asperger sont-ils identifiés ?
3. Qui a parlé d'autisme le premier et comment y a-t-il été conduit ?
4. Quelles sont les caractéristiques des élèves autistes et de ceux qui ont un syndrome d'Asperger ?
5. Décrivez deux modes d'intervention à l'intention des élèves autistes.
6. Qu'est-ce qu'un scénario social ?

RÉFÉRENCES SUGGÉRÉES

Sur l'autisme et les troubles envahissants du développement en général :

LEMAY, M. (2004). *L'autisme aujourd'hui.* Paris : Odile Jacob.

ROGÉ, B. (2003). *Autisme, comprendre et agir.* Paris : Dunod.

Sur l'intervention comportementale intensive :

LOVAAS, O.I. (2003). *Teaching Individuals with Developmental Delays. Basic Interventions Techniques.* Austin, Texas : Pro-Ed.

MAURICE, C. (2006). *Intervention béhaviorale auprès des jeunes enfants autistes.* Montréal : Chenelière Éducation.

Sur le syndrome d'Asperger :

ATWOOD, T. (1998). *Asperger's Syndrome.* Londres : Jessica Kingsley Publishers.

HÉNAULT, I. (2006). *Le syndrome d'Asperger et la sexualité.* Montréal : Chenelière Éducation.

Sur le système PECS :

BONDY, A. et FROST, L. (2002). *A Picture's Worth: PECS and Other Visual Communication Strategies in Autism.* Bethesda, Maryland : Woodbine House.

Pour les parents, une série de 10 fiches présentant une information essentielle :

FÉDÉRATION QUÉBÉCOISE DE L'AUTISME ET DES AUTRES TROUBLES ENVAHISSANTS DU DÉVELOPPEMENT (2005). *À l'intention des parents. Un guide pour leurs premières démarches.* Montréal : FQATED. [en ligne], [http://www.autisme.qc.ca/]. L'adresse postale est la suivante :
65, rue de Castelnau Ouest, bureau 104
Montréal (Québec) H2R 2W3.

Vidéo :

GOUPIL, G. (1998). *Mon enfant est autiste.* Montréal : Université du Québec à Montréal, Service de l'audiovisuel.

Les élèves ayant une déficience sensorielle, langagière ou physique

Objectifs

Après avoir lu ce chapitre, le lecteur devrait pouvoir :

- préciser quels sont les élèves identifiés comme handicapés par une déficience visuelle ;
- décrire les principales sphères où les élèves ayant une déficience visuelle peuvent éprouver des besoins particuliers ;
- indiquer quelques adaptations qui, en classe, peuvent faciliter l'intégration des élèves ayant une déficience visuelle ;
- préciser quels sont les élèves identifiés comme handicapés par une déficience auditive ;
- définir l'oralisme et la communication totale ;
- indiquer des moyens qui, en classe, facilitent l'intégration des élèves ayant une déficience auditive ;
- définir les critères d'identification des élèves ayant une déficience langagière ;
- décrire différentes manifestations de difficultés sur le plan du langage ;
- indiquer des moyens qui, en classe, facilitent l'intégration des élèves ayant une déficience langagière ;
- définir les critères d'identification des élèves ayant une déficience physique ;
- indiquer quelques adaptations qui, en classe, facilitent l'intégration des élèves ayant une déficience physique.

INTRODUCTION

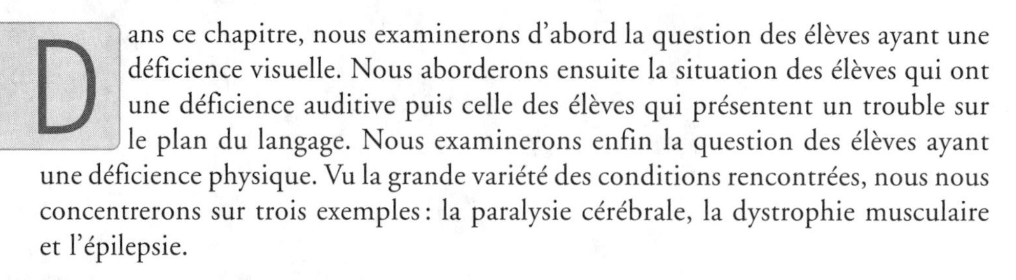

Dans ce chapitre, nous examinerons d'abord la question des élèves ayant une déficience visuelle. Nous aborderons ensuite la situation des élèves qui ont une déficience auditive puis celle des élèves qui présentent un trouble sur le plan du langage. Nous examinerons enfin la question des élèves ayant une déficience physique. Vu la grande variété des conditions rencontrées, nous nous concentrerons sur trois exemples : la paralysie cérébrale, la dystrophie musculaire et l'épilepsie.

12.1 Les élèves ayant une déficience visuelle

Les élèves qui ont une déficience visuelle présentent des caractéristiques fort variées : les uns peuvent lire, grâce à l'aide appropriée, les caractères ordinaires des volumes ; d'autres doivent se servir du braille. Plusieurs ont à apprendre des techniques ou à utiliser des aides spécifiques pour se déplacer. Nous verrons d'abord les définitions qui précisent les limites de la déficience visuelle, le nombre d'élèves touchés dans la population scolaire et les causes de cette déficience. Puis, nous nous pencherons sur les besoins particuliers que cette déficience peut créer du point de vue de la communication écrite, des déplacements, des habitudes de la vie quotidienne ou du développement cognitif. Enfin, nous examinerons quelques aspects pratiques liés à la scolarisation de ces élèves.

12.1.1 Les définitions

A. La définition de la Loi sur la Régie de l'assurance maladie du Québec

La Loi sur la Régie de l'assurance maladie du Québec définit ainsi la déficience visuelle :

> Une déficience visuelle, aux fins de l'application du présent règlement, est celle qui, après correction au moyen de lentilles ophtalmiques appropriées, à l'exclusion des systèmes optiques spéciaux et des additions supérieures à 4 dioptries, ne laisse place qu'à une acuité visuelle de chaque œil inférieure à 6/21 ou qu'à un champ de vision de chaque œil inférieur à 60° dans les méridiens 180° ou 90° et qui, dans l'un ou l'autre cas, rend une personne incapable de lire, d'écrire ou de circuler dans un environnement non familier (Gouvernement du Québec, 1996, p. 6444).

B. La définition fonctionnelle

Dans les écoles, on entend fréquemment les expressions « fonctionnellement voyant » et « fonctionnellement aveugle ». Ces deux expressions sont employées suivant le moyen utilisé pour la lecture et l'écriture : le braille ou les caractères noirs. Les élèves fonctionnellement aveugles utilisent le braille, tandis que les élèves fonctionnellement voyants se servent des caractères noirs.

C. La définition du ministère de l'Éducation, du Loisir et du Sport du Québec

Le MELS (2006b) indique que l'évaluation des élèves qui sont handicapés par une déficience visuelle doit avoir été réalisée par un ophtalmologiste ou un optométriste et révéler à l'aide des examens pour chaque œil, « en dépit d'une correction au moyen de lentilles ophtalmiques appropriées, à l'exception de systèmes optiques spéciaux et des additions supérieures à + 4,00 dioptries, une acuité visuelle d'au plus 6/21 ou un champ de vision inférieur à 60° dans les méridiens 90° et 180° » (p. 19). Pour le MELS[1], cette déficience entraîne, en dépit de la technologie utilisée ou par rapport à celle-ci, des limitations sur le plan de la communication, dans la participation aux activités de la vie quotidienne et sur le plan de la locomotion.

12.1.2 Le nombre d'élèves

Les statistiques du ministère de l'Éducation, du Loisir et du Sport du Québec (2006a) signalent 613 élèves ayant une déficience visuelle pour tous les ordres d'enseignement en 2005-2006. Le tableau 12.1 présente la répartition des élèves ayant une déficience visuelle en fonction du lieu de scolarisation. À la lecture de ce tableau, on constate que la plupart des élèves ayant une déficience visuelle sont scolarisés dans des classes ordinaires. De fait, la majorité d'entre eux utilisent les caractères noirs pour lire, bien que des élèves utilisent le braille dans les classes ordinaires.

Tableau 12.1

Répartition des élèves ayant une déficience visuelle

Modalité de scolarisation	Nombre d'élèves (613)
Classe ordinaire avec soutien à l'enseignant et à l'élève	314
Classe ordinaire avec participation à une classe-ressource	21
Classe spéciale où se trouvent des élèves ayant une difficulté	6
Classe spéciale où se trouvent des élèves ayant plusieurs catégories de difficultés	97
École spéciale	129
Scolarisation en centre d'accueil	46
Scolarisation en centre hospitalier	0
Scolarisation à domicile	0

Source : Ministère de l'Éducation, du Loisir et du Sport du Québec (2006a).

12.1.3 Les causes

Même si la cécité est surtout une déficience dont les facteurs de risque croissent avec l'âge, il existe diverses causes de la cécité chez les enfants. Chez ces derniers, la déficience visuelle est en grande partie due à des causes congénitales, comme les causes héréditaires, des infections avant la naissance ou des dommages créés à la structure de l'œil au cours de la période de développement fœtale (Hunt et Marshall, 2006). Les cataractes, l'atrophie du nerf optique ou des rétinopathies sont des causes importantes de cécité chez les enfants de moins de cinq ans (Leonard, 2002). La prématurité et un faible poids à la naissance sont aussi des facteurs de risque de déficience visuelle.

1. Étant donné que les définitions du ministère de l'Éducation, du Loisir et du Sport du Québec (MELS) sont sujettes à des mises à jour périodiques et sont établies dans un contexte d'organisation des services en tenant compte des conventions collectives, nous invitons le lecteur à consulter les définitions complètes sur le site du MELS [http://www.mels.gouv.qc.ca/].

12.1.4 Les besoins particuliers

Selon le degré de déficience et la stimulation dont l'élève aura bénéficié, les besoins de celui-ci peuvent être plus ou moins marqués. Nous examinerons ici les principaux secteurs où l'élève ayant une déficience visuelle peut éprouver certains besoins.

A. La communication écrite

Grâce à la vision, il est possible de prendre connaissance de textes écrits et de communiquer par l'écriture. Lorsque la vision est diminuée ou encore absente, il faut trouver des moyens compensatoires. La plupart des élèves ayant un résidu visuel peuvent, grâce à l'appareillage approprié et parfois grâce à l'adaptation du matériel écrit (par exemple, des agrandissements, l'utilisation de l'ordinateur), accéder à la vision des caractères ordinaires. L'appareillage est choisi en fonction des besoins de l'élève et des examens réalisés par les spécialistes (comme l'ophtalmologiste). Il existe plusieurs aides visuelles : les verres correcteurs, l'ordinateur, le télescope, la télévisionneuse, etc. C'est à partir des besoins particuliers de l'élève que ces aides lui sont attribuées.

Lorsque l'élève ne peut utiliser les caractères noirs, il doit généralement apprendre le braille. Cette écriture a été inventée en 1829 par Louis Braille, qui, dès l'âge de trois ans, devint aveugle à la suite d'un accident. Le braille est un code, ou alphabet, constitué de 63 caractères. À sa base, il y a une cellule formée de six points en relief, organisés dans une matrice ressemblant un peu à un domino. En combinant différemment les six points de cette cellule, Braille a élaboré une écriture pouvant être utilisée aussi bien pour la mathématique que pour la musique (Institut national canadien pour les aveugles [INCA], 1987). La figure 12.1 présente les combinaisons utilisées par l'alphabet braille et les signes de ponctuation.

Les caractères utilisés en braille sont placés en relief; on les lit en passant les index sur la page où ils sont disposés. Quant à l'écriture, traditionnellement, elle se réalise grâce à une machine à écrire munie de six clés représentant les points et leur position. Elle peut aussi être effectuée à l'aide d'une tablette et d'un poinçon.

Il convient de noter qu'au cours des dernières années les progrès de l'ordinateur ont permis aux personnes ayant une déficience visuelle de bénéficier de nouveaux outils pour accéder au contenu des volumes. Ainsi, le livre numérique adapté est susceptible de remplacer le livre sur cassettes audio qui est parfois laborieux à utiliser. Un cédérom peut contenir jusqu'à 50 heures d'enregistrement et permet de retracer rapidement les parties que le lecteur veut consulter (Institut Nazareth et Louis-Braille, 2006).

Le versa-braille est un appareil qui permet d'écrire les textes en braille et de les traduire à l'aide d'une imprimante en caractères ordinaires. Ainsi, l'élève qui désire utiliser le braille en classe dactylographie le texte sur cet appareil et peut remettre une version en caractères noirs à l'enseignant. Il existe aussi des calculatrices destinées aux personnes ayant une déficience visuelle. Les touches sont alors adaptées et une voix synthétique indique la réponse. Ces calculatrices peuvent également être munies d'écouteurs.

B. La mobilité et l'orientation dans l'espace

Avons-nous déjà songé à l'information essentielle que nous transmettent nos yeux dans nos déplacements ? Sans cette information, il est nécessaire d'utiliser des moyens

Figure 12.1

Alphabet braille pour la lecture

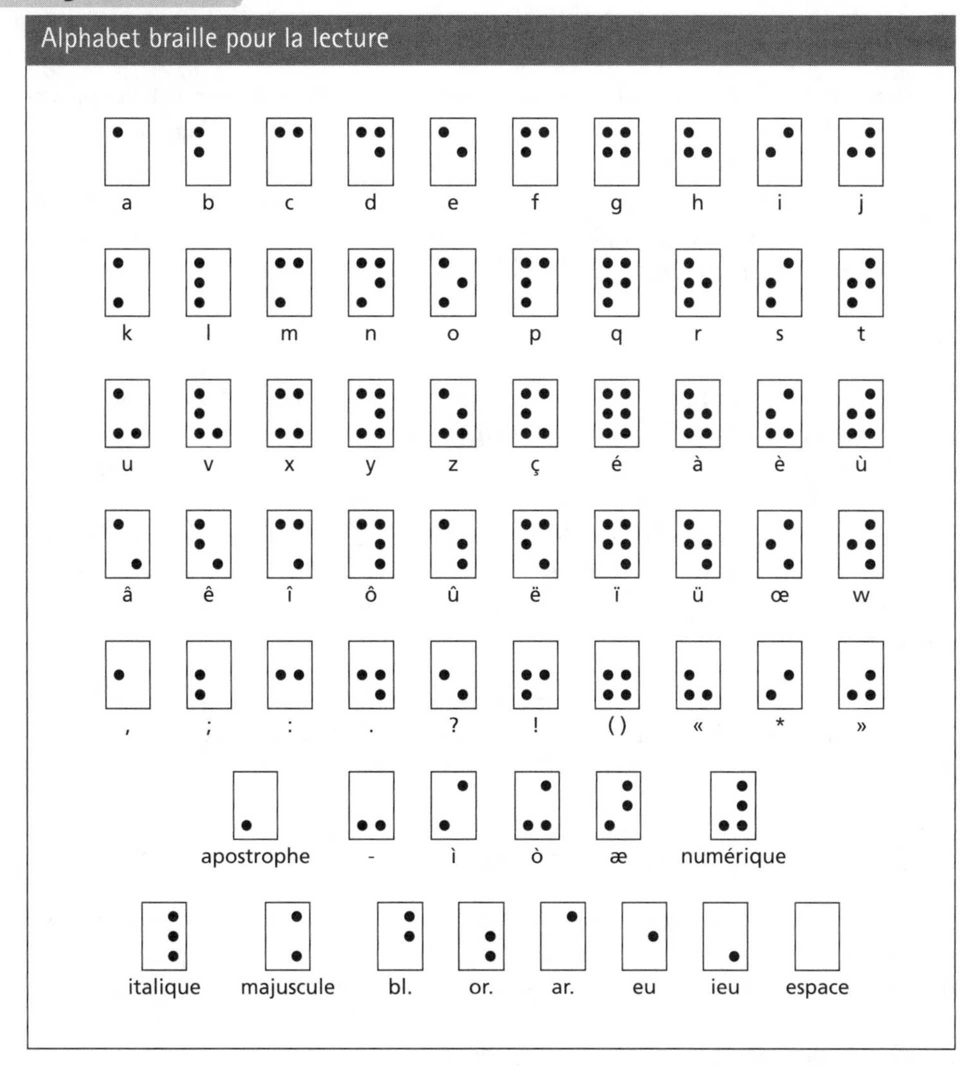

compensatoires et d'apprendre à se servir d'autres indices pour se déplacer. Ainsi, toujours en fonction des besoins individuels et de la nature de la déficience visuelle, des élèves doivent apprendre diverses techniques favorisant la mobilité et l'orientation dans l'espace. S'il est possible d'avoir recours à un guide voyant pour se déplacer, l'apprentissage de l'utilisation d'une canne procure encore plus d'autonomie. La canne sert alors, à l'instar d'une sonde, à informer la personne pendant ses déplacements. D'autres personnes ayant une déficience visuelle apprendront à recourir à un chien-guide. Ces apprentissages sont réalisés sous la responsabilité de spécialistes en orientation et en mobilité. Pour apprendre les techniques nécessaires (sécurité, guidage, canne blanche, etc.), l'élève doit suivre un entraînement particulier. Jusqu'au début des années 90, on restreignait l'accès aux programmes de chiens-guides aux personnes âgées de moins de 18 ans. Au Québec, la Fondation Mira a innové en permettant maintenant à des jeunes âgés de 12 à 16 ans d'apprendre à se déplacer avec un chien-guide qui les accompagne aussi à l'école.

C. Les habitudes de la vie quotidienne

Il est malaisé de se verser un verre de lait ou encore, tout simplement, de s'habiller sans voir. Ces gestes quotidiens, exécutés sans l'information visuelle, peuvent devenir très complexes. C'est pourquoi, lorsque le résidu visuel est insuffisant, l'élève apprendra des techniques destinées à faciliter ces gestes. Divers objets de l'environnement peuvent aussi être adaptés : des marques indiquant la couleur des vêtements, des indices en braille sur des appareils, etc. D'ailleurs, de nombreux organismes font des efforts en ce sens depuis plusieurs années. Il suffit de songer aux ascenseurs où des signes en braille indiquent les chiffres des étages.

D. Le développement cognitif

La vision joue un rôle important dans le développement cognitif. Voir les objets permet de se composer rapidement une image mentale. L'élève ayant une déficience visuelle mais qui est fonctionnellement voyant peut prendre plus de temps pour se faire une telle image. L'élève fonctionnellement aveugle devra, quant à lui, utiliser d'autres sens, par exemple l'ouïe et le toucher. Mais certains éléments, tels les nuages, sont difficilement accessibles par ces sens. La description verbale des objets et des situations devient alors pour cet élève l'une des principales voies d'accès à la connaissance (MEQ, 1983).

Bien que des chercheurs aient observé certaines déficiences cognitives chez les élèves ayant une déficience visuelle, l'ensemble des recherches indique que ces élèves atteignent des scores dans les limites normales à des tests d'intelligence (Kirk et Gallagher, 1983).

12.1.5 La présence en classe

La présence d'un élève ayant une déficience visuelle demande souvent à la classe diverses adaptations. Nous examinerons quelques-unes de ces adaptations et les démarches qui facilitent la scolarisation des élèves ayant une déficience visuelle.

A. L'obtention de toute l'information nécessaire

Les besoins des élèves ayant une déficience visuelle sont fort variés. Au début de l'année scolaire (et même, si possible, à la fin de l'année scolaire précédente), des renseignements précis sur les besoins de l'élève faciliteront les interventions de l'enseignant et permettront une meilleure insertion de l'élève dans la classe. Cette information peut être obtenue auprès de l'enseignant itinérant, des intervenants déjà engagés dans le dossier, des parents et même de l'élève. Voici quelques points de repère pour recueillir les données nécessaires.

Il faut d'abord s'enquérir du système utilisé, le braille ou les caractères noirs. Quelles aides optiques (télescope, loupe, numériseur – scanner –, calculatrice sonore, ordinateur, imprimante, etc.) doivent être présentes en classe ? D'autres pièces de matériel (types de cahiers, agrandissements, crayons, etc.) sont-elles nécessaires ? Faut-il prévoir des adaptations en classe (par exemple, une table plus large, la proximité d'une prise de courant) pour permettre à l'élève d'utiliser le matériel et l'aide optique requis ? L'élève a-t-il besoin d'un éclairage particulier ? Si c'est le cas, de quel type ? Comment l'élève circule-t-il ? Peut-il lire au tableau ? Dans l'affirmative, quelles conditions (par exemple, la grosseur des lettres) facilitent cette lecture ? Il peut aussi être pertinent de s'informer auprès des intervenants des attitudes de l'élève face à sa déficience et de l'existence ainsi que du contenu du plan d'intervention et du plan de services, s'il y a lieu.

Enseignant itinérant

L'enseignant itinérant est un enseignant spécialisé qui connaît bien la situation des élèves ayant une déficience visuelle, physique, intellectuelle ou auditive. Il offre de l'information à l'enseignant et peut intervenir auprès de l'élève ou de ses parents. Ces enseignants offrent généralement leurs services dans plus d'une école ; c'est pourquoi ils sont appelés « itinérants ».

B. Le matériel requis

Une fois cette information obtenue, il faut prévoir l'organisation et le matériel nécessaires. Si l'élève utilise le braille, il est bon de s'assurer à l'avance de la présence des manuels employés en cours d'année. Il en est de même si l'élève doit se servir de textes agrandis ou de livres sur cassettes. Non seulement il faut prévoir le matériel, mais il faut également penser au rangement sécuritaire de celui-ci. En effet, les magnétophones et les calculatrices doivent être à l'abri du vol lorsque l'élève n'est pas en classe. Par ailleurs, il faut envisager des moyens d'aider l'élève à déplacer les objets plus volumineux. Au secondaire, notamment, il faut considérer les mesures à prendre lorsque l'élève doit se déplacer d'un local à l'autre.

L'élève doit être encouragé à utiliser les aides prescrites. Au primaire, plus particulièrement, il peut être nécessaire de démythifier certains appareils auprès des autres élèves. L'enseignant fournit alors les explications ou bien laisse l'élève qui le désire assumer cette tâche. Au secondaire, il est bon de discuter d'abord avec l'élève de l'approche à privilégier.

C. Les déplacements

L'entraînement à la mobilité et à l'orientation est assuré en général par des spécialistes et non par l'enseignant. Cependant, ce dernier encourage l'élève ayant une déficience visuelle à utiliser ses habiletés. Il peut aussi indiquer aux autres élèves comment aider leur camarade, le cas échéant. En début d'année, si l'élève se présente dans une nouvelle école, il est souhaitable qu'il puisse faire une visite préalable des lieux et poser les questions qui lui viennent à l'esprit.

D. Les attitudes à privilégier

L'élève ayant une déficience visuelle est d'abord et avant tout un élève de la classe, au même titre que les autres. Il faut donc éviter de le surprotéger ou encore de le mettre à l'écart. Il ne faut pas non plus éviter d'utiliser des expressions telles que « regarde » ou « vois ». L'élève les interprétera en se disant qu'on l'invite à « prendre connaissance de » quelque chose (MEQ, 1983). Il ne faut pas non plus hésiter, dans le travail en équipe, à partager les tâches et à exiger de chacun la part qui lui incombe.

E. D'autres points

Lorsqu'on écrit des textes au tableau, il est bon de les lire à voix haute en même temps. De plus, il faut éviter les contre-jours comme une lumière qui entre par une fenêtre et se réfléchit sur le tableau. Il convient d'utiliser un langage précis et de rendre les descriptions concrètes. L'élève a parfois besoin de plus de temps pour terminer ses exercices ; on peut alors prévoir une tâche un peu moins longue pour lui. Il faut aussi être prêt à accepter des variantes dans les travaux, comme des travaux dactylographiés ou des examens enregistrés. Pour faciliter la scolarisation des élèves ayant une déficience visuelle, il importe donc de bien connaître leurs besoins et de leur faciliter l'utilisation de toutes les aides nécessaires.

12.2 Les élèves ayant une déficience auditive

En ce qui concerne les élèves ayant une déficience auditive, nous nous pencherons d'abord sur la définition utilisée par le ministère de l'Éducation, du Loisir et du Sport du Québec. Puis, nous verrons les caractéristiques du son et des mesures utilisées pour déterminer la surdité et présenterons les divers types de surdité. Nous indiquerons le nombre d'élèves qui présentent cette déficience dans la population scolaire et décrirons deux modes de communication auxquels recourent les élèves ayant une déficience auditive. Enfin, nous verrons quelques adaptations qui, en classe, facilitent la scolarisation des élèves.

12.2.1 La définition du ministère de l'Éducation, du Loisir et du Sport du Québec

Comme dans le cas des autres élèves en difficulté, l'instruction du Ministère précise les critères d'identification des élèves ayant une déficience auditive.

Pour le MELS (2006b), l'élève ayant une déficience auditive est celui dont l'évaluation de l'ouïe à l'aide d'examens standardisés effectués par un audiologiste révèle « un seuil d'acuité supérieur à 25 décibels perçus par la meilleure oreille pour les sons purs de 500, 1 000 et 2 000 hertz. [Cette évaluation] tient compte de la discrimination auditive et du seuil de tolérance au son » (p. 20). Toujours selon le MELS, en dépit de l'aide de la technologie utilisée, cet élève présente des limites sur les plans de l'apprentissage et de la communication verbale et écrite. Il éprouve aussi des « difficultés dans les domaines du développement cognitif et du développement du langage oral » (p. 20).

12.2.2 La mesure de la déficience auditive

Pour bien comprendre la mesure de la déficience auditive, il importe de considérer la nature du son et l'anatomie de l'oreille. Le son est un mouvement vibratoire; il s'agit d'un phénomène physique qui possède des caractéristiques telles que la fréquence, l'intensité, la complexité et la durée.

La fréquence correspond au nombre de vibrations par seconde. Cette fréquence est mesurée en hertz (Hz). Grâce à la fréquence du son, nous pouvons distinguer le registre des différentes voix: voix aiguës, voix graves. Les vibrations sont plus nombreuses pour un son aigu que pour un son grave. L'intensité concerne la force relative des vibrations. Cette force est mesurée en décibels (dB). Plus la vibration est grande, plus le son paraît intense. Le bruissement des feuilles a une intensité d'environ 10 dB et le bruit du tonnerre, d'environ 120 dB (Bergeron, Campeau et Doiron, 1980). La complexité du son provient de l'amalgame de la fréquence, de l'intensité et du rythme du son (Harrison, 1985). Quant à la durée du son, elle correspond à sa longueur dans le temps (secondes, minutes, etc.).

On utilise une mesure du son en décibels (d'une intensité suffisante pour qu'on puisse la percevoir) afin de déterminer le degré de perte auditive. La perte auditive peut être légère, modérée, modérée-sévère, sévère ou profonde (voir le tableau 12.2). Les audiologistes procèdent à plusieurs tests pour déterminer le type de perte auditive et sa gravité. Ils peuvent déterminer le degré de perte auditive (en décibels) et les fréquences qu'une personne a de la difficulté à entendre. Pour bien comprendre les problèmes d'un élève ayant une déficience auditive, il faut considérer l'intensité des sons qu'il ne peut entendre ainsi que les fréquences qu'il a du mal à percevoir.

Tableau 12.2

Degrés de perte auditive

Perte auditive	Intensité requise pour la perception
Légère	27-40 dB
Modérée	41-55 dB
Modérée-sévère	56-70 dB
Sévère	71-90 dB
Profonde	91 dB et plus

Prononcées à voix ordinaire, les consonnes et les voyelles françaises se distribuent en fonction de leur force (dB) et de leur fréquence sur l'audiogramme (Le François, Mathieu et Larocque, 1982). Les figures 12.2 et 12.3, à la page suivante, illustrent respectivement un audiogramme et la distribution de quelques consonnes et voyelles françaises prononcées sur un ton normal.

Figure 12.2

Audiogramme

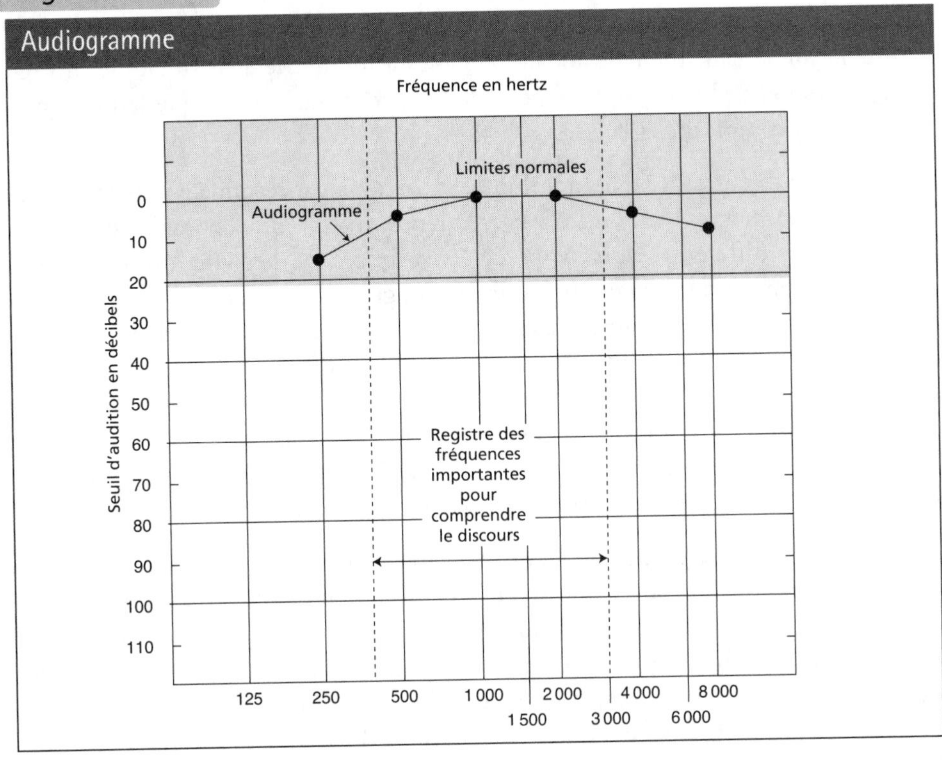

Figure 12.3

Distribution sur l'audiogramme de quelques consonnes et voyelles françaises

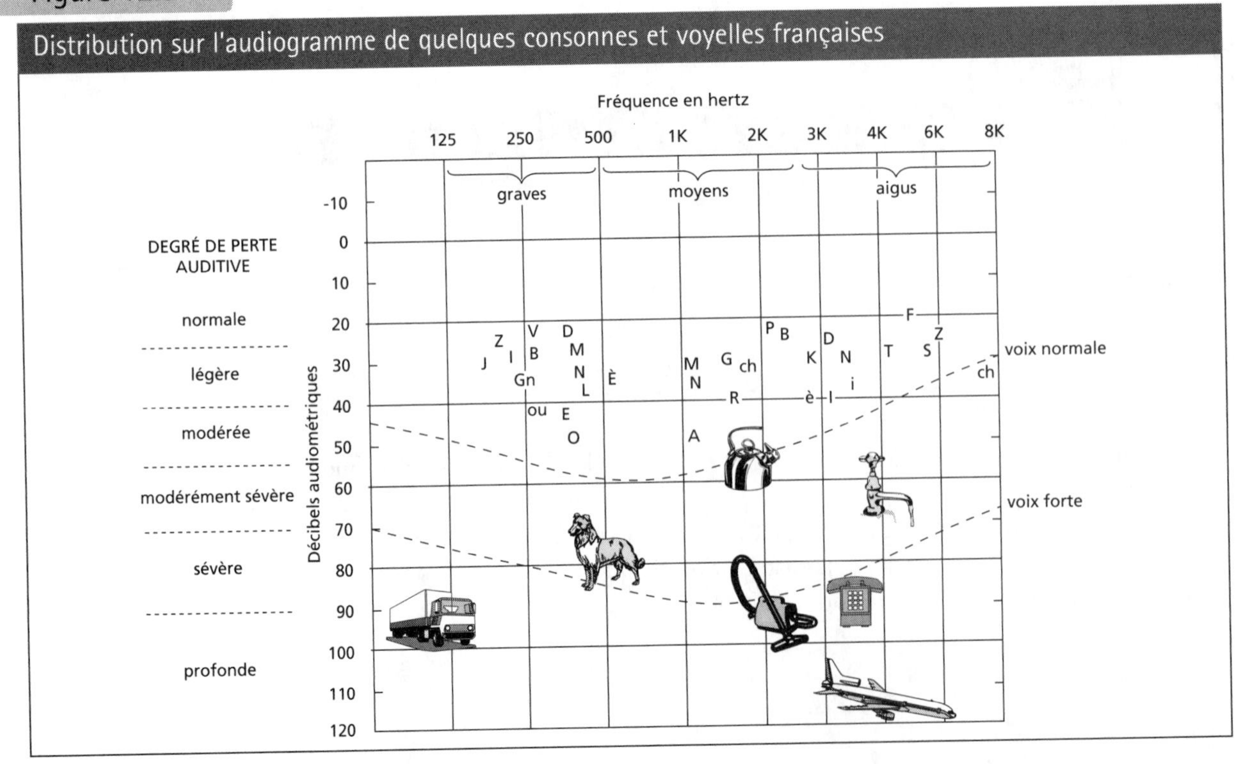

12.2.3 Le son, l'oreille et les types de surdité

A. La route parcourue par les vibrations sonores dans l'oreille jusqu'au nerf auditif

Pour être perçus ou entendus, les sons qui nous entourent doivent effectuer un chemin complexe jusqu'au nerf auditif, puis au cerveau. Il faut alors, pour bien saisir cette complexité, examiner l'anatomie de l'oreille et le fonctionnement de cette dernière (voir la figure 12.4).

Figure 12.4

Anatomie de l'oreille

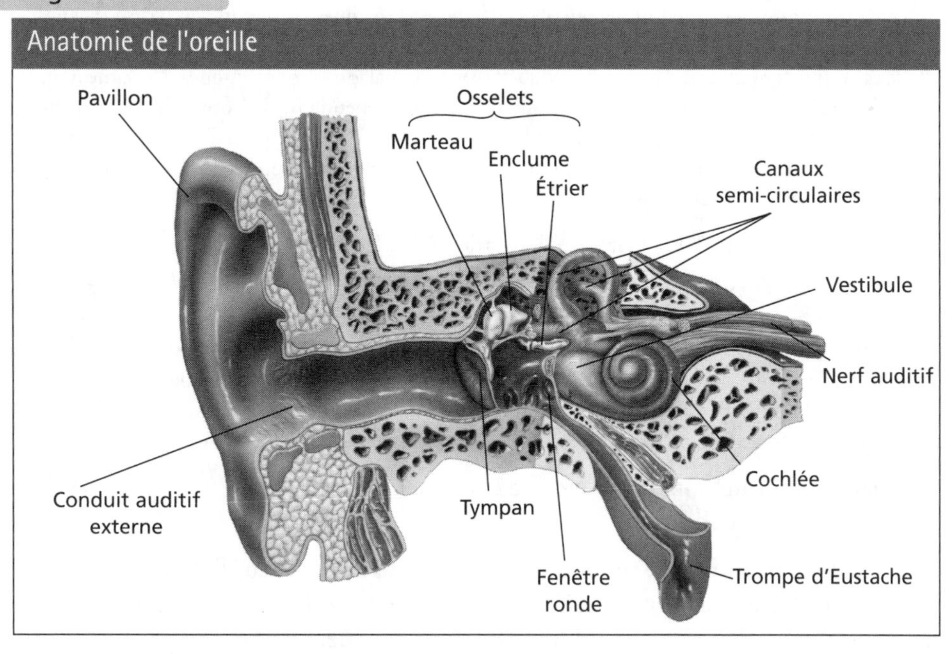

Source : BO Veisland MI & I/SPL/Publiphoto.

Dans un premier temps, les vibrations du son sont reçues dans l'oreille externe. Elles traversent le conduit auditif externe, puis parviennent au tympan, qui les transmet à l'oreille interne par la chaîne des osselets (marteau, enclume, étrier) et l'air de la caisse. Cet air, qui provient de la trompe d'Eustache, est essentiel au maintien de la pression entre les deux faces du tympan. Dans le vestibule, les vibrations sont transmises aux liquides de l'oreille interne. C'est dans la cochlée que ces vibrations sont transformées en influx nerveux grâce aux cellules ciliées de l'organe de Corti. Les vibrations sont alors recueillies par les filets du nerf auditif, qui les transmettra au cerveau.

B. Les types de surdité et les facteurs de risque

Stephens, Blackhurst et Magliocca (1988) indiquent cinq types de surdité : conductive, neurosensorielle, mixte, fonctionnelle et centrale.

La surdité conductive a pour cause l'obstruction du passage des vibrations sonores dans l'oreille externe ou moyenne. Nous avons vu que, pour atteindre l'oreille interne, les vibrations du son doivent passer par l'oreille externe vers le tympan, et que, par la suite, elles traversent les osselets dans l'oreille moyenne. Des problèmes entravant la transmission des vibrations sonores, à cette étape, peuvent être la cause de la surdité conductive : le blocage du conduit auditif externe (en raison d'une malformation, d'une accumulation de cérumen ou d'une infection), le bris du tympan, l'obstruction du mouvement des osselets, etc. Une infection, telle une otite, pourrait entraîner temporairement une surdité conductive. Les otites séreuses (présence de liquide derrière le tympan) sont une cause fréquente de la surdité conductive.

La surdité neurosensorielle est liée à un problème de l'oreille interne ; en effet, dans ce type de surdité, la transmission du message sonore au nerf auditif est entravée.

> La surdité neurosensorielle est un handicap extrêmement fréquent. Elle affecte environ un enfant sur mille à la naissance et un sur mille au cours de l'enfance. Un tiers des surdités de l'enfant sont de cause environnementale (infections et toxiques en période pré et postnatale, anoxie, prématurité), un tiers ont une origine génétique, et un tiers sont des cas sporadiques de cause indéterminée. Les formes héréditaires sont des maladies monogéniques : l'atteinte d'un seul gène est en cause dans chaque forme de surdité. Cependant, de nombreux gènes sont impliqués : dans les formes de surdité syndromiques, c'est-à-dire associées à d'autres pathologies ou malformations, plus de 80 gènes ont été localisés sur les chromosomes humains [...] (Denoyelle et autres, 2006, p. 1-2).

L'Institut Pasteur (1999) précise à ce sujet :

> Aujourd'hui, on estime que plus d'une cinquantaine de gènes est impliquée dans les surdités héréditaires de l'enfant, et que celles-ci se transmettent dans la majorité des cas sur un mode dit autosomique récessif : les deux parents entendent normalement et un ou plusieurs enfants sont sourds. Six de ces gènes ont été isolés, dont trois dans l'Unité de Christine PETIT. Parmi eux, le gène DFNB1 – qui code pour la connexine 26 – s'avère de toute première importance.

Quant à la surdité mixte, elle est une combinaison de la surdité conductive et de la surdité neurosensorielle.

La surdité fonctionnelle, appelée aussi par certains auteurs « surdité psychologique », peut être attribuée à des problèmes émotifs. Par exemple, Alpiner (1970) indique qu'une des causes des pertes auditives durant la Seconde Guerre mondiale était liée à des problèmes d'ordre psychologique.

La surdité centrale est rattachée à des problèmes du système nerveux central. Ces problèmes sont physiologiques. De multiples causes ont été déterminées dans ce type de surdité, qui, selon McConnel (1973), est très complexe, que ce soit du point de vue du diagnostic ou de celui de l'intervention. Des dommages cérébraux peuvent être causés, par exemple, par une encéphalite, une méningite, un accident cérébrovasculaire, un empoisonnement au monoxyde de carbone, une asphyxie prolongée, une tumeur cérébrale, etc. (McConnel, 1973).

Parmi les facteurs de risque de la déficience auditive, on note des facteurs héréditaires, des facteurs prénatals (cytomégalovirus, herpès, rubéole, syphilis chez la mère) et des facteurs postnatals. Après la naissance, divers syndromes comme la neurofibromatose ou le syndrome de Usher, des désordres neurodégénératifs (comme le syndrome de Hunter), des neuropathies sensorimotrices telles que l'ataxie de Friedreich, des traumatismes à la tête et des méningites représentent aussi des facteurs. Des otites à répétition avec écoulement et perdurant doivent aussi être prises en considération (Culpepper, 2003). Certaines déficiences entraînent aussi un risque plus élevé d'avoir une déficience auditive. Ainsi, les enfants ayant une trisomie 21 (syndrome de Down) ont une probabilité plus grande d'avoir des pertes auditives, pertes pouvant survenir à la naissance, mais pouvant aussi apparaître ultérieurement. Les parents et les éducateurs doivent donc être sensibles à cette possibilité et s'assurer d'examens de dépistage sur une base régulière. De plus, l'incidence de problèmes visuels chez les enfants qui ont une déficience auditive est plus élevée que dans la population en général (Rushmer, 2003).

12.2.4 Le nombre d'élèves

Le ministère de l'Éducation, du Loisir et du Sport du Québec (2006a) identifie dans la catégorie de la déficience auditive, pour tous les ordres d'enseignement, un total de 1 886 élèves. Ces élèves sont scolarisés selon différentes modalités. Le tableau 12.3 présente leur répartition.

Tableau 12.3

Répartition des élèves ayant une déficience auditive

Modalité de scolarisation	Nombre d'élèves (1 886)
Classe ordinaire avec soutien à l'enseignant et à l'élève	966
Classe ordinaire avec participation à une classe-ressource	84
Classe spéciale où se trouvent des élèves ayant une difficulté	224
Classe spéciale où se trouvent des élèves ayant plusieurs catégories de difficultés	311
École spéciale	278
Scolarisation en centre d'accueil	23
Scolarisation en centre hospitalier	0
Scolarisation à domicile	0

Source : Ministère de l'Éducation, du Loisir et du Sport du Québec (2006a).

12.2.5 Les caractéristiques et les besoins des élèves ayant une déficience auditive

Les pertes auditives peuvent avoir chez les élèves des conséquences sur la communication, sur leur rendement scolaire de même que sur leur adaptation sociale et émotive.

Il faut aussi considérer l'âge auquel est survenue la surdité. Plus l'élève est âgé, plus grande est la probabilité qu'il ait acquis une bonne partie du langage. Cependant, une surdité à la naissance peut se traduire par de graves difficultés dans la communication et dans le langage (Harrison, 1985). Le dépistage et la stimulation sont deux autres facteurs à considérer. Plus le dépistage est précoce, meilleure est la probabilité d'utiliser une stimulation facilitant le développement des capacités de l'élève.

A. La communication

Il y a plusieurs années, lorsqu'un élève présentait une surdité profonde, il était fréquemment considéré comme muet... et bien souvent traité comme tel. Aujourd'hui, des préjugés de cette nature ont de moins en moins cours, car habituellement, chez les élèves présentant une déficience auditive, les conditions organiques ne touchent pas les organes de la parole. Néanmoins, les élèves qui ont une surdité importante ne développent pas leur langage de la même façon ni au même rythme que les élèves qui jouissent d'une audition normale. Le langage et par conséquent la communication sont les premiers éléments touchés par une surdité, l'audition facilitant leur organisation.

Dans le développement du langage, il existe deux opérations distinctes: la réception (entrée) et l'expression (sortie). L'audition ouvre la porte à tout un monde de stimulations: l'écoute des mots, l'audition de phrases structurées en fonction des règles de grammaire, les intonations diverses de la voix, etc. L'enfant apprend d'abord à écouter, puis à parler, à lire et à écrire. Le langage oral est complexe, car il a une forme, un contenu et des règles d'usage.

B. Le rendement scolaire

De nombreuses études révèlent que les élèves qui ont des pertes auditives présentent un rendement scolaire moins élevé, un retard qui débuterait dès le primaire (Rushmer, 2003). Beaussant (2003) observe, en France, un retard surtout marqué dans les activités à prédominance linguistique (par exemple, la lecture, l'écriture). Pour plusieurs élèves ayant une déficience auditive, le retard scolaire se manifeste d'abord par des problèmes d'apprentissage de la lecture. Ces problèmes en lecture sont influencés, bien sûr, par le degré de perte auditive, mais aussi par d'autres facteurs. Rapportant les travaux de Trybus et Krachmer, Kirk et Gallagher (1983) indiquent que les variables suivantes agissent sur le rendement en lecture d'élèves ayant des problèmes auditifs: le sexe (les filles obtenant un rendement légèrement supérieur à celui des garçons), le groupe ethnique, le degré de perte auditive (plus le degré de perte est élevé, moindres sont les résultats), la présence d'autres déficiences et finalement la surdité chez les parents.

Le rendement serait meilleur pour les opérations mathématiques, bien qu'il y ait des difficultés particulières dans la résolution des problèmes où le langage est une base importante (Winzer, 1996). Kirk et autres (1993) rapportent que le rendement scolaire des élèves ayant une déficience auditive s'est amélioré avec les années. Ces gains seraient attribuables, du moins en partie, à des méthodes plus fonctionnelles d'apprentissage, aux progrès de la technologie et à une scolarisation dans le cadre le plus normal possible.

Divers moyens peuvent faciliter les apprentissages de l'élève ayant une déficience auditive. Parmi ceux-ci, l'appareillage s'avère très important. L'élève déficient auditif peut maximiser l'utilisation de son résidu auditif grâce au port d'une prothèse. La prothèse auditive est constituée d'un micro, d'un amplificateur, d'un écouteur, d'un embout auriculaire et d'une pile. Il existe différents types de prothèses auditives. Plusieurs élèves portent des prothèses adaptées au contour de l'oreille. En classe, il est important de s'assurer que l'élève porte sa prothèse et qu'elle est en état de fonctionnement. Toutefois, il faut souligner que cette prothèse ne redonne pas une audition normale.

Certains élèves peuvent aussi bénéficier de l'aide d'implants cochléaires (voir la figure 12.5). Ces appareils sont surtout utilisés auprès d'élèves qui sont profondément sourds (Gatty, 2003). L'implant cochléaire est un dispositif dont une partie (les électrodes) est implantée chirurgicalement dans la cochlée. Le dispositif extérieur est constitué d'un microphone et d'un processeur (qui contient un programme informatique) auquel il est relié. Ce processeur analyse les sons avant de les transmettre à l'électrode. L'implant peut être posé chez de très jeunes enfants de 12 mois et plus (Teagle et Moore, 2002). Des enfants plus vieux bénéficient aussi de cet appareil. Cependant, les

Figure 12.5

Implant cochléaire

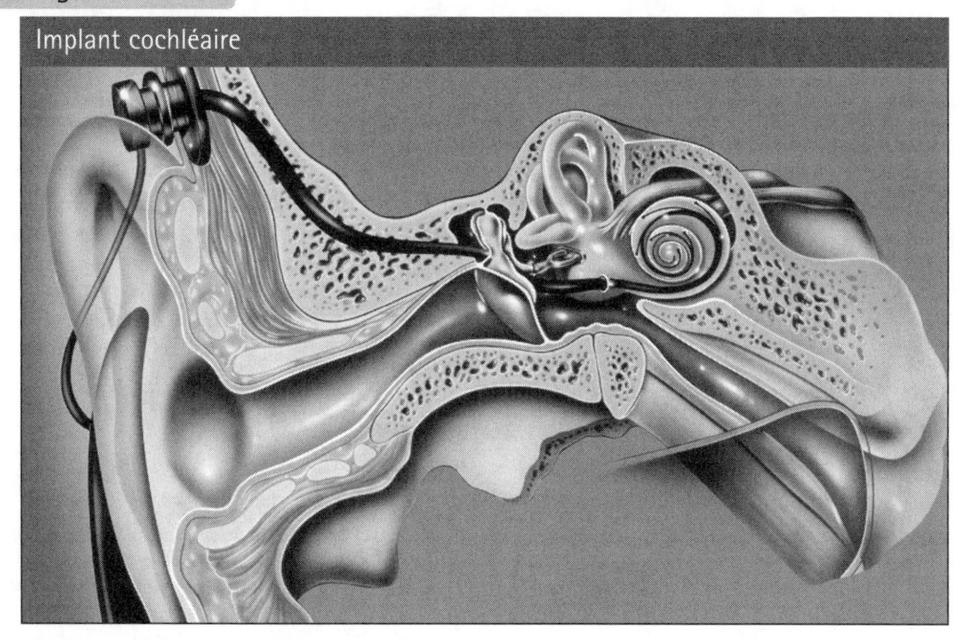

Source : John Bavosi/SPL/Publiphoto.

élèves qui ont des implants cochléaires, tout comme les autres élèves disposant d'un appareil en raison d'une déficience auditive, devront être sujets à des attentions particulières en classe. Le niveau de bruit de la classe de même que la distance entre l'élève et l'enseignant ou les pairs représentent des défis particuliers pour cet élève. L'enseignant devra être attentif à la place occupée par l'élève en classe (qui doit souvent être en avant) et à la qualité de l'information donnée (Teagle et Moore, 2002). Des spécialistes tels que les orthophonistes pourront apporter aux enseignants de précieux renseignements.

C. L'adaptation sociale et émotive

L'adaptation sociale et émotive est influencée par divers facteurs comme l'environnement et les attitudes des pairs. En effet, la parole facilite les contacts avec les autres. Tout d'abord, l'enfant en bas âge ayant une surdité profonde n'entend pas la voix de sa mère ; il est de toute évidence plus difficile pour lui d'entrer en contact avec ses pairs. Dès la garderie et le préscolaire, le langage permet à l'enfant de participer à une foule d'activités ; songeons simplement aux jeux symboliques (jeux du faire semblant) dans lesquels s'engagent les enfants. Être privé de cette forme de communication pose des défis particuliers à l'enfant.

En ce qui concerne l'adaptation sociale, il faut considérer si l'élève est né de parents entendants ou de parents ayant eux-mêmes une surdité. Des professionnels qui sont eux-mêmes sourds adoptent actuellement une perspective culturelle selon laquelle il existerait une communauté et une culture sourdes qui auraient leur langage, leurs valeurs et leur identité. Citant Crittenden (1997), Hunt et Marshall (2006) indiquent que cette communauté aspire à posséder son langage des signes et à créer des liens entre les personnes qui ont une surdité.

12.2.6 Les modes de communication

Dans la communication avec autrui, nous pouvons être auditeurs ou bien locuteurs. Lorsque nous sommes auditeurs, nous employons divers « outils d'entrée ». Nous utilisons bien sûr notre audition, mais nous pouvons également nous servir de notre vision pour saisir certains messages associés aux expressions ou aux gestes non verbaux de notre interlocuteur. Lorsque nous sommes locuteurs, nous pouvons employer divers « outils de sortie ». Nous utilisons bien sûr la parole, mais nous pouvons ajouter à celle-ci des gestes ou des expressions.

Les élèves qui ont une déficience auditive utilisent principalement deux modes de communication : l'oralisme et la communication totale. Ces modes de communication diffèrent quant aux outils d'entrée et de sortie qui sont privilégiés. Ainsi, l'oralisme adopte comme outil de sortie d'abord l'utilisation de la parole, puis celle des mains au besoin. L'oralisme vise à ce que la parole et le langage se rapprochent le plus possible de ceux de l'élève entendant. Dans l'oralisme, les mains ne servent qu'à accompagner la parole, au besoin, par des gestes naturels. L'élève se sert le plus possible de l'oreille comme outil d'entrée et de la parole comme outil de sortie.

La communication totale privilégie d'abord, comme outil de sortie, l'emploi des mains, tout en incitant l'enfant à utiliser la parole (Gauthier et Le François, 1980). Elle favorise l'usage de gestes structurés ou codifiés. Les mains sont alors employées pour produire des signes, des gestes naturels et l'épellation digitale. Dans ce langage codifié en gestes – ou français signé –, chaque élément de la phrase (nom, verbe, préposition, article) est représenté par un geste. La structure de cette phrase (sujet, verbe, complément) se trouve respectée par l'ordre des gestes. L'élève peut aussi faire appel à l'épellation digitale, où chaque lettre de l'alphabet correspond alors à des formes et à des mouvements de la main (voir la figure 12.6). De plus, l'élève essaie d'abord de saisir avec les yeux ce qu'on lui dit. Il combine les signes avec la parole. Par conséquent, la communication totale privilégie les mains (outil de sortie) et les yeux (outil d'entrée) comme outils premiers de communication.

Figure 12.6

Quelques lettres de l'alphabet digital

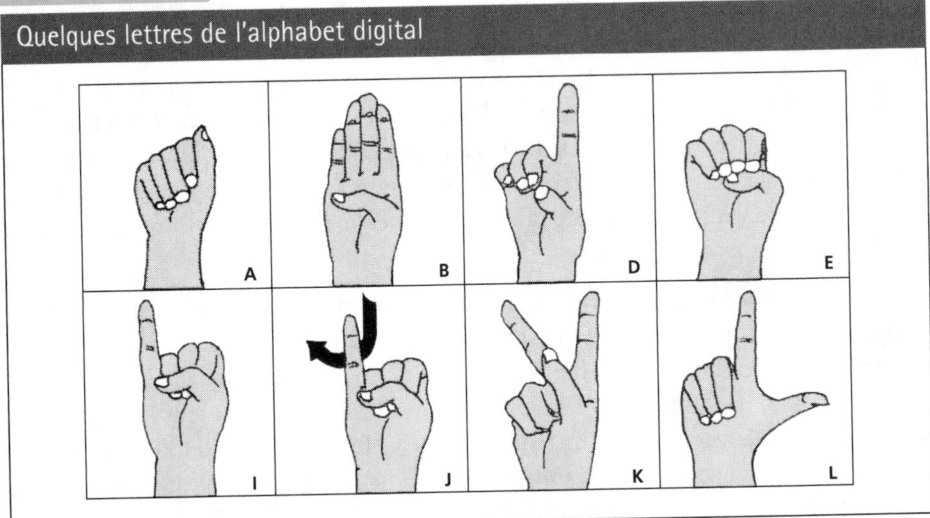

12.2.7 En classe

A. L'information utile

L'élève ayant une déficience auditive a les mêmes besoins que tout autre élève. Comme pour les autres élèves en difficulté, il est important, en début d'année, d'obtenir une information de base. Quel est le degré de surdité de l'élève ? Quelles sont les répercussions de cette surdité sur sa compréhension du langage parlé, à deux ou en groupe ? Quelle est la structure des phrases utilisées ? L'élève éprouve-t-il des difficultés particulières dans les matières scolaires ? Quelle est sa capacité d'attention visuelle ? De quels services a-t-il besoin (des services d'un enseignant itinérant ou d'un orthophoniste, par exemple) ? À quel rythme doit-on recourir à ces services ? Existe-t-il un plan de services ou un plan d'intervention personnalisé ? Quel type de prothèse utilise l'élève ? Doit-on la vérifier périodiquement ? Dans l'affirmative, qui doit s'en charger et comment procède-t-on ? Tous ces renseignements sont susceptibles d'aider à la planification des interventions.

B. Les conseils généraux

L'élève ayant une déficience auditive est soumis aux mêmes règles que tous les autres élèves. Cependant, il ne faut pas oublier l'importance qu'a pour lui l'information visuelle. Il faudra donc en tenir compte au moment du choix de sa place en classe. Par exemple, l'élève pourra être assis en avant de manière qu'il puisse bien voir le visage et les lèvres de l'enseignant. En outre, ce dernier doit s'exprimer clairement, naturellement, sans crier ni exagérer la prononciation, vérifier de temps à autre si l'élève a bien compris. Il faut éviter de gesticuler ou encore de tourner le dos à l'élève quand on lui parle. De plus, on ne doit pas placer l'élève près d'un endroit bruyant, par exemple près de la porte de la classe, où les bruits du corridor lui nuiraient. Il convient de le soustraire aux contre-jours ou aux éblouissements qui entravent la vue et, par conséquent, la lecture labiale. Les instructions et les consignes peuvent être écrites et non données uniquement sous forme verbale. Il peut aussi s'avérer nécessaire d'indiquer aux autres élèves comment communiquer avec l'élève ayant une déficience auditive ou encore de leur expliquer le fonctionnement de la prothèse (Kochersperger, Sielaff et Van Leer, 1981).

Lorsque l'élève ayant une déficience auditive bénéficie des services d'un enseignant itinérant, celui-ci est généralement en mesure de fournir l'information nécessaire à l'enseignant et d'organiser, s'il y a lieu, une rencontre de sensibilisation avec les autres

Quelques conseils pour la personne entendante qui communique avec une personne ayant une déficience auditive

- Attirer doucement l'attention de la personne avant de lui parler.
- S'approcher de la personne et lui faire face.
- Parler normalement, garder une prononciation normale et non exagérée.
- Ne pas crier, car plusieurs porteurs de prothèses ont des problèmes d'intolérance aux bruits forts.
- Éviter de cacher vos lèvres avec une cigarette, un crayon ou vos doigts, ne pas mâcher.
- Réduire au maximum le bruit ambiant. Au besoin, trouver un endroit plus calme.
- Si la personne n'a pas compris, dire la même chose en d'autres mots.

Source : Rochette et Tardif (1994, p. 48). Reproduit avec permission.

élèves. Plusieurs intervenants peuvent contribuer à apporter une meilleure réponse aux besoins des élèves qui ont une déficience auditive et par conséquent les aider au cours de leur processus de scolarisation.

Rôle de l'enseignant itinérant spécialisé en déficience auditive

- « Il soutient l'élève dans ses apprentissages scolaires ;
- il conseille le titulaire sur les meilleures stratégies d'enseignement propres à faciliter l'apprentissage de l'élève ;
- il participe à l'élaboration du plan d'intervention adapté (P.I.A.) ;
- il élabore un plan d'intervention spécifique (P.I.S.) ;
- il participe au classement scolaire ;
- il favorise le développement d'habiletés sociales de l'élève vivant avec une surdité ;
- il informe et sensibilise le personnel de l'école recevante sur la déficience auditive ;
- il informe et sensibilise les pairs de l'élève sur la déficience auditive ;
- il incite l'élève au port des aides auditives ;
- il met les parents et les différents intervenants du milieu scolaire en relation avec les organismes tels que l'AQEPA [Association du Québec pour enfants avec problèmes auditifs] et l'IRD [Institut Raymond-Dewar] ;
- il voit à faire respecter les mesures de soutien accordées à l'élève par le ministère de l'Éducation, du Loisir et du Sport du Québec. »

Source : École Saint-Enfant-Jésus, Commission scolaire de Montréal (dépliant ; aussi en ligne).

12.3 Les élèves ayant une déficience langagière

En milieu scolaire, certains élèves ont de la difficulté à formuler leur pensée et à s'exprimer. D'autres ont du mal non seulement à s'exprimer, mais aussi à comprendre le message de leur interlocuteur. D'autres encore recourent avec peine au langage non verbal, que ce soit en raison de lacunes dans l'utilisation des gestes qui accompagnent une conversation, de l'emploi non approprié du regard ou encore du manque d'attention. Tous ces élèves ne sont pas nécessairement identifiés comme étant handicapés ou en difficulté. En effet, les problèmes concernant la communication se présentent sur un continuum très large.

Dans les chapitres précédents, nous avons vu aussi que de nombreuses déficiences sont associées à des problèmes de langage et de communication. Ainsi, les élèves autistes présentent des caractéristiques particulières, comme des retards dans l'acquisition du langage ou la non-acquisition du langage verbal, ou encore des problèmes face aux conventions sociales régissant les conversations. Les élèves qui ont un syndrome d'Asperger ont aussi un langage particulier. Chez les élèves qui présentent une déficience intellectuelle, le retard mental s'accompagne généralement de déficits sur le plan du langage. L'association des déficits langagiers et d'autres déficiences est bien connue dans la littérature. De plus, les déficits sur le plan du langage sont reconnus comme un facteur de risque des difficultés d'apprentissage scolaires.

Des élèves ont parfois du mal à s'exprimer parce que le français n'est pas leur langue maternelle ; c'est une langue qu'ils ont apprise récemment. Nous n'aborderons pas ici ces situations ; nous nous centrerons plutôt sur les difficultés graves de communication ou de langage telles que définies par le MELS ou le DSM-IV-TR.

Le ministère de l'Éducation, du Loisir et du Sport du Québec regroupe les élèves qui ont des difficultés majeures sur le plan de la communication et du langage sous le terme « élèves handicapés par une déficience langagière », tandis que le DSM-IV-TR utilise l'expression plus large de « trouble de la communication ».

Avant de voir les définitions données par le DSM-IV-TR et le MELS sur ces difficultés, nous prendrons connaissance de quelques concepts de base.

12.3.1 Les concepts de base

La communication est un processus à l'aide duquel les personnes échangent des renseignements, des idées et même des sentiments (Bernstein et Tiegerman-Farber, 2002). Elle est à la fois réceptive (réception d'un message) et expressive (émission d'un message). La communication peut être verbale ou non verbale, être effectuée à l'aide de la parole, d'un langage signé ou encore d'un système de communication. Lorsqu'elle est verbale, elle est enrichie par l'utilisation des gestes, du regard et des caractéristiques de la parole et de la voix. Ainsi, le ton de la voix apporte quelque chose de plus au message. Un message émis sur un ton autoritaire prend une signification différente.

La parole implique une action physique où des muscles, les cordes vocales et la respiration entrent en jeu (voir la figure 12.7). La parole est également une production complexe. Le tableau 12.4, à la page suivante, présente les définitions de la communication, du langage et de la parole.

Figure 12.7

Organes phonatoires

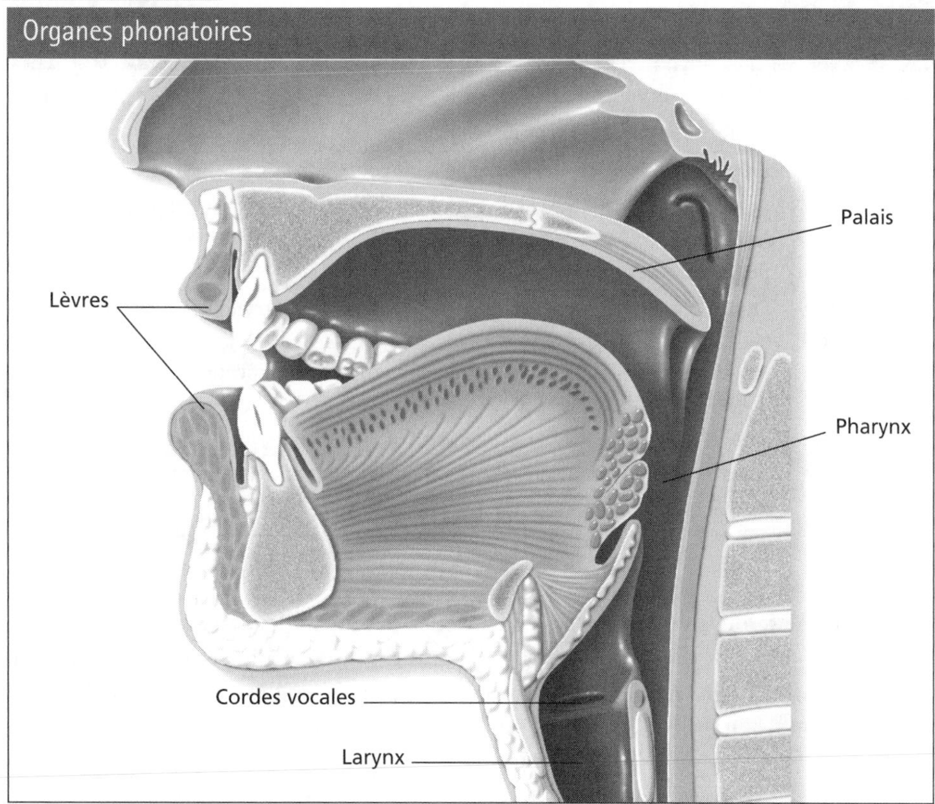

Source : Jacopin/BSIP/Alpha Presse.

Tableau 12.4

Définitions de la communication, du langage et de la parole	
Communication	Échanges d'idées, de renseignements, de sentiments Peut être réceptive ou expressive
Langage	Système avec lequel on communique Fonction d'expression de la pensée et de la communication Peut être verbal ou non verbal
Parole	Action physique visant à produire des mots Implique des actions musculaires et respiratoires Émise par les organes de la phonation

Le langage est constitué de sons et de mots. Les mots se combinent entre eux pour donner des phrases plus ou moins longues où les verbes sont utilisés à divers temps. À ces éléments s'ajoutent le langage non verbal et les intonations de la voix. Le langage a une forme (la phonologie, la syntaxe, la morphologie), un contenu (la sémantique) et des règles d'usage (la pragmatique) (Hunt et Marshall, 2006). Le tableau 12.5 présente quelques termes utiles relativement au langage.

Tableau 12.5

Quelques termes sur le langage

Terme	Définition ou précisions
Phonologie	Étude du système des sons du langage
Phonème	Élément sonore du langage articulé. Plus petite unité de son
Syntaxe	Étude des règles qui président à l'ordre des mots et à la construction des phrases dans une langue Règles permettant de former des phrases
Morphologie	Étude de la formation des mots et des variations de forme qu'ils subissent dans la phrase Modification des mots pour changer en partie leur signification (par exemple, singulier et pluriel, indicateurs des temps)
Sémantique	Étude du langage du point de vue du sens
Pragmatique	Utilisation du langage dans des situations sociales pour atteindre un but Rapport entre la langue et son usage par les locuteurs

Le langage se développe graduellement chez l'enfant, qui émet d'abord des sons (babillage), puis des mots, ensuite des phrases de plus en plus complexes avec un vocabulaire qui, lui aussi, s'enrichit petit à petit. Vers l'âge de un an, l'enfant prononce ses premiers mots. À l'âge de trois ans, il s'exprime habituellement assez bien au moyen de courtes phrases. Le langage implique non seulement la communication verbale, mais aussi la communication écrite. Au préscolaire, il s'agira aussi de l'éveil à la littératie. Le tableau 12.6 traite du développement normal du langage.

Tableau 12.6

Modèle cognitif de l'apprentissage de la communication orale dans une langue première

Âge (en mois)	Lexique	Syntaxe	Fonctions du discours
9-10	Utilisation de formes phonétiques – séquences sonores – conventionnelles		
18	Répertoire de plus ou moins 50 mots	Holophrases Phrases de deux mots	
Apprentissages critiques en lien avec le développement lexical 1) Réorganisation du codage des mots en recourant à des éléments phonologiques et morphologiques. 2) Établissement de relations entre la forme sonore et le référent.			
24	Répertoire de plus ou moins 500 mots		Maniement des fonctions instrumentale, régulatrice, interpersonnelle
36	Répertoire de plus ou moins 1 500 mots	Phrases complètes (sujet, verbe, complément)	
Apprentissage critique en lien avec le développement syntaxique À partir de catégories et de règles sémantiques, construction de catégories et de règles purement grammaticales qui permettent d'ordonner les mots dans les phrases.			
			Formes argumentatives primaires
			Maniement des fonctions imaginative et informative
48			Schéma narratif : juxtaposition d'énoncés
48			Schéma argumentatif : justification intégrant des éléments factuels
60			Schéma argumentatif : énonciation de jugements personnels
72			Schéma narratif : représentation globale du récit et insertion de marqueurs de cohérence
96			Schéma argumentatif : coopérativité argumentative
120			Schéma narratif : continuité thématique et production d'inférences
156			Schéma argumentatif : adaptation à l'interlocuteur

Source : Tardif (2006, p. 68).

12.3.2 Les troubles de la communication et du langage

A. Les définitions

La définition du DSM-IV-TR

Les troubles de la communication sont diversifiés. Le DSM-IV-TR (APA, 2003) signale les troubles du langage de type expressif, les troubles du langage de type mixte réceptif et expressif, le trouble phonologique, le bégaiement et le trouble de la communication non spécifié. Ces troubles, selon le DSM-IV-TR, interfèrent avec la réussite scolaire, professionnelle ou avec la communication sociale de la personne. Le tableau 12.7 résume cette classification du DSM-IV-TR.

Tableau 12.7

Classification des troubles de la communication à partir du DSM-IV-TR

Trouble	Description	Prévalence
Trouble du langage de type expressif	Capacité d'expression nettement en dessous des normes sur des mesures standardisées : problèmes sur le plan du vocabulaire, erreurs de temps, difficultés dans l'évocation des mots ou difficultés dans la construction des phrases	De 10 % à 15 % des enfants de moins de 3 ans De 3 % à 7 % des enfants d'âge scolaire
Trouble du langage de type mixte réceptif et expressif	Capacité d'expression et de réception nettement en dessous des normes sur des mesures standardisées Difficultés de la catégorie précédente auxquelles s'ajoutent des difficultés de compréhension des mots, des phrases et des concepts	5 % des enfants d'âge préscolaire 3 % des enfants d'âge scolaire
Trouble phonologique (appelé aussi « trouble de l'acquisition de l'articulation »)	Erreurs dans la production, l'utilisation, la représentation ou l'organisation des phonèmes	2 % des enfants de 6 et 7 ans 0,5 % des jeunes vers l'âge de 17 ans
Bégaiement	Perturbation du débit et du rythme de la parole	1 % des enfants avant la puberté 0,8 % des jeunes après la puberté Trois garçons pour une fille
Trouble de la communication non spécifié	Qui n'entre pas dans les catégories précédentes (par exemple, trouble de la voix – timbre, intensité, etc.)	Non disponible

Source : Adapté de l'American Psychiatric Association (2003).

La définition du ministère de l'Éducation, du Loisir et du Sport du Québec

Le MELS a aussi établi des critères pour identifier les élèves qui ont des difficultés langagières. Il s'agit de difficultés suffisamment marquées pour nécessiter une attention sérieuse de la part des intervenants. En effet, de nombreux élèves ont des difficultés légères à prononcer, à comprendre certains mots ou structures de phrases, et tous ne seront pas identifiés, par le milieu scolaire, comme faisant partie de cette catégorie. Le MELS (2006b) indique que les élèves ayant une déficience langagière sont ceux pour qui une évaluation effectuée par un orthophoniste faisant partie d'une équipe multidisciplinaire révèle :

> [...] une atteinte très marquée (c'est-à-dire sévère) : de l'évolution du langage, de l'expression verbale, des fonctions cognitivo-verbales. Cette évaluation indique aussi une atteinte modérée à sévère de la compréhension et conclut à une dysphasie sévère, à un trouble primaire sévère du langage, à un trouble mixte sévère du langage ou à une dyspraxie verbale sévère (p. 17).

Pour le MELS, on observe généralement, sur le plan scolaire, un vocabulaire limité, des difficultés dans la compréhension des phrases orales ou écrites, des difficultés dans l'acquisition de nouveaux concepts et des difficultés en lecture. Ces problèmes peuvent susciter des difficultés lorsque l'élève n'est pas compris des autres ou n'arrive pas à comprendre et lorsque divers renseignements verbaux sont requis dans différentes situations.

La dysphasie

Dans le milieu scolaire, le terme « dysphasie » est utilisé fréquemment. Le MELS emploie aussi ce terme dans sa définition des élèves ayant une déficience langagière. C'est pourquoi nous le définirons ici. Le terme « dysphasie » vient du préfixe grec *dys* (difficulté) et de « phasie » (parole). On trouve plusieurs définitions de ce terme dans la littérature. L'Ordre des orthophonistes et audiologistes du Québec (1998) définit ainsi la dysphasie :

> La dysphasie sévère, parfois aussi appelée aphasie congénitale ou audimutité, consiste en une dysfonction cérébrale localisée dans la zone du langage. Il s'agit d'un « trouble sévère du développement », le dysphasique est une personne « handicapée ». La dysphasie entraîne des troubles importants de perception auditive, des troubles sévères d'expression et de compréhension, des troubles majeurs d'abstraction et de généralisation de même que de graves déficits au niveau de la perception temporelle. Différents profils d'enfants dysphasiques sont notés en fonction des atteintes. Compte tenu du profil de chacun des enfants, du degré de sévérité du handicap (la dysphasie), des forces et faiblesses propres à chacun, des capacités intellectuelles, de la stimulation reçue, l'évolution sera très différente d'un individu à l'autre.

Pour l'Association québécoise pour les enfants atteints d'audimutité (AQEA, 2006), la dysphasie se distingue du simple retard de langage par les caractéristiques suivantes :

- difficulté à mémoriser des sons et des mots ; ou manque de mots ; structure syntaxique instable ; grammaire incohérente ;
- langage confus à cause de l'utilisation de moyens de compensation (par exemple : gestes, onomatopées, etc.) ;
- compréhension diminuée par rapport à son âge chronologique ;
- difficulté d'évocation verbale et de dénomination ;
- confusion sémantique, paraphasies, liées au trouble d'évocation ;
- structures syntaxiques primitives longtemps (style télégraphique) ;
- omission fréquente des parties du discours autres que substantif et verbe ;
- utilisation de mots valises peu précis (jargon) ;
- écart entre le verbal et le non-verbal important ;
- atteinte de la mémoire de travail à court terme ;
- compréhension de mots (c'est-à-dire : paraphasie) ;
- atteinte de l'organisation spatio-temporelle ;
- trouble du schéma corporel ;
- problèmes émotifs secondaires aux problèmes de langage (inhibé ou agressif).

B. Les facteurs de risque

Bernstein et Tiegerman-Farber (2002) relèvent les facteurs de risque suivants en ce qui concerne les déficits sur le plan du langage : les facteurs biologiques et les facteurs environnementaux. Ainsi, des atteintes de type neurologique, des facteurs prénatals peuvent créer des désordres sur le plan de la communication. Les facteurs environnementaux comprennent entre autres le statut socioéconomique, les occasions de stimulation du langage ainsi que les ressources de l'environnement qui, lorsqu'elles sont déficitaires, entravent le développement du langage.

12.3.3 Le nombre d'élèves

Le tableau 12.8 présente le nombre d'élèves qui ont une déficience langagière en fonction de leur répartition selon les différents modes de scolarisation pour tous les ordres d'enseignement.

Tableau 12.8

Répartition des élèves ayant une déficience langagière

Modalité de scolarisation	Nombre d'élèves (5 649)
Classe ordinaire avec soutien à l'enseignant et à l'élève	1 718
Classe ordinaire avec participation à une classe-ressource	297
Classe spéciale où se trouvent des élèves ayant une difficulté	1 383
Classe spéciale où se trouvent des élèves ayant plusieurs catégories de difficultés	1 941
École spéciale	285
Scolarisation en centre d'accueil	25
Scolarisation en centre hospitalier	0
Scolarisation à domicile	0

Source : Ministère de l'Éducation, du Loisir et du Sport (2006a).

12.3.4 L'intervention

De nombreux auteurs préconisent une intervention précoce pour prévenir les difficultés de langage et proposent des interventions dès l'âge préscolaire auprès des populations à risque. Nous avons vu d'ailleurs dans le chapitre 4 portant sur l'évaluation des difficultés d'apprentissage que la conscience phonologique était associée de près à l'acquisition de la lecture.

L'Association québécoise pour les enfants atteints d'audimutité (2006) recommande, lorsqu'il y a des problèmes sur le plan du langage réceptif, d'adapter la complexité du message verbal au niveau de compréhension de l'élève, de reformuler ce message verbal au besoin, de vérifier la compréhension de l'élève et d'attirer son attention lorsqu'on émet un message. Pour le langage expressif, on suggère de rendre disponibles des aides visuelles et d'encourager la production de gestes. L'organisation de la classe devra aussi tenir compte de la routine, des images ou des pictogrammes nécessaires et de l'établissement de règles claires au point de vue de la communication.

Orthophoniste

« L'orthophoniste est le professionnel habilité par la loi pour évaluer les fonctions et les troubles du langage, de la parole et de la voix des élèves. Ce professionnel détermine un plan de traitement et d'intervention et en assure la mise en œuvre dans le but d'améliorer ou de rétablir la communication.

Ces difficultés peuvent, par exemple, être associées :

- à un trouble d'apprentissage ou de comportement ;
- à une déficience intellectuelle, auditive ou motrice ;
- au bilinguisme ;
- au bégaiement ;
- à un trouble neurologique ;
- à un problème affectif, psychologique ou familial.

L'orthophoniste possède une formation universitaire de niveau maîtrise et doit être membre en règle de l'Ordre des orthophonistes et audiologistes du Québec. Dans son travail au sein de l'école, l'orthophoniste agit auprès de plusieurs personnes et de multiples façons auprès des élèves.

Auprès des élèves, il :

- prévient et identifie les problèmes de communication orale ou écrite ;
- évalue la nature, l'étendue et la gravité des troubles de parole et de langage dans le but de formuler une conclusion orthophonique ;
- détermine un plan de traitement et d'intervention orthophonique ;
- établit les objectifs spécifiques à rendre prioritaires dans les thérapies ;
- développe les habiletés de communication de l'élève, améliore ou corrige les aspects atteints de sa parole ou de son langage dans le cadre de rencontres individuelles, en petits groupes ou en classe.

Auprès des parents, il :

- informe les parents sur le développement du langage chez l'enfant ;
- enseigne des stratégies et des attitudes propices à une communication efficace ;
- fait participer activement les parents dans le processus de rééducation dans le cadre des thérapies et par le travail réalisé à domicile ;
- soutient les parents dans l'acceptation des limites de leur enfant.

Auprès des enseignants et autres intervenants, il :

- discute des forces et des faiblesses du langage de l'élève et établit le lien avec ses difficultés scolaires ;
- propose des habiletés et des attitudes favorables à une communication saine et efficace ;
- collabore à l'évaluation de la communication orale en classe.

Des buts à atteindre

- Rendre l'élève le plus fonctionnel possible et lui permettre de faire les apprentissages scolaires.
- Réduire ou éliminer les difficultés sur le plan du langage et de la parole afin que l'élève comprenne et produise adéquatement le langage oral et écrit.
- Développer le langage et les habiletés de communication des élèves du préscolaire, du primaire et du secondaire. »

Source : Ordre des orthophonistes et audiologistes du Québec (OOAQ, 2004).

Hunt et Marshall (2006) font les suggestions suivantes aux enseignants en ce qui concerne les élèves qui ont des problèmes de langage :

- Créer des occasions où les élèves peuvent parler.
- Mettre en place des aides visuelles pour supporter les acquisitions en langage : affiches, moyens audiovisuels, organisateurs graphiques.
- Traiter avec soin le nouveau vocabulaire présenté en classe, en l'affichant, par exemple.

- Dialoguer avec les élèves.
- Dans les lectures, présenter à l'avance le nouveau vocabulaire.

Pour ces élèves comme pour les autres élèves handicapés, il sera nécessaire d'élaborer un plan d'intervention individualisé qui prenne en considération les besoins prioritaires de ces élèves. L'orthophoniste sera alors un intervenant important dans la planification des interventions pour les élèves qui ont des difficultés de langage.

En ce qui concerne les élèves qui ont des problèmes liés à la parole (le bégaiement, par exemple), Slavin (2006) recommande que l'enseignant favorise leur intégration sociale, car ces élèves sont souvent victimes des moqueries de leurs pairs. Il suggère aussi de ne pas créer de pression à travers des temps limites exigés lorsqu'une tâche demande l'usage de la parole. Cet auteur propose enfin de ne pas demander à l'élève de répéter.

12.4 Les élèves ayant une déficience physique

Les élèves ayant une déficience physique présentent une gamme très étendue de conditions physiques différentes: une infirmité motrice cérébrale, une épilepsie non contrôlée, la paralysie des membres inférieurs, etc. De même, pour chacune de ces conditions, il existe divers degrés d'atteinte. Notons également que certains élèves peuvent être atteints d'affections relativement rares.

En classe, les besoins des élèves ayant une déficience physique varient, et l'enseignant doit prendre en considération la situation personnelle de chacun. Compte tenu des différences importantes d'un élève à l'autre, nous exposerons ici les définitions générales telles qu'elles apparaissent dans les instructions du ministère de l'Éducation, du Loisir et du Sport du Québec. Elles seront suivies de quelques exemples de déficience physique, puis des principes concernant l'intervention en classe.

12.4.1 Les définitions

Le Ministère a formulé des définitions décrivant les caractéristiques générales des élèves considérés comme handicapés par une déficience physique. Dans cette catégorie, celui-ci distingue les élèves ayant une déficience motrice (légère ou grave) et les élèves ayant une déficience organique.

Les élèves qui ont une déficience motrice sont évalués par un médecin généraliste ou par un médecin spécialiste. La définition du MELS (2006b) indique que l'évaluation de l'élève ayant une déficience motrice doit révéler la « présence d'un ou de plusieurs dommages d'origine nerveuse, musculaire ou ostéo-articulaire affectant ses mouvements » (p. 15). Le MELS précise, dans sa définition, que les principales déficiences motrices sont d'origine nerveuse (par exemple, l'ataxie de Friedreich, les paralysies diverses, la déficience motrice cérébrale ou le traumatisme crânien), d'origine musculaire (par exemple, la dystrophie) ou d'origine ostéo-articulaire (par exemple, l'arthrite rhumatoïde juvénile). Ces déficiences peuvent être légères ou graves. Elles limitent l'accomplissement des activités normales, dont les tâches de préhension, les activités de la vie quotidienne ou les déplacements. Elles peuvent aussi, selon le cas, nuire à la communication et créer des difficultés dans l'apprentissage de l'écriture, du dessin, etc. Pour certains élèves, la parole et le langage sont touchés, ce qui requiert l'utilisation d'un autre moyen de communication (par exemple, le Bliss).

Quant à l'élève ayant une déficience organique, à la suite d'un diagnostic posé par un médecin, il est défini par le MELS (2006b) comme celui :

- dont l'évaluation révèle une ou plusieurs atteintes aux systèmes vitaux (respiration, circulation sanguine, système génito-urinaire, etc.) qui entraînent des troubles organiques permanents ayant des effets nuisibles sur son rendement. [...]
- qui présente l'une ou l'autre des caractéristiques suivantes :
  - un besoin de soins intégrés à son horaire scolaire,
  - des difficultés d'apprentissage à cause de traitements médicaux,
  - l'accessibilité à certains lieux limitée par la nature de la maladie,
  - des retards scolaires ;
- qui, malgré une surveillance médicale, ne fonctionne pas normalement (p. 16).

Parmi les maladies à l'origine d'une déficience organique, le MELS (2006b) identifie « la fibrose kystique, la leucémie, l'hémophilie, l'insuffisance rénale, l'asthme, le diabète insulino-dépendant, les maladies pulmonaires importantes, les maladies inflammatoires intestinales graves et prolongées » (p. 16).

Le tableau 12.9 présente les types de déficiences physiques.

Tableau 12.9

Types de déficiences physiques
Déficiences motrices
1) causées par des lésions neurologiques • évolutives – Ataxie de Friedreich : affection chronique héréditaire de la moelle épinière caractérisée par une sclérose des cordons postérieurs de la moelle épinière. • non évolutives – Paraplégie : paralysie qui affecte le tronc et les membres inférieurs. – Quadriplégie : paralysie des membres inférieurs et supérieurs, ainsi que du tronc. – Hémiplégie : paralysie complète ou incomplète atteignant la moitié latérale du corps. – Poliomyélite : paralysie provoquée par une lésion de l'axe gris de la moelle épinière (due à un virus). – Paralysie cérébrale : défaut de contrôle des muscles dû à des altérations du cerveau. 2) causées par des déficiences musculo-squelettiques • Malformations congénitales (tel le spina-bifida). • Dystrophies musculaires : groupe de maladies héréditaires chroniques caractérisées par la dégénérescence et l'affaiblissement progressifs des muscles volontaires. • Déficiences osseuses (par exemple, la maladie de Lobstein ou « maladie des os de verre »). Amputations.
Déficiences organiques
Exemples : diabète, hémophilie, troubles cardiaques.

12.4.2 Le nombre d'élèves

Pour le préscolaire, le primaire et le secondaire, il y avait, en 2005-2006, 2 988 élèves qui présentaient une déficience motrice légère ou organique et 1 195 élèves qui présentaient une déficience motrice grave (MELS, 2006a). Le tableau 12.10 établit la répartition des élèves ayant une déficience physique pour tous les ordres d'enseignement.

Tableau 12.10

Répartition des élèves ayant une déficience physique

Modalité de scolarisation	Déficience motrice légère ou organique* (2 988)	Déficience motrice grave (1 195)
Classe ordinaire avec soutien à l'enseignant et à l'élève	1 816	343
Classe ordinaire avec participation à une classe-ressource	212	66
Classe spéciale où se trouvent des élèves ayant une difficulté	60	22
Classe spéciale où se trouvent des élèves ayant plusieurs catégories de difficultés	717	291
École spéciale	145	421
Scolarisation en centre d'accueil	34	35
Scolarisation en centre hospitalier	0	10
Scolarisation à domicile	4	7

* Dans les statistiques du Ministère, les élèves ayant une déficience motrice légère et ceux ayant une déficience organique sont comptabilisés ensemble (code 33).

Source : Ministère de l'Éducation, du Loisir et du Sport (2006a).

12.4.3 Quelques exemples de déficience physique

A. La paralysie cérébrale

La paralysie cérébrale se rencontre chez plusieurs élèves identifiés comme ayant une déficience physique. Les chiffres varient de 1,5 à 2 cas pour 1 000 naissances (Blackbourn, Patton et Trainor, 2004 ; Heward, 2003). Cette affection se présente sur un large continuum où les manifestations sont diversifiées et peuvent être plus ou moins graves. La paralysie cérébrale est non évolutive et causée par des dommages subis au cerveau. Des conditions telles qu'une naissance prématurée avec un petit poids chez le bébé, des malformations congénitales au cerveau, des infections chez la mère en cours de grossesse ou de l'anoxie à la naissance sont associées à la paralysie cérébrale (Dupont Hospital for Children, 2006). Dans plusieurs cas, les causes demeurent inconnues. Après la naissance, des facteurs comme la méningite ou des traumatismes cérébraux peuvent provoquer la paralysie cérébrale.

La paralysie cérébrale est un défaut de contrôle des muscles dû à des altérations du cerveau, lesquelles, comme nous venons de le voir, proviennent de causes prénatales, néonatales ou postnatales. Les troubles peuvent être légers ou au contraire très handicapants. Selon la nature des dommages cérébraux, les mouvements et différentes parties du corps sont touchés. Les mouvements peuvent être spastiques / hypertoniques ou encore hypotoniques. Il peut y avoir des déformations de la colonne vertébrale, des jambes ou des bras (Heward, 2003). Des mouvements incontrôlables peuvent aussi être présents (athétose).

Les types de paralysie cérébrale sont classés selon les parties du corps touchées ou en fonction des mouvements. En ce qui a trait aux parties du corps, les expressions suivantes sont utilisées :

- monoplégie : paralysie d'un seul membre ou d'un seul groupe de muscles ;
- hémiplégie : paralysie complète ou incomplète d'une moitié latérale du corps ;
- triplégie : paralysie de trois membres ;
- quadriplégie (ou tétraplégie) : paralysie des quatre membres du corps ainsi que du tronc ;
- paraplégie : paralysie des jambes et du tronc.

Sur le plan du mouvement, notons la paralysie spastique (caractérisée par des mouvements lents et crispés dus à une trop grande tension musculaire), la paralysie athétoïde (des mouvements mal coordonnés, involontaires et parfois continuels dus à des variations brusques et imprévues de la tension musculaire), l'ataxie (des mouvements maladroits et un équilibre précaire dus à une tension musculaire réduite). Certaines personnes ont des tremblements ou de la rigidité dans leurs mouvements, leurs muscles tendus opposant de la résistance à l'exécution des mouvements. Il existe aussi des formes mixtes de paralysie où se combinent les types mentionnés précédemment.

Si aucun remède ne peut guérir cet état, des soins appropriés peuvent cependant aider à en réduire les effets : des médicaments ou la chirurgie dans certains cas, l'ergothérapie, l'orthophonie, la physiothérapie, le counseling, les équipements spécialisés, etc. (Association de paralysie cérébrale du Québec, s. d.). Les besoins varient en fonction du type de paralysie, de sa gravité et des caractéristiques personnelles des personnes atteintes. Certaines d'entre elles se déplacent avec une facilité relative, alors que d'autres doivent utiliser un fauteuil roulant.

Si plusieurs élèves ont un quotient intellectuel normal, voire, pour certains, supérieur, la paralysie cérébrale se présente dans plusieurs cas en comorbidité avec la déficience intellectuelle, l'épilepsie, des problèmes de vision ou d'audition, le trouble déficit de l'attention / hyperactivité et des troubles de l'apprentissage (Dupont Hospital for Children, 2006). Des personnes ayant la paralysie cérébrale communiquent assez facilement à l'aide de la parole, alors que d'autres doivent se servir d'un moyen de communication différent. Certaines personnes atteintes de paralysie cérébrale présentent donc aussi des problèmes de parole ou de langage plus ou moins graves.

Parmi les moyens qui favorisent la communication, le Bliss permet d'utiliser des symboles permettant l'expression d'une vaste gamme de significations, d'émotions et d'idées tout en restant facile à comprendre (voir la figure 12.8 à la page suivante). Pour élaborer ce système, Charles Bliss a combiné des symboles pictographiques, idéographiques et arbitraires. Plusieurs logiciels facilitent l'utilisation de ce moyen de communication. Certains élèves utilisent des tableaux de communication ou des appareils électroniques ou informatiques synthétisant la voix. Ils peuvent pointer les mots ou les symboles avec leurs doigts ou encore utiliser un appareil (Kirk et autres, 1993).

Figure 12.8

Quelques symboles Bliss

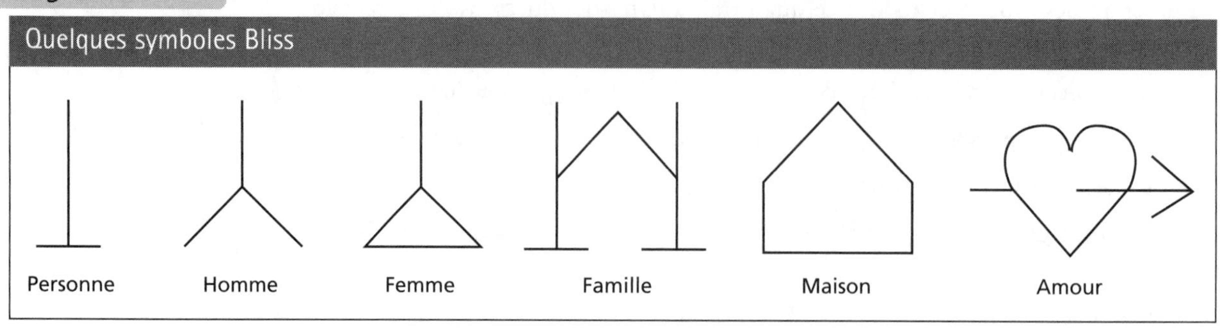

La paralysie cérébrale varie en fonction de son degré de gravité (légère, modérée ou sévère) et des moyens d'aide requis. Les besoins des élèves sont donc diversifiés. C'est pourquoi il est important que les enseignants travaillent en partenariat avec la famille, les médecins et les spécialistes tels que l'ergothérapeute ou le physiothérapeute. Des questions comme la sécurité physique, le matériel et l'équipement spécialisé requis (fauteuil roulant, ordinateur, système de communication, etc.), les caractéristiques de l'environnement physique de la classe et de l'école (rampes, corridors, accès aux toilettes, etc.), le positionnement de l'élève et son degré de fatigue devront faire l'objet d'une attention particulière. En classe, différentes adaptations pourront être essentielles pendant le temps nécessaire aux travaux, à la présentation du matériel et à l'adaptation de l'évaluation (Ministère de l'Éducation de l'Ontario, 2002a). En plus de ces éléments, l'enseignant devra être sensible à l'intégration sociale de l'élève avec ses pairs et aux adaptations qui permettront à celui-ci de participer pleinement aux activités scolaires.

B. La dystrophie musculaire

La dystrophie musculaire représente un groupe de maladies héréditaires caractérisées par la dégénérescence et l'affaiblissement graduels des muscles volontaires. Il existe diverses formes de dystrophie musculaire : la dystrophie musculaire de type Duchenne, la dystrophie musculaire de type Becker, la dystrophie des ceintures, la dystrophie facio-scapulo-humérale, la dystrophie myotonique, etc.

La forme la plus grave et la plus répandue de dystrophie musculaire est celle de type Duchenne. Elle porte ce nom à cause du neurologue français qui l'a décrite. Cette dystrophie touche des garçons âgés généralement de deux à six ans. L'état de ces enfants se détériore rapidement et leur espérance de vie est plutôt limitée.

> La maladie de Duchenne atteint principalement les muscles du bassin (ceinture pelvienne) et progresse de façon systématique vers les muscles entourant les épaules (ceinture scapulaire). Ses manifestations sont : une augmentation du volume (hypertrophie) des mollets, des altérations de la fonction cardiaque (visibles sur un électrocardiogramme), des rétractions des tendons et des déformations. La personne atteinte de cette maladie cesse de marcher vers l'âge de dix ans. Le décès survient généralement entre 20 et 30 ans à la suite d'une insuffisance respiratoire ou d'un arrêt cardiaque (MEQ, 1985, p. 61).

L'hérédité de cette maladie est liée au sexe ; elle est causée par un gène défectueux sur la 23e paire de chromosomes. Les gènes responsables sont situés sur le chromosome X et transmis par la mère apparemment saine. La probabilité de transmission de la maladie par une mère porteuse du gène défectueux est de 50 %.

La dystrophie de type Becker est également transmise aux garçons. Elle est toutefois moins grave que la précédente. L'impossibilité de marcher se produit vers l'âge de 18 ans, mais les personnes qui en sont atteintes ont souvent une espérance de vie normale. Quant à la dystrophie des ceintures, elle touche les deux sexes. Les muscles proximaux du bassin et des ceintures sont atteints. En ce qui a trait à la dystrophie facio-scapulo-humérale, elle peut débuter à divers âges et atteint les personnes des deux sexes. L'espérance de vie peut être normale. La dystrophie musculaire myotonique, connue aussi sous le nom de Steinertl, se présente chez l'adulte et est héréditaire.

C. L'épilepsie

Les crises d'épilepsie sont dues à des décharges électriques soudaines et inhabituelles dans le cerveau. Il existe différents types de crises : elles peuvent être généralisées (s'étendre à la quasi-totalité du cerveau) ou partielles. Les crises généralisées peuvent être d'une plus ou moins grande intensité (grand mal ou petit mal). Dans le grand mal, l'élève perd connaissance, tombe et entre en convulsions. La crise dure quelques minutes, parfois plus dans le cas d'une épilepsie sévère. Ensuite, l'élève reprend connaissance. Dans le petit mal (appelé aussi « absence »), l'élève s'arrête brusquement, son regard devient fixe, puis il reprend son activité sans se rendre compte de cet arrêt (Ligue de l'épilepsie du Québec, 1981). Dans les crises partielles, la décharge électrique n'atteint qu'une partie du cerveau. L'élève peut alors manifester des comportements automatiques (crises psychomotrices), des mouvements unilatéraux brusques et saccadés (crises focales motrices), des hallucinations auditives et visuelles (crises focales sensorielles).

Mentionnons que plusieurs personnes peuvent voir leurs crises maîtrisées par l'usage de médicaments. Si l'élève doit prendre des médicaments à l'école, il est nécessaire que les autorités scolaires soient informées des modalités d'administration et des effets secondaires, s'il y a lieu, de ces médicaments.

Il est important que l'enseignant sache comment réagir lorsque ces crises se produisent, en particulier s'il s'agit d'une crise de grand mal. Entre autres, il ne faut pas mettre ses doigts ni un autre objet dans la bouche de l'élève, ne rien lui donner à avaler, s'assurer que les objets autour de lui ne peuvent le blesser, ne pas l'immobiliser ni le prendre dans ses bras.

Ces quelques exemples de déficience physique illustrent les différences importantes qui peuvent exister d'un enfant handicapé physique à un autre. Nous tracerons maintenant les grandes lignes de l'intervention face à un élève qui a une déficience physique.

12.4.4 Quelques principes guidant l'intervention

A. L'obtention de l'information requise

Stephens et autres (1988) suggèrent aux enseignants accueillant un élève handicapé physique de se procurer l'information relative à l'aspect médical, à la communication, aux déplacements et au transport ainsi qu'aux soins personnels. Dans un premier temps, il importe de recueillir l'information sur la nature du problème de l'élève, la médication et ses effets secondaires (s'il y a lieu), les restrictions dans les activités et les interventions d'urgence. Il faut également s'enquérir d'un éventuel problème de communication et des modalités qu'utilise l'élève pour écrire. Les modalités de transport et l'aide requise (par exemple, pour monter dans l'autobus ou en descendre) sont des éléments importants à connaître. Enfin, il faut préciser les besoins particuliers de l'élève en ce qui concerne la toilette, l'alimentation, etc. Il est également bon de se familiariser avec l'équipement nécessaire et de savoir comment celui-ci doit être mis en place.

Il est possible que l'élève reçoive les services de plusieurs intervenants. La direction joue alors un rôle de coordination important à l'école. En effet, il faut ajuster les horaires en fonction des services nécessaires et prévoir les activités pédagogiques en tenant compte des autres objectifs qui doivent être atteints par l'élève. Les plans d'intervention et de services se révèlent alors des outils de coordination essentiels.

B. Les adaptations nécessaires

Il est souvent indispensable, en particulier lorsque l'élève utilise un fauteuil roulant ou une prothèse, d'effectuer certaines adaptations à l'école ou dans la classe. Certaines écoles sont déjà adaptées alors que d'autres requièrent des modifications.

Si l'élève est dans un fauteuil roulant, en ce qui concerne la classe, non seulement il faut prévoir un espace suffisant pour permettre au fauteuil d'être déplacé, mais encore il faut penser à la hauteur des tables, des tableaux, etc. Il faut aussi s'assurer que le matériel est accessible et installé ; certains élèves, en effet, utilisent une machine à écrire, tandis que d'autres ont besoin d'aides spécifiques. Quant à l'école, il faut s'assurer de l'accès du fauteuil roulant, de la présence de toilettes adaptées. Si la classe est située au deuxième étage, on doit prévoir un ascenseur ou encore un appareil qui permettra à l'élève d'accéder à cet étage. Les progrès de la technologie ont amené la mise au point d'appareils qui rendent possibles les déplacements des fauteuils roulants dans les escaliers sans qu'il soit nécessaire d'installer un ascenseur.

Les besoins des élèves ayant une déficience physique sont fort variés ; c'est pourquoi il est impossible de décrire ici toutes les adaptations existantes. La coordination entre intervenants et parents, la connaissance de l'information pertinente, l'adoption d'une attitude ouverte et l'acquisition des ressources nécessaires sont autant de facteurs qui facilitent la scolarisation de ces élèves.

RÉSUMÉ

Parmi les élèves en difficulté, plusieurs présentent une déficience sensorielle, langagière ou physique. Les critères d'identification de ces déficiences sont en général définis précisément. Ainsi, la déficience visuelle est évaluée à l'aide du degré d'acuité visuelle et du diamètre du champ de vision. Par ailleurs, on mesure la déficience auditive en évaluant le degré d'acuité et de discrimination auditives ainsi que le seuil de tolérance au son. Les déficiences langagières touchent le langage réceptif et/ou expressif et interfèrent avec la réussite scolaire et la communication de l'élève. En général, les déficiences physiques font l'objet de diagnostics précis.

Qu'il s'agisse d'une déficience physique ou d'une déficience sensorielle ou langagière, il importe que l'enseignant obtienne l'information nécessaire qui lui précisera les besoins de l'élève en classe. La concertation et l'engagement des parents et des intervenants jouent alors un rôle important et facilitent les interventions de l'enseignant. Plusieurs élèves ont besoin de services multiples. La coordination de ces services est alors favorisée par l'utilisation d'un plan d'intervention personnalisé et d'un plan de services.

QUESTIONS

1. Quelles sont les définitions du ministère de l'Éducation, du Loisir et du Sport du Québec concernant les élèves ayant une déficience visuelle, les élèves ayant une déficience auditive, les élèves ayant une déficience langagière et les élèves ayant une déficience physique ? Illustrez votre réponse au moyen de quelques exemples.
2. Quelle est l'importance de l'obtention d'information au début de l'année scolaire lorsqu'un élève présente une déficience sensorielle, langagière ou physique ?
3. Qu'est-ce que le braille ?
4. Quelles sont les caractéristiques du son et comment sont-elles utilisées dans l'évaluation du type de surdité ?
5. Qu'est-ce que l'oralisme et la communication totale ?
6. Donnez une définition du terme « dysphasie ».
7. Qu'implique la communication verbale avec les autres ?
8. Donnez deux exemples de déficience physique.

RÉFÉRENCES SUGGÉRÉES

ASSOCIATION QUÉBÉCOISE POUR LES ENFANTS ATTEINTS D'AUDIMUTITÉ (AQEA). [en ligne], [http://www.aqea.qc.ca/].

BERNSTEIN, D.K. et TIEGERMAN-FARBER, E. (2002). *Language and Communication Disorders in Children.* Boston : Allyn and Bacon.

BISHOP, V.E. (2004). *Teaching Visually Impaired Children.* Springfield, Illinois : Charles C. Thomas Publisher.

BONDNER, B. et SASS-LEHRER, M. (2003). *The Young Deaf or Hard of Hearing Child. A Family-centered Approach to Early Education.* Baltimore, Maryland : Paul H. Brookes.

DUBUISSON, C. et GRIMARD, C. (2006). *La surdité de près.* Québec : Presses de l'Université du Québec.

INSTITUT NAZARETH et LOUIS-BRAILLE. [en ligne], [http://www.inlb.qc.ca/].

INSTITUT RAYMOND-DEWAR (IRD). [en ligne], [http://www.raymond-dewar.qc.ca/]. Centre métropolitain de réadaptation spécialisé et surspécialisé en surdité et en communication.

MINISTÈRE DE L'ÉDUCATION DE L'ONTARIO (2002). *Guide. Éducation de l'enfance en difficulté.* Imprimeur de la Reine pour l'Ontario. Ce guide inclut, pour les différentes catégories d'élèves, une synthèse de conseils d'intervention faciles à consulter.

ORDRE DES ORTHOPHONISTES ET AUDIOLOGISTES DU QUÉBEC (OOAQ). [en ligne], [http://www.ooaq.qc.ca/].

Pour des liens vers des associations, des fédérations, des fondations, des ordres professionnels, des organismes communautaires et des regroupements associés à la santé en général (p. ex., Association de paralysie cérébrale du Québec, Association québécoise de l'épilepsie, Association canadienne de la dystrophie musculaire, etc.) :

SANTÉ-NET QUÉBEC. [en ligne], [http://www.sante-net.net/associations.htm].

Le partenariat

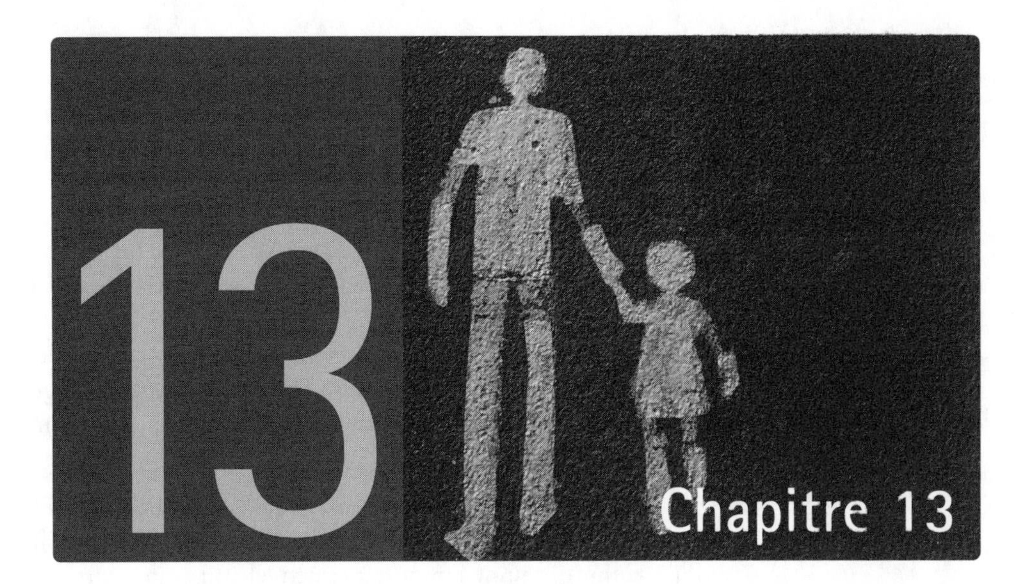

La collaboration avec les parents et les services complémentaires

Objectifs

Après avoir lu ce chapitre, le lecteur devrait pouvoir :

- décrire comment les changements de société qui se sont produits ces dernières années modifient les relations entre l'école et la famille ;
- expliquer l'influence que peut avoir la présence d'un enfant en difficulté ou handicapé sur les fonctions de la famille ;
- décrire différentes étapes que traversent les familles d'enfants handicapés ;
- citer diverses occasions de collaboration entre la famille et l'école ;
- décrire différentes conditions qui facilitent la collaboration entre la famille et le personnel dans le milieu scolaire ;
- décrire les divers services complémentaires et des conditions qui facilitent la collaboration entre l'enseignant et ces services.

INTRODUCTION

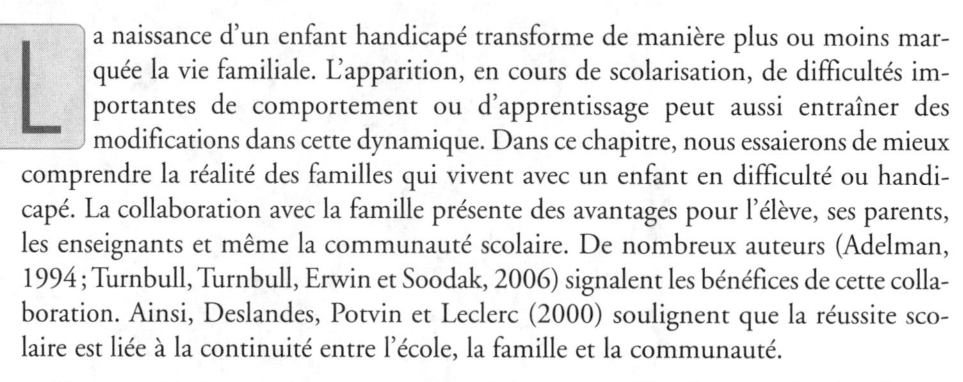

La naissance d'un enfant handicapé transforme de manière plus ou moins marquée la vie familiale. L'apparition, en cours de scolarisation, de difficultés importantes de comportement ou d'apprentissage peut aussi entraîner des modifications dans cette dynamique. Dans ce chapitre, nous essaierons de mieux comprendre la réalité des familles qui vivent avec un enfant en difficulté ou handicapé. La collaboration avec la famille présente des avantages pour l'élève, ses parents, les enseignants et même la communauté scolaire. De nombreux auteurs (Adelman, 1994; Turnbull, Turnbull, Erwin et Soodak, 2006) signalent les bénéfices de cette collaboration. Ainsi, Deslandes, Potvin et Leclerc (2000) soulignent que la réussite scolaire est liée à la continuité entre l'école, la famille et la communauté.

Dans ce chapitre, nous exposerons les réalités auxquelles font face les familles, et plus particulièrement les familles d'enfants en difficulté ou handicapés. Par la suite, nous décrirons quelques-unes des modalités permettant la collaboration avec la famille. Puis, compte tenu de l'importance actuelle du plan d'intervention et de son caractère obligatoire, nous aborderons cette question et celle des devoirs et des leçons. Enfin, nous discuterons sommairement de la collaboration avec les services complémentaires et les ressources communautaires.

Au cours des 50 dernières années, les familles se sont métamorphosées. Ainsi, on connaît un accroissement de la mobilité conjugale, une réduction de la taille des familles (il y a de plus en plus d'enfants uniques), l'attribution de nouvelles responsabilités aux parents (par exemple, les soins à donner aux grands-parents), l'entrée des mères sur le marché du travail, des écarts socioéconomiques de plus en plus grands, des milieux pluriethniques, etc. (Conseil supérieur de l'éducation, 1994). Ces changements dans la société entraînent aussi des modifications dans les relations entre les enseignants et les familles, ce qui rend le défi de la communication plus complexe qu'autrefois:

> Hier encore, dans la société traditionnelle, l'école prolongeait autant la famille qu'elle résumait en quelque sorte la société. Davantage de continuité existait entre elles; les attentes réciproques étaient claires et les actions de l'une et l'autre se confortaient. La société s'est transformée et, avec elle, la famille et l'école, qui se sont d'ailleurs éloignées l'une de l'autre et sont maintenant en quête d'un nouveau lien de collaboration (Conseil supérieur de l'éducation, 1994, p. 37).

De plus en plus, il est nécessaire de reconnaître le partenariat qui doit s'établir avec la famille. L'établissement de ce partenariat est facilité par la compréhension des sous-systèmes, des rôles et des fonctions de la famille.

13.1 Comprendre la famille

Turnbull et autres (2006) définissent la famille comme le regroupement d'au moins deux personnes qui se considèrent elles-mêmes comme une famille et qui réalisent les fonctions habituelles dévolues à la famille. Cette dernière peut bien sûr être composée des deux parents naturels et de leurs enfants. Mais il existe plusieurs types de familles: les familles monoparentales (pères ou mères), les familles qui ont la garde partagée, les familles d'accueil, les familles comprenant des pères gais ou les familles dont les mères sont lesbiennes. Ces différentes situations peuvent avoir des répercussions sur la situation de l'élève. Ainsi, la communication entre l'enseignant et une famille d'accueil qui a obtenu récemment la garde temporaire d'un enfant est susceptible d'être différente de la communication entre l'enseignant et les parents naturels, ne serait-ce qu'en raison du degré d'information que possèdent ceux-ci sur le passé de l'élève. Rapportant les travaux de Ray et Gregory, Turnbull et autres (2006) indiquent que 73 % des parents formés de pères gais ou de mères lesbiennes craignent que leurs enfants ne soient victimes d'intimidation. L'enseignant est donc appelé à composer avec plusieurs réalités, auxquelles s'ajoute la diversité culturelle et linguistique. Les approches devront souvent être adaptées de manière à respecter la culture des familles. Notons aussi que, dans certaines écoles, il faut parfois faire appel à des interprètes pour communiquer avec les parents. Cette situation peut poser des problèmes dans la transmission du message (possibilités de distorsions) ou encore dans sa confidentialité (Parette et Petch-Hogan, 2000).

La famille est un système dont les membres exercent une influence les uns sur les autres. Elle remplit différentes fonctions. Des sous-systèmes interagissent dans la famille qui franchit, tout comme ses enfants, différents stades de développement. Afin de mieux situer la communication avec la famille, nous présenterons ses caractéristiques à partir des travaux de Turnbull et autres (2006).

13.1.1 Les sous-systèmes familiaux

Turnbull et autres (2006) relèvent quatre sous-systèmes dans les familles dites traditionnelles :

1) le sous-système marital, qui concerne les interactions entre conjoints ;
2) le sous-système parental, qui cible les actions entre les parents et leurs enfants ;
3) la fratrie, qui vise les comportements entre les enfants ;
4) la famille élargie, qui touche les gestes avec les proches de la famille.

Les interactions dans ces sous-systèmes ont une influence sur les comportements ou les émotions. Tout le monde sait que les séparations et les divorces dans le sous-système parental affectent les enfants. La naissance d'une sœur ou d'un frère handicapé modifie également les relations familiales. L'enfant handicapé demande plus de soins ; les parents doivent vivre le deuil de l'enfant idéal ; ils sont souvent mobilisés par les nombreuses consultations nécessaires avec des spécialistes ; et ainsi de suite. Turnbull et autres (2006) rapportent différentes recherches sur les fratries d'enfants qui ont une déficience. Les résultats varient. En effet, certaines études démontrent des effets négatifs sur le comportement ou les émotions des frères et des sœurs, alors que d'autres, au contraire, indiquent que la fratrie a moins de problèmes de comportement et développe davantage de qualités telles que l'empathie.

13.1.2 Les cycles de vie de la famille

Tout comme l'enfant, la famille passe par des stades de développement. Turnbull et autres (2006) indiquent les étapes suivantes : quitter ses parents, s'établir en couple, former une famille avec de jeunes enfants, puis avec des adolescents, se transformer en une famille où les enfants quittent le foyer et finalement devenir une famille vieillissante. Ces cycles de vie impliquent aussi différentes fonctions et activités. Ainsi, pour les parents d'élèves handicapés, il y aura souvent, dans les années qui précèdent l'école, des services de stimulation précoce et, au cours de l'adolescence de leurs enfants, la planification de la transition à la vie adulte. Les expériences au cours des premiers stades viendront marquer celles des stades ultérieurs. Des relations difficiles avec l'école au primaire ont une probabilité d'entraîner des relations difficiles au secondaire.

13.1.3 Les fonctions de la famille

La famille remplit, pour l'enfant, des fonctions économique, éducative et d'orientation professionnelle. Elle assume les soins quotidiens, participe à l'organisation des loisirs. Elle contribue étroitement au processus de connaissance de l'enfant, à la socialisation et au développement de l'affectivité (Turnbull et Turnbull, 1990 ; Turnbull et autres, 2006). La présence d'un enfant en difficulté ou handicapé transforme, d'une façon plus ou moins prononcée, l'exercice de ces fonctions. Prenons quelques exemples. Les médicaments, les soins ou les frais de garde modifient de manière plus ou moins importante le budget familial. Des enfants ont besoin d'une aide ou d'une supervision plus grandes. Par exemple, pour certains enfants handicapés, l'apprentissage de gestes quotidiens tels l'habillage et le déshabillage nécessite plus de temps et d'appui de la part des parents. Le temps que ces derniers consacrent à leurs loisirs et à ceux de leurs autres enfants peut aussi être réduit par les soins et le temps que requiert leur enfant handicapé.

13.2 Les cycles de vie de la famille d'un enfant handicapé

Pour certaines familles d'enfants handicapés, c'est au moment de la naissance ou peu de temps après que les parents apprennent que leur enfant a une déficience. Pour d'autres, le processus peut être vécu au cours des premières années de vie de l'enfant, plus graduel et marqué d'inquiétudes diverses. C'est le cas notamment de parents d'un enfant ayant un trouble envahissant du développement qui, bien souvent, ne peuvent obtenir pour cet enfant un diagnostic que vers l'âge de deux ou trois ans, soit à une période où la stimulation précoce est capitale.

Nous verrons la situation des parents d'enfants handicapés, puis nous nous pencherons sur celle des parents qui constatent les difficultés de leur enfant au cours de la scolarisation. Ce dernier groupe de parents est le plus nombreux.

Plusieurs reconnaissent que les familles d'enfants handicapés à la naissance éprouvent des émotions générées par les différentes étapes de la vie de l'enfant. Ainsi, à la naissance de l'enfant, l'annonce du diagnostic est un moment pénible pour plusieurs familles. À la suite d'une étude menée auprès de familles d'enfants présentant une trisomie 21, Bouchard, Pelchat, Boudreault et Lalonde-Gratton (1994) écrivent :

> L'annonce du diagnostic d'une trisomie 21 est, sans contredit, un moment crucial dans la vie des parents. [...] Le contexte qui entoure cet événement et les paroles prononcées vont rester ancrés dans la mémoire des parents et risqueront d'influencer grandement la relation des parents avec leur enfant.
>
> Les entrevues laissent voir qu'un contexte favorable ne se présente qu'en de rares occasions et que, règle générale, les parents sont peu satisfaits de l'attitude des professionnels à leur égard (p. 48).

D'autres auteurs soulignent les réactions émotives des parents à la naissance d'un enfant handicapé ou à l'annonce du handicap et associent le vécu des parents à un processus de deuil. Le tableau 13.1 présente les étapes de ce processus.

Tableau 13.1

Étapes du processus de deuil

Étape	Description
Première étape : le choc	• De la confusion • Des émotions intenses • Une absence apparente d'émotions
Deuxième étape : la négation	• Le déni • L'anxiété • La consultation de divers spécialistes à des fins de comparaison
Troisième étape : le désespoir	• Un chagrin intense • De l'épuisement, des attitudes dépressives
Quatrième étape : le détachement	Une étape intermédiaire, où les émotions deviennent peu à peu moins intenses et moins envahissantes
Cinquième étape : l'acceptation	• Le réalisme • L'adaptation • Le retour à l'équilibre

Source : Bhérer (1993, p. 69).

Sans nier la présence de ces étapes, Bouchard et autres (1994) indiquent qu'il peut néanmoins y avoir des différences dans le cheminement des familles :

> Tous les parents sont appelés à vivre le choc initial et à traverser certaines étapes pour arriver à une forme d'adaptation à la différence. Mais tous n'ont pas les mêmes réactions et ne poursuivent pas le même cheminement, bien qu'ils puissent être aux prises avec des difficultés similaires. Tous ne reçoivent pas le même soutien de la part de leur entourage (p. 79).

Témoignage d'un père

« C'est neuf mois de notre vie qu'on vient de rayer. Pour nous, c'était l'enfer. On se disait : toute notre vie chavire. On n'était pas du tout préparé à recevoir ce diagnostic-là.

Je patientais dans la salle d'attente. À deux heures du matin, je vois le médecin arriver ; il ne sourit pas. C'est surprenant, il me semble que quand tu vas annoncer quelque chose de bien à la personne... Peut-être qu'il est stressé, qu'il a autre chose à faire... Il s'assoit à côté de moi et me dit : "Bon, c'est un petit garçon." Alors, je me dis : "Ça y est, c'est ma femme qui a trépassé, il y a quelque chose, il ne sourit pas !" Il ajoute : "Ta femme va bien, il n'y a pas de problèmes. Je pense que ton petit garçon a le *Down syndrome.*" Il m'a tapé sur la cuisse, il s'est levé et il est parti.

Je ne comprenais pas ce qu'il me disait. Je cherchais, mais j'étais fatigué, c'était beaucoup d'émotions en même temps. Je me suis dit : "Je pense que c'est un problème intellectuel." Alors j'ai couru après le médecin et je lui ai demandé : "Est-ce que c'est un retard intellectuel ?" Il s'est retourné, il m'a dit : "Oui", et il s'en est allé. Il m'a évité carrément. »

Source : Extrait de la vidéo *Aux yeux des autres* (Goupil, 1992).

Après la naissance, d'autres périodes de vie marquent l'enfant et sa famille. Shea et Bauer (1985) indiquent que les périodes de vie suivantes sont particulièrement stressantes pour les parents :

1) à la naissance ou au moment où on soupçonne le handicap ;
2) au moment du diagnostic et du traitement de la condition handicapante ;
3) au moment de l'entrée à l'école ;
4) à l'arrivée de la puberté ;
5) lorsque l'enfant atteint l'âge de la planification de sa carrière ;
6) lorsque les parents vieillissent et que l'enfant doit les quitter (p. 42 ; traduit par l'auteure).

Ces différents moments correspondent à des périodes de transition. Nous avons vu dans les chapitres 2 et 10 que les milieux éducatifs mettent en place des plans de transition pour faciliter certains de ces passages, comme celui de l'école à la vie adulte.

À chacune de ces périodes, les parents vivent différentes émotions. Une étude de Moscato, Morin, Tassé et Picard (2006) indique que les parents d'enfants autistes ou qui ont un retard de développement sont davantage stressés que les parents d'enfants qui n'ont pas de difficulté. Plus il y a de comportements problématiques, plus le stress des parents est élevé. Il ne faudrait cependant pas croire que la présence d'un enfant handicapé n'a que des conséquences difficiles pour les parents. Ainsi, Bouchard et autres (1994) indiquent :

> Chose certaine, ils aiment leur enfant. [...] Tout compte fait, nous avons pu constater que la présence de cet enfant a des effets positifs sur les parents en ce sens qu'ils réalisent des apprentissages importants. Ils remettent en question leurs valeurs et leurs priorités, se reconnaissent des qualités nouvelles et se sentent plus riches de leur expérience sur le plan personnel. Leur vie est transformée et souvent bousculée, mais ils apprennent à en tirer des leçons pour cheminer de façon positive avec leur enfant (p. 74).

Ces auteurs soulignent l'importance du rôle des professionnels et des images qu'ils renvoient aux parents d'eux-mêmes. L'intégration dans le système d'éducation, le passage du primaire au secondaire, l'avènement de la puberté et la transition de l'école à la vie adulte représentent des périodes importantes pour les parents. Les intervenants du milieu scolaire auront un rôle crucial à jouer pendant ces périodes afin de ne pas donner aux parents des images négatives et pessimistes.

13.3 Les parents d'élèves en difficulté

Pour la majorité des élèves handicapés ou en difficulté d'adaptation ou d'apprentissage, ce n'est qu'au moment de la scolarisation que les difficultés apparaîtront ou se confirmeront. Des parents peuvent avoir observé certaines difficultés au préscolaire, mais espérer que les choses s'arrangeront avec le temps. Les parents des élèves qui ont des difficultés d'apprentissage ou de comportement ont aussi des réactions émotives à l'annonce ou à la confirmation de ces difficultés. Plusieurs ressentent de la peine ou encore de la culpabilité. Leur passé comme élèves et leurs perceptions de l'école auront aussi, à ce moment, une influence sur leurs relations avec l'enseignant de leur enfant. Certains parents ont eux-mêmes éprouvé des difficultés et des expériences d'échec. L'enseignant doit donc composer aussi avec ce type de situations. Le primaire et le secondaire sont susceptibles de donner lieu à des situations différentes. Le parent qui, au primaire, a surtout été en contact avec l'école pour des situations négatives peut être moins enclin à établir une collaboration au secondaire. Ainsi, Pianta et Kraft-Sayre (2003) indiquent que, dès les débuts de la scolarisation, il est important de miser sur les forces de la famille et d'éviter une relation fondée sur le blâme. Pour ces auteurs, il est important de se tourner vers les compétences des parents. Dans les prochaines pages, nous verrons différentes façons de créer un climat de collaboration avec les parents.

13.4 Une collaboration en mutation

Au cours des dernières années, si la famille s'est transformée, les perceptions des rôles des parents d'enfants en difficulté ou handicapés ont aussi évolué. Selon Turnbull et Turnbull (1990), les intervenants ont considéré successivement les parents comme la source du problème de leur enfant, des membres d'organisations (par exemple, d'associations pour personnes déficientes), des producteurs de services, les récepteurs des décisions prises par les professionnels et des personnes devant apprendre de nouvelles habiletés parentales. On a également vu en eux des enseignants pour leur enfant, des défenseurs de ses droits et des membres de l'organisation familiale.

On a attribué aux parents un rôle passif (les récepteurs de l'information venant des professionnels), puis un rôle actif dans la prise de décision. Les écrits se sont d'abord concentrés sur la dyade mère-enfant, puis, plusieurs années plus tard, sur les besoins de tous les membres de la famille, incluant ceux de la famille élargie.

La reconnaissance des droits de la famille dans la prise de décision en matière d'éducation se reflète dans les lois et les politiques. Ainsi, l'*Individuals with Disabilities Education Improvement Act,* aux États-Unis, accorde aux parents le droit de participer aux décisions relatives au classement de leur enfant (voir le chapitre 1). Au Québec, l'article 96 de la Loi sur l'instruction publique met en évidence la participation des parents à l'élaboration du plan d'intervention. La politique de l'adaptation scolaire (MEQ, 1999a) désigne la collaboration comme un élément essentiel au succès des élèves en difficulté.

Que ce soit pour les élèves en difficulté ou pour les autres, le Ministère reconnaît l'importance de cette participation, laquelle est aussi essentielle au primaire qu'au secondaire :

> L'engagement des parents envers leurs enfants, tout au long du cheminement scolaire, est un élément indéniable de la réussite des jeunes. Plusieurs recherches démontrent que l'effet de l'engagement parental est durable et qu'il se répercute sur les attitudes et les comportements des jeunes à l'égard de l'école et du travail scolaire, sur leur persévérance, sur leurs résultats scolaires ainsi que sur leur développement.
>
> Pour favoriser l'engagement parental au secondaire, un des moyens les plus fructueux est le rapprochement, voire une collaboration étroite entre l'école et la famille. La collaboration entre l'école secondaire et les parents permet à l'école de mieux comprendre la situation des familles et de répondre à leurs besoins, en s'alliant entre autres avec la communauté (MEQ, 2004e, p. 2).

13.5 Communiquer avec les parents

13.5.1 Des occasions multiples de communication

En général, les parents peuvent être incités à communiquer de multiples façons avec l'école. Il y a les rencontres individuelles ou en groupe, planifiées ou survenant au fil du quotidien (comme lorsque le parent vient chercher son enfant à l'école). Il y a aussi les communications écrites adressées à un seul parent ou à l'ensemble des parents des élèves d'une classe, les commentaires sur les bulletins, les portfolios, l'envoi de messages par le biais de l'agenda, les cahiers de l'élève, etc. Des enseignants se servent aussi du téléphone ou du répondeur pour transmettre différents renseignements. Certains parents offrent leurs services comme bénévoles en classe ou dans l'école. Le réseau Internet est également utilisé par de nombreux parents, élèves et enseignants. Bref, les modalités de la prise de contact avec les parents sont fort variées.

Epstein (Epstein, 1988; Epstein et autres, 2002) propose la typologie suivante des modes de collaboration entre les parents et l'école:

1) Les obligations de base des parents envers leurs enfants. Cette catégorie porte sur les responsabilités fondamentales des parents concernant le bien-être de leur enfant, sa santé et sa sécurité.
2) La communication entre l'école et la famille ou entre la famille et l'école au sujet des programmes scolaires et de la progression de l'élève.
3) La participation volontaire des parents à l'école. Cette catégorie inclut l'aide donnée par les parents dans les classes ou dans l'école, par exemple par l'intermédiaire de projets de bénévolat. Il peut aussi s'agir de participer à des groupes de discussion, à des ateliers d'information ou de formation, etc. On trouve dans les écrits des programmes de formation ou d'information à l'intention des parents qui ont des enfants en difficulté.
4) La participation des parents à l'apprentissage de l'élève à la maison. Cette catégorie comprend les activités visant à développer différentes habiletés sociales et personnelles chez l'élève. Elle inclut aussi l'aide apportée dans les devoirs et les leçons.
5) La participation des parents à la gestion de l'école. Cette catégorie concerne la participation des parents à des groupes de décisions à l'école ou à la commission scolaire. La participation au comité EHDAA (Comité pour les élèves handicapés et en difficulté d'adaptation et d'apprentissage) de la commission scolaire en est un exemple.
6) La collaboration avec la communauté. Ce type de collaboration vise à intégrer les ressources communautaires pour consolider les actions de l'école et celles de la famille de façon à favoriser le développement de l'enfant. Un exemple de cette collaboration réside dans les interactions avec d'autres familles dans différentes activités.

Comme on le constate, les modalités de collaboration ne manquent pas. Caron (2003) a élaboré un schéma illustrant les divers modes de communication à l'usage des parents et des enseignants (voir la figure 13.1). La qualité de cette collaboration sera influencée par de multiples conditions, dont les attitudes des partenaires en cause.

Figure 13.1

Stratégies d'information

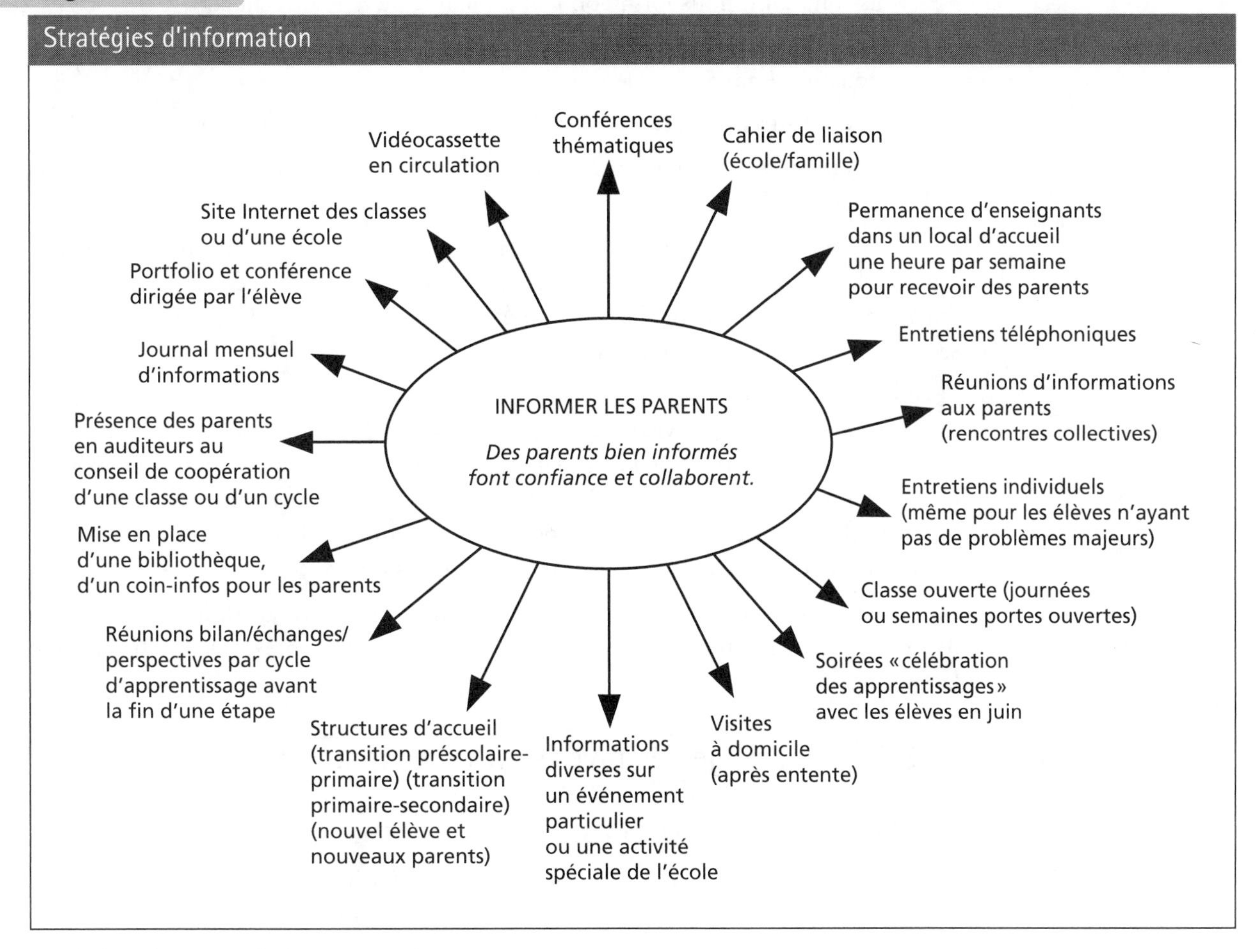

Source : Caron (2003, p. 476).

13.5.2 Des attitudes conditionnant la qualité de la communication

La première étape de l'établissement d'une saine collaboration avec les parents consiste, pour l'enseignant, à examiner ses attitudes envers les parents. Le parent est-il considéré comme la source du problème ou comme un partenaire à part entière, une ressource importante pour aider l'enfant ? Il est important de pouvoir passer ce message au parent : « Nous voulons tous les deux aider votre enfant. » Les attitudes négatives ont des répercussions sur la communication, se traduisant dans des comportements verbaux ou non verbaux qui nuisent aux échanges.

Décrivant la situation de parents d'enfants qui ont des difficultés graves de comportement, Morgan et Jenson (1988) indiquent que plusieurs mythes interfèrent dans les relations entre enseignants et parents. Ces mythes sont les suivants :

1) Je dois me contenter de faire mon travail d'enseignant et ne pas compter sur les parents.

2) Les parents se doivent d'accepter les programmes de la commission scolaire et ils sont confondus lorsqu'on leur demande de faire des choix.
3) Les parents doivent avoir des valeurs et des attitudes semblables à celles de l'enseignant.
4) Les parents sont la cause première du problème de leur enfant.
5) Les parents n'ont pas un rôle important à jouer dans les programmes éducatifs destinés à améliorer l'adaptation de leur enfant à l'école.

Pour Morgan et Jenson (1988), ces mythes nuisent à la communication. Les parents devraient être considérés comme des partenaires à part égale. De plus, leur collaboration permet d'améliorer les interventions de l'école en facilitant la généralisation des acquis de l'élève dans ses divers milieux de vie.

Si les attitudes de l'enseignant sont importantes, celles des parents le sont également. Rapportant les travaux de Finders et Lewis, Meese (1996) signale que certains parents décident de ne pas collaborer avec l'école pour plusieurs raisons. Voici quelques-unes de ces raisons : (1) les parents ont eu de mauvaises expériences avec l'école ; (2) ils ont des contraintes importantes de temps et d'argent ; (3) ils ressentent de la crainte, de la méfiance ou ont peur de ne pas être respectés.

La qualité de la communication joue donc un rôle primordial. Nous verrons maintenant quelques stratégies qui favorisent celle-ci dans le contexte des relations avec la famille.

13.5.3 Des gestes favorisant la communication

A. Adopter une approche proactive

La plupart des auteurs s'entendent pour dire qu'il est important d'établir le plus tôt possible dans l'année scolaire des contacts avec les parents avant que ne survienne une situation problématique. Ce principe, qui s'applique à l'ensemble des parents d'élèves, devient crucial dans le cas des parents d'élèves dont on sait qu'ils présentent des difficultés graves ou une déficience. Un premier contact fait dans une situation où il n'y a pas de tensions particulières aura pour effet de faciliter les contacts qui se révéleront nécessaires dans des circonstances plus difficiles.

B. Manifester des comportements facilitant la communication

Les études en psychologie ont dégagé plusieurs comportements qui facilitent la communication. Une rencontre d'un enseignant avec les parents n'est pas une séance de thérapie. Toutefois, plusieurs comportements manifestés par des spécialistes au cours de l'entrevue favorisent les échanges. Le tableau 13.2 présente quelques-uns de ces comportements.

C. Organiser les rencontres

Le milieu scolaire utilise de nombreuses formes de rencontres avec les parents. Ces rencontres peuvent être individuelles ou en groupe, comme les réunions d'information en début d'année. Lorsqu'une rencontre est prévue, sa planification facilite son déroulement. Nous verrons quelques principes de planification appliqués à des rencontres individuelles.

Tableau 13.2

Quelques comportements favorisant la communication

Comportement	Description
Écoute active	Écouter pour percevoir le contenu réel du message, laisser le parent s'exprimer.
Utilisation d'un vocabulaire compréhensible pour le parent	Éviter le jargon professionnel ou les termes compliqués.
Reformulation	Redire dans d'autres mots ce que la personne vient de nous dire pour nous assurer de notre compréhension du message.
Utilisation de questions ouvertes	Poser des questions qui laissent à l'interlocuteur plusieurs possibilités de réponses.
Résumé	Faire des synthèses périodiques au cours de la rencontre pour dégager les points principaux et s'assurer d'une bonne compréhension mutuelle.
Comportements non verbaux appropriés	Regarder notre interlocuteur, avoir une posture ouverte, utiliser les expressions appropriées du visage, etc. Ne pas adopter une position spatiale révélant un statut d'autorité (par exemple, s'asseoir sur une chaise d'adulte et faire asseoir le parent sur une chaise d'élève).

Avant la rencontre

Avant la rencontre, l'enseignant précise l'objectif de celle-ci. Il recueille l'information et les observations nécessaires. Il peut aussi rassembler des exemples de travaux de l'élève illustrant ses forces et ses difficultés. Il avertit l'élève qu'il rencontrera ses parents. Par la suite, il invite les parents à le rencontrer en s'assurant que le moment choisi leur convient. L'enseignant peut aussi transmettre quelques questions qui feront l'objet d'une discussion.

Pendant la rencontre

L'enseignant accueille cordialement les parents en les remerciant de s'être déplacés. Le contact initial est important ; des remarques ou des échanges simples permettent souvent de détendre l'atmosphère. La rencontre se déroule dans un endroit confortable, où il n'y aura pas d'interruptions par des tiers.

Selon Wolf et Stephens (1989), le déroulement de la rencontre comprend les étapes suivantes : (1) l'établissement du contact avec le parent, (2) la demande d'information, (3) la transmission de l'information et (4) la planification des stratégies pour un suivi. Pendant les situations problématiques, il peut être utile de recourir à un processus de résolution de problèmes. Le processus se déroule selon les étapes suivantes : (1) la détermination du problème, (2) l'élaboration des solutions potentielles, (3) l'évaluation et le choix des solutions, (4) l'application des solutions et (5) l'évaluation des résultats (Friend et Cook, 1992). L'enseignant et les parents se répartissent les responsabilités. Il vaut mieux s'entendre sur des objectifs précis et peu nombreux que sur une liste interminable qui découragera les parents au moment de passer à l'action.

Il peut arriver que des parents souhaitent être en contact avec d'autres parents ou obtenir plus d'aide ou d'information. Les ressources de l'école, de la commission scolaire et du réseau des affaires sociales peuvent bien sûr être mises à contribution. On peut aussi faire appel à plusieurs associations.

Après la rencontre

Après la rencontre, l'enseignant consigne par écrit les points principaux de la rencontre. Il peut téléphoner de nouveau aux parents et surtout souligner, s'il y a lieu, les progrès de l'élève.

Suggestions pour faciliter les rencontres avec les parents

- Veillez à l'organisation matérielle de la rencontre : des chaises convenant à la taille des adultes, du café, du papier et des crayons pour permettre aux parents de prendre des notes s'ils le désirent, etc.
- Précisez bien l'objectif de la rencontre.
- Ayez en main des exemples de productions de l'élève.
- Assurez-vous que vous ne serez pas dérangés durant la rencontre.
- Informez-vous si de jeunes enfants accompagneront les parents.
- Évitez le jargon professionnel.
- Soyez sincère, ne faites pas de promesses qui ne pourraient pas être tenues.
- Gardez en tête, tout au long de la réunion, que l'élève est le sujet de celle-ci.
- Une rencontre avec un enseignant n'est pas une séance de thérapie ; si les parents ont des besoins importants, vous pouvez cependant leur suggérer de consulter d'autres ressources.
- Gardez un ton positif tout au long de la rencontre.
- Évitez de comparer l'élève avec d'autres élèves ou encore avec ses frères ou ses sœurs, et ce, même si les parents s'aventurent sur ce terrain.
- Si l'élève assiste à cette rencontre, faites-le participer.
- Faites participer les parents aux décisions.
- Effectuez un résumé des points saillants de la rencontre et planifiez avec les parents un suivi.
- Si une autre rencontre s'avère nécessaire, il peut être utile de fixer ce rendez-vous et d'indiquer aux parents que vous les rappellerez quelques jours avant la nouvelle rencontre pour la confirmer.

13.6 Le plan d'intervention

Le plan d'intervention représente une occasion privilégiée pour établir une collaboration avec les parents. Cependant, tout comme les autres modes d'intervention auprès des parents, il pose le défi de la communication et de la concertation.

Le Ministère (MEQ, 1992a) indique que, pour arriver à collaborer avec la famille d'un élève en difficulté ou handicapé, « il faut considérer les parents comme des partenaires essentiels et reconnaître leur responsabilité réelle dans le développement de leur enfant » (p. 34). Pour le Ministère, se considérer comme des partenaires implique :

- que les rapports soient des rapports de nature convergente et égalitaire, plutôt que hiérarchique, entre des personnes liées par un intérêt commun, celui d'aider l'élève ;
- que l'on accorde une valeur égale à l'expression des points de vue de chacun ;
- que chacun sente qu'il participe et contribue dans la mesure de ses possibilités à la résolution du problème (p. 34).

La réalisation d'une telle collaboration constitue toutefois un défi, car plusieurs auteurs ont souligné que certains parents croient eux-mêmes être des récepteurs et des émetteurs d'information, et non des participants à part entière à la prise de décision. Là-dessus, le plan d'intervention offre un potentiel intéressant d'engagement de l'école avec la famille. Toutefois, cette démarche doit également reposer sur des stratégies facilitant la participation des parents. Les attitudes et les comportements des autres intervenants les influenceront aussi en ce sens. Bouchard (1987a, 1987b) met en évidence la nécessité de créer une véritable collaboration entre les spécialistes et les parents. Mais cela est parfois difficile, la participation des parents pouvant poser certains problèmes aux intervenants (Walker, cité dans Morgan, 1982) : le personnel craint de devoir s'engager dans des discussions longues et compliquées avant d'en arriver à un consensus ; il a parfois tendance à blâmer le milieu familial lorsqu'un élève éprouve des difficultés de comportement ou d'apprentissage. Parfois aussi, le manque de connaissances des parents sur la véritable nature des services offerts les amène à se rallier les yeux fermés à l'opinion des spécialistes auxquels ils font confiance. Selon Morgan, à ces éléments peut s'ajouter une préparation insuffisante du personnel à l'intervention avec les parents. Cette préparation incomplète risque de se traduire par l'utilisation d'un jargon professionnel ou par des maladresses (pouvant être perçues comme un manque de délicatesse) au cours de la description des problèmes de l'élève.

Shevin (1983) souligne la nécessité pour les spécialistes d'en arriver à un langage commun, exempt de termes techniques, et de connaître les valeurs des parents. Dans ce processus, la communication, les relations de confiance et l'écoute active sont des atouts. Somme toute, la participation des parents est tributaire de multiples facteurs où les attitudes des intervenants peuvent s'avérer déterminantes. Le tableau 13.3, à la page suivante, présente quelques conseils pour faciliter les réunions relatives aux plans d'intervention.

13.7 Les devoirs et les leçons : des occasions de communication et d'apprentissage ou une expérience cauchemardesque ?

Les devoirs et les leçons sont habituels en milieu scolaire et reconnus comme un moyen de communication entre l'école et les parents. Pour les élèves en difficulté, cette activité représente des défis particuliers. De plus, c'est une situation qui leur rappelle bien souvent les activités pédagogiques dans lesquelles ils ont eu des difficultés. Une étude de Goupil, Comeau et Doré (1997) menée auprès de 85 élèves, âgés en moyenne de 10 ans et recevant au primaire des services d'orthopédagogie, révèle que 45 % d'entre eux considèrent que les devoirs et les leçons ne changent rien à leurs notes et que 72 % estiment que les devoirs leur font moins aimer l'école. Cependant, 54 % des élèves croient que les devoirs et les leçons améliorent leur rendement. Par ailleurs, toujours dans la même enquête, 48 % des élèves disent regarder la télévision en même temps qu'ils font leurs travaux scolaires et 31 % déclarent être toujours distraits au moment de faire leurs devoirs.

Les devoirs et les leçons concernent à la fois les élèves, les enseignants, les parents et les administrateurs (par exemple, la direction de l'école). Ces derniers définiront les politiques de l'école ou de la commission scolaire sur les devoirs et les leçons.

Les devoirs se font souvent à la maison ; les parents ont donc un rôle crucial à jouer. Il existe plusieurs guides portant sur ce rôle des parents. En général, ces guides indiquent

Tableau 13.3

Conseils pour les réunions relatives aux plans d'intervention
Avant la réunion • Revoir les données essentielles, préparer au besoin des exemples des travaux de l'élève en s'assurant que des éléments réussis peuvent aussi être soulignés. • Préparer l'élève en lui expliquant ce qu'est la réunion, quels en sont les buts. Mettre l'accent sur le processus d'aide et éviter de présenter la réunion comme une conséquence négative. • Convoquer les parents et l'élève en s'assurant que le moment et le lieu de la rencontre conviennent. Donner des renseignements précis sur le lieu, les dates et la durée de la réunion. • Demander aux parents et à l'élève s'ils souhaitent la présence de certaines personnes (par exemple, un grand-parent). • Indiquer aux parents que leur présence est importante pour aider leur enfant et qu'ils sont des partenaires essentiels. • Préciser quelles personnes seront présentes. • Permettre aux parents de participer aussi à l'évaluation en notant, par exemple, leurs préoccupations, les forces de l'élève. • Demander à l'élève de se préparer à la réunion en réfléchissant aux choses qu'il aime, à ses forces, à ses besoins et aux choses qu'il voudrait changer.
Le jour de la réunion • Faire attention aux périodes d'attente (éviter, par exemple, de faire attendre les parents devant le bureau de la direction où les autres élèves les remarqueront : «Tes parents sont venus à l'école : qu'est-ce que tu as fait de pas correct ?»). • Détendre l'atmosphère et offrir si possible une boisson. • S'assurer que le local est adéquat et qu'il n'y aura pas d'interruptions par des tierces personnes ou par l'interphone. • Accueillir chaleureusement les parents en les remerciant d'être venus. • Présenter les intervenants et leurs rôles si les parents ne les connaissent pas déjà. • Éviter le jargon professionnel et les acronymes (TC, DA, PIA, etc.). • Décrire le déroulement prévu : les points à examiner pendant la réunion. • Laisser la parole aux parents, les écouter. • Laisser la parole à l'élève, obtenir son point de vue et l'écouter. • Ne pas oublier de parler des forces de l'élève, et pas seulement de ses difficultés. • Illustrer les apprentissages réalisés et ceux qu'il reste à faire, en recourant dans la mesure du possible à des productions, au portfolio. • Formuler avec les parents et l'élève des objectifs précis. • Poser des questions aux parents et à l'élève, s'assurer d'obtenir leur point de vue. • Éviter les attitudes culpabilisantes. • Favoriser la continuité entre les apprentissages faits à l'école et à la maison. • Trouver des moyens d'intervention réalistes qui tiennent compte de la situation des parents et de l'élève. • Résumer les renseignements donnés par les différentes personnes présentes et vérifier si les parents comprennent cette information. • S'assurer que l'élève comprend bien les renseignements qui circulent, essayer de connaître ses priorités et les moyens d'action qu'il privilégie. • Faire participer les parents et l'élève aux recommandations, leur laisser le temps dont ils auraient besoin pour y réfléchir. Cela peut être important dans les cas de mesures qui ont un impact sur l'organisation du temps (par exemple, la participation à un programme d'aide aux devoirs et aux leçons), sur les services ou sur le type de classe. • Préciser les dates de révision, les procédures de suivi et de communication ainsi que la date de la prochaine réunion.
Après la réunion • Assurer le suivi du plan d'intervention. • Faire le point sur les progrès et ajuster au besoin les interventions.

que les parents doivent soutenir l'élève, mais ne pas faire les devoirs à sa place. Ces documents prodiguent maints conseils, comme mettre en place des conditions favorables (une pièce calme et exempte de distractions, un bon éclairage, du matériel disponible), encourager l'élève, appuyer les demandes des enseignants, vérifier que les devoirs sont faits au complet et communiquer avec l'école lorsque c'est nécessaire. Malheureusement, si ces recommandations sont intéressantes, il reste que certaines familles vivent dans des appartements exigus où il n'est pas toujours aisé d'obtenir le calme requis et où il est difficile de priver les autres membres de la famille de la télévision. De plus, bien des jeunes élèves aiment faire leurs devoirs dans la cuisine en compagnie de leurs parents qu'ils n'ont pas vus de la journée.

Quant aux enseignants, la littérature leur recommande en général de planifier avec soin cette activité en se demandant d'abord quelle fonction remplissent les devoirs et les leçons dans l'apprentissage. On leur suggère aussi de fixer des modalités de communication efficaces avec la famille afin de leur permettre d'obtenir des renseignements supplémentaires en cas de besoin. Plusieurs soulignent l'importance pour les enseignants d'adopter des horaires et des pratiques ayant une constance (des routines) de manière que les élèves connaissent précisément les attentes et puissent effectuer une certaine planification de leurs travaux scolaires.

Face aux difficultés liées aux devoirs et aux leçons, plusieurs écoles ou milieux communautaires ont mis sur pied des activités d'aide par des volontaires. Jayanti, Bursuck, Epstein et Polloway (cités dans Lane et autres, 2002) recommandent d'ailleurs que les élèves en difficulté aient la possibilité de compléter leurs devoirs directement à l'école. L'informatique offre aussi des conditions intéressantes pour transmettre de l'information à la fois aux parents et aux élèves.

« Allô prof » est un service d'aide aux élèves dans leurs travaux scolaires qui a vu le jour pour contrer les problèmes de décrochage scolaire. Ce projet a été créé par un groupe de partenaires, parmi lesquels figure le ministère de l'Éducation, du Loisir et du Sport du Québec. Les élèves peuvent avoir accès gratuitement à un service téléphonique où des enseignants répondent à leurs questions. En ligne, ils ont accès à un espace de clavardage et à des forums de discussions. De plus, ils peuvent consulter une bibliothèque virtuelle sur les notions vues entre la première année du primaire et la cinquième secondaire. De même, le site offre des conseils au sujet de la mémorisation, par exemple. Les parents peuvent également y trouver divers conseils et des liens informatiques utiles.

En résumé, si les devoirs et les leçons sont considérés par plusieurs (Epstein et autres, 2002) comme un pont entre l'école et la famille et un élément utile à l'apprentissage (surtout au secondaire ; voir Cooper et Valentine, 2001, pour une synthèse), cette pratique exige, pour les élèves en difficulté, différentes adaptations et un partenariat entre les intervenants concernés. Il faut aussi tenir compte du fait que les choses ont bien changé depuis les années 50, quand la majorité des mamans étaient à la maison et quand les élèves revenaient au domicile immédiatement après la classe…

13.8 Collaborer avec les services et la communauté

Dans les différents chapitres de ce livre, nous avons vu que les besoins des élèves sont diversifiés et souvent complexes. Nous avons vu aussi que des problèmes variés interpellent les écoles : les troubles d'apprentissage, les problèmes de comportement,

Devoirs d'un parent

Madame X est mère d'une famille monoparentale de trois garçons : deux jumeaux au deuxième cycle du primaire et un garçon au premier cycle du secondaire. Elle se lève à 5 h 30 pour préparer les lunchs du midi. À 6 heures, elle réveille ses enfants pour le déjeuner. Ces derniers n'ont pas toujours envie de se lever. Les plus jeunes doivent être au service de garde pour 7 h 15, car la mère doit prendre le pont Champlain à 7 h 30 afin de s'assurer d'être au travail à 9 heures ; son patron déteste les retards. À 17 heures, elle quitte son travail et arrive généralement au service de garde entre 18 heures et 18 h 30. Le retour à la maison a lieu à 18 h 45. Il faut alors préparer le souper, puis c'est le temps des devoirs et des leçons. La séance débute en général à 19 h 45, mais les plus jeunes sont fatigués. Ce soir, en plus des exercices à faire, il faut trouver sur Internet deux ou trois châteaux pour le projet du lendemain en classe. Quant au plus vieux, sa mère doit le motiver, lui demander de quitter ses jeux vidéo ou le téléphone, ce qui ne se fait pas toujours sans heurt. La séance se termine à 21 heures, et il faut alors s'assurer que les enfants se lavent et que les vêtements et les sacs d'école sont prêts pour le lendemain. À 22 heures, même s'il est un peu tard, les enfants dorment, et la mère est épuisée. Zut, elle a oublié d'imprimer les images du château de Chenonceaux !

Note : Ce cas est fictif, mais ressemble fort probablement à des situations réelles.

l'intimidation, les situations familiales difficiles pour certains élèves, etc. L'école ne peut à elle seule répondre à tous les besoins ; c'est pourquoi un partenariat s'avère nécessaire. Les enseignants collaborent donc avec de multiples intervenants. Nous verrons sommairement la coopération avec les services complémentaires des écoles et une collaboration plus large avec les ressources de la communauté.

13.8.1 Les services complémentaires : types et programmes du ministère de l'Éducation, du Loisir et du Sport du Québec

En milieu scolaire, les services aux élèves sont diversifiés. Le cadre de référence du Ministère (MEQ, 2002b) sur ces services précise, à partir du Régime pédagogique, les services suivants :

- de promotion de la participation de l'élève à la vie éducative ;
- d'éducation aux droits et aux responsabilités ;
- d'animation sur les plans sportif, culturel et social ;
- de soutien à l'utilisation des ressources documentaires de la bibliothèque scolaire ;
- d'information et d'orientation scolaires et professionnelles ;
- de psychologie ;
- de psychoéducation ;
- d'éducation spécialisée ;
- d'orthopédagogie ;
- d'orthophonie ;
- de santé et de services sociaux ;
- d'animation spirituelle et d'engagement communautaire (p. 14).

Selon le Ministère, au cours des années 70, les services complémentaires sont surtout individuels et assurés par des professionnels tels les psychologues. Dans les années 80, ces services s'ouvrent à des dimensions comme la prévention, le soutien aux enseignants, aux parents ou les services collectifs offerts aux élèves. Ils ne regroupent plus que des professionnels. Ainsi, aujourd'hui, les services complémentaires incluent des enseignants, des techniciens en loisirs, en animation culturelle et des éducateurs spécialisés. Ces services s'articulent autour de quatre programmes dont le but est de faciliter la progression de l'élève. Un premier programme comprend des mesures de soutien visant à assurer à l'élève des conditions positives d'apprentissage. Ce programme est centré sur des dimensions telles que le climat pédagogique, la gestion de la classe et la différenciation de l'enseignement. Le deuxième programme cherche à offrir des appuis pour développer l'autonomie et le sens des responsabilités de l'élève, son sens moral et spirituel, ses relations avec les autres et son sentiment d'appartenance à l'école et à la communauté. Le troisième programme porte sur l'accompagnement de l'élève dans son cheminement et son orientation scolaire et professionnelle. Il vise aussi la recherche de solutions aux difficultés. Enfin, le quatrième programme est orienté sur la promotion et la prévention en créant des environnements pour accroître de saines habitudes et des compétences axées sur la santé et le bien-être (MEQ, 2002b). Les intervenants dans le développement de ces différents programmes doivent agir en collaboration.

Voici deux exemples de collaboration cités par le Ministère:

> Un éducateur spécialisé, une psychologue et un enseignant réalisent un projet de parrainage permettant à des élèves ayant une déficience intellectuelle de s'engager activement dans les activités offertes durant l'heure du dîner.
>
> Une psychoéducatrice et un conseiller d'orientation collaborent à la réalisation d'activités d'apprentissage ou de projets d'équipe permettant à des élèves ayant des difficultés d'ordre comportemental d'exercer différents rôles et responsabilités dans l'école (MEQ, 2002b, p. 47).

Le Ministère prône une approche concertée des services pour mieux répondre aux besoins des élèves et mettre en place des actions dirigées, entre autres, sur la prévention. Et comme nous l'avons vu tout au long de cet ouvrage, la prévention a une importance primordiale dans l'intervention auprès des élèves en difficulté.

13.8.2 Collaborer dans la classe avec les services complémentaires

Bien souvent, l'enseignant n'est plus le seul adulte en classe. Il peut y avoir des services d'orthopédagogie donnés directement en classe (voir le chapitre 5) ou des éducateurs spécialisés, qui accordent aussi, dans plusieurs classes, des services à des élèves. Il n'est pas rare que des professionnels tels que des psychoéducateurs ou des psychologues viennent en classe observer les élèves ou réaliser certains projets. Cette collaboration requiert toutefois une bonne communication entre l'enseignant et ces personnes. Elle exige aussi que les rôles de chacun soient précisés. Pour Lane et autres, (2002), il est essentiel de clarifier les tâches de chaque intervenant en ce qui concerne le programme, l'évaluation, la détermination des objectifs des élèves, l'enseignement, la gestion des comportements, les relations avec les parents et les plans d'intervention individualisés. Pour faciliter cette communication, ces auteurs recommandent de courtes réunions hebdomadaires où l'on discutera des projets en cours, des échanges quotidiens informels et de l'information sur la planification de l'enseignement. Ils suggèrent aussi qu'il soit possible pour les personnes travaillant en classe d'avoir accès à la planification de l'enseignant.

En ce qui a trait aux situations problématiques, Lane et autres (2002) proposent, si l'enseignant est absent (par exemple, dans le cas d'un éducateur qui accompagne un élève à la récréation), que ces intervenants prennent quelques notes sur ce qui s'est passé, sur les personnes en présence, sur l'action visant à résoudre le problème et sur l'effet de cette action, en plus d'apporter des suggestions pour l'avenir. Les auteurs suggèrent aussi d'indiquer si cette situation s'est produite auparavant et dans quelles circonstances. Enfin, les équipes de collaborateurs peuvent recourir à un processus de résolution de problèmes.

13.8.3 Établir des liens avec les ressources communautaires

Lorsqu'il s'agit d'amener les services à établir une véritable collaboration entre eux, avec les élèves et les enseignants, la direction de l'école a une responsabilité pour promouvoir et mettre en place les conditions qui favorisent cette collaboration. La collaboration requiert du temps, celui dont on a besoin pour échanger des idées et élaborer des plans d'action. La direction a un rôle crucial à jouer en s'assurant de la qualité de l'accueil fait aux parents et de l'information transmise. Elle doit vérifier que des occasions de participation sont offertes et que des liens sont établis avec les organismes communautaires (MEQ, 1999a). En effet, les élèves reçoivent aussi des services de la communauté : des services de garde, des activités sportives, des services sociaux, etc. Les enseignants ont également avantage à connaître ces ressources communautaires, qu'il s'agisse de groupes culturels, de services municipaux, etc. Le Ministère recommande de faire connaître aux parents ces services, ce qui permettra de mieux répondre à leurs besoins et d'augmenter ainsi leur sentiment d'appartenance à une communauté éducative.

RÉSUMÉ

La collaboration avec les parents présente plusieurs avantages pour la famille, l'enseignant, l'élève et l'école. Toutefois, elle comporte plusieurs défis et doit prendre en considération la réalité des familles actuelles et celle des familles qui ont un enfant en difficulté ou handicapé. Il existe dans le milieu scolaire de nombreuses occasions de collaboration : des rencontres diverses, des communications écrites ou téléphoniques, etc. Toutefois, pour être pleinement efficaces, ces communications doivent respecter certains principes de la communication. Le plan d'intervention personnalisé représente une occasion unique d'établir un partenariat avec la famille. Les enseignants sont appelés à collaborer non seulement avec la famille, mais aussi avec les services complémentaires et la communauté.

QUESTIONS

1. Au cours des 50 dernières années, quels sont les principaux changements qui sont intervenus dans la vie familiale ? Comment ces changements exercent-ils une influence sur les relations de la famille avec l'école ?
2. Quelles sont les principales fonctions de la famille ? Quelle peut être l'influence de la présence d'un enfant en difficulté ou handicapé sur certaines de ces fonctions ?

...

QUESTIONS (*suite*)

3. Quels sont les cycles de vie de la famille d'un enfant qui naît handicapé ?
4. Quelles sont les occasions de communication dans le milieu scolaire ?
5. Lorsqu'on établit un plan d'intervention adapté, de quels éléments doit-on tenir compte pour favoriser l'établissement d'une bonne communication avec les parents ?
6. Quels sont les services complémentaires offerts en milieu scolaire ?

RÉFÉRENCES SUGGÉRÉES

Sur les relations entre la famille ayant un enfant en difficulté ou handicapé et le personnel du milieu scolaire :

TURNBULL, A.P., TURNBULL, H.R., ERWIN, E.J. et SOODAK, L.C. (2006). *Families, Professionals, and Exceptionality. Positive Outcomes through Partnership and Trust* (5e éd.). Upper Saddle River, New Jersey : Pearson.

Sur les relations avec la famille, en général :

GOUPIL, G. (1997). *Communications et relations entre l'école et la famille.* Montréal : Chenelière/McGraw-Hill.

MINISTÈRE DE L'ÉDUCATION DU QUÉBEC (2004). *Rapprocher les familles et l'école primaire.* Québec : Ministère de l'Éducation.

MINISTÈRE DE L'ÉDUCATION DU QUÉBEC (2004). *Rapprocher les familles et l'école secondaire.* Québec : Ministère de l'Éducation. Ce guide et le précédent incluent des instruments visant à évaluer certaines dimensions de la collaboration. Ces documents sont disponibles sur le site du Ministère, à l'adresse suivante : [http://www.mels.gouv.qc.ca/].

Sur les services complémentaires et leurs orientations :

MINISTÈRE DE L'ÉDUCATION DU QUÉBEC (2002). *Les services éducatifs complémentaires : essentiels à la réussite.* Québec : Ministère de l'Éducation. Ce document est disponible sur le site du Ministère, à l'adresse suivante : [http://www.mels.gouv.qc.ca/].

Sur l'aide aux devoirs :

Allô prof. [en ligne], [http://www.alloprof.qc.ca/]. On trouve sur ce site des numéros de téléphone permettant de joindre les enseignants dans les différentes régions du Québec.

Sur les travaux de Joyce Epstein :

NATIONAL PARTNERSHIP SCHOOLS. [en ligne], [http://www.csos.jhu.edu/].

BIBLIOGRAPHIE

ADELMAN, H.S. (1992). LD: The next 25 years. *Journal of Learning Disabilities, 25,* 17-22.

ADELMAN, H.S. (1994). Intervening to enhance home involvement in schooling. *Intervention in School and Clinic, 29* (5), 276-287.

AGENCE DE DÉVELOPPEMENT DE RÉSEAUX LOCAUX DE SERVICES DE SANTÉ ET DE SERVICES SOCIAUX (2005). *Cadre de référence. Organisation de services pour les personnes présentant une déficience intellectuelle nécessitant des services d'hébergement et de soins de longue durée.* Longueuil, Québec : Agence de développement de réseaux locaux de services de santé et de services sociaux de la Montérégie.

AGENCE DE SANTÉ PUBLIQUE DU CANADA (2006). *Évaluation de la qualité de vie des personnes atteintes de troubles mentaux chroniques : analyse critique des mesures et des méthodes,* [en ligne], [http://www.phac-aspc.gc.ca/mh-sm/pubs/quality_of_life] (27 juillet 2006).

ALBERTO, P.A. et TROUTMAN, A.C. (1986). *Applied Behavior Analysis for Teachers.* Columbus, Ohio : Merrill.

ALPINER, J.G. (1970). *Speech and Hearing Disorders in Children.* Boston : Houghton Mifflin.

AMERICAN PSYCHIATRIC ASSOCIATION (1996). *DSM IV: Manuel diagnostique et statistique des troubles mentaux.* Paris : Masson.

AMERICAN PSYCHIATRIC ASSOCIATION (2003). *DSM-IV-TR : Manuel diagnostique et statistique des troubles mentaux* (4e éd., texte révisé). Paris : Masson.

ANDERSON, A. (2004). La différenciation : un regard du côté de l'apprenant. *Vie pédagogique,* (130), 31-34.

ARCHAMBAULT, J. (1992). *Les services aux élèves en difficulté d'apprentissage au primaire : perceptions de responsables des services de commissions scolaires québécoises,* thèse de doctorat inédite. Montréal : Université de Montréal, Faculté des études supérieures.

ARCHAMBAULT, J. et CHOUINARD, R. (1996). *Vers une gestion éducative de la classe.* Boucherville, Québec : Gaëtan Morin Éditeur.

ARCHAMBAULT, J. et CHOUINARD, R. (2003). *Vers une gestion éducative de la classe* (2e éd.). Montréal : Gaëtan Morin Éditeur.

ARDIZZONE, J. et SCHOLL, G.T. (1985). Mental retardation, dans G.T. Scholl (dir.), *The School Psychologist and the Exceptional Child.* Reston, Virginie : The Council for Exceptional Children.

ARSENEAULT, L., TREMBLAY, R.E., BOULERICE, B. et SAUCIER, J.F. (2002). Obstetrical complications and violent delinquency. *Child Development, 73* (2), 496-508.

ASSEMBLÉE NATIONALE DU QUÉBEC (1988). *Projet de loi 107. Loi sur l'instruction publique.* Québec : Éditeur officiel du Québec.

ASSOCIATION AMÉRICAINE DU RETARD MENTAL (1994). *Retard mental. Définition, classification et systèmes de soutien.* Saint-Hyacinthe, Québec : Édisem.

ASSOCIATION AMÉRICAINE DU RETARD MENTAL (2003a). *Retard mental. Définition, classification et systèmes de soutien* (10e éd.). Eastman, Québec : Éditions Behaviora.

ASSOCIATION AMÉRICAINE DU RETARD MENTAL (2003b). *Retard mental. Définition, classification et systèmes de soutien. Cahier* (10e éd.). Eastman, Québec : Éditions Behaviora.

ASSOCIATION DE PARALYSIE CÉRÉBRALE DU QUÉBEC (s. d.). *Ce que je dois savoir de l'infirmité motrice cérébrale.* Québec : Association de paralysie cérébrale du Québec.

ASSOCIATION DES ORTHOPÉDAGOGUES DU QUÉBEC. *L'orthopédagogue : un spécialiste des difficultés d'apprentissage,* [en ligne], [http://www.adoq.ca/] (23 octobre 2006).

ASSOCIATION POUR LA RECHERCHE SUR L'AUTISME ET LA PRÉVENTION DES INADAPTATIONS (1995). Qui était Leo Kanner ? *Le Bulletin de l'ARAPI,* 3-4.

ASSOCIATION QUÉBÉCOISE POUR LES ENFANTS ATTEINTS D'AUDIMUTITÉ. *Dysphasie ou retard du langage,* [en ligne], [http://www.aqea.qc.ca/fr/dysphasie-retard.php/] (14 septembre 2006).

ATELIER QUÉBÉCOIS DES PROFESSIONNELS SUR LE RETARD MENTAL et UNIVERSITÉ DU QUÉBEC À MONTRÉAL (AQPRM-UQAM) (1993). *Échelle québécoise de comportements adaptatifs (EQCA). Rapport d'évaluation critériée, version 1993.* Montréal : Université du Québec à Montréal, Département de psychologie.

ATELIER QUÉBÉCOIS DES PROFESSIONNELS SUR LE RETARD MENTAL et UNIVERSITÉ DU QUÉBEC À MONTRÉAL (AQPRM-UQAM) (1996). *Échelle québécoise de comportements adaptatifs (EQCA). Rapport d'évaluation critériée, version 1996.* Montréal : Université du Québec à Montréal, Département de psychologie.

ATELIER QUÉBÉCOIS DES PROFESSIONNELS SUR LE RETARD MENTAL (AQPRM) (1997). *Échelle québécoise de comportements adaptatifs. Consignes de passation.* Montréal : AQPRM et Département de psychologie de l'Université du Québec à Montréal.

ATWOOD, T. (1998). *Asperger's Syndrome.* Londres : Jessica Kingsley Publishers.

AUDET, D. et ROYER, E. (1993). *École et comportement. Un guide d'intervention au secondaire.* Québec : Ministère de l'Éducation, Direction de l'adaptation scolaire et des services complémentaires.

AUDY, P., RUPH, F. et RICHARD, M. (1993). La prévention des échecs et des abandons scolaires par l'actualisation du potentiel intellectuel. *Revue québécoise de psychologie, 14* (1), 151-189.

BAMBARA, L.M. (2005a). Evolution of positive behavior support, dans L.M. Bambara et L. Kern (dir.), *Individualized Supports for Students with Problems Behaviors. Designing Positive Behavior Plans.* New York : The Guilford Press, 1-24.

BAMBARA, L.M. (2005b). Overview of the behavior support process, dans L.M. Bambara et L. Kern (dir.), *Individualized Supports for Students with Problems Behaviors. Designing Positive Behavior Plans.* New York : The Guilford Press, 47-70.

BAMBARA, L.M. et KERN, L. (dir.) (2005). *Individualized Supports for Students with Problems Behaviors. Designing Positive Behavior Plans.* New York : The Guilford Press.

BAMBARA, L.M. et KNOSTER, T.P. (2005). Designing positive behavior support plans, dans M.L. Wehmeyer et M. Agran (dir.), *Mental Retardation and Intellectual Disabilities. Teaching Students Using Innovative and Research-based Strategies.* Boston : Pearson, 149-174.

BANDINI, L. (2005). Obesity, dans W.N. Nehring (dir.), *Health Promotion for Persons with Intellectual and Developmental Disabilities.* Washington, D.C. : American Association on Mental Retardation, 17-42.

BANDURA, A., ROSS, D. et ROSS, S.A. (1963). Imitation of film-mediated aggressive model. *Journal of Abnormal and Social Psychology, 1,* 3-11.

BARRY, A. (2004). Différenciation et diversification : clarification conceptuelle des enjeux. *Vie pédagogique,* (130), 20-23.

BARTON, E.J. et ASCIONE, F.R. (1984). Direct observation, dans T.H. Ollendick et M. Hersen (dir.), *Child Behavioral Assessment.* New York : Pergamon Press, 166-194.

BEAUPRÉ, P. (1994). Les conditions d'intégration et l'évolution du développement des enfants présentant une déficience intellectuelle scolarisés en maternelle et en classe à effectif réduit, dans Office des personnes handicapées du Québec, *Élargir les horizons. Perspectives scientifiques sur l'intégration sociale.* Drummondville, Québec : Office des personnes handicapées du Québec.

BEAUPRÉ, P., ROY, S. et OUELLET, G. (2003a). *Rapport sur les questionnaires à l'intention de la direction d'école sur le plan d'intervention auprès des personnes handicapées ou en difficulté.* Québec : Ministère de l'Éducation.

BEAUPRÉ, P., ROY, S. et OUELLET, G. (2003b). *Rapport sur les groupes de discussion portant sur la démarche de plan d'intervention.* Québec : Ministère de l'Éducation.

BEAUSSANT, M. (2003). *La scolarité d'un enfant sourd.* Paris : L'Harmattan.

BÉLAND, K. et GOUPIL, G. (2004). Les pratiques des psychologues scolaires québécois auprès des élèves en difficulté d'apprentissage : étude de dossiers. *Scientia Pædagogica Experimentalis, XLI,* 83-104.

BÉLANGER, J., GOSSELIN, C., BOWEN, F., DESBIENS, N. et JANOSZ, M. (2006). L'intimidation et les autres formes de violence à l'école, dans L. Massé, N. Desbiens et C. Lanaris (dir.), *Les troubles du comportement à l'école.* Montréal : Gaëtan Morin Éditeur, 53-65.

BENDER, W.N. (1992). *Learning Disabilities. Characteristics, Identification and Teaching Strategies.* Boston : Allyn and Bacon.

BENDER, W.N. (2004). *Learning Disabilities. Characteristics, Identification and Teaching Strategies.* Boston : Pearson.

BENSON, B.A. (2005). Mental health, dans W.N. Nehring (dir.), *Health Promotion for Persons with Intellectual and Developmental Disabilities.* Washington, D.C. : American Association on Mental Retardation, 73-86.

BERGERON, A.-M., CAMPEAU, M. et DOIRON, S. (1980). À la découverte de notre audition, dans *Pour bien m'entendre.* Montréal : Les publications Entendre, Association du Québec pour enfants avec problèmes auditifs.

BERNSTEIN, D.K. et TIEGERMAN-FARBER, E. (2002). *Language and Communication Disorders in Children.* Boston : Allyn and Bacon.

BERQUIN, P. (2005). Le trouble déficitaire d'attention avec hyperactivité : aspects neurofonctionnels. *Peadiatrica, 16* (6), 14-16.

BETTELHEIM, B. (1967). *La forteresse vide.* Paris : Gallimard.

BHÉRER, M. (1993). *La collaboration parents-intervenants. Guide d'intervention en réadaptation.* Boucherville, Québec : Gaëtan Morin Éditeur.

BISHOP, V.E. (2004). *Teaching Visually Impaired Children.* Springfield, Illinois : Charles C. Thomas Publisher.

BLACKBOURN, J.M., PATTON, J.R. et TRAINOR, A. (2004). *Exceptional Individuals in Focus.* Upper Saddle River, New Jersey : Prentice-Hall/Merrill.

BLALOCK, G. et PATTON, J.R. (1996). Transition and students with learning disabilities: Creating sound futures. *Journal of Learning Disabilities, 29* (1), 7-16.

BLANCHARD, L. et STABILE, C. (s. d.). *Mieux connaître la personne ayant une déficience intellectuelle.* Montréal : Ministère de l'Éducation du Québec, Service régional de soutien en déficience intellectuelle.

BLATT, B. (1958). The physical, personality and academic status of children who are mentally retarded attending special classes as compared with children who are mentally retarded attending regular classes. *American Journal of Mental Deficiency, 62,* 810-818.

BONDNER, B. et SASS-LEHRER, M. (2003). *The Young Deaf or Hard of Hearing Child. A Family-centered Approach to Early Education.* Baltimore, Maryland : Paul H. Brookes.

BONDY, A. et FROST, L. (2002). *A Picture's Worth: PECS and Other Visual Communication Strategies in Autism.* Bethesda, Maryland : Woodbine House.

BOREL-MAISONNY, S. (1973). *Langage oral et écrit 1. Pédagogie des notions de base.* Neuchâtel, Suisse : Delachaux et Niestlé.

BOS, C.C. et VAUGHN, S. (1994). *Strategies for Teaching Students with Learning and Behavior Problems.* Boston : Allyn and Bacon.

BOS, C.S. et VAUGHN, S. (2006). *Strategies for Teaching Students with Learning and Behavior Problems.* Boston : Pearson.

BOUCHARD, G.-E. (1985). *Un enfant, un besoin, un service.* Montréal : Conseil scolaire de l'Île.

BOUCHARD, J.-M. (1987a). La famille : impact de la déficience mentale et participation à l'intervention, dans S. Ionescu (dir.), *L'intervention en déficience mentale.* Bruxelles : Pierre Mardaga éditeur, 97-114.

BOUCHARD, J.-M. (1987b). Les parents et les professionnels : une relation qui se construit. *Attitudes,* mai.

BOUCHARD, J.-M., PELCHAT, D., BOUDREAULT, P. et LALONDE-GRATTON, M. (1994). *Processus d'adaptation et qualité de vie de la famille.* Montréal : Guérin universitaire.

BOUDREAULT, D., DÉRY, M. et ROUSSEAU, J. (1993). La qualité de vie, un critère essentiel dans l'évaluation de l'intégration sociale, dans S. Ionescu (dir.), *La déficience intellectuelle.* Laval, Québec : Éditions Agence d'Arc.

BOWEN, F., DESBIENS, N., GENDRON, M. et BÉLANGER, J. (2006). L'acquisition et le développement des habiletés sociales, dans L. Massé, N. Desbiens et C. Lanaris (dir.), *Les troubles du comportement à l'école.* Montréal : Gaëtan Morin Éditeur, 211-227.

BRAIS, Y. (1991). *Retard scolaire et risque d'abandon scolaire au secondaire.* Québec : Ministère de l'Éducation.

BRAIS, Y. (1994). *Le classement des élèves à l'école primaire.* Québec : Ministère de l'Éducation.

BRINKER, R.P. et THORPE, M.E. (1986). Features on integrated educational ecologies that predict social behavior among severely mentally retarded and non retarded students. *American Journal of Mental Deficiency, 91,* 150-159.

BROPHY, J.E. (1981). Teacher praise: A functional analysis. *Review of Educational Research, 51,* 5-32.

BROPHY, J.E. (1983). Research on the self-fulfilling prophecy and teachers expectations. *Journal of Educational Psychology, 75,* 631-661.

BROWN, L., SHIRAGA, B., ROGAN, P., YORK, J., ZANELLA, K., MCCARTHY, E., LOOMIS, R. et VAN DEVENTER, P. (1985). *The "Why Question" in Educational Programs for Students Who Are Severely Intellectually Disabled.* Madison : University of Wisconsin.

BROWN, R.L. (1985). The emotionally disturbed, dans G.T. Scholl (dir.), *The School Psychologist and the Exceptional Child.* Reston, Virginie : The Council for Exceptional Children.

BRUNELLE, N., PLOURDE, C. et TREMBLAY, J. (2006). L'usage de drogues et la délinquance, dans L. Massé, N. Desbiens et C. Lanaris (dir.), *Les troubles du comportement à l'école.* Montréal : Gaëtan Morin Éditeur, 29-38.

BÜCHEL, F.P. et PAOUR, J.-L. (1990). Introduction. Contributions à l'étude des potentiels d'apprentissage et de développement. *European Journal of Psychology of Education, V* (2), 89-95.

BUDD, K.S. (1985). Parents as mediators in the social skills training of children, dans L. L'Abate et M.A. Milan (dir.), *Handbook of Social Skills Training and Research.* New York : John Wiley and Sons, 245-262.

BUDOFF, M. et GOTTLIEB, J. (1976). Special-class EMR children mainstreamed: A study of inaptitude (learning potential) X treatment interaction. *American Journal of Mental Deficiency, 81,* 1-11.

BULLOCK, L.M. et WILSON, M.J. (1989). *Behavior Dimensions Rating Scale: Examiner's Manual.* Allen, Texas : DLM Teaching Resources.

BULLOCK, L.M. et WILSON, M.J. (1992). *Échelle d'évaluation des dimensions du comportement.* Loretteville, Québec : Commission scolaire de La Jeune-Lorette.

CAPUZZI, D. et GROSS, D.R. (2004). Prevention: An overview, dans D. Capuzzi et D.R. Gross (dir.), *Youth at Risk. A Prevention Resource for Counselors, Teachers, and Parents.* Alexandria, Virginie : American Counseling Association, 21-34.

CARDUCCHI-GEOFFRION, M. et ARCHAMBAULT, J. (1984). *Démarche de besoins d'analyse et de solution de problèmes à l'intention de l'école.* Montréal : CECM, Bureau de ressources en développement pédagogique et en consultation personnelle.

CARON, J. (2003). *Apprivoiser les différences. Guide sur la différenciation des apprentissages et la gestion des cycles.* Montréal : Les Éditions de la Chenelière.

CARPENTER, C.D., RAY, M.S. et BLOOM, L.A. (1995). Portfolio assessment: Opportunities and challenges. *Intervention in School and Clinic, 31* (1), 34-41.

CARR, E. et OGLE, D. (1989). KWL Plus, dans Wisconsin State Department of Public Instruction, *Strategic Learning in the Content Areas.* Madison : Wisconsin State Department of Public Instruction, ERIC : ED 306 560.

CHENEY, D. et BULLIS, M. (2004). The school-to-community transition of adolescents with emotional and behavioral disorders, dans R.B. Rutherford, M.M. Quinn et S.R. Mathur (dir.), *Handbook of Research in Emotional and Behavioral Disorders.* New York : The Guilford Press, 369-384.

CHEVRIER, J.-M. (1989). *Épreuve individuelle d'habileté mentale.* Montréal : Institut de recherches psychologiques.

CHEVRIER, J.-M. (1996). *Épreuve individuelle d'habileté mentale pour enfants de 4 à 9 ans.* Montréal : Institut de recherches psychologiques.

CHOUINARD, R. et PION, N. (1995). L'évaluation des difficultés d'apprentissage en milieu scolaire. *Science et comportement, 24,* 31-50.

CIOTTI, F. et CACCIARI, E. (1987). Diétothérapie, dans S. Ionescu (dir.), *L'intervention en déficience mentale. I. Problèmes généraux. Méthodes médicales et psychologiques.* Bruxelles : Pierre Mardaga éditeur, 187-221.

COLLÈGE DES MÉDECINS DU QUÉBEC et ORDRE DES PSYCHOLOGUES DU QUÉBEC (2001). *Le trouble déficit de l'attention / hyperactivité et l'usage de stimulants du système nerveux central. Lignes directrices du Collège des médecins du Québec et de l'Ordre des psychologues du Québec.* Montréal : Collège des médecins du Québec.

COLLÈGE DES MÉDECINS DU QUÉBEC et ORDRE DES PSYCHOLOGUES DU QUÉBEC (2006). *Le trouble déficit de l'attention avec ou sans hyperactivité. Traitement pharmacologique (mise à jour).* Montréal : Collège des médecins du Québec.

COMEAU, M. et GOUPIL, G. (s. d.). *Des comportements difficiles à la garderie,* dépliant produit dans le cadre d'une recherche subventionnée par le CQRS et Santé et Bien-être social Canada. Montréal.

COMITÉ PATRONAL DE NÉGOCIATION POUR LES COMMISSIONS SCOLAIRES FRANCOPHONES (CPNCF) et CENTRALE DES SYNDICATS DU QUÉBEC (CSQ) POUR LE COMPTE DES SYNDICATS D'ENSEIGNANTES ET D'ENSEIGNANTS QU'ELLE REPRÉSENTE (2006). *Annexe XIX : Élèves à risque et élèves handicapés ou en difficulté d'adaptation ou d'apprentissage.* Loi sur le régime de négociation des conventions collectives dans les secteurs public et parapublic (L.R.Q., c. R-8.2).

COMITÉ PROVINCIAL DE L'ENFANCE INADAPTÉE (COPEX) (1976). *L'éducation de l'enfance en difficulté d'adaptation et d'apprentissage au Québec.* Québec : Ministère de l'Éducation, Service général des communications.

COMITÉ QUÉBÉCOIS ET SOCIÉTÉ CANADIENNE DE LA CIDIH (1995). *Guide de formation sur la classification internationale des déficiences, incapacités et handicaps et proposition du Comité québécois et de la Société canadienne de la CIDIH.* Lac Saint-Charles, Québec : SCCIDIH-CQCIDIH.

COMMISSION ROYALE D'ENQUÊTE SUR L'ENSEIGNEMENT DANS LA PROVINCE DE QUÉBEC (1965). *Rapport Parent* (3e éd.). Québec : Gouvernement du Québec.

CONDUCT PROBLEMS PREVENTION RESEARCH GROUP (2002). Evaluation of the first 3 years of the Fast Track prevention trial with children at high risk for adolescent conduct problems. *Journal of Abnormal Child Psychology, 30* (1), 19-35.

CONDUCT PROBLEMS PREVENTION RESEARCH GROUP (2004). The effects of the Fast Track Program on serious problems outcomes at the end of the elementary school. *Journal of Clinical Child and Adolescent Psychology, 33* (4), 650-651.

CONSEIL SUPÉRIEUR DE L'ÉDUCATION (1994). *Être parent d'élève du primaire : une tâche éducative irremplaçable.* Sainte-Foy, Québec : Conseil supérieur de l'éducation, Direction des communications.

CONSEIL SUPÉRIEUR DE L'ÉDUCATION (1996). *L'intégration scolaire des élèves handicapés et en difficulté.* Sainte-Foy, Québec : Conseil supérieur de l'éducation, Direction des communications.

CONSEIL SUPÉRIEUR DE L'ÉDUCATION (1999). *Pour une meilleure réussite scolaire des garçons et des filles.* Québec : Conseil supérieur de l'éducation.

CONSEIL SUPÉRIEUR DE L'ÉDUCATION (2001a). *Les élèves en difficulté de comportement à l'école primaire. Comprendre, prévenir, intervenir, version abrégée.* Québec : Conseil supérieur de l'éducation.

CONSEIL SUPÉRIEUR DE L'ÉDUCATION (2001b). *Les élèves en difficulté de comportement à l'école primaire. Comprendre, prévenir, intervenir.* Québec : Conseil supérieur de l'éducation.

CONSEIL SUPÉRIEUR DE L'ÉDUCATION (2002). *L'organisation du primaire en cycles d'apprentissage : une mise en œuvre à soutenir. Avis au ministre de l'Éducation.* Québec : Conseil supérieur de l'éducation.

COOPER, H. et VALENTINE, J.C. (2001). Using research to answer practical questions about homework. *Educational Psychologist, 36* (3), 143-153.

CÔTÉ, R., PILON, W., DUFOUR, C. et TREMBLAY, M. (1989). *Guide d'élaboration des plans de services et d'interventions.* Québec : Groupe de recherche et d'étude en déficience du développement.

COULTER, D.L. (2005). Epilepsy, dans W.N. Nehring (dir.), *Health Promotion for Persons with Intellectual and Developmental Disabilities.* Washington, D.C. : American Association on Mental Retardation, 61-71.

COUSINEAU, M.M. et FERRON, S. (2003). *La prévention du taxage : une démarche structurée,* [en ligne], [http://www.mels.gouv.qc.ca/dassc/taxage/documents/atelier3.ppt] (11 juillet 2005).

CRANK, J.N. et BULGREN, J.A. (1993). Visual depictions as information organizers for enhancing achievement of students with learning disabilities. *Learning Disabilities. Research and Practice, 8* (3), 140-147.

CRUICKSHANK, W.M. (1977). *Learning Disabilities in Home, School and Community.* Syracuse, New York : Syracuse University Press.

CULLINAN, D. (2004). Classification and definition of emotional and behavioral disorders, dans R.B. Rutherford, M.M. Quinn et S.R. Mathur (dir.), *Handbook of Research in Emotional and Behavioral Disorders.* New York : The Guilford Press, 32-53.

CULLINAN, D., SCHLOSS, P.J. et EPSTEIN, M.H. (1987). Relative prevalence and correlates of depressive characteristics among emotionally disturbed and nonhandicapped students. *Behavioral Disorders, 12,* 90-98.

CULPEPPER, B. (2003). Identification of permanent childhood hearing loss through universal newborn hearing screening programs, dans B. Bodner-Johnson et M. Sass-Lehrer (dir.), *The Young Deaf or Hard of Hearing Child.* Baltimore, Maryland : Paul H. Brookes, 99-122.

DE GARIE, S. et JACQUES, M. (2003). Expérience québécoise : implantation du programme d'intimidation, dans Association québécoise des psychologues scolaires (dir.), *Dossier intimidation.* 15e colloque de l'Association québécoise des psychologues scolaires, 49-55.

DELCEY, M. (2002). *Notion de situation de handicap (moteur),* [en ligne], [http://www.moteurline.apf.asso.fr/] (27 août 2006).

DE MAISTRE, M. (1970). *Dyslexie, dysorthographie.* Paris : Éditions Universitaires.

DEMCHAK, M.A. et BOSSERT, K.W. (1996). Assessing problems behaviors. *Innovations,* 4-7.

DENOYELLE, F., MARLIN, S., WEIL, D., MOATTI, L., PETIT, C. et GARABÉDIAN, F.-N. *Prévalence et caractéristiques cliniques de la forme majeure de surdité de l'enfant, DFNB1, due à une atteinte du gène de la connexine 26 : implications pour le conseil génétique,* [en ligne], [http://pro.gyneweb.fr/Sources/congres/jta/99/ped/connexine.htm] (11 septembre 2006).

DESLANDES, R., POTVIN, P. et LECLERC, D. (2000). Les liens entre l'autonomie de l'adolescent, la collaboration parentale et la réussite scolaire. *Revue canadienne des sciences du comportement, 32* (4), 208-217.

DETTMER, P.A., DYCK, N.T. et THURSTON, L.P. (1996). *Consultation, Collaboration, and Teamwork for Students with Special Needs.* Boston : Allyn and Bacon.

DICK, M. (1992). *Putting Transition Planning in the IEP Process.* San Jose, Californie : San Jose State University, ERIC : ED 347 777.

DIONNE, J.-J. (1995). Pour une intervention stimulante : la résolution de problèmes, dans L. Saint-Laurent, J. Giasson, C. Simard, J.-J. Dionne et E. Royer (dir.), *Programme d'intervention auprès des élèves à risque. Une nouvelle option éducative.* Boucherville, Québec : Gaëtan Morin Éditeur.

DIRECTION DES COMMUNICATIONS DU MINISTÈRE DE LA SANTÉ ET DES SERVICES SOCIAUX DU QUÉBEC (2003). *Un geste porteur d'avenir. Des services aux personnes présentant un trouble envahissant du développement, à leurs familles et à leurs proches.* Québec : Direction des communications du ministère de la Santé et des Services sociaux.

DIVISION FOR LEARNING DISABILITIES OF THE COUNCIL FOR EXCEPTIONAL CHILDREN (s. d.). *Inclusion: What Does It Mean for Students with Learning Disabilities?* Reston, Virginie : DLD.

DORAIS, M. (2004). Le sort des jeunes marginalisés à l'école à cause de leur « différence » de genre ou de préférence sexuelle et le risque suicidaire, dans G. Parent et D. Rhéaume (dir.), *La prévention du suicide à l'école.* Sainte-Foy, Québec : Presses de l'Université du Québec, 95-106.

DORÉ, R., WAGNER, S. et BRUNET, J.-P. (1996). *Réussir l'intégration scolaire. La déficience intellectuelle.* Montréal : Les Éditions Logiques.

DORÉ, R., WAGNER, S. et BRUNET, J.P. (2003). L'intégration scolaire des élèves présentant une déficience intellectuelle : une réalité systémique, dans M.J. Tassé et D. Morin (dir.), *La déficience intellectuelle.* Boucherville, Québec : Gaëtan Morin Éditeur, 93-106.

DOUCET, J., GAGNIER, P., HOULE, F. et TREGONNING, L. (s. d.). *Telle discipline, tel professeur, telle motivation.* Toronto : Ontario School Teachers' Federation.

DOUGLAS, V.I. (1972). Stop, look and listen: the problem of sustained attention and impulse control in hyperactive and normal children. *Canadian Journal of the Behavioral Sciences, 4,* 259-282.

DOWDY, C.A. et EVERS, R.B. (1996). Preparing students for transition: A teacher primer on vocational education and rehabilitation. *Intervention in School and Clinic, 31* (4), 197-208.

DOYON, M. (1991). L'apprentissage coopératif en classe : un mode d'apprentissage. *Science et comportement, 21,* 126-146.

DOYON, M. et ARCHAMBAULT, J. (1986). *Du feed-back pour apprendre.* Montréal : CECM, Bureau de ressources en développement pédagogique et en consultation personnelle.

DUBÉ, R. (1992). *Hyperactivité et déficit d'attention chez l'enfant.* Boucherville, Québec : Gaëtan Morin Éditeur.

DUDA, M.A., DUNLAP, G., FOX, L., LENTINI, R. et CLARKE, S. (2004). An experimental evaluation of positive behavior support in a community preschool program. *Topics in Early Childhood Special Education, 24* (3), 143-155.

DUFRENE, B.A., NOELL, G.H., GILBERTSON, D.N. et DUHON, G.J. (2005). Monitoring implementation of reciprocal peer tutoring: Identifying and intervening with students who do not maintain accurate implementation. *School Psychology Review, 34* (1), 74-86.

DUNN, L. (1968). Special education for the middly retarded. Is much of it justifiable? *Exceptional Children, 35,* 5-22.

DUPONT HOSPITAL FOR CHILDREN (2006). *Cerebral Paralysy: A Guide for Care,* [en ligne], [http://gait.aidi.udel.edu/res695/homepage/pd_ortho/clinics/c_palsy/c] (13 septembre 2006).

DUSSAULT, J.-P. et BOUCHARD, D. (1980). Le bliss. *La Revue scolaire, 30,* 5-8.

DUVAL, L., TARDIF, M. et GAUTHIER, C. (1995). *Portrait du champ de l'adaptation scolaire au Québec des années trente à nos jours.* Sherbrooke, Québec : Éditions du CRP.

DYER, K. et LUCE, S.C. (2005). Teaching practical communication skills, dans M.L. Wehmeyer et M. Agran (dir.), *Mental Retardation and Intellectual Disabilities. Teaching Students Using Innovative and Research-based Strategies.* Boston : Pearson, 197-210.

ÉCOLE PETER-HALL (1983). *Programme cadre.* Montréal : École Peter-Hall.

ÉCOLE SAINT-ENFANT-JÉSUS. *Le soutien pédagogique,* [en ligne], [http://csdm.qc.ca/st-enfant-jesus/deficience/defauditiv/soutienpeda.htm] (14 décembre 2006).

ELBAUM, B. et VAUGHN, S. (2003). Self-concept and students with learning disabilities, dans H.L. Swanson, K.R. Harris et S. Graham (dir.), *Handbook of Learning Disabilities.* New York : The Guilford Press, 229-241.

ELLIOTT, S.N. et BUSSE, R.T. (2004). Assessment and evaluation of students behavior and intervention outcomes: The utility of rating scale methods, dans R.B. Rutherford, M.M. Quinn et S.R. Mathur (dir.), *Handbook of Research in Emotional and Behavioral Disorders.* New York : The Guilford Press.

EPPS, S. (1983). *Designing, Monitoring, and Implementing Behavioral Interventions with the Severely and Profoundly Handicapped.* Des Moines : Iowa State Department of Public Instruction, School Psychological Services, ERIC : ED 240 772.

EPSTEIN, J.L. (1988). How do we improve programs for parent involvement? *Educational Leadership, 66,* 58-59.

EPSTEIN, J.L., SANDERS, M.G., SIMON, B.S. SALINAS, K.C., RODRIGUEZ JANSORN, N. et VAN VOORHIS, F.L. (2002). *School, Family and Community Partnership* (2e éd.). Thousand Oaks, Californie : Corwin Press.

EPSTEIN, M.H. et OLINGER, E. (1987). Use of medication in school programs for behaviorally disordered pupils. *Behavioral Disorders, 12,* 138-145.

EZELL, D. et KLEIN, C.E. (2003). Impact of portfolio assessment on locus of control of students with or without disabilities. *Education and Training in Developmental Disabilities, 38* (2), 220-228.

FARID, G. (1983). Typologie des incorrections et analyse des erreurs d'orthographe. *Liaisons,* janvier, 32-37.

FÉDÉRATION QUÉBÉCOISE DE L'AUTISME ET DES AUTRES TROUBLES ENVAHISSANTS DU DÉVELOPPEMENT (2005). *À l'intention des parents. Un guide pour leurs premières démarches.* Montréal : FQATED.

FEINGOLD, B.F. (1976). *Pourquoi votre enfant est-il hyperactif?* Montréal : Éditions L'Étincelle.

FEUERSTEIN, R., RAND, Y. et RYNDERS, J.E. (1988). *Don't Accept Me as I Am. Helping "Retarded" People to Excel.* New York : Plenum Press.

FILION, M. et GOUPIL, G. (1995). Description des activités quotidiennes d'orthopédagogues. *Revue canadienne de l'éducation, 20* (2), 225-238.

FISHER, B.L., ALLEN, R. et KOSE, G. (1996). The relationship between anxiety and problem-solving skills in children with and without learning disabilities. *Journal of Learning Disabilities, 29* (4), 439-446.

FLETCHER, J.M., MORRIS, R.D. et LYON, G.R. (2003). An integrative perspective, dans H.L. Swanson, K.R. Harris et S. Graham (dir.), *Handbook of Learning Disabilities.* New York : The Guilford Press.

FLYNN, R.J. (1994). De la normalisation à la valorisation des rôles sociaux : évolution et impact entre 1982 et 1992. *SRV et VRS : la revue internationale de la valorisation des rôles sociaux, 1* (1), 9-13.

FOMBONNE, E. (1999). The epidemiology of autism: A review. *Psychological Medicine, 29,* 769-786.

FONDATION MIRA (s. d.). Trop jeunes pour attendre !, dans *Mira : 15 ans d'amour.* Sainte-Madeleine, Québec : La Fondation Mira.

FOREST, M. et PEARPOINT, J.C. (1992). Putting all the kids on the MAP. *Educational Leadership, 50,* 26-31.

FORGET, J. et OTIS, R. (1984). La modification des comportements sociaux difficiles chez l'enfant, dans O. Fontaine, J. Cottraux et R. Ladouceur (dir.), *Cliniques de thérapie comportementale.* Bruxelles/Laval : Pierre Mardaga éditeur/Éditions Études Vivantes.

FORGET, J., OTIS, R. et LEDUC, A. (1988). *Psychologie de l'apprentissage : théories et applications.* Brossard, Québec : Éditions Behaviora.

FORGET, J., SCHUESSLER, K., PAQUET, A. et GIROUX, N. (2005). Analyse appliquée du comportement et intervention comportementale intensive. *Revue québécoise de psychologie, 26* (3), 29-42.

FORTIN, L. et BIGRAS, M. (1996). *Les facteurs de risque et les programmes de prévention auprès d'enfants en troubles du comportement.* Eastman, Québec : Éditions Behaviora.

FOSHAY, J.D. et LUDLOW, B.L. (2005). Implementing computer-mediated supports and assistive technology, dans M.L. Wehmeyer et M. Agran (dir.), *Mental Retardation and Intellectual Disabilities. Teaching Students Using Innovative and Research-based Strategies.* Boston : Pearson, 101-124.

FOUGEYROLLAS, P. (2002). Le processus de production du handicap. Un outil de clarification conceptuelle et de changement social. *Réseaux, magazine de la Fédération nationale pour l'insertion des sourds et des aveugles en France,* (14), 4-8.

FOUGEYROLLAS, P., CLOUTIER, R., BERGERON, H., CÔTÉ, J., CÔTÉ, M. et ST-MICHEL, G. (1998). *Classification québécoise. Processus de production du handicap.* Québec : Réseau international sur le processus de production du handicap et Société canadienne de la classification internationale des déficiences, incapacités et handicaps (RIPPH/SCCIDIH).

FRIEND, M. et COOK, L. (1992). *Interactions. Collaboration Skills for School Professionals.* New York : Longman.

FROSTIG, M. (1966). *Test de développement de la perception visuelle. Manuel d'administration et de notation.* Montréal : Institut de recherches psychologiques.

FROSTIG, M. (1976). *Education for Dignity.* New York : Grune and Stratton.

FULK, B.M. (1994). Mnemonic keyword strategy training for students with learning disabilities. *Learning Disabilities Research and Practice, 9* (3179), 185.

FURLONG, M.J., MORRISON, G.M. et JIMERSON, S.R. (2004). Externalizing behaviors of aggression and violence in the school context, dans R.B. Rutherford, M.M. Quinn et S.R. Mathur (dir.), *Handbook of Research in Emotional and Behavioral Disorders.* New York : The Guilford Press, 243-261.

GAGNÉ, R. (1996). *L'intimidation au primaire et au secondaire : la violence cachée de l'école,* conférence présentée à l'Association québécoise des psychologues scolaires. Trois-Rivières.

GAGNÉ, R. (2003). Programmes de prévention de l'intimidation, dans Association québécoise des psychologues scolaires (dir.), *Dossier intimidation.* 15e colloque de l'Association québécoise des psychologues scolaires, 15-42.

GAGNON, C., BOISJOLI, R., GENDREAU, P.L. et VITARO, F. (2006). Le trouble oppositionnel avec provocation et le trouble des conduites, dans L. Massé, N. Desbiens et C. Lanaris (dir.), *Les troubles du comportement à l'école.* Montréal : Gaëtan Morin Éditeur, 17-27.

GALABURDA, A.M. (1987). *Dyslexia. Encyclopedia of Neuroscience.* Boston : Birk House.

GALLAUDET COLLEGE (1986). *A Parents' Guide to the Individualized Education Program (IEP).* Washington, D.C. : Gallaudet College, ERIC : ED 298 747.

GAMBRILL, E. (1985). Social skills training with the elderly, dans L. L'Abate et M.A. Milan (dir.), *Handbook of Social Skills Training and Research.* New York : John Wiley and Sons, 326-357.

GARON, M. (1994). L'intégration en classe ordinaire des élèves présentant une déficience intellectuelle, dans Office des personnes handicapées du Québec, *Élargir les horizons. Perspectives scientifiques sur l'intégration sociale.* Drummondville, Québec : Office des personnes handicapées du Québec.

GARVES, S.E. (1990). What research has to say about retention. *Prime Areas, 32* (3), 64-67.

GATTY, J.N. (2003). Technology. Its impact on education and the future, dans B. Bodner-Johnson et M. Sass-Lehrer (dir.), *The Young Deaf or Hard of Hearing Child.* Baltimore, Maryland : Paul H. Brookes, 403-424.

GAUDREAU, J. (1980). *De l'échec scolaire à l'échec de l'école : les sacrifiés.* Montréal : Éditions Québec/Amérique.

GAUTHIER, M. et LE FRANÇOIS, J. (1980). Aperçu sur les deux modes de communication mis à la disposition du déficient auditif, dans *Quel mode de communication choisir pour notre jeune enfant déficient auditif? L'oralisme ou la communication totale ?* Montréal : Les publications Entendre, Association du Québec pour enfants avec problèmes auditifs.

GEARHEART, B.R. et GEARHEART, C.J. (1989). *Learning Disabilities, Educational Strategies.* Columbus, Ohio : Merrill.

GENAUX, M., MORGAN, D.P. et FRIEDMAN, S.G. (1995). Substance use and its prevention. *Behavioral Disorders, 20* (4), 279-289.

GIANGRECO, M.F., BAUMGART, D.M. et DOYLE, M.B. (1995). How inclusion facilitates teaching and learning. *Intervention in School and Clinic, 30* (5), 273-278.

GIASSON, J. (1995). *La lecture. De la théorie à la pratique.* Boucherville, Québec : Gaëtan Morin Éditeur.

GIBSON, E.J. et LEVIN, H. (1976). *The Psychology of Reading* (2e éd.). Cambridge, Massachusetts : The MIT Press.

GILLBERG, C. et PEETERS, T. (1995). *L'autisme : aspects éducatifs et médicaux.* Göteborg, Suède : University of Göteborg.

GLOVER, J.A. et BRUNING, R.H. (1987). *Educational Psychology Principles and Applications.* Boston : Little, Brown and Company.

GOLDSTEIN, A.P. (1991). *Delinquent Gangs. A Psychological Perspective.* Champaign, Illinois : Research Press.

GOOR, M.B. et SCHWENN, J.O. (1993). Accommodating diversity and disability with cooperative learning. *Intervention in School and Clinic, 29* (1), 6-16.

GOULET, M. (1985). *Le tutorat.* Montréal : CECM, Bureau de ressources en développement pédagogique et en consultation personnelle.

GOUPIL, G. (1985). *Observer en classe.* Brossard, Québec : Éditions Behaviora.

GOUPIL, G. (1992). *Aux yeux des autres,* vidéo. Montréal : Université du Québec à Montréal, Service de l'audiovisuel.

GOUPIL, G. (1998). *Mon enfant est autiste*, vidéo. Montréal : Université du Québec à Montréal, Service de l'audiovisuel.

GOUPIL, G. (2004). *Plans d'intervention, de services et de transition.* Montréal : Gaëtan Morin Éditeur.

GOUPIL, G., BEAUPRÉ, P., BOUCHARD, J.-M., AUBIN, M., HORTH, R., MAINGUY, E. et BOUDREAULT, P. (1995). L'intégration d'élèves ayant une déficience intellectuelle : satisfaction des parents et des enseignants. *Cahiers de la recherche en éducation, 2* (2), 325-342.

GOUPIL, G. et BOUTIN, G. (1983). *L'intégration scolaire des enfants en difficulté.* Montréal : Éditions Agence d'Arc.

GOUPIL, G. et COMEAU, M. (1993). Les difficultés d'apprentissage : la parole aux enfants. *Vie pédagogique,* (85), 17-18.

GOUPIL, G., COMEAU, M., COALLIER, S. et DORÉ, C. (1996). *Perceptions des relations famille-école de parents d'enfant recevant des services d'orthopédagogie*, rapport de recherche inédit. Montréal : Université du Québec à Montréal, Département de psychologie.

GOUPIL, G., COMEAU, M. et DORÉ, C. (1994). *Étude descriptive des services donnés par des orthopédagogues*, rapport de recherche inédit. Montréal : Université du Québec à Montréal, Département de psychologie.

GOUPIL, G., COMEAU, M. et DORÉ, C. (1997). Les devoirs et les leçons : perceptions d'élèves recevant les services orthopédagogiques. *Éducation et Francophonie, (XXV), 2,* s. p.

GOUPIL, G., COMEAU, M., DORÉ, C. et FILION, M. (1995). Que pensent les orthopédagogues de leurs services ? *Revue canadienne de psycho-éducation, 24,* 55-64.

GOUPIL, G. et LUSIGNAN, G. (1995a). *Apprentissage et enseignement en milieu scolaire.* Boucherville, Québec : Gaëtan Morin Éditeur.

GOUPIL, G. et LUSIGNAN, G. (1995b). *L'apprentissage coopératif*, vidéo. Montréal : Université du Québec à Montréal, Service de l'audiovisuel.

GOUPIL, G. et LUSIGNAN, G. (2006). *Le portfolio au secondaire.* Montréal : Chenelière Éducation.

GOUPIL, G. et TASSÉ, M.J. (1999). *Le plan de transition.* Montréal : Université du Québec à Montréal, Service de l'audiovisuel.

GOUPIL, G., TASSÉ, M.J., BOISSEAU, É., BOUCHARD, G. et DANSEREAU, V. (2003). Le plan de transition : la contribution des élèves et des parents. *Revue francophone de la déficience intellectuelle, 14,* numéro spécial, 39-42.

GOUPIL, G., TASSÉ, M.J., DORÉ, C., HORTH, R., LÉVESQUE, J.Y. et MAINGUY, E. (2000). *Analyse descriptive des plans d'intervention personnalisés*, rapport de recherche. Montréal : Université du Québec à Montréal, Département de psychologie.

GOUPIL, G., TASSÉ, M.J., GARCIN, N. et DORÉ, C. (2002). Parent and teacher perceptions of individualized transition planning. *British Journal of Special Education, 29* (3), 127-135.

GOUPIL, G., TASSÉ, M.J. et LANSON, A. (1996). *Le plan de transition : entre l'école et la vie adulte.* Dépliant.

GOUVERNEMENT DES ÉTATS-UNIS (1978). *United States Code Annotated.* Saint Paul, Minnesota : West Publishing.

GOUVERNEMENT DES ÉTATS-UNIS (1990). *The Individuals with Disabilities Act Public Law 101-246, 20 U.S.C. Chapter 33.* Washington, D.C. : U.S. Government Printing Office.

GOUVERNEMENT DES ÉTATS-UNIS (2004). *Individuals with Disabilities Education Act Amendments of 2004, Public Law 108-446, 20 U.S.C. 1406.* Washington, D.C. : U.S. Government Printing Office.

GOUVERNEMENT DU QUÉBEC (1990). *Loi sur l'instruction publique.* Québec : Éditeur officiel du Québec.

GOUVERNEMENT DU QUÉBEC (1996). *Gazette officielle du Québec,* (48). Québec : Gouvernement du Québec.

GOUVERNEMENT DU QUÉBEC (2002). *Loi sur l'instruction publique.* Québec : Éditeur officiel du Québec.

GRANDIN, T. (1993-1994). Mes expériences de la pensée visuelle, des problèmes sensoriels et des troubles de la communication. *Le Bulletin de l'ARAPI,* 30-40.

GRATTON, F. (2004). Suicides d'adolescents : l'école y est partie prenante, dans G. Parent et D. Rhéaume (dir.), *La prévention du suicide à l'école.* Sainte-Foy, Québec : Presses de l'Université du Québec, 63-93.

GRAY, C.A. (1995). Teaching children with autism to read social situations, dans K.A. Quill (dir.), *Teaching Children with Autism : Strategies to Enhance Communication and Socialization.* New York : Delmar Publisher.

GRAY, C.A. (1996a). *Livre de scénarios sociaux.* Arlington, Texas : Future Horizons, Inc.

GRAY, C.A. (1996b). *Nouveau livre de scénarios sociaux 1994.* Arlington, Texas : Future Horizons, Inc.

GRAY, C.A., et GARAND, J.D. (1993). Social stories: Improving responses of students with autism accurate social information. *Focus on Autistic Behavior, 8,* 1-10.

GREEN, G. (2006). L'intervention comportementale précoce. Que nous apprend la recherche, dans C. Maurice (dir.)., *Intervention behaviorale auprès des jeunes autistes.* Montréal : Chenelière Éducation, 17-34.

GRESHAM, F.M. (2004). Current status and future directions of school-based behavioral interventions. *School Psychology Review, 33* (3), 326-343.

GRESHAM, F.M. et KERN, L. (2004). Internalizing behavior problem in children and adolescents, dans R.B. Rutherford, M.M. Quinn et S.R. Mathur (dir.), *Handbook of Research in Emotional and Behavioral Disorders.* New York : The Guilford Press, 262-281.

GRESHAM, F.M. et NAGLE, R.J. (1980). Social skills training with children: Responsiveness to modeling and coaching as a function of peer orientation. *Journal of Consulting and Clinical Psychology, 48* (6), 718-729.

GRICS (1995a). *L'évaluation de la compétence en écriture. Guide général.* Québec : Ministère de l'Éducation.

GRICS (1995b). *Les outils pour l'observation de l'élève en classe, les entrevues et l'analyse de textes. Guide.* Québec : Ministère de l'Éducation.

GROSSMAN, H.J. (1983). *Classification in Mental Retardation.* Washington, D.C. : American Association on Mental Deficiency.

HAAGER, D. et KLINGNER, J.K. (2005). *Differentiating Instruction in Inclusive Classrooms. The Special Educator's Guide.* Boston : Pearson.

HAIGHT, S.L. (1984). Special education teacher consultant. Idealism versus realism. *Exceptional Children, 50,* 507-515.

HALLAHAN, D.P. et KAUFFMAN, J.M. (1994). *Exceptional Children. Introduction to Special Education.* Boston : Allyn and Bacon.

HALLAHAN, D.P., LLOYD, J.W., KAUFFMAN, J.M., WEISS, M.P. et MARTINEZ, E.A. (2005). *Learning Disabilities. Foundations, Characteristics, and Effective Teaching.* Boston : Pearson.

HALLENBECK, M.J. (1996). The cognitive strategy in writing: Welcome relief for adolescents with learning disabilities. *Learning Disabilities Research and Practice, 11,* 107-119.

HALPERN, A. (1990). A methodological review of follow-up studies tracking school leavers from special education. *Career Development for Exceptional Individuals, 13* (1), 13-27.

HALPERN, A. (1994). The transition of youth with disabilities to adult life: A position statement of the Division on Career Development and Transition. The Council for Exceptional Children. *Career Development of Exceptional Individuals, 17* (2), 115-124.

HAMMILL, D.D. (1990). On defining learning disabilities: An emerging consensus. *Journal of Learning Disabilities, 23,* 74-84.

HAMMILL, D.D., LEIGH, J.E., MCNUTT, G. et LARSEN, S.C. (1981). A new definition of learning disabilities. *Learning Disability Quarterly, 4,* 336-342.

HARING, T.G. (1993). Research basis of instruction procedures to promote social interaction and integration, dans R.A. Gable et S.F. Warren (dir.), *Advances in Mental Retardation and Developmental Disabilities.* Londres : Jessica Kingsley Publishers.

HARRISON, J. (1985). Hearing Impairments, dans G.T. Scholl (dir.), *The School Psychologist and the Exceptional Child.* Reston, Virginie : The Council for Exceptional Children.

HÉNAULT, I. (2006). *Le syndrome d'Asperger et la sexualité.* Montréal : Chenelière Éducation.

HENLEY, M. (1985). *Teaching Mildly Retarded Children in the Regular Classroom.* Bloomington, Indiana : Phi Delta Kappa Foundation, ERIC : ED 257 815.

HENLEY, M., RAMSEY, R.S. et ALGOZZINE, R. (1993). *Characteristics of and Strategies for Teaching Students with Mild Disabilities.* Boston : Allyn and Bacon.

HERON, T.E., VILLAREAL, D.M., YAO, M., CHRISTIANSON, R.J. et HERON, K.M. (2006). Peer tutoring systems: Applications in classroom and specialized environments. *Reading and Writing Quarterly, 22,* 27-45.

HEWARD, W.L. (2003). *Exceptional Children.* Upper Saddle River, New Jersey : Merrill/Prentice-Hall.

HODGDON, L.A. (1995). *Visual Strategies for Improving Communication.* Troy, Alabama : Quirck Roberts Publishing.

HOLBURN, S., JACOBSON, J.W., VIETZE, P.M., SCHWARTZ, A.A. et SERSEN, E. (2000). Quantifying the process and outcomes of person-centered planning. *American Journal on Mental Retardation, 105* (5), 401-416.

HOPS, H. et LEWIN, L. (1984). Peer sociometric forms, dans T.H. Ollendick et M. Hersen (dir.), *Child Behavioral Assessment.* New York : Pergamon Press, 124-147.

HORTH, R. (1994). Les attitudes d'enseignantes et d'enseignants du primaire face à l'intégration en classe ordinaire d'élèves vivant avec une différence dite moyenne au niveau intellectuel, dans Office des personnes handicapées du Québec, *Élargir les horizons. Perspectives scientifiques sur l'intégration sociale.* Drummondville, Québec : Office des personnes handicapées du Québec.

HORTH, R. (1999). *Efficience cognitive et déficience intellectuelle.* Montréal : Les Éditions Logiques.

HUESMANN, L.R., MOISE-TITUS, J., PODOLSKI, C.L. et ERON, L.D. (2003). Longitudinal relations between children's exposure to TV violence and their aggressive and violent behavior in young adulthood: 1977-1992. *Developmental Psychology, 39* (2), 201-221.

HUNT, N. et MARSHALL, K. (2006). *Exceptional Children and Youth* (4e éd.). Boston : Houghton Mifflin.

HUTCHISON, N.L. (1993). Effects of cognitive strategy instruction on algebra problem-solving of adolescents with learning disabilities. *Learning Disability Quarterly, 16* (1), 34-63.

HYND, G.W. et COHEN, M. (1983). *Dyslexia. Neuropsychological Research, and Clinical Differentiation.* New York : Grune and Stratton.

INDIANA STATE DEPARTMENT OF EDUCATION (1987). *Training Modules for School Psychologists.* Indianapolis : Indiana State Department of Education, ERIC : ED 303 956.

INSTITUT CANADIEN POUR LA DÉFICIENCE MENTALE (1986). *Des gestes qui comptent : des mesures collectives ayant pour but de prévenir l'apparition du handicap intellectuel et de promouvoir une qualité de vie pour tous.* Downsview, Ontario : Institut canadien pour la déficience mentale.

INSTITUT CHESAPEAKE (1994). *Enseigner aux élèves présentant des troubles de l'attention accompagnés d'hyperactivité.* Lévis, Québec : La Corporation École et Comportement.

INSTITUT NATIONAL CANADIEN POUR LES AVEUGLES (1987). *Les six points magiques de l'écriture braille.* Montréal : Institut national canadien pour les aveugles.

INSTITUT NAZARETH et LOUIS-BRAILLE (2006). *Livre en format numérique Daisy.* Longueuil, Québec : INLB, [en ligne], [http://www.inlb.qc.ca/] (29 janvier 2007).

INSTITUT PASTEUR (1999). *Vers un diagnostic moléculaire des surdités,* [en ligne], [http://www.pasteur.fr/actu/presse/com/communiques/surdite.html] (29 janvier 2007).

IONESCU, S. (1987). Introduction, dans S. Ionescu (dir.), *L'intervention en déficience mentale. I. Problèmes généraux. Méthodes médicales et psychologiques.* Bruxelles : Pierre Mardaga éditeur, 21-43.

IONESCU, S. (2003). La psychopathologie, dans M.J. Tassé et D. Morin (dir.), *La déficience intellectuelle.* Boucherville, Québec : Gaëtan Morin Éditeur, 281-302.

JACOBSON, J.W. et MULICH, J.A. (1996). *Manual of Diagnosis and Professional Practice in Mental Retardation.* Washington, D.C. : American Psychological Association.

JACQUES, L. et TREMBLAY, G. (2005). Habiletés de communication chez des enfants présentant un trouble envahissant du développement ou une trisomie : profils comparatifs. *Revue québécoise de psychologie, 26* (3), 121-139.

JENSEN, A.R. (1968a). Social class and verbal learning, dans A.R. Deutseh, A.R. Jensen et I. Katz (dir.), *Social Class. Race and Psychological Development.* New York : Holt, Rinehart and Winston, 115-174.

JENSEN, A.R. (1968b). The culturally disadvantaged and the heredity-environment uncertainty, dans J. Hellmuth (dir.), *Disadvantaged Child: Vol. 2. Head Start and Early Intervention.* New York : Brunner, 27-76.

JENSEN, A.R. (1970). Can we and should we study race differences?, dans J. Hellmuth (dir.), *Disadvantaged Child: Vol. 3. Compensatory Education: A National Debate.* New York : Brunner, 27-76.

JENSEN, M.M. (2005). *Introduction to Emotional and Behavioral Disorders.* Upper Saddle River, New Jersey : Pearson/Merrill/Prentice-Hall.

JONCAS, C. et GOUPIL, G. (2006). *Pratiques de gestion pour favoriser la réussite : démarches de quatre écoles secondaires.* Québec : Ministère de l'Éducation, du Loisir et du Sport du Québec et Université du Québec à Montréal, Service de l'audiovisuel.

JOURDAN-IONESCU, C. (1987). Applications de la théorie piagétienne, dans S. Ionescu (dir.), *L'intervention en déficience mentale.* Bruxelles : Pierre Mardaga éditeur, 319-354.

JOURDAN-IONESCU, C. (2003). L'intervention précoce et les programmes de prévention, dans M.J. Tassé et D. Morin (dir.), *La déficience intellectuelle.* Boucherville, Québec : Gaëtan Morin Éditeur, 159-181.

KAMI, A.G. et CATTS, H.W. (2002). The language basis of reading: Implications for classification and treatment of children with reading disabilities, dans R.E. Silliman et K. Butler (dir.), *Speaking, Reading, and Writing in Children with Language Learning Disabilities: New Paradigms in Research and Practice.* Mawah, New Jersey: Lawrence Erlbaum Associates, 45-72.

KANNER, L. (1943). Les troubles autistiques du contact affectif, traduction de l'article Autistic disturbances of affective contact, paru dans la revue *Nervous Child, 2,* 217-250, dans *Le Bulletin de l'ARAPI,* juin 1995, 5-27.

KANNER, L. (1971). Follow-up study of eleven autistic children originally reported in 1943. *Journal of Autism and Childhood Schizophrenia, 1* (2), 119-145.

KAUFFMAN, J.M. (1997). *Characteristics of Emotional and Behavioral Disorders of Children and Youth* (6e éd.). Upper Saddle River, New Jersey: Merrill/Prentice-Hall.

KAUFFMAN, J.M. (2006). *Characteristics of Emotional and Behavioral Disorders of Children and Youth* (8e éd.). Upper Saddle River, New Jersey: Pearson/Merrill/Prentice-Hall.

KAUFFMAN, J.M., BRIGHAM, F.J. et MOCK, D.R. (2004). Historical to contemporary perspectives on the field on emotional and behavioral disorders, dans R.B. Rutherford, M.M. Quinn et S.R. Mathur (dir.), *Handbook of Research in Emotional and Behavioral Disorders.* New York: The Guilford Press, 15-31.

KAUFFMAN, J.M., CULLINAN, D. et EPSTEIN, M.H. (1987). Characteristics of students placed in special programs for the emotionally disturbed. *Behavioral Disorders, 12,* 175-184.

KAVALE, K.A. et FORNESS, S.R. (2003). Learning disability as a discipline, dans H.L. Swanson, K.R. Harris et S. Graham (dir.), *Handbook of Learning Disabilities.* New York: The Guilford Press, 76-93.

KAVALE, K.A, MATHUR, S.R. et MOSTERT, M. (2004). Social skills training and teaching social behaviors to students with emotional and behavioral disorders, dans R.B. Rutherford, M.M. Quinn et S.R. Mathur (dir.), *Handbook of Research in Emotional and Behavioral Disorders.* New York: The Guilford Press, 436-451.

KENDZIORA, K. (2004). Early intervention for emotional and behavioral disorders, dans R.B. Rutherford, M.M. Quinn et S.R. Mathur (dir.), *Handbook of Research in Emotional and Behavioral Disorders.* New York: The Guilford Press, 327-351.

KERN, W.H. et PFAEFFLE, H. (1963). A comparison of social adjustment of mentally retarded children in various educational settings. *American Journal of Mental Deficiency, 67,* 407-413.

KIRK, S.A. (1962). *Educating Exceptional Children.* Boston: Houghton Mifflin.

KIRK, S.A. et GALLAGHER, J.J. (1983). *Educating Exceptional Children* (4e éd.). Boston: Houghton Mifflin.

KIRK, S.A., GALLAGHER, J.J. et ANASTASIOW, N.J. (1993). *Educating Exceptional Children.* Boston: Houghton Mifflin.

KLIENMAN, R.E., MURPHY, J.M., LITTLE, M., PAGANO, M., WEHLER, C.A., REGAL, K. et autres (1998). Hunger in children in United States: Potential behavioral and emotional correlates. *Pediatrics, 101* (1).

KOCHERSPERGER, J., SIELAFF, J. et VAN LEER, D. (1981). *L'élève avec problèmes auditifs dans ma classe: questions et réponses.* Montréal: CECM, Bureau des relations publiques.

KONOPASEK, D.E. et FORNESS, S.R. (2004). Psychopharmacology in the treatment of emotional and behavioral disorders, dans R.B. Rutherford, M.M. Quinn et S.R. Mathur (dir.), *Handbook of Research in Emotional and Behavioral Disorders.* New York: The Guilford Press, 352-368.

KURTZIG. J. (1986). IEP's. Only half of the picture. *Journal of Learning Disabilities, 19,* 447.

L'ABATE, L. et MILAN, M.A. (dir.) (1985). *Handbook of Social Skills Training and Research.* New York: John Wiley and Sons.

LABBÉ, L. et FRASER, D. (2003). L'approche positive: un modèle global intégratif d'intervention, dans M.J. Tassé et D. Morin (dir.), *La déficience intellectuelle.* Boucherville, Québec: Gaëtan Morin Éditeur, 183-214.

LABELLE, R. (2004). La prévention du suicide en milieu scolaire: constats et avenues de recherche, dans G. Parent et D. Rhéaume (dir.), *La prévention du suicide à l'école.* Sainte-Foy, Québec: Presses de l'Université du Québec, 173-193.

LACHAPELLE, Y. et BOISVERT, D. (1999). Développer l'autodétermination des adolescents présentant des difficultés d'apprentissage ou une déficience intellectuelle en milieu scolaire. *Revue canadienne de psychoéducation, 28* (2), 163-169.

LACHAPELLE, Y., BOISVERT, D., BOUTET, D. et ROCQUE, S. (1998). *C'est l'avenir de qui après tout? J'apprends à découvrir mes capacités.* Montréal: Éditions Nouvelles.

LADD, G.W. et ASHER, R. (1985). Social skills training and children's peer relations, dans L. L'Abate et M.A. Milan (dir.), *Handbook of Social Skills Training and Research*. New York : John Wiley and Sons, 219-244.

LAMBERT, J.-L. (1978). *Introduction à l'arriération mentale*. Bruxelles : Pierre Mardaga éditeur.

LANDRY, A. (1990). Le plan d'intervention en milieu scolaire. *Attitudes, 6*, 7-11.

LANDRY, M. (1996). *Processus clinique en éducation spécialisée*. Montréal : Éditions Saint-Martin.

LANE, K.L. et BEEBE-FRANKERBERGER, M. (2004). *School-based Interventions. The Tools You Need to Succeed*. Boston : Pearson.

LANE, K.L., GRESHAM, F.M. et O'SHAUGHNESSY, T.E. (2002). *Interventions for Children with or at Risk for Emotional and Behavioral Disorders*. Boston : Allyn and Bacon.

LANGEVIN, L. (1992). Stratégies d'apprentissage : où en est la recherche ? *Vie pédagogique*, (77), 39-43.

LANSON, A. (1995). *L'insertion sociale. Document de réflexion pour la réalisation d'activités d'insertion sociale avec les élèves ayant une déficience intellectuelle*. Montréal : Ministère de l'Éducation du Québec, Service régional de soutien, déficience intellectuelle moyenne à sévère et profonde.

LA PARO, K.M., KRAFT-SAYRE, M. et PIANTA, R.C. (2003). Preschool to kindergarten transition activities: Involvement and satisfaction of families and teachers. *Journal of Research in Childhood Education, 17* (2), 147-158.

LAROUSSE (1991). *Grand dictionnaire de la psychologie*. Paris : Larousse.

LAUDIGNON, J.-L. (1988). Le redoublement : un mal nécessaire ? qu'on peut éviter ? *Cahiers pédagogiques*, (264-265), 39-40.

LAVOIE, G. (2005). *L'hyperactivité en contexte : quelques jalons pour une intervention éducative*, [en ligne], [http://www.adaptationscolaire.org/themes/hyda/documents/textes_hyda-lavoie02.pdf] (11 juillet 2005).

LEBLANC, J. (1991). *Développement d'un plan d'action préventif du redoublement chez les élèves d'école primaire ayant des difficultés d'apprentissage scolaire*, thèse de doctorat. Montréal : Université de Montréal, Faculté des études supérieures.

LEBLANC, J. (1996). Comment prévenir le redoublement. *La Revue de l'ADOQ, 9* (1), 8-9.

LEBLANC, J. (2000). *Le plan de rééducation individualisé (PRI)*. Montréal : Chenelière/McGraw-Hill.

LECLERC, C., PICARD, L. et POLIQUIN-VERVILLE, H. (2004). Des portes ouvertes vers la réussite de tous les élèves. *Vie pédagogique*, (130), 35-36.

LE FRANÇOIS, J., MATHIEU, J. et LAROCQUE, M. (1982). Qu'est-ce qu'un audiogramme ?, dans *L'audiogramme de mon enfant*. Montréal : Les publications Entendre, Association du Québec pour enfants avec problèmes auditifs.

LEONARD, R. (2002). *Statistics on Vision Impairment : A resource Manual* (5e éd.). New York : Arlene R. Gordon Research Institute of Lighthouse International.

LERNER, J. (1993). *Learning Disabilities. Theories, Diagnosis and Teaching Strategies*. Boston : Houghton Mifflin.

LÉTOURNEAU, J. (1995). *Prévenir les troubles du comportement à l'école primaire*. Lévis, Québec : La Corporation École et Comportement.

LEWIS, T.J., HEFLIN, J. et DIGANGI, S.A. (1995). *Les troubles du comportement : des réponses à vos questions*. Lévis, Québec : La Corporation École et Comportement.

LEWIS, T.J., LEWIS-PALMER, T., NEWCOMER, L. et STICHTER, J. (2004). Applied behavior analysis and the education of students with emotional and behavioral disorders, dans R.B. Rutherford, M.M. Quinn et S.R. Mathur (dir.), *Handbook of Research in Emotional and Behavioral Disorders*. New York : The Guilford Press, 523-545.

LIAUPSIN, C.J., JOLIVETTE, K. et SCOTT, T.M. (2004). Schoolwide systems of behavior support. Maximising student success in schools, dans R.B. Rutherford, M.M. Quinn et S.R. Mathur (dir.), *Handbook of Research in Emotional and Behavioral Disorders*. New York : The Guilford Press, 487-501.

LIGUE DE L'ÉPILEPSIE DU QUÉBEC (1981). *L'épilepsie, votre enfant et vous : quelques conseils aux parents*. Montréal : Ligue de l'épilepsie du Québec.

LIPSON, M.Y. et WIXSON, K.K. (1986). Reading disability research as interactionist perspective. *Review of Educational Research, 56*, 111-136.

LOVAAS, O.I. (1981). *Teaching Developmentally Disabled Children. The ME Book*. Austin, Texas : Pro-Ed.

LOVAAS, O.I. (1987). Behavioral treatment and normal educational and intellectual functioning in young autistic children. *Journal of Consulting and Clinical Psychology, 55* (1), 3-9.

LOVAAS, O.I. (2003). *Teaching Individuals with Developmental Delays. Basic Interventions Techniques.* Austin, Texas : Pro-Ed.

LOVETT, M.W., BARRON, R.W. et BENSON, N.J. (2003). Effective remediation of word identification and decoding difficulties in school-age children with reading difficulties, dans H.L. Swanson, K.R. Harris et S. Graham (dir.), *Handbook of Learning Disabilities.* New York : The Guilford Press, 273-292.

MADDEN, N.A. et SLAVIN, R.E. (1983). Mainstreaming students with mild handicaps: Academic and social outcomes. *Review of Educational Research, 53,* 519-569.

MAGEROTTE, G. (1984a). Les environnements éducatifs. L'éducation comportementale clinique des personnes handicapées, dans O. Fontaine, J. Cottraux et R. Ladouceur (dir.), *Cliniques de thérapie comportementale.* Bruxelles/Laval : Pierre Mardaga éditeur/ Éditions Études Vivantes.

MAGEROTTE, G. (1984b). *Manuel d'éducation comportementale clinique.* Bruxelles : Pierre Mardaga éditeur.

MAGEROTTE, G., IONESCU, S., PILON, W. et SALBREUX, R. (dir.) (1993). L'intégration des personnes présentant une déficience intellectuelle, *Actes du IIIe congrès de l'Association internationale de recherche scientifique en faveur des personnes handicapées mentales.* Trois-Rivières, Québec : Université du Québec à Trois-Rivières.

MAHEADY, L., MALLETTE, B. et HARPER, G.F. (2006). Four classwide peer tutoring models: Similarities, differences, and implications for research and practice. *Reading and Writing Quarterly, 22,* 65-89.

MALBY, J., ROUBY, P. et SAUVAGE, D. (1995). Évolution de la nosographie de l'autisme infantile : de la description princeps au DSM IV. *Le Bulletin de l'ARAPI,* août, 14-18.

MALCUIT, G., POMERLEAU, A. et SÉGUIN, R. (2003). *Activités de lecture interactive.* Montréal : Les éditions du RCPEM.

MANNONI, P. (1979). *Troubles scolaires et vie affective chez l'adolescent.* Paris : Éditions E.S.F.

MANSELL, J. et BEADLE-BROWN, J. (2004). Person-centered planning or person-centered action? Policy and practice in intellectual disability services. *Journal of Applied Research in Intellectual Disabilities, 17,* 1-9.

MARCOTTE, D. et PRONOVOST, J. (2006). La dépression et le suicide, dans L. Massé, N. Desbiens et C. Lanaris (dir.), *Les troubles du comportement à l'école. Prévention, évaluation et intervention.* Montréal : Gaëtan Morin Éditeur, 39-52.

MARTIN, L. (1994). *La motivation à apprendre : plus qu'une simple question d'intérêt !* Montréal : CECM, Service de la formation générale.

MASSÉ, L. (2006). Les méthodes d'intervention cognitivo-comportementales, dans L. Massé, N. Desbiens et C. Lanaris (dir.), *Les troubles du comportement à l'école.* Montréal : Gaëtan Morin Éditeur, 195-212.

MASSÉ, L., DESBIENS, N. et LANARIS, C. (dir.) (2006). *Les troubles du comportement à l'école.* Montréal : Gaëtan Morin Éditeur.

MASSÉ, L. et PRONOVOST, J. (2006). L'évaluation psychosociale, la tenue de dossiers et la rédaction de rapports, dans L. Massé, N. Desbiens et C. Lanaris (dir.), *Les troubles du comportement à l'école.* Montréal : Gaëtan Morin Éditeur, 101-140.

MATTISON, R.E. (2004). Psychiatric and psychological assessment of emotional and behavioral disorders during school mental health consultation, dans R.B. Rutherford, M.M. Quinn et S.R. Mathur (dir.), *Handbook of Research in Emotional and Behavioral Disorders.* New York : The Guilford Press, 163-198.

MAURICE, C. (2006). *Intervention béhaviorale auprès des jeunes enfants autistes.* Montréal : Chenelière Éducation.

MAYER, C.L. (1966). The relationship of early special class placement and the self-concept of mentally handicapped children. *Exceptional Children, 33,* 77-81.

MCCONNEL, F. (1973). Children with hearing disabilities, dans L.M. Dunn (dir.), *Exceptional Children in the Schools.* New York : Holt, Rinehart and Winston, 349-410.

MCDONNELL, J., MATHOT-BUCKNER, C. et FERGUSON, B. (1996). *Transition Programs for Students with Moderate/Severe Disabilities.* Pacific Grove, Californie : Brooks/Cole Publishing Company.

MCGINNIS, E., KIRALY, J. et SMITH, C.R. (1984). The types of data used in identifying public school students as behaviorally disordered. *Behavioral Disorders, 9,* 239-246.

MCKEACHIE, W.J., PINTRICH, P.R., LIN, Y.G. et SMITH, D.A.F. (1987). *Teaching and Learning in the College Classroom.* Ann Arbor, Michigan : The University of Michigan, ERIC : ED 314 999.

MCMASTER, K.L., FUSCHS, D. et FUSCHS, L.S. (2006). Research on peer assisted learning strategies: The promise and limitations of peer-mediated instruction. *Reading and Writing Quarterly, 22,* 5-25.

MEESE, R.L. (1996). *Strategies for teaching students with emotional and behavioral disorders.* Toronto : Brooks/Cole.

MELTZER, L. et MONTAGUE, M. (2001). Strategic learning in students with learning disabilities: What have we learned?, dans W.M. Cruickshank (dir.), *Research and Global Perspectives in Learning Disabilities.* Mawah, New Jersey : Lawrence Erlbaum Associates, 111-130.

MICHAUD, J.M. (2003). Suggestions concernant l'intimidation, dans Association québécoise des psychologues scolaires (dir.), *Dossier intimidation.* 15e colloque de l'Association québécoise des psychologues scolaires, 57-103.

MILLER, C.J., SANCHEZ, J. et HYND, G.W. (2003). Neurological correlates and reading disabilities, dans H.L. Swanson, K.R. Harris et S. Graham (dir.), *Handbook of Learning Disabilities.* New York : The Guilford Press, 242-255.

MILLER, S.P. et MERCER, C.D. (1993a). Mnemonics. Enhancing the math performance of students with learning difficulties. *Intervention in School and Clinic, 29* (2), 78-82.

MILLER, S.P. et MERCER, C.D. (1993b). Using a graduate problem sequence to promote problem-solving skills. *Learning Disabilities Research and Practice, 8* (3), 169-174.

MILLER, S.P. et MERCER, C.D. (1993c). Using data to learn about concrete–semiconcrete–abstract instruction for students with math disabilities. *Learning Disabilities Research and Practice, 8* (2), 89-96.

MINISTÈRE DE LA SANTÉ ET DES SERVICES SOCIAUX DU QUÉBEC (1988). *L'intégration des personnes présentant une déficience intellectuelle. Un impératif humain et social. Orientations et guide d'action.* Québec : Ministère de la Santé et des Services sociaux.

MINISTÈRE DE LA SANTÉ ET DES SERVICES SOCIAUX DU QUÉBEC (2001). *De l'intégration sociale à la participation sociale. Politique de soutien aux personnes présentant une déficience intellectuelle, à leur famille et aux autres proches.* Québec : Ministère de la Santé et des Services sociaux.

MINISTÈRE DE L'ÉDUCATION DE L'ONTARIO (2002a). *Guide. Éducation de l'enfance en difficulté.* Imprimeur de la Reine pour l'Ontario.

MINISTÈRE DE L'ÉDUCATION DE L'ONTARIO (2002b). *Guide sur la planification de la transition.* Imprimeur de la Reine pour l'Ontario, [en ligne], [http://www.edu.gov.on.ca/] (17 janvier 2007).

MINISTÈRE DE L'ÉDUCATION DU QUÉBEC (1976). *L'éducation de l'enfance en difficulté d'adaptation et d'apprentissage au Québec. Rapport du Comité provincial de l'enfance inadaptée (COPEX).* Québec : Ministère de l'Éducation, Service général des communications.

MINISTÈRE DE L'ÉDUCATION DU QUÉBEC (1979). *L'école québécoise. Énoncé de politique et plan d'action.* Québec : Ministère de l'Éducation.

MINISTÈRE DE L'ÉDUCATION DU QUÉBEC (1982a). *L'école québécoise : une école communautaire et responsable.* Québec : Ministère de l'Éducation, Service général des communications.

MINISTÈRE DE L'ÉDUCATION DU QUÉBEC (1982b). *Formule d'aide à l'élève qui rencontre des difficultés. Bilan fonctionnel et plan d'action.* Québec : Ministère de l'Éducation, Direction générale du développement pédagogique.

MINISTÈRE DE L'ÉDUCATION DU QUÉBEC (1983). *Le handicap visuel. Guide pédagogique. Primaire.* Québec : Ministère de l'Éducation, Direction générale du développement pédagogique.

MINISTÈRE DE L'ÉDUCATION DU QUÉBEC (1985). *Les handicaps physiques. Guide pédagogique. Secondaire.* Québec : Ministère de l'Éducation, Direction générale des programmes.

MINISTÈRE DE L'ÉDUCATION DU QUÉBEC (1987). *Les services d'orthophonie à l'école.* Québec : Ministère de l'Éducation, Direction générale des programmes.

MINISTÈRE DE L'ÉDUCATION DU QUÉBEC (1992a). *Cadre de référence pour l'établissement des plans d'intervention pour les élèves handicapés et les élèves en difficulté d'adaptation et d'apprentissage.* Québec : Ministère de l'Éducation.

MINISTÈRE DE L'ÉDUCATION DU QUÉBEC (1992b). *La réussite pour elles et eux aussi.* Québec : Ministère de l'Éducation, Direction de l'adaptation scolaire et des services complémentaires.

MINISTÈRE DE L'ÉDUCATION DU QUÉBEC (1993). *L'organisation des activités éducatives au préscolaire, au primaire et au secondaire. Instruction 1994-1995.* Québec : Ministère de l'Éducation.

MINISTÈRE DE L'ÉDUCATION DU QUÉBEC (1996). *Programmes d'études adaptés. Français, Mathématique, Sciences humaines, Enseignement primaire.* Québec : Ministère de l'Éducation, [en ligne], [http://www.mels.gouv.qc.ca/] (3 septembre 2006).

MINISTÈRE DE L'ÉDUCATION DU QUÉBEC (1997a). *Programmes d'études adaptés. Défis. Démarche éducative favorisant l'intégration sociale. Enseignement secondaire. Version de mise à l'essai.* Québec : Ministère de l'Éducation, [en ligne], [http://www.mels.gouv.qc.ca/DGFJ/DAS/orientations/demarcheeducative.html] (3 septembre 2006).

MINISTÈRE DE L'ÉDUCATION DU QUÉBEC (1997b). *Programmes d'études adaptés. PACTE : programmes d'études adaptés avec compétences transférables essentielles. Enseignement secondaire. Version de mise à l'essai.* Québec : Ministère de l'Éducation.

MINISTÈRE DE L'ÉDUCATION DU QUÉBEC (1999a). *Une école adaptée à tous ses élèves. Politique de l'adaptation scolaire.* Québec : Ministère de l'Éducation.

MINISTÈRE DE L'ÉDUCATION DU QUÉBEC (1999b). *Une école adaptée à tous ses élèves. Plan d'action en matière d'adaptation scolaire.* Québec : Ministère de l'Éducation.

MINISTÈRE DE L'ÉDUCATION DU QUÉBEC (2000a). *Élèves handicapés ou élèves en difficulté d'adaptation ou d'apprentissage (EHDAA) : définitions.* Québec : Ministère de l'Éducation.

MINISTÈRE DE L'ÉDUCATION DU QUÉBEC (2000b). *Rapport du comité-conseil sur le trouble de déficit de l'attention / hyperactivité et sur l'usage de stimulants du système nerveux central.* Québec : Ministère de l'Éducation.

MINISTÈRE DE L'ÉDUCATION DU QUÉBEC (2001). *Programme de formation de l'école québécoise.* Québec : Ministère de l'Éducation.

MINISTÈRE DE L'ÉDUCATION DU QUÉBEC (2002a). *L'évaluation des apprentissages au préscolaire et au primaire.* Québec : Ministère de l'Éducation.

MINISTÈRE DE L'ÉDUCATION DU QUÉBEC (2002b). *Les services éducatifs complémentaires : essentiels à la réussite.* Québec : Ministère de l'Éducation.

MINISTÈRE DE L'ÉDUCATION DU QUÉBEC (2003a). *Les difficultés d'apprentissage à l'école. Cadre de référence pour guider l'intervention.* Québec : Ministère de l'Éducation.

MINISTÈRE DE L'ÉDUCATION DU QUÉBEC (2003b). *Politique d'évaluation des apprentissages.* Québec : Ministère de l'Éducation.

MINISTÈRE DE L'ÉDUCATION DU QUÉBEC (2003c). *Trouble de déficit de l'attention / hyperactivité. Agir ensemble pour mieux soutenir les jeunes.* Québec : Ministère de l'Éducation.

MINISTÈRE DE L'ÉDUCATION DU QUÉBEC (2004a). *Le plan d'intervention... au service de la réussite de l'élève. Cadre de référence pour l'établissement des plans d'intervention.* Québec : Ministère de l'Éducation.

MINISTÈRE DE L'ÉDUCATION DU QUÉBEC (2004b). *Programme éducatif adapté aux élèves handicapés par une déficience intellectuelle profonde. Version de mise à l'essai.* Québec : Ministère de l'Éducation.

MINISTÈRE DE L'ÉDUCATION DU QUÉBEC (2004c). *Programme éducatif adapté aux élèves handicapés par une déficience intellectuelle profonde.* Québec : Ministère de l'Éducation.

MINISTÈRE DE L'ÉDUCATION DU QUÉBEC (2004d). *Rapprocher les familles et l'école primaire.* Québec : Ministère de l'Éducation.

MINISTÈRE DE L'ÉDUCATION DU QUÉBEC (2004e). *Rapprocher les familles et l'école secondaire.* Québec : Ministère de l'Éducation.

MINISTÈRE DE L'ÉDUCATION DU QUÉBEC et MINISTÈRE DE LA SANTÉ ET DES SERVICES SOCIAUX DU QUÉBEC (2003). *Trouble de déficit de l'attention / hyperactivité. Agir ensemble pour soutenir les jeunes.* Québec : Ministère de la Santé et des Services sociaux, Direction des communications.

MINISTÈRE DE L'ÉDUCATION, DU LOISIR ET DU SPORT DU QUÉBEC (2005). *Indicateurs de l'éducation – édition 2005.* Québec : Ministère de l'Éducation, du Loisir et du Sport.

MINISTÈRE DE L'ÉDUCATION, DU LOISIR ET DU SPORT DU QUÉBEC (2006a). *Élèves handicapés ou en difficulté d'adaptation ou d'apprentissage du secteur des jeunes (EHDAA) selon le code de difficulté, le type de regroupement et l'année scolaire.* Québec : Ministère de l'Éducation, du Loisir et du Sport.

MINISTÈRE DE L'ÉDUCATION, DU LOISIR ET DU SPORT DU QUÉBEC (2006b). *L'organisation des services éducatifs aux élèves à risque et aux élèves handicapés ou en difficulté d'adaptation et d'apprentissage (EHDAA).* Québec : Gouvernement du Québec, [en ligne], [http://www.mels.gouv.qc.ca/] (23 octobre 2006).

MINISTÈRE DE L'ÉDUCATION, DU LOISIR ET DU SPORT DU QUÉBEC (2006c). *Régime pédagogique de l'éducation préscolaire, de l'enseignement primaire et de l'enseignement secondaire.* Québec : Éditeur officiel du Québec, [en ligne], [http://mels.gouv.qc.ca/] (23 octobre 2006).

MOLLEN, E. (1985). Learning disabilities, dans G.T. Scholl (dir.), *The School Psychologist and the Exceptional Child.* Reston, Virginie : The Council for Exceptional Children, 99-114.

MONTAGUE, M., APPLEGATE, B. et MARQUARD, K. (1993). Cognitive strategy instruction and mathematical problem-solving performance of students with learning disabilities. *Learning Disabilities Research and Practice, 8* (4), 223-232.

MORGAN, D.P. (1982). Parent participation in the IEP process: Does it enhance appropriate education? *Exceptional Education Quarterly, 3,* 33-40.

MORGAN, D.P. et JENSON, W.R. (1988). *Teaching Behaviorally Disordered Students.* Columbus, Ohio : Merrill.

MORIN, D. (1993). *Élaboration de la version scolaire de l'Échelle québécoise de comportements adaptatifs,* thèse de doctorat. Montréal : Université du Québec à Montréal, Département de psychologie.

MOSCATO, M., MORIN, D., TASSÉ, M.J. et PICARD, I. (2006). *Effet du soutien social et des caractéristiques de l'enfant ayant une déficience intellectuelle et de l'autisme.* Lausanne, Suisse : Présentation à l'AIRHM.

MOTTRON, L. (2004). *L'autisme : une autre intelligence.* Spimont. Belgique : Pierre Mardaga éditeur.

MURPHY, E., GREY, I.M. et HONAN, R. (2005). Co-operative learning for students with difficulties in learning: A description of models and guidelines for implementation. *British Journal of Special Education, 32* (3), 157-164.

MUSCOTT, H.S., MORGAN, D.P. et MEADOWS, N.B. (1996). *Planning and Implementing Effective School-aged Children and Youth with Emotional/Behavioral Disorders within Inclusive Schools.* Reston, Virginie : The Council for Children with Behavioral Disorders.

NAGIN, D. et TREMBLAY, R.E. (1999). Trajectories on boys' physical aggression, opposition, and hyperactivity on the path to physically violent and nonviolent juvenile delinquency. *Child Development, 70* (5), 1181-1196.

NEHRING, W.N. (dir.) (2005). *Health Promotion for Persons with Intellectual and Developmental Disabilities.* Washington, D.C. : American Association on Mental Retardation.

NELSON, C.M. (2004). Introduction, dans R.B. Rutherford, M.M. Quinn et S.R. Mathur (dir.), *Handbook of Research in Emotional and Behavioral Disorders.* New York : The Guilford Press, 321-326.

NELSON, C.M., LEONE, P.E. et RUTHERFORD, R.B (2004). Youth delinquency: Prevention and intervention, dans R.B. Rutherford, M.M. Quinn et S.R. Mathur (dir.), *Handbook of Research in Emotional and Behavioral Disorders.* New York : The Guilford Press, 282-301.

NOEL DOWDS, B., HESS, D. et NICKELS, P. (1996). Families of children with learning disabilities: A potential teaching resource. *Intervention in School and Clinic, 32* (1), 17-20.

NORMAND-GUÉRETTE, D. (2002). Démarche d'intervention préventive expérimentée par des parents d'enfants de maternelle travaillant en partenariat avec les enseignantes, dans C. Lacharité, G. Pronovost et E. Coutu (dir.), *Comprendre la famille.* Sainte-Foy, Québec : Presses de l'Université du Québec, 261-275.

NORMAND-GUÉRETTE, D. (2003). Parents et enseignante de maternelle : agir ensemble pour une action préventive. *Revue préscolaire, 41* (4), 12-19.

OFFICE DES PERSONNES HANDICAPÉES DU QUÉBEC (1984). *À part... égale. L'intégration sociale des personnes handicapées : un défi pour tous.* Québec : Ministère des Communications, Direction générale des publications gouvernementales.

OFFICE DES PERSONNES HANDICAPÉES DU QUÉBEC (1993). *« Je commence son plan de services ». Guide pour l'évaluation globale des besoins à l'intention des parents ayant un enfant handicapé.* Drummondville, Québec : Office des personnes handicapées du Québec.

OFFICE DES PERSONNES HANDICAPÉES DU QUÉBEC (2003). *La transition de l'école à la vie active. Rapport du comité de travail sur l'implantation d'une pratique de la planification de la transition au Québec.* Drummondville, Québec : Office des personnes handicapées du Québec, [en ligne], [http://www.ophq.gouv.qc.ca/] (17 janvier 2007).

OFFICE OF SPECIAL EDUCATION PROGRAMS (OSEP) Technical Assistance Center on Positive Behavioral Interventions and Supports (2006). *School-Wide PBS*, [en ligne], [http://www.pbis.org/] (6 mars 2006).

OKA, E. et SCHOLL, G.T. (1985). Non-test-based approaches to assessment, dans G.T. Scholl (dir.), *The School Psychologist and the Exceptional Child*. Reston, Virginie : The Council for Exceptional Children.

O'LEARY, S. et O'LEARY, D.K. (1976). Behavior modification in the school, dans H. Leitenberg (dir.), *Handbook of Behavior Modification and Behavior Therapy*. Englewood Cliffs, New Jersey : Prentice-Hall.

OLWEUS, D. (1991). Bully/victim problems among school children: Basic facts and effects of a school-based intervention program, dans D. Pepler et K. Rubin (dir.), *The Development and Treatment of Childhood Aggression*. Londres : Lawrence Erlbaum, 441-446.

OLWEUS, D. (1993). *Bullying at School. What We Know and What We Can Do*. Oxford : Blackwell.

ORDRE DES ORTHOPHONISTES ET AUDIOLOGISTES DU QUÉBEC (OAAQ). [en ligne], [http://www.ooaq.qc.ca/].

ORGANISATION MONDIALE DE LA SANTÉ (2001). *CIF, Classification internationale du fonctionnement, du handicap et de la santé*. Genève : OMS.

OTIS, R., FOREST-LINDEMANN, M. et FORGET, J. (1974). *L'analyse et la modification du comportement en milieu scolaire*. Montréal : CECM, Bureau de psychologie, Division des services spéciaux, Service des études.

OUELLET, M. (1995). *Statistiques sur les élèves handicapés et en difficulté d'adaptation et d'apprentissage*. Québec : Ministère de l'Éducation.

OUELLET, R. et L'ABBÉ, Y. (1986). *Programme d'entraînement aux habiletés sociales*. Brossard, Québec : Éditions Behaviora.

PALINSCAR, A.S. et BROWN, R.L. (1984). Reciprocal teaching of comprehension-fostering and comprehension-monitoring activities. *Cognition and Instruction, 1*, 117-175.

PAOUR, J.-L. (1991). *Un modèle cognitif et développemental du retard mental pour comprendre et intervenir*, thèse de doctorat d'État. Aix-Marseille : Université de Provence.

PAOUR, J.-L. (1992). Pour une vision constructiviste de l'éducation cognitive, dans *Les aides cognitives. Journées d'étude sur les aides cognitives – 1991*. Caen : École des parents et des éducateurs du Calvados et Laboratoire de psychologie cognitive et pathologique de l'Université de Caen.

PAQUET, A. (2005). Enquête sur l'intégration scolaire des élèves ayant un trouble envahissant du développement. *Revue québécoise de psychologie, 26* (3), 173-181.

PARADIS, L. et POTVIN, P. (1993). Le redoublement, un pensez-y bien. Une analyse des publications scientifiques. *Vie pédagogique*, (85), 13-14 et 43-46.

PARÉ, C., PARENT, G., RÉMILLARD, M.-B., et PICHÉ, J.-O. (2004). Le modèle du processus de production du handicap de Fougeyrollas, dans N. Rousseau et S. Bélanger (dir.), *La pédagogie de l'inclusion scolaire*. Sainte-Foy, Québec : Presses de l'Université du Québec, 151-172.

PARENT, G. (2004). La réalité du suicide et sa prévention chez les jeunes : « Qu'est-ce qui ne va pas ? » « Qu'est-ce qui te fait souffrir au point de vouloir mourir ? », dans G. Parent et D. Rhéaume, *La prévention du suicide à l'école*. Sainte-Foy, Québec : Presses de l'Université du Québec, 7-42.

PARENT, G. et RHÉAUME, D. (dir.) (2004). *La prévention du suicide à l'école*. Sainte-Foy, Québec : Presses de l'Université du Québec.

PARENT, N., POIRIER, M., FREESTON, M. et TREMBLAY, R. (1994). *Complément au manuel de l'examinateur : échelle d'évaluation des dimensions du comportement*. Loretteville, Québec : Commission scolaire de La Jeune-Lorette.

PARETTE, H.P. et PETCH-HOGAN, B. (2000). Approaching families. Facilitating culturally/linguistically diverse family involvement. *Teaching Exceptional Children, 33* (2), 4-10.

PARIS, S.G. et AYRES, L.R. (1994). *Becoming Reflexive Students and Teachers with Portfolios and Authentic Assessment*. Washington, D.C. : American Psychological Association.

PATTERSON, G.R. (1982). *A Social Learning Approach. Coercive Family Process*. Eugene, Oregon : Castalia.

PATTERSON, G.R., REID, J.B., JONES, R.R. et CONGER, R.E. (1975). *A Social Learning Approach to Family Intervention*. Eugene, Oregon : Castalia.

PEETERS, T. (1994). *L'autisme. De la compréhension à l'intervention*. Paris : Dunod.

PELCHAT, D. (1995). La famille et la naissance d'un enfant ayant une déficience physique, dans F. Duhamel (dir.), *La santé et la famille : une approche systémique en soins infirmiers*. Boucherville, Québec : Gaëtan Morin Éditeur.

PELCHAT, D. et BERTHIAUME, M. (1996). Intervention précoce auprès de parents d'enfant ayant une déficience : un lieu d'apprentissages pour les familles et les intervenants. *Apprentissage et socialisation, 17* (1-2), 105-117.

PELCHAT, D., BISSON, J., RICARD, N., PERREAULT, M. et BOUCHARD, J.-M. (1999). Longitudinal effects of an early family intervention programme on the adaptation of parents of children with a disability. *International Journal of Nursing Studies, 36* (6), 465-477.

PÉPIN, G., LAPOINTE, C., GASCON, H., BEAUPRÉ, P., TÉTREAULT, S., DIONNE, C. et ROY, S. (s. d.). *Les interventions pour enfants de la naissance à sept ans présentant un retard global de développement recevant des services d'un centre de réadaptation en déficience intellectuelle (CRDI) : état actuel de la situation.* Trois-Rivières : CNRIS, Consortium national de recherche sur l'intégration sociale.

PESCARA-KOVACH, L.A. et ALEXANDER, K. (1994). The link between food ingested and problem behavior: Fact or fallacy? *Behavioral Disorders, 19* (2), 142-148.

PHILIPS, E.L. (1985). Social skills history and prospect, dans L. L'Abate et M.A. Milan (dir.), *Handbook of Social Skills Training and Research.* New York : John Wiley and Sons, 3-21.

PIANTA, R.C. et KRAFT-SAYRE, M. (2003). *Successful Kindergarten Transition.* Baltimore, Maryland : Paul H. Brookes.

PIERANGELO, R. et CRANE, R. (1997). *Complete Guide to Special Education Transition Services.* Toronto : Prentice-Hall Canada.

PIKE, K. et SALEND, S.J. (1995). Authentic assessment strategies. *Teaching Exceptional Children, 28* (1), 15-20.

POIRIER, M., TREMBLAY, R. et FREESTON, M. (1992). *Échelle d'évaluation des dimensions du comportement. Version québécoise.* Loretteville, Québec : Commission scolaire de La Jeune-Lorette.

POTVIN, P., MASSÉ, L., BEAUDRY, G., BEAUDOIN, R., BEAULIEU, J., GUAY, L. et ST-ONGE, B. (1994). *PARC. Programme d'auto-contrôle, de résolution de problèmes et de compétences sociales pour les élèves du primaire ayant des troubles du comportement* (2e éd.). Trois-Rivières, Québec : Université du Québec à Trois-Rivières.

POTVIN, P., MASSÉ, L., VEILLETTE, M., GOULET, N., LETENDRE, M. et DESRUISSEAUX, M. (1994). *Prends le volant. Programme pour développer les habiletés sociales et l'auto-contrôle des adolescents ayant des troubles du comportement.* Trois-Rivières, Québec : Université du Québec à Trois-Rivières.

PRÉFONTAINE, C. et FORTIER, G. (2004). *Mon portfolio d'apprentissage en lecture.* Montréal : Chenelière/McGraw-Hill.

REID, R. et MAAG, J.W. (1994). How many fidgets in a pretty match: A critique of behavior rating scales for identifying students with ADHD. *Journal of School Psychology, 32* (4), 339-354.

REID, R., MAAG, J.W. et VASA, S.F. (1994). Attention deficit hyperactivity disorder as disability category: A critique. *Exceptional Children, 60* (3), 198-214.

RÉSEAU SUISSE POUR LA DYSPHASIE (2006). *Dysphasie,* [en ligne], [http://www.dysphasie.ch/dysphasie.shtml/] (3 avril 2006).

RHULE, D., VITARO, F. et VACHON, J. (2004). La prévention des problèmes de comportement chez les enfants : le modèle de Fast Track. *Revue de psychoéducation, 33* (1), 177-203.

RICHARD, V. et GOUPIL, G. (2005). Application des groupes de jeux intégrés auprès d'élèves ayant un trouble envahissant du développement. *Revue québécoise de psychologie, 26* (3), 79-103.

RIMMER, J.H. et HISS, B. (2005). Physical activity and fitness, dans W.N. Nehring (dir.), *Health Promotion for Persons with Intellectual and Developmental Disabilities.* Washington, D.C. : American Association on Mental Retardation, 87-128.

ROBILLARD, C. (1994). *Le rôle des stratégies métacognitives dans le développement affectif et cognitif de l'élève,* texte d'une conférence présentée au colloque de l'Association des orthopédagogues du Québec.

ROCHETTE, A.J. et TARDIF, M. (1994). *Surdité : les bonnes adresses. Guide d'informations à l'usage des personnes malentendantes.* Montréal : Association des devenus sourds et des malentendants du Québec.

ROGÉ, B. (2003). *Autisme, comprendre et agir.* Paris : Dunod.

ROSENBERG, M.S., WILSON, R., MAHEADY, L. et SINDECLAR, P.T. (1997). *Educating Students with Behavior Disorders.* Boston : Allyn and Bacon.

ROUSSEAU, N. et BÉLANGER, S. (dir.) (2004). *La pédagogie de l'inclusion scolaire.* Sainte-Foy, Québec : Presses de l'Université du Québec.

RUEL, J. (2006). *Situation de handicap et enjeux de la transition vers la maternelle.* Lausanne, Suisse : Présentation à l'AIRHM.

RUSHMER, N. (2003). The hard of hearing child. The importance of appropriate programming, dans B. Bodner-Johnson et M. Sass-Lehrer (dir.), *The Young Deaf or Hard of Hearing Child.* Baltimore, Maryland : Paul H. Brookes, 223-251.

RUTTER, M. et SCHOPLER, E. (1988). Autism and pervasive developmental disorders, dans E. Schopler et G.B. Mesibov (dir.), *Diagnosis and Assessment in Autism.* New York : Plenum Press.

RYNDAK, D.L. et ALPER, S. (1996). *Curriculum Content for Students with Moderate and Severe Disabilities in Inclusive Settings.* Boston : Allyn and Bacon.

SAINT-LAURENT, L. (1993). Programmes éducatifs à l'intention des élèves présentant une déficience intellectuelle moyenne à sévère, dans G. Magerotte, S. Ionescu, W. Pilon et R. Salbreux (dir.). L'intégration des personnes présentant une déficience intellectuelle, *Actes du IIIe congrès de l'Association internationale de recherche scientifique en faveur des personnes handicapées mentales.* Trois-Rivières, Québec : Université du Québec à Trois-Rivières.

SAINT-LAURENT, L. (1994). *L'éducation intégrée à la communauté en déficience intellectuelle.* Montréal : Les Éditions Logiques.

SAINT-LAURENT, L. (2002). *Enseigner aux élèves à risque et en difficulté au primaire.* Boucherville, Québec : Gaëtan Morin Éditeur.

SAINT-LAURENT, L., DIONNE, J., GIASSON, J., ROYER, E., SIMARD, C. et PIÉRAD, B. (1998). Academic achievement effects of in-class service model on students with and without disabilities. *Exceptional Children, 64* (2), 239-253.

SAINT-LAURENT, L., GIASSON, J., SIMARD, C., DIONNE, J.-J. et ROYER, E. (dir.) (1995). *Programme d'intervention auprès des élèves à risque. Une nouvelle option éducative.* Boucherville, Québec : Gaëtan Morin Éditeur.

SANTÉ ET BIEN-ÊTRE SOCIAL CANADA (1988). *L'épidémiologie de la déficience intellectuelle. Rapport du groupe de travail 1988.* Ottawa : Santé et Bien-être social Canada.

SANTÉ ET BIEN-ÊTRE SOCIAL CANADA (1991). *Licit and Illicit Drugs in Canada.* Ottawa : Santé et Bien-être social Canada.

SATTLER, J.M. (1994). *Assessment of Children.* San Diego, Californie : Jerome M. Sattler Publisher.

SATTLER, J.M. (2001). *Assessment of Children. Cognitive Applications* (4e éd.). San Diego, Californie : Jerome M. Sattler Publisher.

SATTLER, J.M. (2002). *Assessment of Children. Behavioral and Clinical Applications* (4e éd.). San Diego, Californie : Jerome M. Sattler Publisher.

SATTLER, J.M. et DUMONT, R. (2004). *Assessment of Children. WISC-IV and WPPSI-III Supplement.* San Diego, Californie : Jerome M. Sattler Publisher.

SATTLER, J.M. et HOGE, R.D. (2006). *Assessment of Children. Behavioral, Social and Clinical Foundations* (5e éd.). San Diego, Californie : Jerome M. Sattler Publisher.

SCHLOSS, P.J., SCHLOSS, C.N., WOOD, C.E. et KIEHL, W.E. (1986). A critical review of social skills research with behaviorally disordered students. *Behavioral Disorders, 12,* 1-14.

SCHOPLER, E. (1987). Specific and nonspecific factors in the effectiveness of a treatment system. *American Psychologist, 42* (4), 376-383.

SCHRAG, J.A. (1996). Facilitating inclusion. *Keeping in Touch. A Quarterly Newsletter from the Canadian C.E.C. Office.*

SCOTT, T.M., NELSON, M.C., LIAUPSIN, C.J., JOLIVETTE, K. et RINEY, M. (2002). Addressing the needs of at-risk and adjudicated youth through positive behavior support: Effective prevention practices. *Education and Treatment of Children, 25* (4), 532-551.

SENÉCAL, P. (2003). *Comparaison des modes d'administration par Internet et papier-crayon de l'ÉQCA version originale.* Montréal : Université du Québec à Montréal, Département de psychologie.

SHARMA, M.C. et LOVELESS, E.J. (1986). Introduction. *Focus on Learning Problems in Mathematics, 8,* 1-5.

SHEA, T.M. et BAUER, A.M. (1985). *Parents and Teachers of Exceptional Children.* Boston : Allyn and Bacon.

SHEVIN, M. (1983). Meaningful parental involvement in long-range educational planning for disabled children. *Education and Training of the Mentally Retarded, 18,* 17-21.

SINCLAIR, J. (1993). Ce que les personnes autistes nous disent. *Handicaps-Info, 8* (2-3), 9-16.

SLATE, J.R. et SAUDERGAS, R.A. (1986). Differences in the classroom behaviors of behaviorally disordered and regular class children. *Behavioral Disorders, 12,* 45-53.

SLAVIN, R.E. (2006). *Educational Psychology. Theory and Practice* (8e éd.). Boston : Pearson.

SMITH, P.K. et GREEN, M. (1975). Aggressive behavior in English nurseries and play groups: Sex differences and response of adults. *Child Development, 46,* 211-214.

SMITH, S.W., SIEGEL, E.M., O'CONNOR, A.M. et THOMAS, S.B. (1994). Effects of cognitive-behavioral training on angry behavior and aggression of three elementary-aged students. *Behavioral Disorders, 19* (2), 126-135.

STEPHENS, T.M., BLACKHURST, A.E. et MAGLIOCCA, L.A. (1988). *Teaching Mainstreamed Students* (2e éd.). Oxford : Pergamon Press.

STEVENS, D.D. et ENGLERT, C.S (1993). Making writing strategies work. *Teaching Exceptional Children, 26* (1), 34-43.

STORCH, S.A. et WHITEHURST, G.J. (2001). The role of family and home in the literacy development of children from low-income backgrounds. *New Directions for Child and Adolescent Development, 92,* été, 53-71.

SWANSON, H.L. (1994a). The role of working memory and dynamic assessment in the classification of children with learning disabilities. *Learning Disabilities Research and Practice, 9,* 190-202.

SWANSON, H.L. (1994b). Short-term memory and working: Do both contribute to our understanding of academic achievement in children and adults with learning disabilities? *Journal of Learning Disabilities, 27,* 34-50.

SWANSON, H.L., CHRISTIE, L. et RUBADEAU, R.J. (1993). The relationship between metacognition and analogical reasoning in mentally retarded, learning disabled, average, and gifted children. *Learning Disabilities Research and Practice, 8,* 70-81.

SWANSON, H.L., HARRIS, K.R. et GRAHAM, S. (dir.) (2003). *Handbook of Learning Disabilities.* New York : The Guilford Press.

SWICEGOOD, P. (1994). Portfolio-based assessment practices. *Intervention in School and Clinic, 30* (1), 6-15.

TARDIF, J. (1992). *Pour un enseignement stratégique. L'apport de la psychologie cognitive.* Montréal : Les Éditions Logiques.

TARDIF, J. (2006). *L'évaluation des compétences.* Montréal : Chenelière Éducation.

TARDIF, J. et COUTURIER, J. (1993). Pour un enseignement efficace : une recherche action menée auprès d'élèves en difficulté d'apprentissage. *Vie pédagogique,* (85), 35-41.

TASSÉ, M.J. (2006). Déficience intellectuelle : la définition et le système de classification de l'AAMR, dans H. Gascon, D. Boisvert, M.-C. Haelewyck, J.-R. Poulin et J.-J. Detraux (dir.), *Déficience intellectuelle : savoirs et perspectives d'action.* Cap-Rouge, Québec : Presses Inter Universitaires, tome 1, 23-30.

TASSÉ, M.J. et MORIN, D. (dir.) (2003). *La déficience intellectuelle.* Boucherville, Québec : Gaëtan Morin Éditeur.

TATTUM, D. et HERBERT, G. (1993). *Countering Bullying. Initiatives by Schools and Local Authorities.* Straffordshire, Angleterre : Trentham Books.

TEAGLE, H.F.B. et MOORE, J.A. (2002). School-based services for children with cochlear implants. *Language, Speech and Hearing Services in Schools, 33* (3), 62-171.

TÉTREAULT, S., BEAUPRÉ, P., POMERLEAU, A., COURCHESNE, A. et PELLETIER, M.E. (2006). Bien préparer l'arrivée de l'enfant ayant des besoins spéciaux à l'école, dans C. Dionne et N. Rousseau (dir.), *Transformation des pratiques éducatives. La recherche sur l'inclusion scolaire.* Sainte-Foy, Québec : Presses de l'Université du Québec, 179-197.

THÉRIAULT, J. et LAVOIE, N. (2004). *L'éveil à la lecture et à l'écriture... Une responsabilité familiale et communautaire.* Montréal : Les Éditions Logiques.

THOMA, C.A., BAKER, S.R. et SADDLER, S.J. (2002). Self-determination in teacher education. A model to facilitate transition planning for students with disabilities. *Remedial and Special Education, 23* (2), 82-89.

THOMPSON, J.B. et RASKIND, W.H. (2003). Genetic influences on reading and writing disabilities, dans H.L. Swanson, K.R. Harris et S. Graham (dir.), *Handbook of Learning Disabilities.* New York : The Guilford Press, 256-270.

TIDMARSH, L. et VOLKMAR, F.R. (2003). Diagnosis and epidemiology of autism spectrum disorders. *Canadian Journal of Psychiatry, 48* (8517-8525).

TOPPING, K.J. et BRYCE, A. (2004). Cross-age peer tutoring of reading and thinking: Influence on thinking skill. *Educational Psychology, 24* (5), 595-621.

TREMBLAY, R. (1992). Un nouvel instrument d'évaluation du comportement des élèves. *Vie pédagogique,* (80), 47-48.

TREMBLAY, R. (1994). Du nouveau pour l'évaluation des élèves présentant une difficulté de comportement au secondaire. *Vie pédagogique,* (90), 52-53.

TREMBLAY, R. et ROYER, E. (1992). *École et comportement. L'identification des élèves qui présentent des troubles du comportement et l'évaluation de leurs besoins.* Québec : Ministère de l'Éducation, Direction de l'adaptation scolaire et des services complémentaires.

TROUBLES D'APPRENTISSAGE – ASSOCIATION CANADIENNE (TAAC) (30 janvier 2002). *Définition officielle des troubles d'apprentissage*, [en ligne], [http://www.ldac-taac.ca/Defined/defined_new-f.asp] (21 septembre 2006).

TURNBULL, A.P. et TURNBULL, H.R. (1990). *Families, Professionals and Exceptionality.* New York : Macmillan.

TURNBULL, A.P., TURNBULL, H.R., ERWIN, E.J. et SOODAK, L.C. (2006). *Families, Professionals, and Exceptionality. Positive Outcomes through Partnership and Trust* (5e éd.). Upper Saddle River, New Jersey : Pearson.

VAILLANCOURT, M.H. (2003). *Étude exploratoire sur l'implantation des scénarios sociaux auprès d'élèves autistes en milieu scolaire*, thèse de doctorat inédite. Montréal : Université du Québec à Montréal, Département de psychologie.

VANDONI, C.M., MAURICE, P. et AUGER, R. (1996). *Rapport critérié de l'Échelle québécoise de comportements adaptatifs, version scolaire (EQCA-VS)*, présentation au Congrès international de psychologie. Montréal.

VAN GRUNDERBEECK, N. (1994). *Les difficultés en lecture. Diagnostic et pistes d'intervention.* Boucherville, Québec : Gaëtan Morin Éditeur.

VIAU, R. (1994). *La motivation en contexte scolaire.* Saint-Laurent, Québec : Éditions du Renouveau Pédagogique.

VIENNEAU, R. (2004). Impacts de l'inclusion scolaire sur l'apprentissage et sur le développement social, dans N. Rousseau et S. Bélanger (dir.), *La pédagogie de l'inclusion scolaire.* Sainte-Foy, Québec : Presses de l'Université du Québec, 125-152.

VITARO, F., AUDY, P. et DUMOULIN, E. (1986). Intervention multimodale auprès d'enfants jugés agressifs et rejetés des pairs. *Canadian Journal on Special Education, 2*, 171-197.

VITARO, F. et CHAREST, J. (1988). Intervention impliquant les pairs auprès d'enfants en difficulté d'adaptation sociale, dans P. Durning et R. Tremblay (dir.), *Relations entre enfants, recherches et interventions éducatives.* Paris : Éditions Fleurus.

VITARO, F., DOBKIN, P.L., GAGNON, C. et LE BLANC, M. (1994). *Les problèmes d'adaptation psychosociale chez l'enfant et l'adolescent : prévalence, déterminants et prévention.* Sainte-Foy, Québec : Presses de l'Université du Québec.

VITARO, F. et TREMBLAY, R. (1998). Prévention de la délinquance : le rôle médiateur des pairs. *Criminologie, XXXI* (1), 49-66.

WALKER, H.M., COLVIN, G. et RAMSEY, E. (1995). *Antisocial Behavior in School: Strategies and Best Practices.* Pacific Grove, Californie : Brooks/Cole.

WANG, M.G. et BAKER, E.T. (1985-1986). Mainstreaming programs: Design features and effects. *The Journal of Special Education, 19* (4), 503-521.

WASSERMAN, G.A., KEENAN, K., TREMBLAY, R.E., COIE, J.D., HERRENKOHL, T.I., LOEBER, R. et PETERCHUCK, D. (2003). Risk and protective factors of child delinquency. *Child Delinquency. Bulletin Series*, avril, ERIC : ED 478 999.

WAYSON, W. (1982). *Creating Schools that Teach Self-discipline.* Columbus, Ohio : Phi Delta Kappa International.

WECHSLER, D. (2003; traduction 2005). *WISC-IV. Échelle d'intelligence de Wechsler pour enfants* (4e éd., version pour francophones du Canada). Toronto : PsychCorp, Hartcourt Assessment, Harcourt Canada.

WECHSLER, D. (2005). *WISC-IV. Manuel technique et d'interprétation.* Toronto : PsychCorp, Harcourt Assessment, Harcourt Canada.

WEHMEYER, M.L. (1998). Student involvement in education planning, decision making, and instruction, dans M.L. Wehmeyer et D.J. Sands (dir.), *Making it Happen.* Baltimore, Maryland : Paul H. Brookes, 3-23.

WEHMEYER, M.L., AGRAN, M. et HUGHES, C. (1998). *Teaching Self-determination to Students with Disabilities.* Baltimore, Maryland : Paul H. Brookes.

WEHMEYER, M.L. et KELCHNER, K. (1997). *Whose Future Is It Anyway ? A Student-directed Transition-Planning Program.* Arlington, Texas : The Arc National Headquarters.

WEHMEYER, M.L. et METZLER, C.A. (1995). How self-determined are people with mental retardation? The national consumer survey. *Mental Retardation, 33* (2), 111-119.

WEHMEYER, M.L. et SANDS, D.J. (dir.) (1998). *Making It Happen.* Baltimore, Maryland : Paul H. Brookes Publishing.

WEHMEYER, M.L. et SCHWARTZ, M. (1998). The relationship between self-determination and quality of life of adults with mental retardation. *Education and Training in Mental Retardation and Developmental Disabilities, 33* (1), 3-12.

WESSON, C.L. et KING, R.P. (1996). Portfolio assessment and special education students. *Teaching Exceptional Children, 28* (2), 44-48.

WHITE-SCOTT, S. (2005). Women's health, dans W.N. Nehring (dir.), *Health Promotion for Persons with Intellectual and Developmental Disabilities.* Washington, D.C. : American Association on Mental Retardation, 185-203.

WING, L. (1988). The continuum of autistic characteristics, dans E. Schopler et G.B. Mesibov (dir.), *Diagnosis and Assessment in Autism.* New York : Plenum Press.

WING, L. (2001). *The Autistic Spectrum.* Berkeley, Californie : Ulysses Press.

WING, L. et POTTER, D. (2002). The epidemiology of autistic spectrum disorders: Is the prevalence rising? *Mental Retardation and Developmental Disabilities Research Review, 8,* 151-161.

WINZER, M. (1993). *Children with Exceptionalities* (3e éd.). Scarborough, Ontario : Prentice-Hall Canada.

WINZER, M. (1996). *Children with Exceptionalities* (4e éd.). Scarborough, Ontario : Prentice-Hall Canada.

WITT, J.C., VANDERHEYDEN, A. et GILBERSTON, D. (2004). Instruction and classroom management, dans R.B. Rutherford, M.M. Quinn et S.R. Mathur (dir.), *Handbook of Research in Emotional and Behavioral Disorders.* New York : The Guilford Press, 426-445.

WOLF, J.S. et STEPHENS, T.M. (1989). Parent/teacher conferences: Finding common ground. *Educational Leadership, 47* (2), 28-31.

WOLFBERG, P.J. (2003). *Peer Play and the Autism Spectrum. The Art of Guiding Children's Socialization and Imagination. Integrated Play Groups Field Manual.* Shawnee Mission, Kansas : Autism Asperger Publishing Company.

WOLFBERG, P.J. et SCHULER, A.L. (1992). *Integrated Play Groups: Resource Manual.* San Francisco : San Francisco State University.

WOLFBERG, P.J. et SCHULER, A.L. (1993). Integrated play groups: A model for promoting the social and cognitive dimensions of play in children with autism. *Journal of Autism and Developmental Disorders, 23,* 467-489.

WOLFENSBERGER, W. (1972). *Normalization: The Principles of Normalization in Human Services.* Toronto : National Institute of Mental Retardation.

WOLFENSBERGER, W. (1983). Social role valorization: A proposed new term for the principle of normalization. *Mental Retardation, 21* (6), 234-239.

WOLFENSBERGER, W. (1991). *La valorisation des rôles sociaux : introduction au concept de référence pour l'organisation des services.* Genève : Éditions des Deux Continents.

WONG, B.Y.L., HARRIS, K.R., GRAHAM, S. et BUTTLER, D.L. (2003). Cognitive strategies instruction research in learning disabilities, dans H.L. Swanson, K.R. Harris et S. Graham (dir.), *Handbook of Learning Disabilities.* New York : The Guilford Press, 383-402.

WRIGHT-STRAWDERMAN, C., LINDSEY, P., NAVARETTE, L. et FLIPPO, J.R. (1996). Depression in students with disabilities: Recognition and intervention strategies. *Intervention in School and Clinic, 31* (5), 261-275.

ZIGLER, E., BALLA, D. et HODAPP, R. (1984). On the definition and classification of mental retardation. *American Journal of Mental Deficiency, 3,* 215-230.

ZIGMOND, N. (2003). Searching for the most effective service delivery model for student, dans H.L. Swanson, K.R. Harris et S. Graham (dir.), *Handbook of Learning Disabilities.* New York : The Guilford Press, 110-122.

INDEX DES AUTEURS

E

F

G

H

I

INDEX DES SUJETS